As Terras Devastadas

STEPHEN KING

A TORRE NEGRA

As Terras Devastadas

TRADUÇÃO

Alda Porto

SUMA

Grafia atualizada segundo o Acordo Ortográfico da Língua Portuguesa de 1990, que entrou em vigor no Brasil em 2009.

Título original
The Dark Tower III: The Waste Lands

Capa
Estúdio Nono

Ilustração de capa
Weberson Santiago

Ilustração de orelha
Estúdio Nono baseado em foto de Shane Leonard

Preparação
Stella Carneiro

Revisão
Adriana Bairrada
Patricia Calheiros

Dados Internacionais de Catalogação na Publicação (CIP)
(Câmara Brasileira do Livro, SP, Brasil)

King, Stephen
As terras devastadas / Stephen King ; tradução Alda Porto. — 2ª ed. — Rio de Janeiro : Suma, 2025.

Título original: The Dark Tower III: The Waste Lands.
ISBN 978-85-5651-156-0

1. Ficção de suspense 2. Ficção norte-americana I. Título. II. Série.

25-292949.0 CDD-813

Índice para catálogo sistemático:
1. Ficção de suspense : Literatura norte-americana 813

Cibele Maria Dias – Bibliotecária – CRB-8/9427

EDITORA SCHWARCZ S.A.
Praça Floriano, 19 — Sala 3001 — Cinelândia
20031-050 — Rio de Janeiro — RJ
Telefone: (21) 3993-7510
www.companhiadasletras.com.br
www.blogdacompanhia.com.br
facebook.com/editorasuma
instagram.com/editorasuma

Este terceiro volume da história é gratamente dedicado a meu filho OWEN PHILIP KING: Khef, Ka e Ka-tet.

19

REDENÇÃO

ARGUMENTO

As Terras Devastadas é o terceiro volume de uma história mais longa inspirada e em certa medida dependente do poema narrativo "Childe Roland à Torre Negra Chegou", de Robert Browning.

O primeiro volume, *O pistoleiro*, conta como Roland, o último pistoleiro num mundo que "seguiu adiante", persegue e acaba por encontrar o homem de preto, um feiticeiro chamado Walter, que fingiu ser amigo do pai de Roland nos dias em que a unidade do Mundo Médio ainda se mantinha coesa. Pegar esse bruxo meio humano não é a meta derradeira de Roland, mas apenas outro marco miliário na estrada para a poderosa e misteriosa Torre Negra, que fica no nexo do tempo.

Quem é, exatamente, Roland? Como era o seu mundo antes de seguir adiante? Que é essa Torre Negra e por que ele a busca? Temos apenas fragmentos de respostas. Roland é evidentemente uma espécie de cavaleiro, um daqueles encarregados de manter (ou talvez redimir) um mundo que ele lembra como "cheio de amor e luz". Até onde sua lembrança se assemelha ao que esse mundo de fato era, porém, é uma questão inteiramente em aberto.

Sabemos, *sim*, que ele foi obrigado a submeter-se a uma prova prematura de coragem após descobrir que sua mãe se tornara amante de Marten, um feiticeiro muito mais poderoso do que Walter; sabemos que Marten orquestrou para que Roland descobrisse sobre o caso da mãe, esperando que ele falhasse na prova de coragem e fosse "mandado para Oeste", para os desertos; sabemos que Roland frustrou os planos de Marten passando no teste.

Também sabemos que o mundo do pistoleiro está relacionado com o nosso de uma forma estranha mas fundamental, e que às vezes é possível fazer a passagem entre os dois mundos.

Num posto de parada de uma estrada de carroças há muito abandonada que corta o deserto, Roland conhece um garoto chamado Jake, que morreu no nosso mundo, um garoto que na verdade foi empurrado de uma esquina do centro de Manhattan na frente de um carro. Jake Chambers morreu com o homem de preto — Walter — olhando-o do alto, e acordou no mundo de Roland.

Antes de alcançarem o homem de preto, o garoto morre novamente… desta vez porque o pistoleiro, diante da segunda escolha mais terrível em sua vida, prefere sacrificar esse filho simbólico. Entre a Torre e a criança, Roland escolhe a Torre. As últimas palavras de Jake ao pistoleiro antes de mergulhar no abismo são:

— Vá então. Há outros mundos além deste.

O confronto final entre Roland e Walter ocorre num empoeirado gólgota de ossos em decomposição. O homem de preto prediz o futuro de Roland com um baralho de tarô. E chama a atenção dele, em particular, para três cartas *muito* estranhas: o Prisioneiro, a Dama das Sombras e a Morte ("mas não para você, pistoleiro").

O segundo volume, *A escolha dos três*, começa à margem do mar Ocidental não muito depois do confronto de Roland com Walter. O exausto pistoleiro acorda no meio da noite e descobre que a maré enchente trouxe consigo uma horda de criaturas rastejantes e carnívoras — "lagostrosidades". Antes de conseguir sair do limitado alcance delas, Roland é gravemente ferido pelas criaturas, perdendo para elas os primeiros dois dedos da mão direita. Ele também é envenenado pela peçonha das lagostrosidades, e quando retoma a jornada para o norte pela borda do mar Ocidental, está doente… talvez morrendo.

Encontra três portas que se erguem sozinhas na praia. Cada uma dá — para Roland, e apenas ele — para o nosso mundo; para a cidade de onde Jake veio. Roland visita três pontos de Nova York em nosso tempo contínuo, tanto numa tentativa de salvar a própria vida quanto para atrair os três que têm de acompanhá-lo em sua jornada até a Torre.

Eddie Dean é o *Prisioneiro*, um viciado em heroína da Nova York do final da década de 1980. Roland atravessa a porta na praia de seu mundo para a mente de Eddie Dean quando este, a serviço de um homem chamado Enrico Balazar como mula de cocaína, está pousando no aeroporto

JFK. Durante suas intensas aventuras juntos, Roland consegue obter uma pequena quantidade de penicilina e trazer Eddie para o seu mundo. Eddie, um viciado que descobre que foi sequestrado para um mundo onde não há droga (nem o frango frito do Popeye, aliás), não fica muito feliz em estar ali.

A segunda porta leva Roland à *Dama das Sombras* — duas mulheres dividindo um corpo. Desta vez Roland se vê em Nova York no início da década de 1960 e face a face com uma jovem ativista dos direitos civis presa a uma cadeira de rodas chamada Odetta Holmes. A mulher escondida dentro de Odetta é Detta Walker, ardilosa e cheia de ódio. Quando essa mulher-dupla é puxada para o mundo de Roland, os resultados são voláteis para Eddie e o cada vez mais doente pistoleiro. Odetta acha que o que está acontecendo a ela é um sonho ou ilusão; Detta, um intelecto de brutalidade muito mais direta, simplesmente se dedica à tarefa de matar Roland e Eddie, os quais vê como demônios brancos torturadores.

Jack Mort, um serial-killer atrás da terceira porta (a Nova York de meados dos anos 1970), é a *Morte*. Por duas vezes ele causou grandes mudanças na vida de Odetta Holmes/Detta Walker, embora nenhuma das duas tenha consciência disso. Mort, cujo modus operandi é empurrar as vítimas ou jogar alguma coisa em cima delas, fez ambas as coisas com Odetta durante sua insana (mas, ah, tão cuidadosa) carreira. Quando Odetta era criança, ele jogou um tijolo em sua cabeça, deixando a menininha em coma e também ocasionando o surgimento de Detta Walker, sua irmã oculta. Anos depois, em 1959, Mort torna a encontrar Odetta e a empurra nos trilhos de um trem do metrô que chega a Greenwich Village. Odetta sobrevive a ele mais uma vez, mas a um preço: o trem decepou-lhe as duas pernas à altura dos joelhos. Apenas a presença de um heroico médico (e talvez o desagradável mas indômito espírito de Detta) salvou-lhe a vida... ou pelo menos foi o que pareceu. Aos olhos de Roland, essas inter-relações sugerem um poder maior que a simples coincidência; ele acredita que as forças titânicas que cercam a Torre Negra começaram a agir novamente.

Roland fica sabendo que Mort pode estar também no centro de outro mistério, que é também um paradoxo daqueles com a força para destruir a mente. Pois a vítima que ele segue no momento em que o pistoleiro entra em sua vida não é outra senão Jake, o garoto que Roland conheceu no posto de parada e perdeu embaixo das montanhas. Roland nunca teve motivo para duvidar da história contada por Jake de como ele morreu no mundo dele, nem para questionar quem era o assassino — Walter, lógico. Jake o viu vestido de padre na multidão que se juntou no lugar onde ele caíra, e Roland jamais duvidou da descrição.

Tampouco tem dúvidas agora. Walter estava lá, ah, sim, disso não havia questão. *Mas e se fosse Jack Mort, não Walter, quem havia empurrado Jake na frente do Cadillac?* Será tal coisa possível? Roland não sabe dizer com certeza, mas se for esse o caso, onde está Jake agora? Morto? Vivo? Preso em algum lugar no tempo? E se Jake Chambers continua vivo e passando bem em seu próprio mundo de Manhattan, em meados da década de 1970, *como é que Roland ainda se lembra dele?*

Apesar desse confuso e possivelmente perigoso fato, a prova das portas — e da escolha dos três — acaba em êxito para Roland. Eddie Dean aceita seu lugar no mundo de Roland porque se apaixonou pela Dama das Sombras. Detta Walker e Odetta Holmes, as outras duas dos três de Roland, são fundidas numa só personalidade combinando elementos de Detta e Odetta quando o pistoleiro consegue por fim forçar as duas personalidades a reconhecerem. Esse híbrido é capaz de aceitar e retribuir o amor de Eddie. Odetta Susannah Holmes e Detta Susannah Walker tornam-se assim uma nova e *terceira* mulher: Susannah Dean.

Jack Mort morre sob as rodas do mesmo trem de metrô — o lendário trem A — que levou as pernas de Odetta quinze ou dezesseis anos antes. Não foi uma grande perda.

E pela primeira vez em incontáveis anos Roland de Gilead não mais está só em sua jornada pela Torre Negra. Cuthbert e Alain, companheiros perdidos de outrora, foram substituídos por Eddie e Susannah... mas o pistoleiro tem um jeito de ser mau remédio para os amigos. Remédio muito ruim mesmo.

As Terras Devastadas retoma a história desses três peregrinos no Mundo Médio alguns meses depois do confronto na porta final da praia. Eles já se embrenharam bastante no interior da terra. O período de repouso está terminando, e começou outro, de aprendizado. Susannah aprende a atirar... Eddie a entalhar... e o pistoleiro está aprendendo como é perder a própria mente, um pedaço de cada vez.

(Mais uma nota: meus leitores de Nova York saberão que tomei certas liberdades geográficas com a cidade. Espero ser perdoado por eles.)

Uma pilha de imagens partidas, em que bate o sol,
E o tronco morto não te abriga, o grilo não mitiga,
E a pedra seca não ressoa a água. Só
Que há sombra sob esta pedra rubra,
(Vem ficar sob a sombra desta pedra rubra),
E vou te mostrar coisa diversa tanto
Da tua sombra de manhã que segue atrás de ti
Quanto da tua sombra à tarde que se ergue para ti;
Vou te mostrar o pavor num punhado de pó.
T. S. Eliot, "A terra devastada"

Se havia ali alguma ressequida haste de cardo,
Seus colegas não se achavam, e o talo estava decepado.
O que fez aqueles buracos e rasgos no folhado
escuro e duro da bardana, tão machucado
que era impossível pensá-lo regenerado?
Era preciso que um bruto as tivesse pisoteado.
Robert Browning, "Childe Roland à Torre Negra chegou"

— Que rio é esse? — perguntou Millicent despreocupada.
— É apenas um regato. Bem, talvez um pouco mais que isso.
— Chama-se o Ermo.
— É mesmo?
— É — disse Winifred. — É, sim.
Robert Aickman, "Hand in Glove"

LIVRO UM
JAKE

MEDO NUM PUNHADO DE PÓ

1. URSO E OSSO

1

Era a terceira vez dela com munição de verdade... e a primeira vez sacando do coldre que Roland lhe preparara.

Tinham muitas balas; Roland trouxera mais de trezentas do mundo onde Eddie e Susannah Dean tinham vivido até o momento em que foram escolhidos. Mas ter munição de sobra não significava que se poderia desperdiçá-la; muito pelo contrário, na verdade. Os deuses não viam com bons olhos os vagabundos. Roland fora criado, primeiro pelo pai e depois por Cort, seu grande professor, para acreditar nisso, e portanto ainda acreditava. Esses deuses podiam não punir de imediato, mas cedo ou tarde a penitência teria de ser paga... e quanto maior a espera, maior o peso.

A princípio não houvera necessidade de munição verdadeira. Roland vinha atirando havia mais anos do que acreditaria a bela mulher de pele escura na cadeira de rodas. Corrigira-a no início apenas olhando sua mira e disparos com cartuchos sem bala nos alvos montados por ele. Ela aprendia rápido. Ela e Eddie aprendiam rápido.

Como ele desconfiava, os dois eram pistoleiros natos.

Nesse dia Roland e Susannah tinham ido a uma clareira a menos de um quilômetro e meio do acampamento, na floresta que já era o lar deles havia quase dois meses. Os dias haviam passado em uma bucólica semelhança. O corpo do pistoleiro se curara enquanto Eddie e Susannah aprendiam as coisas que ele tinha a lhes ensinar: atirar, caçar, estripar e limpar o que haviam matado; primeiro esticar, depois curtir e tratar os couros dessas caças; aproveitar o máximo possível delas, para não desperdiçar parte alguma do animal; encontrar o norte pelo Velho Astro, ou o sul pela Velha Mãe; escutar a floresta em que agora se encontravam, cem quilômetros ou mais a nordeste do mar Ocidental. Nesse dia Eddie ficara para trás, e o pistoleiro não se aborrecera com isso. As lições que ficam, ele sabia, são sempre as que são aprendidas sozinhas.

Mas o que sempre fora a lição mais importante continuava sendo a mais importante: como atirar e como acertar sempre aquilo em que se atirava. Como matar.

As bordas daquela clareira haviam sido formadas por abetos escuros e perfumados que se curvavam em volta num irregular semicírculo. Ao sul, o terreno cedia e caía mais de noventa metros numa série de plataformas de barro xistoso desmoronadas e penhascos fraturados, como uma gigantesca escada. Um rio de águas límpidas saía da mata e cruzava o centro da clareira, primeiro borbulhando por um profundo canal na terra esponjosa e na pedra friável, depois despejando-se pelo leito de rocha quebradiça que descia para o ponto onde a terra despencava.

A água descia os degraus numa série de cascatas e formava inúmeros arco-íris belos e ondulantes. Além da borda do precipício estendia-se um magnífico vale, entupido de mais abetos e alguns grandes olmos que se recusavam a ser expulsos. Estes últimos destacavam-se verdes e luxuriantes, árvores que poderiam já ser antigas quando a terra de onde Roland viera ainda era jovem; ele não via sinal algum de que o vale algum dia houvesse queimado, embora achasse que deviam ter ocorrido raios em algum momento. E os raios não teriam sido o único perigo. Houvera gente naquela floresta em alguma época distante; Roland encontrara seus vestígios em várias ocasiões nas últimas semanas. Eram artefatos primitivos na maior parte, mas incluíam cacos de cerâmica que só poderia ter sido moldada no fogo. E o fogo era uma coisa má que adorava escapar das mãos que o criavam.

Acima dessa cena de historinha ilustrada arqueava-se um céu azul no qual alguns corvos circulavam a alguns quilômetros de distância, crocitando com suas vozes velhas e enferrujadas. Pareciam agitados, como se uma tempestade estivesse a caminho, mas Roland farejara o ar e ele não continha chuva.

Uma rocha erguia-se à esquerda do rio. Roland pusera seis lascas de pedra em cima dela. Todas eram bastante salpicadas de mica e reluziam como lentes na cálida luz da tarde.

— Última chance — disse o pistoleiro. — Se esse coldre estiver desconfortável… mesmo que só um pouco… me diga agora. Não viemos aqui para desperdiçar munição.

Ela lhe lançou um olhar sardônico, e por um momento ele enxergou ali Detta Walker. Era como a luz do sol passando através das nuvens e reluzindo em uma barra de aço.

— O que você faria se eu estivesse desconfortável e não falasse nada? Se eu errasse todas essas seis coisinhas? Ia me dar uma pancada na cabeça, como fazia aquele seu velho professor?

O pistoleiro sorriu. Vinha sorrindo mais nas últimas cinco semanas do que nos cincos anos anteriores.

— Eu não posso fazer isso, e você sabe. Nós éramos crianças, para início de conversa… crianças que não tinham passado ainda pelos ritos de coragem. A gente bate numa criança para corrigi-la, mas…

— No meu mundo, bater nas crianças também é malvisto pelas boas pessoas — disse Susannah, secamente.

Roland deu de ombros. Era difícil para ele imaginar aquele tipo de mundo — não dizia o Grande Livro: "Não poupe a vara para não estragar as crianças"? —, mas não achava que Susannah estivesse mentindo.

— Seu mundo não seguiu adiante — disse. — Muitas coisas são diferentes aqui. Eu mesmo não vi com meus próprios olhos?

— Acho que sim.

— De qualquer forma, você e Eddie não são crianças. Seria errado eu tratar vocês como se fossem. E se foram necessárias provas, os dois passaram por elas.

Embora não o dissesse, pensava em como a coisa acabara na praia, quando ela mandara três das lagostrosidades para o inferno a tiros antes que elas pudessem esfolar a ele e a Eddie até os ossos. Viu o sorriso de resposta dela e pensou que talvez ela estivesse pensando na mesma coisa.

— Então que tu vai fazê se eu cagá os tiro?

— Olhar para você. Acho que é só o que preciso fazer.

Ela pensou um pouco nisso, depois assentiu.

— Pode ser.

Testou de novo a cartucheira. Trazia-a atravessada no peito quase como um coldre de axila (um arranjo em que Roland pensava como um gancho de estivador), que parecia muito simples, mas tomara muitas semanas de experiência e erro — e muita modelagem — para ficar no ponto. O cinturão e o revólver cujo gasto cabo de sândalo saía do antigo coldre oleado foram um dia do pistoleiro; o coldre pendurado em seu quadril direito. Ele passara grande parte das últimas cinco semanas tentando se resignar ao fato de que jamais voltaria a ser pendurado ali. Graças às lagostrosidades, ele agora só atirava com a mão esquerda.

— E então? — tornou a perguntar.

Dessa vez ela riu para ele.

— Roland, essa cartuchêra veia tá munto confotave pur dimais. Agora, quer que eu atire ou vamos só ficar aqui sentados ouvindo os corvos cantando daquele lado?

Ele sentiu que a tensão agora se insinuava com pontadinhas agudas sob sua pele, e supôs que Cort às vezes se sentira assim sob aquele exterior rabugento e rude. Queria que ela fosse boa... *precisava* que ela fosse boa. Mas mostrar como queria e precisava desesperadamente — isso podia levar ao desastre.

— Recite a lição de novo, Susannah.

Ela suspirou em fingida irritação... mas quando falou o sorriso desapareceu e o rosto escuro e belo ficou solene. E dos seus lábios ele ouviu novamente o antigo catecismo, renovadas na boca de Susannah. Jamais esperara ouvir aquelas palavras de uma mulher. Como pareciam naturais... mas como pareciam estranhas e perigosas também.

— "Eu não miro com a mão; aquela que mira com a mão esqueceu o rosto de seu pai. Eu miro com o olho. Eu não atiro com a mão; aquela que atira com a mão esqueceu o rosto de seu pai. Eu atiro com a mente. Eu não mato com a arma..." — Ela se interrompeu e apontou as pedras reluzentes de mica sobre a rocha. — Eu não vou matar nada mesmo... São só *pedrinhas*.

A expressão — meio arrogante, meio travessa — sugeria que ela esperava que Roland ficasse irritado, talvez até mesmo furioso com ela. Ele, porém, já estivera onde ela estava agora; não esquecera que os aprendizes de pistoleiro são rebeldes e esquentados, nervosos e capazes de morder exatamente no momento errado... e descobrira uma inesperada capacidade em si mesmo. Sabia ensinar. Mais, *gostava* de ensinar, e via-se imaginando, de vez em quando, se também Cort fora dessa maneira. Achava que sim.

Agora mais corvos, os das florestas atrás deles, começavam a gritar, roucos. Uma parte da mente de Roland registrou o fato de que os novos gritos eram mais agitados que apenas belicosos; as aves soavam como se houvessem sido espantadas de qualquer coisa que estivessem comendo. Ele tinha coisas mais importantes em que pensar do que o que quer que fosse que havia assustado um bando de corvos, porém, e por isso simplesmente arquivou a informação e tornou a concentrar a atenção em Susannah. Agir de outro modo com um aprendiz era provocar uma segunda mordida, mais séria. E de quem seria a culpa disso? De quem, senão do professor? Pois ele não a estava treinando para morder? Treinando os *dois* para morder? Não era isso que era um pistoleiro, quando se tiravam as poucas linhas de ritual e calavam as poucas notas graciosas do catecismo? Não era ele (ou ela) apenas um falcão humano, treinado para morder segundo ordens?

— Não — disse —, não são pedras.

Ela ergueu um pouco as sobrancelhas e tornou a sorrir. Agora que via que ele não ia explodir com ela como às vezes fazia quando ela se mostrava lenta ou rebelde (ou pelo menos não *ainda*), seus olhos assumiram um zombeteiro brilho de sol em aço que ele associava com Detta Walker.

— Não são?

A provocação em sua voz ainda era afável, mas ele achou que poderia tornar-se maligna se permitisse. Ela estava tensa, incitada, as garras já metade à mostra.

— Não, não *são* — disse, devolvendo a gozação dela. Seu próprio sorriso começou a retornar, mas era contido e sem humor. — Susannah, você se lembra dos racistas *fiosdaputas*?

O sorriso dela começou a se apagar.

— Os racistas *fiosdaputa* da cidade de Oxford, Mississippi?

O sorriso desaparecera.

— Lembra-se do que os racistas *fiosdaputa* fizeram com você e seus amigos?

— Não era *eu* — ela disse. — Era outra mulher.

Seus olhos haviam assumido um tom baço, mal-humorado. Ele detestava esse olhar, mas também gostava muito. Era o olhar *certo*, o que dizia que os gravetos estavam ardendo e logo as toras maiores iam queimar.

— Sim. Era. Goste você ou não, era Odetta Susannah Holmes, filha de Sarah Walker Holmes. Não você como você é, mas você como você era. Lembra-se das mangueiras de incêndio, Susannah? Lembra-se dos dentes de ouro, de como os viu quando eles usaram as mangueiras contra você e seus amigos em Oxford? De como os viu brilhar quando eles riam?

Ela lhes contara essas coisas, e muitas outras, nas várias e longas noites à beira da fogueira de acampamento que ardia em chamas baixas. O pistoleiro não entendera tudo, mas ouvira com atenção mesmo assim. E se lembrava. A dor era uma ferramenta, afinal. Às vezes a melhor.

— Qual é o seu problema, Roland? Por que quer trazer de volta esse lixo à minha mente?

Agora os olhos irritados faiscavam perigosamente para ele; lembravam-lhe os olhos de Alain, quando o gentil Alain finalmente se enfurecia.

— Aquelas pedras ali são aqueles caras — disse Roland em voz baixa. — Os caras que trancaram você numa cela e deixaram que você se sujasse. Os homens dos porretes e cachorros. Os caras que chamaram você de puta crioula.

Apontou-os, o dedo indo da esquerda para a direita.

— Ali está o que beliscou o seu seio e riu. Ali está o que disse que era melhor checar se você tinha alguma coisa enfiada no rabo. Ali está o que a chamou de chimpanzé com um vestido de quinhentos dólares. Ali está o que ficou passando o porrete nos raios de sua cadeira de rodas até você achar que o barulho iria deixá-la louca. Ali está o que chamou seu amigo Leon de bichona. E o último, Susannah, é Jack Mort.

"Ali. Aquelas pedras. *Aqueles caras.*"

Ela respirava acelerado agora, o peito subindo e descendo em rápidas elevações sob a cartucheira do pistoleiro com sua pesada carga de balas. Não olhava mais para ele: encarava as lascas de pedra salpicadas de mica. Atrás deles, a alguma distância, uma árvore rachou-se e desabou. Mais corvos gritavam no céu. Absortos no jogo que não era mais um jogo, nenhum deles notou.

— Ah, é? — ela sussurrou. — É mesmo?

— É. Agora recite a lição, Susannah Dean, e seja sincera.

Dessa vez as palavras saíram de sua boca como pequenos pedaços de gelo. A mão direita dela tremeu levemente no braço da cadeira de rodas, como um motor inativo.

— “Eu não miro com a mão; aquela que mira com a mão esqueceu o rosto de seu pai. Eu miro com o olho.”

— Ótimo.

— “Eu não atiro com a mão; aquela que atira com a mão esqueceu o rosto de seu pai. Eu atiro com a mente.”

— Assim sempre foi, Susannah Dean.

— “Eu não mato com a arma; aquela que mata com a arma esqueceu o rosto de seu pai. Eu mato com o coração.”

— *Então MATE, por seu pai*! — berrou Roland. — *MATE TODOS ELES*!

A mão direita dela era um borrão entre o braço da cadeira e a coronha do revólver de Roland. Saiu em um segundo, a mão esquerda descendo, caindo sobre o cão em movimentos quase tão rápidos e delicados quanto as asas de um beija-flor. Seis estalos secos ecoaram pelo vale, e cinco das seis lascas de pedra em cima da rocha deixaram de existir num piscar de olhos.

Por um instante, nenhum dos dois falou — nem sequer respiravam, parecia —, enquanto os ecos rolavam de um lado para outro, diminuindo. Até os corvos se calaram, pelo menos no momento.

O pistoleiro quebrou o silêncio com três palavras sem entonação, mas curiosamente enfáticas:

— Foi muito bom.

Susannah olhava o revólver na mão como se jamais o houvesse visto antes. Um fio de fumaça subia do cano, numa reta perfeita, no silêncio do vento. Depois, devagar, ela devolveu-o ao coldre sob o colo.

— Bom, mas não perfeito — disse por fim. — Errei uma.

— É mesmo? — Ele foi até a rocha e pegou a lasca de pedra restante. Olhou-a, e depois a atirou para ela.

Susannah pegou-a com a mão esquerda; a direita permaneceu perto do revólver no coldre, Roland notou com aprovação. Ela atirava melhor e com mais naturalidade do que Eddie, mas não aprendera essa lição tão rápido quanto ele. Se ela houvesse estado com os dois no tiroteio na boate de Balazar, poderia ter aprendido. Agora, via Roland, estava pelo menos aprendendo isso também. Ela olhou a pedra e viu a marca, mal discernível no canto de cima.

— Acertou de raspão — disse o pistoleiro, voltando para ela —, mas num tiroteio, às vezes isso é tudo que é preciso. Você atinge o cara de raspão, desvia a mira dele... — Ele fez uma pausa. — Por que está me olhando desse jeito?

— Você não sabe, não é? Não sabe mesmo.

— Não. Sua mente muitas vezes é fechada para mim, Susannah.

Não havia defensiva em sua voz, e ela balançou a cabeça, irritada. A dança de rápidos volteios da personalidade dela às vezes o deixava inquieto; a aparente incapacidade de Roland de dizer qualquer outra coisa além de exatamente o que pensava jamais deixava de fazer a mesma coisa com ela. Ele era o homem mais *literal* que ela já conhecera.

— Tudo bem — ela disse. — Eu vou lhe *dizer* por que estou olhando para você desse jeito, Roland. Porque o que você fez foi um truque baixo. Disse que não ia me bater, não *podia* me bater, mesmo que eu errasse... mas ou mentiu ou é muito idiota, e eu *sei* que não é idiota. As pessoas muitas vezes nem sempre batem com as mãos, como pode atestar qualquer homem ou mulher da minha raça. De onde eu venho a gente tem um ditado: "Paus e pedras podem quebrar meus ossos..."

— "... mas insultos jamais vão me ferir" — concluiu Roland.

— Bem, não é exatamente assim que a gente diz, mas acho que é perto o bastante. É bobagem de qualquer jeito que se diga. Não é por nada que chamam o que você fez de agredir verbalmente. Suas palavras me *machucaram*, Roland... vai me dizer que não sabia que iam machucar?

Ela ficou ali em sua cadeira, olhando-o de baixo com uma viva e severa curiosidade, e Roland pensou — não pela primeira vez — que os racistas *fiosdaputa* da terra dela que a perseguiam deviam ser ou muito corajosos ou muito idiotas para contrariá-la, cadeira de rodas ou não. E, havendo estado entre eles, ele não achava que coragem fosse a resposta.

— Eu não penso nem ligo para a sua dor — disse, paciente. — Vi você mostrar os dentes e sabia que pretendia morder, por isso coloquei um pedaço de pau na sua boca. E funcionou... não funcionou?

A expressão dela era agora de perplexidade magoada.

— Seu *escroto*!

Em vez de responder, ele tirou o revólver do coldre dela, abriu meio sem jeito o tambor com os dois dedos restantes da mão direita e começou a recarregar as câmaras com a mão esquerda.

— De todos os mais arbitrários, arrogantes...

— Você *precisava* morder — ele disse, no mesmo tom paciente. — Se não precisasse, teria errado todos os tiros… com a mão e o revólver em vez do olho, mente e coração. Isso foi truque? Foi arrogante? Acho que não. Eu acho, Susannah, que era *você* quem tinha arrogância no coração. Acho que era *você* quem estava a fim de fazer uso de truques. Isso não me perturba. Muito pelo contrário. Um pistoleiro sem dentes não é um pistoleiro.

— Eu *não* sou pistoleira, porra!

Ele ignorou isso; podia permitir-se. Se ela não era pistoleira, ele era um billy-malhado.

— Se estivéssemos jogando um jogo, eu podia ter agido diferente. Mas isto não é um jogo. É…

Rolland levou a mão boa à testa por um instante e deixou-a ali, os dedos em concha acima da têmpora esquerda. Ela viu que as pontas tremiam um pouco.

— Roland, está sentindo alguma coisa? — ela perguntou em voz baixa.

O pistoleiro baixou a mão devagar. Rodou o tambor de volta ao lugar e repôs o revólver no coldre dela.

— Nada.

— Não, está, sim. Eu vi. Eddie também. Começou assim que deixamos a praia. Tem alguma coisa errada, e está piorando.

— Não tem nada errado — ele respondeu.

Ela estendeu as mãos e tomou as dele. Sua raiva se fora, pelo menos por enquanto. Ela olhava com gravidade nos olhos dele.

— Eddie e eu… aqui não é o nosso mundo, Roland. Sem você, nós morreríamos. Teríamos suas armas, e poderíamos dispará-las, você nos ensinou a fazer isso muito bem, mas morreríamos mesmo assim. Nós… nós dependemos de você. Por isso me diga qual é o problema. Deixe que eu tente ajudar. Deixe que *nós* tentemos ajudar.

Ele jamais fora um homem que compreendia tudo sobre si mesmo e nem se importava em fazer isso; o conceito de consciência de si mesmo (para não falar em autoanálise) era alheio para ele. Seu jeito era agir — consultar rápido seus mecanismos interiores, absolutamente misteriosos, e agir. Deles todos, ele fora o feito com mais perfeição, um homem cujo núcleo profundamente romântico era encapsulado numa caixa brutalmente simples que consistia em instinto e pragmatismo. Deu uma dessas rápidas olhadas para dentro de si e então decidiu contar tudo a ela. Tinha um problema, sim, ah, sim. Tinha mesmo. Um problema na mente, uma coisa simples como sua natureza e estranha como a vida estranha, fantástica e errante a que essa natureza o levara.

Abriu a boca para dizer: *Vou dizer qual é o problema, Susannah, e vou fazer isso em três palavras. Estou ficando louco.* Mas antes que pudesse começar, outra árvore desabou na floresta — caiu com um estrondo imenso, rangente. A árvore derrubada fora próxima, e desta vez eles não estavam imersos num teste de forças de vontade disfarçado de lição. Os dois ouviram, e ouviram o agitado crocitar dos corvos que se seguiu, e registraram o fato de que a árvore havia caído perto do seu acampamento.

Susannah olhara para o lado do barulho, mas agora voltava os olhos arregalados e consternados para o rosto do pistoleiro.

— Eddie! — disse ela.

Um grito elevou-se da fortaleza verde-escura da floresta atrás deles — um imenso grito de raiva. Outra árvore se foi, depois outra. Caíam no que parecia uma saraivada de fogo de morteiro. Madeira seca, pensou o pistoleiro. *Árvores mortas.*

— *Eddie*! — desta vez ela gritou. — Seja o que for, *está perto de Eddie*!

As mãos voaram para as rodas da cadeira e começaram o laborioso trabalho de girá-las.

— Não há tempo para isso.

Roland tomou-a por baixo dos braços e puxou-a. Carregara-a antes quando o caminho era difícil demais para a cadeira — os dois homens haviam feito isso —, mas ela ainda assim se espantou com a incrível rapidez. Num momento, ela estava na cadeira de rodas, um artigo comprado na melhor loja de equipamentos médicos da cidade de Nova York, no outono de 1962. No seguinte, achava-se precariamente equilibrada nos ombros dele como uma animadora de torcida, as coxas musculosas apertando-lhe os lados do pescoço, as palmas da mão dele acima da cabeça apertando a parte baixa das costas dela. Ele começou a correr com ela, as botas batendo na terra coberta de agulhas de pinheiro entre os sulcos deixados pela cadeira de rodas.

— Odetta! — gritou ele, retornando nesse momento de tensão ao nome pelo qual a conhecera. — Não perca o revólver! Pelo amor do seu pai!

Corria entre as árvores agora. Feixes de sombra e correntes de manchas de sol cruzavam-nos em mosaicos móveis enquanto Roland aumentava as passadas. Desciam agora. Susannah ergueu a mão esquerda para afastar um galho que queria arrancá-la dos ombros do pistoleiro. Ao mesmo tempo baixou a mão direita para o cabo do antigo revólver, envolvendo-o.

Um quilômetro e meio, pensou. *Quanto tempo para correr um quilômetro e meio. Com ele indo nessa velocidade? Não muito, se ele conseguir equilibrar-se nessas agulhas escorregadias... mas talvez tempo demais. Que ele esteja bem, Senhor — que meu Eddie esteja bem.*

Como em resposta, ouviu a fera invisível soltar de novo o seu grito. A voz imensa era como o trovão. Como o juízo final.

2

Era a maior criatura na floresta um dia conhecida como Grande Floresta Ocidental e a mais velha. Muitos dos imensos olmos que Roland notara no vale abaixo eram pouco mais do que rebentos brotando do chão quando o urso saiu dos escuros e desconhecidos confins do Mundo Exterior como um rei brutal e errante.

Um dia o Povo Antigo vivera na Floresta Ocidental (eram os seus vestígios que Roland se deparara nas últimas semanas) e ficara com medo do urso colossal, eterno. Haviam tentado matá-lo quando descobriram que não estavam sós no novo território que tinham alcançado, mas embora suas flechas o enfurecessem, não causaram danos sérios. E ele não ficara confuso sobre a *origem* de seus tormentos, como acontecia com as outras feras da floresta — até mesmo os predatórios gatos-do-mato que se entocavam e davam crias nas montanhas de areia a oeste. Não; aquele urso sabia de onde vinham as flechas. *Sabia*. E para cada flecha que encontrava o alvo na carne abaixo da desgrenhada pelagem, ele pegava dois, três, quatro, talvez até meia dúzia do Povo Antigo. Crianças, quando conseguia; mulheres, se não. Os guerreiros ele desdenhava, e essa era a humilhação final.

As tentativas de matá-lo acabaram por cessar, quando a verdadeira natureza da fera se tornou evidente para eles. Era, lógico, um demônio encarnado — ou a alma de um deus. Chamaram-no de Mir, que para aquele povo significava “o mundo abaixo do mundo”. Tinha vinte e dois metros de altura e, após dezoito ou mais séculos de domínio total da Floresta Ocidental, estava morrendo. Talvez o instrumento de sua morte fosse um microscópico organismo em alguma coisa que comera ou bebera; talvez a velhice; mais provavelmente uma combinação das duas coisas. A causa não importava; o resultado final — uma colônia de parasitas em rápida multiplicação comendo seu extraordinário cérebro —, sim. Após anos de sanidade brutal e calculista, Mir havia enlouquecido.

O urso soubera que havia novamente homens em sua floresta; governava a floresta, e embora ela fosse vasta, nada importante que acontecia ali escapava à sua atenção durante muito tempo. Ele se afastara dos recém-chegados, não porque tivesse medo, mas porque não tinha nada com eles, nem eles com ele. Então os parasitas haviam começado seu trabalho, e, à medida que sua loucura aumentava, ele adquiria a certeza de que era o Povo Antigo mais uma vez, que os plantadores de armadilhas e queimadores da floresta haviam retornado, e logo começariam suas conhecidas e estúpidas maldades outra vez. Só quando se deitava em sua última toca a uns cinquenta quilômetros do acampamento dos recém-chegados, mais doente a cada amanhecer do que ao anoitecer anterior, era que começara a acreditar que o Povo Antigo finalmente havia descoberto uma maldade que funcionava: veneno.

Ele vinha dessa vez não para se vingar de algum pequeno ferimento, mas para pisoteá-los inteiramente antes que seu veneno acabasse por matá-lo... e enquanto andava, todo pensamento cessou. O que restou em seu lugar foi raiva cega, o enferrujado zumbido da coisa em cima da cabeça — a coisa giratória entre suas orelhas que outrora fazia seu trabalho em suave silêncio — e um fantástico senso de olfato aguçado que o levou direto ao acampamento dos três peregrinos.

O urso, cujo verdadeiro nome não era Mir mas outra coisa inteiramente diferente, atravessava a floresta como um edifício móvel, uma torre hirsuta de olhos vermelho-amarronzados. Os olhos brilhavam de febre e loucura. A imensa cabeça, agora com uma guirlanda de galhos quebrados e agulhas de pinheiro, virava sem cessar de um lado para outro. De vez em quando ele espirrava numa abafada explosão de som — *A-CHU*! — e nuvens de parasitas brancos se contorcendo voavam de suas narinas pingando. As patas, armadas com garras curvas de um metro de comprimento, rasgavam as árvores. Ele andava ereto, deixando fundas pegadas na terra escura macia sob as árvores. Recendia a bálsamo fresco e merda velha, azeda.

A coisa em cima de sua cabeça zumbia e guinchava, guinchava e zumbia.

O caminho do urso continuava quase constante: uma linha reta que o levaria ao acampamento daqueles que tinham ousado voltar à sua floresta, tinham ousado encher sua cabeça com uma agonia verde-escura. Povo Antigo ou Povo Novo, eles iam morrer. Quando chegava a uma árvore morta, ele às vezes deixava a linha reta para derrubá-la. O ronco explosivo seco da queda o agradava; depois que a árvore enfim estendia seu podre comprimento pelo chão da floresta ou parava apoiada contra uma das companheiras, o urso seguia em frente cruzando feixes de luz do sol tornada nebulosa por grãos flutuantes de serragem.

3

Dois dias antes, Eddie Dean havia recomeçado a entalhar — a primeira vez que tentava fazê-lo desde os doze anos. Lembrava-se de que gostava de fazer isso, e achava que devia ter tido talento, também. Não se lembrava dessa parte, não com certeza, mas havia pelo menos um bom indício disso: Henry, seu irmão mais velho, odiava vê-lo fazendo aquilo.

Ora, veja só o veadinho, dizia Henry. *O que está fazendo hoje, veadinho? Uma casa de boneca? Um peniquinho pro seu pintinho de nada? Ahhh… mas não é mesmo uma GRACINHA?*

Henry jamais chegava e falava diretamente para que Eddie não fizesse alguma coisa; jamais ia simplesmente a ele e dizia: *Você se importa de parar com isso, maninho? Olhe, está muito maneiro, e quando você faz uma coisa muito maneira, me deixa bolado. Porque, sacou?, sou eu quem deve ser o fodão por aqui. Eu. Henry Dean. Logo, o que acho que vou fazer, maninho, é te sacanear nessas paradas aí, tá entendendo? Não vou dar bandeira: "Não faça isso, está me deixando bolado", porque pode ficar parecendo que eu sou, tipo, meio fodido da cabeça. Mas posso te sacanear, porque é isso que os irmãos mais velhos fazem, certo? Faz parte do show, cara. Vou zombar e sacanear e zoar você até você… porra… até você DESISTIR! Tá legal?*

Bem, *não* estava legal, não mesmo, mas na família Dean, tudo costumava terminar da maneira como Henry queria. E até muito recentemente, isso parecia certo — não legal, mas *certo*. Havia uma pequena mas crucial diferença aí, se a gente prestasse bastante atenção. Havia dois motivos pelos quais parecia certo. Um era o motivo de cima; o outro, o de baixo.

O motivo de cima era que Henry tinha de Vigiar Eddie quando a sra. Dean estava trabalhando. Tinha de Vigiar o tempo todo, porque antes houvera uma *irmã* Dean, se é que você entende. Ela teria sido quatro anos mais velha do que Eddie e quatro anos mais nova do que Henry se tivesse vivido, mas essa era a questão, sacou?, ela *não* vivera. Fora atropelada por um motorista bêbado quando Eddie tinha dois anos. Ela jogando amarelinha na calçada quando aconteceu.

Na infância, Eddie às vezes pensava na irmã quando ouvia Mel Allen mostrando os lances no canal de beisebol da TV. Alguém realmente acertava uma e Mel berrava: "*Nossa senhora, ele faturou tudo nessa aí! E TCHAUZINHO!*". Bem, o bêbado faturara tudo de Gloria Dean, nossa senhora, e tchauzinho! Gloria estava agora naquele grande convés de cima no céu, e não acontecera porque ela era azarada, ou porque o estado de Nova York decidira não cassar a carteira do babaca depois do terceiro incidente de embriaguez, ou mesmo porque Deus se abaixara para pegar um amendoim; acontecera (como a sra. Dean muitas vezes dizia aos filhos) porque não havia ninguém por perto para Vigiar Gloria.

A tarefa de Henry era assegurar que nada disso jamais acontecesse a Eddie. Era o trabalho dele, e ele o fazia, mas não era fácil. Nisso Henry e a sra. Dean concordavam, embora em nada mais. Os dois muitas vezes lembravam a Eddie exatamente o quanto Henry sacrificara para mantê-lo a salvo de motoristas bêbados, bandidos e viciados, e talvez até de malignos alienígenas que poderiam estar passando pelas vizinhanças do convés de cima, alienígenas que poderiam decidir descer de seus óvnis em jet-skis movidos a energia nuclear, a qualquer momento, para sequestrar garotinhos como Eddie Dean. Portanto, era errado deixar Henry mais nervoso do que sua terrível responsabilidade já o deixava. Se Eddie *fazia* alguma coisa que deixava Henry bolado, tinha de parar na mesma hora. Era uma maneira de retribuir por todo o tempo que Henry passava Vigiando Eddie. Quando se pensava no caso desse jeito, via-se que fazer coisas melhor do que Henry era muito injusto.

Depois vinha o motivo subjacente. Este (o mundo debaixo do mundo, pode-se dizer) era mais forte, porque jamais podia ser declarado. Eddie não podia se permitir ser melhor do que Henry em nada, porque Henry não servia, em geral, para nada... a não ser Vigiar Eddie, lógico.

Henry ensinou Eddie a jogar basquete no parquinho perto do prédio de apartamentos onde moravam — era uma área residencial de cimento onde as torres de Manhattan se recortavam contra o horizonte como um sonho e o cheque do auxílio reinava. Eddie era oito anos mais novo do que Henry e muito menor, mas também muito mais rápido. Tinha um jeito natural para o jogo; assim que entrava na quadra rachada e irregular de cimento com a bola nas mãos, as jogadas pareciam surgir do seu corpo. Era mais rápido, mas isso não era grande coisa. A grande coisa era que ele era *melhor* do que Henry. Se não soubesse disso pelos resultados das partidas que às vezes jogavam juntos, teria sabido pelos olhares de trovão de Henry e os duros socos nos antebraços que este às vezes lhe dava quando voltavam para casa. Esses socos, supostamente, eram brincadeirinha do irmão — "Dois pelo vacilo!", gritava Henry rindo, e aí *tum-tum*! no bíceps dele com os nós dos dedos —, mas não pareciam brincadeira. Pareciam avisos. Pareciam a forma de Eddie dizer: *É melhor não me driblar e me deixar com cara de tacho quando correr pra cima da cesta, maninho; é melhor lembrar que Eu Estou Vigiando Você.*

O mesmo se aplicava à leitura... ao beisebol... polícia e ladrão... à matemática... até a pular corda, que era brincadeira de menina. Que ele era melhor nessas coisas, ou *poderia* ser melhor, era um segredo que tinha de ser guardado a qualquer custo. Porque Eddie era o irmão caçula. Porque Henry o estava Vigiando. No entanto, o mais importante do motivo subjacente era também o mais simples: aquelas coisas tinham de ser mantidas em segredo porque Henry era o irmão mais velho de Eddie, e Eddie o adorava.

4

Dois dias atrás, enquanto Susannah esfolava um coelho e Roland começava a fazer o jantar, Eddie estivera na floresta logo ao sul do acampamento. Vira um esquisito calombo de madeira projetando-se de um toco novo. Fora tomado por uma sensação estranha — achava que era o que as pessoas chamavam de déjà-vu — e vira-se encarando fixamente o calombo, que parecia uma maçaneta malfeita. Tinha uma consciência distante de que ficara com a boca seca.

Após vários segundos, percebeu que *olhava* um calombo projetado do toco, mas *pensava* no pátio atrás do prédio em que ele e Henry haviam morado — pensava na sensação do cimento quente debaixo da sua bunda e no odor pungente da lixeira depois da esquina do beco. Em sua memória, tinha um pedaço de pau na mão esquerda e uma faca de aparar da gaveta da pia na direita. O pedaço de pau que se projetava do toco trouxera a lembrança daquele período em que se apaixonara com todas as forças pelo ato de entalhar. Era apenas o fato de essa lembrança se encontrar tão enterrada que ele não percebera a princípio o que era.

O que ele mais gostava no ato de entalhar era o *ver*, que ocorria mesmo antes de começar. Às vezes a gente via um carro ou caminhão. Às vezes um cachorro ou um gato. Uma vez, lembrava-se, ele vira o rosto de um ídolo — um dos assustadores monólitos da ilha de Páscoa que ele vira numa edição da National Geographic na escola. Esse se revelara um dos bons. O negócio era descobrir quanto disso se podia extrair da madeira sem quebrá-la. Nunca se conseguia tirar tudo, mas com bastante cuidado se podia tirar um bocado.

Havia alguma coisa dentro da bossa ao lado do toco. Ele achou que poderia liberar muita coisa dela com a faca de Roland — era o instrumento mais afiado e útil que já usara.

Alguma coisa ali dentro da madeira, que parecia esperar pacientemente por alguém — alguém como ele! — que aparecesse e a libertasse. Libertasse.

Ora, vejam só o veadinho! O que está fazendo hoje, veadinho? Uma casa de boneca? Um peniquinho pro seu pintinho de nada? Um estilingue, para fingir que caça coelhos, como os meninos grandes? Óóóóó... mas não é uma GRACINHA?

Sentiu uma explosão de vergonha, uma sensação de coisa errada; aquela forte sensação de segredos que devem ser guardados a qualquer preço, e depois lembrou — de novo — que Henry Dean, que em seus últimos anos fora um tremendo sábio e viciado de primeira, estava morto. Essa compreensão ainda não perdera o seu poder de surpresa; continuava atingindo-o de várias formas, às vezes com pesar, às vezes com culpa, às vezes com raiva. Naquele dia, dois dias antes de o grande urso surgir atacando dos verdes corredores da floresta, atingira-o da forma mais surpreendente de todas. Ele sentira alívio, e uma alegria eufórica.

Estava livre.

Eddie tomara emprestada a faca de Roland. Usara-a para cortar com cuidado pela base a bossa projetada de madeira, depois trouxera-a consigo e sentara-se sob uma árvore com ela, virando-a de um lado para o outro. Não olhava para ela; olhava *dentro* dela.

Susannah acabara com o coelho. A carne foi para a panela sobre a fogueira; a pele, ela a esticara entre dois pedaços de pau, amarrando-a com tiras de couro cru da bolsa de Roland. Mais tarde, depois do jantar, Eddie ia começar a raspá-la. Susannah usou as mãos e os braços, deslizando tranquilamente para onde Eddie estava sentado com as costas apoiadas no alto pinheiro velho. Na fogueira, Roland esfarelava alguma erva misteriosa — e sem dúvida deliciosa — da floresta na panela.

— O que está fazendo, Eddie?

Eddie sentiu-se contendo uma absurda vontade de esconder a bossa de madeira atrás das costas.

— Nada — dissera. — Achei que podia, sabe como é, entalhar alguma coisa. — Parou, depois acrescentou: — Mas não sou muito bom. — Era como se ele estivesse tentando tranquilizá-la sobre aquilo.

Ela olhara para ele, intrigada. Por um instante, pareceu a ponto de dizer alguma coisa, depois simplesmente deu de ombros e deixou de lado. Não tinha ideia do motivo de Eddie parecer envergonhado por passar um tempinho talhando — o pai dela fazia aquilo o tempo todo —, mas se era algo que precisava ser discutido, achava que ele chegaria a isso no devido tempo.

Ele sabia que os sentimentos de culpa eram idiotas e sem sentido, mas também sabia que se sentia mais à vontade fazendo aquele trabalho quando Roland e Susannah estavam fora do acampamento. Parecia que os velhos hábitos às vezes eram difíceis de largar. Superar a heroína era brincadeira de criança comparado a superar a própria infância.

Quando eles *estavam* fora, caçando ou atirando ou praticando a estranha forma de aprendizagem de Roland, Eddie via-se capaz de voltar ao seu pedaço de pau com surpreendente habilidade e crescente prazer. A forma estava ali dentro, sem dúvida; ele estivera certo sobre isso. Era uma forma simples, e a faca de Roland a libertava com fantástica facilidade. Eddie achava que ia tirar quase tudo, e isso significava que o estilingue poderia de fato revelar-se uma arma prática. Não grande coisa comparado aos imponentes revólveres de Roland, talvez, mas ainda assim uma coisa que ele próprio fizera. *Sua*. E essa ideia lhe agradava muito.

Quando os primeiros corvos ganharam os ares, crocitando assustados, ele não escutou. Já pensava — esperava — que em breve pudesse ver uma árvore com um arco aprisionado dentro.

5

Ele ouviu o urso se aproximando antes de Roland e Susannah, mas não muito antes — estava perdido no grande deslumbramento da concentração que acompanha o impulso criativo no ponto mais gostoso e poderoso. Suprimira esses impulsos durante a maior parte da sua vida, e agora aquele o tinha em seu poder. Eddie era prisioneiro por vontade própria.

Foi arrancado desse deslumbramento não pelo barulho das árvores caindo, mas pelo rápido estrondo de um .45 vindo do sul. Ergueu o olhar, sorrindo, e afastou o cabelo da testa com a mão coberta de serragem. Nesse momento, sentado com as costas contra o alto pinheiro, na clareira que se tornara um lar, o rosto iluminado por raios opostos de luz verde-dourada da floresta, estava realmente bonito — um rapaz de cabelos rebeldes que viviam tentando cair pela testa alta, um rapaz de boca forte e expressiva e olhos cor de avelã.

Por um momento, seus olhos passaram para o outro revólver de Roland, pendendo pelo cinturão de um galho próximo, e ele se viu imaginando quanto tempo se passara desde que o pistoleiro fora a qualquer parte sem pelo menos uma de suas fabulosas armas do lado. Esta questão levava a outras duas.

Que idade *tinha* ele, aquele homem que arrancara Eddie e Susannah de seu mundo e de seus *quandos*? E, mais importante, o que havia de errado com ele?

Susannah prometera abordar o assunto... se atirasse bem e não deixasse Roland irritado, quer dizer. Eddie achava que Roland não ia contar a ela — pelo menos a princípio —, mas era hora de dizer ao velho e feio compridão que *eles* sabiam que havia *algo* errado.

— Vai cair água se Deus quiser — disse Eddie. Tornou a voltar-se para sua talha com um sorrisinho nos lábios. Os dois haviam começado a pegar os ditados de Roland... e ele os deles. Eram quase como se fossem metade do mesmo...

Então uma árvore desabou perto, na floresta, e Eddie já estava de pé num segundo, o estilingue meio talhado numa das mãos, a faca de Roland na outra. Olhou o outro lado da clareira na direção do barulho, o coração martelando, todos os sentidos finalmente alertas. Alguma coisa estava vindo. Agora ele a ouvia, pisoteando à toda o caminho por entre o mato baixo, e ele sentiu um choque amargo por ter demorado tanto para perceber. Bem no fundo de sua mente, uma vozinha dizia que era isso que ele merecia. Era isso que merecia por se sair melhor do que Henry, por deixar Henry bolado.

Outra árvore caiu com um estrondo de catraca, tossido. Olhando por um corredor irregular entre os altos pinheiros, Eddie viu uma nuvem de serragem erguer-se no ar parado. A criatura responsável por aquela nuvem de repente berrou — um barulho enfurecido, apavorante.

Era um filho da puta grande pra caralho, fosse o que fosse.

Eddie largou o pedaço de madeira e lançou a faca de Roland numa árvore um metro e meio à esquerda. A faca deu dois rodopios no ar e cravou--se até a metade na árvore, vibrando. Ele pegou o .45 de Roland pendurado e apontou-o.

Enfrentar ou correr?

Mas descobriu que não podia mais se dar ao luxo da pergunta. A coisa era rápida, além de imensa, e já era tarde demais para correr. Um vulto gigantesco começou a surgir no corredor de árvores ao norte da clareira, uma forma que pairava acima de todas as árvores, com exceção das mais altas. Arrastava seu enorme corpo pesado na direção de Eddie, e com os olhos fixos nele, soltou mais um daqueles gritos.

— Ai, cara, eu tô *fodido* — murmurou Eddie quando outra árvore se curvou, estalou como um morteiro e desabou no chão da floresta numa nuvem de poeira e agulhas mortas. Agora a criatura avançava direto para a clareira onde ele estava parado, um urso do tamanho do King Kong. Seus passos faziam o chão tremer.

O que vai fazer, Eddie?, perguntou Roland de repente. *Pense! É a única vantagem que você tem sobre essa fera. O que vai fazer?*

Ele não achava que conseguiria matá-la. Talvez com uma bazuca, mas certamente não com o .45 do pistoleiro. Podia correr, mas suspeitava que a fera que avançava podia ser muito rápida quando queria. Calculou que as chances de acabar como geleia entre as patas do grande urso podiam chegar a cinquenta por cento.

Portanto, o que ia ser? Ficar ali e começar a atirar ou correr como se estivesse com os cabelos em chamas quase chegando no rabo?

Ocorreu-lhe que havia uma terceira opção. Ele podia escalar uma árvore.

Voltou-se para a árvore na qual estivera encostado. Era um pinheiro enorme, envelhecido, fácil, fácil a árvore mais alta naquela parte da floresta. O primeiro galho espalhava-se sobre o chão da floresta num plumoso leque verde a cerca de dois metros e meio de altura. Eddie soltou o cão do revólver e enfiou-o na cintura. Saltou no galho, agarrou-o e fez uma frenética elevação acrobática. Atrás dele, o urso soltou outro berro ao irromper na clareira.

O bicho o teria pegado de qualquer forma, teria deixado as tripas de Eddie pendendo em vistosas cordas dos galhos mais baixos do pinheiro, se outro daqueles ataques de espirros não lhe acometesse nesse momento. Ele chutou o resto das cinzas da fogueira numa nuvem escura e depois quase se dobrou sobre si mesmo, as imensas patas dianteiras nas imensas coxas, parecendo por um momento um velho com um casaco de pele, um velho com um resfriado. Espirrou repetidas vezes — *A-ACHU! A-CHU! A-CHU!* —, e nuvens de parasitas disparavam do seu focinho. Urina quente escorria como um rio entre suas pernas e chiava nas brasas espalhadas da fogueira.

Eddie não desperdiçou os poucos momentos cruciais a mais que lhe haviam sido dados. Trepou na árvore como um macaco numa vara, parando apenas para assegurar-se de que ainda tinha o revólver do pistoleiro firme na cintura. Estava aterrorizado, já meio convencido de que ia morrer (o que mais podia esperar, agora que Henry não estava por perto para Vigiá-lo?), mas uma risada insana corria desenfreada por sua cabeça mesmo assim. *Fui arborizado*, pensou. *Que tal essa, fãs de esportes? Fui arborizado por um Ursozilla.*

A criatura tornou a erguer a cabeça, a coisa a girar entre as orelhas captando piscadelas e lampejos de luz do sol, e atacou a árvore de Eddie. Esticou uma das patas para cima e golpeou para a frente, pretendendo sacudir Eddie como um pinhão. A pata rasgou o galho justo onde ele estava, no exato momento em que ele saltou para outro mais alto. Também rasgou um dos sapatos dele, puxando-o do pé e fazendo-o sair voando em dois pedaços estraçalhados.

Tudo bem, pensou Eddie. *Pode ficar com os dois, Ursão, se quiser. Essas porras estavam gastas mesmo.*

O urso rugiu e atacou a árvore, abrindo fundas feridas na casca antiga, feridas que sangraram uma seiva límpida e resinosa. Eddie continuou subindo. Os galhos tornavam-se mais finos agora, e quando ele arriscou um olhar para baixo, fitou diretamente o olhar turvo do urso. Abaixo de sua cabeça erguida, a clareira tornara-se um alvo, tendo o borrão espalhado da fogueira como mosca.

— Não me pegou, seu peludo filho da p... — começou Eddie, e então o urso, com a cabeça ainda pendendo para trás a fim de vê-lo, tornou a espirrar. Eddie foi imediatamente ensopado de catarro quente, cheio de milhares de pequenos vermes que se contorciam freneticamente em sua camisa, antebraços, garganta e rosto.

Gritando num misto de surpresa e nojo, ele começou a enxugar os olhos e a boca, perdeu o equilíbrio e por pouco conseguiu enganchar a tempo um braço num galho ao lado. Segurou-se e passou a mão na pele, limpando o máximo de fleuma quente que pôde. O urso rugiu e bateu de novo na árvore. O pinheiro balançou como um mastro num vendaval... mas as novas marcas de garras que surgiram ficavam pelo menos dois metros abaixo do galho em que Eddie plantara os pés.

Percebeu que os vermes estavam morrendo — deviam ter começado a morrer assim que deixaram os infectados pântanos dentro do corpo do monstro. Isso o fez sentir-se um pouco melhor, e ele recomeçou a subida. Parou uns três metros e meio acima, não se atrevendo a ir além. O tronco do pinheiro, que tinha fácil uns dois metros e meio de diâmetro na base, agora não passava de uns quarenta e cinco centímetros no meio. Ele havia distribuído seu peso em dois galhos, mas os sentia curvando-se elasticamente. Tinha uma visão aérea da floresta e das encostas, espalhadas embaixo num tapete ondulante. Em outras circunstâncias, seria uma bela vista para se apreciar.

No topo do mundo, mãe, pensou. Olhou de novo a cara do urso embaixo, virada para cima, e por um momento o simples espanto expulsou todo pensamento coerente de sua mente.

Alguma coisa brotava do crânio do urso, e para Eddie parecia uma pequena antena parabólica.

A engenhoca girava aos trancos, captando lampejos de sol, e Eddie ouvia um gritinho fino sair da coisa. Ele tivera alguns carros velhos em seus dias — daqueles que ficavam em pátios de venda de carros usados com as palavras ESPECIAL DO BISCATEIRO escritas com sabão no para-brisa — e achava o barulho que vinha da coisa parecido com o de rolimãs que vão travar se não forem substituídos logo.

O urso emitiu um longo rosnado ronronante. Uma espuma amarelada, pululando de vermes, escorria por suas patas em postas coaguladas. Se jamais tinha visto a cara da loucura completa (e imaginava ter visto, havendo-se defrontado cara a cara com a megera-mor Detta Walker em mais de uma ocasião), Eddie estava vendo agora... mas a cara estava, graças a Deus, uns bons dez metros abaixo, e no ponto mais alto as garras mortais chegavam a uns cinco metros abaixo das solas de seus pés. E, ao contrário das árvores nas quais o urso despejara seu mau humor ao aproximar-se da clareira, aquela não estava morta.

— Impasse mexicano, querido — arquejou Eddie.

Enxugou o suor da testa com a mão pegajosa de seiva e jogou a sujeira na cara do urso-papão.

Então, a criatura que o Povo Antigo chamava Mir abraçou a árvore com as grandes patas dianteiras e começou a sacudi-la. Eddie agarrou-se ao tronco e segurou-se em desespero, olhos estreitados em fendas finas, o pinheiro começando a oscilar de um lado para outro como um pêndulo.

6

Roland parou à beira da clareira. Susannah, encarapitada em seus ombros, olhava incrédula o espaço aberto. A criatura estava na base da árvore onde Eddie estivera quando os dois haviam deixado a clareira quarenta e cinco minutos atrás. Ela via apenas pedaços do corpo da fera por entre o emaranhado de galhos e agulhas verde-escuras. A outra cartucheira de Roland jazia aos pés do monstro. Ela viu que o coldre estava vazio.

— Meu Deus — murmurou.

O urso gritou como uma mulher angustiada e começou a sacudir a árvore. Os galhos vergastavam como num vento forte. Susannah ergueu o olhar e viu um vulto escuro perto do topo. Eddie estava abraçado ao tronco enquanto a árvore balançava e rodopiava. Ela viu uma de suas mãos escorregar e debater-se freneticamente em busca de apoio.

— *O que vamos fazer?* — ela gritou para Roland embaixo. — *Ele vai sacudir até que ele caia! O que vamos fazer?*

Roland tentava pensar, mas voltara-lhe aquela estranha sensação — era sempre presente agora, mas a tensão parecia torná-la pior. Tinha a sensação de que existiam dois homens dentro do seu crânio. Cada um tinha seu próprio conjunto de lembranças, e quando se punham a discutir, cada um insistindo que as *suas* lembranças eram as verdadeiras, o pistoleiro tinha a sensação de estar sendo rasgado em dois. Fez uma desesperada tentativa de reconciliar as duas metades e conseguiu... pelo menos por enquanto.

— É um dos Doze! — gritou. — Um dos Guardiões! Só *pode* ser! Mas eu achava que eles estavam...

O urso uivou de novo para Eddie. Então começou a bater na árvore como um boxeador. Galhos partiram-se e caíram emaranhados em torno de suas patas.

— *Como?* — gritou Susannah. — *Estavam o quê?*

Roland cerrou os olhos. Dentro da sua cabeça, uma voz gritou. *O garoto se chamava Jake.* Outra voz gritou de volta. *Não* HAVIA *garoto! Não* HAVIA *garoto, e você sabe disso!*

Vão embora, vocês dois!, rosnou ele, e depois gritou alto:

— Atire nele! Atire no rabo dele, Susannah! Ele vai se virar e atacar. Quando fizer isso, procure alguma coisa na cabeça dele! Ele...

O urso tornou a berrar. Deu um tapa na árvore e voltou a sacudi-la. Um sinistro estalo e rangidos vinham agora da parte de cima do tronco.

Quando voltou a poder ser ouvido, Roland gritou:

— Acho que se parece com um chapéu. Um pequeno capacete de aço! Atire nele, Susannah! E não erre!

O terror tomou-a de repente — terror e outra emoção, uma emoção que ela nunca esperaria: uma solidão devastadora.

— *Não! Eu vou errar! Atire você, Roland!*

Começou a tirar o revólver do pistoleiro da cartucheira que ela usava, pretendendo passá-lo para ele.

— Não consigo! — gritou Roland. — O ângulo é ruim. É *você* quem tem de fazer isso, Susannah! Esta é a verdadeira prova, e é melhor você passar!

— *Roland...*

— *Ele quer partir o topo da árvore* — ele gritou para ela. — *Não está vendo?*

Susannah olhou o revólver em sua mão. Olhou para o urso gigante obscurecido pelas nuvens e borrifos de agulhas verdes do outro lado da clareira. Olhou para Eddie, oscilando de um lado para o outro como um metrônomo. Ele provavelmente estava com o outro revólver de Roland, mas Susannah não via como ele conseguiria usá-lo sem ser sacudido de seu poleiro como uma ameixa madura demais. E também talvez não atirasse na coisa certa.

Ela ergueu o revólver. Tinha a barriga contraída de pavor.

— Me segure firme, Roland — disse. — Se não segurar...

— Não se preocupe comigo!

Ela atirou duas vezes, espremendo os tiros como Roland lhe ensinara. As fortes explosões vararam o barulho do urso sacudindo a árvore como estalos de açoite. Ela viu as duas balas atingirem o alvo na nádega esquerda do urso, a menos de cinco centímetros uma da outra.

O animal gritou de surpresa, dor e indignação. Uma das imensas patas deixou a densa tela de galhos e agulhas e bateu no lugar machucado. A pata saiu pingando vermelho e ergueu-se desaparecendo. Susannah imaginou-o examinando a pata ensanguentada. Depois veio um barulho rápido, farfalhante, estalado, quando o urso se virou, curvando-se ao mesmo tempo, caindo de quatro para conseguir o máximo de velocidade. Pela primeira vez ela viu a cara da criatura, e seu coração parou. O focinho estava coberto de espuma; os olhos imensos fulgiam como faróis. A cabeça hirsuta balançou para a esquerda... voltou para direita... e concentrou-se em Roland, que continuava em pé com as pernas abertas e Susannah equilibrada nos ombros.

Com um rugido dilacerante, o urso atacou.

7

Recite sua lição, Susannah, e seja sincera.

O urso veio para cima deles num trovejante galope; era como ver uma máquina de fábrica descontrolada sobre a qual alguém jogara um imenso tapete roído por traças.

Parece com um chapéu! Um pequeno capacete de aço!

Ela viu... mas aquilo não lhe parecia um chapéu. Parecia uma antena parabólica — uma versão muito menor das que ela vira nas matérias de cinejornais sobre como o aviso adiantado da linha-DEW mantinha todos seguros contra um ataque traiçoeiro dos russos. Era maior do que as lascas que ela arrancara da rocha antes, mas a uma distância maior. Sol e sombra percorriam a antena formando tecidos enganadores.

Eu não miro com a mão; aquela que mira com a mão esqueceu o rosto de seu pai.

Não consigo!

Eu não atiro com a mão; aquela que atira com a mão esqueceu o rosto de seu pai.

Eu vou errar! Eu sei que vou errar!

Eu não mato com a arma; aquela que mata com a arma...

— Atire! — rugiu Roland. — Susannah, *atire*!

Com o gatilho ainda puxado, ela viu a bala acertar, guiada da boca da arma ao alvo por mais ou menos nada além do feroz desejo em seu coração de que ela devia voar até onde ela queria. Todo o medo se foi. O que restou foi uma sensação de profunda frieza, e ela teve tempo de pensar: *É assim que ele se sente. Meu Deus — como ele aguenta?*

— Eu mato com o coração, seu filho da puta — disse ela, e o revólver do pistoleiro rugiu em sua mão.

8

A coisa prateada girou numa haste de aço plantada no crânio do urso. A bala de Susannah atingira-a bem no meio e a antena parabólica explodiu em uma centena de fragmentos faiscantes. A própria haste foi de repente envolvida num lampejo de fogo azul crepitante que se estendeu numa rede e pareceu por um momento agarrar os lados da cabeça do urso.

O bicho ergueu-se nas patas traseiras com um uivo de agonia, as patas dianteiras socando o ar indistintamente. Girou num círculo amplo e cambaleante, e começou a bater os braços como se houvesse decidido voar. Tentou rugir de novo, mas o que saiu foi um trinado parecido com o de uma sirene de ataque aéreo.

— Muito bom. — Roland soava exausto. — Um bom tiro, justo e honesto.

— Devo atirar de novo? — perguntou ela, insegura.

O urso ainda cambaleava em volta no círculo delirante, mas agora o corpo começava a pender para um lado e para dentro. Bateu numa árvore pequena, ricocheteou, quase desabou e depois recomeçou a girar.

— Não precisa — disse Roland.

Ela sentiu a mão dele pegá-la pela cintura e erguê-la. Um momento depois, ela estava sentada no chão sobre as coxas dobradas. Eddie descia lenta e tremulamente do pinheiro, mas ela não o via. Não conseguia tirar os olhos da fera.

Tinha visto as baleias do aquário perto de Mystic, em Connecticut, e achava que eram maiores que aquilo — muito maiores, provavelmente —, mas aquela era sem dúvida a maior criatura terrestre que já vira. E estava visivelmente morrendo. Seus urros haviam se transformado em gorgolejos, e embora ela tivesse os olhos abertos, parecia não enxergar. Debatia-se ao léu pelo acampamento, derrubando um varal de couros a curtir, esmagando o pequeno abrigo que ela partilhava com Eddie, derrubando árvores. Ela via a haste de aço que se erguia de sua cabeça. Fiapos de fumaça subiam em torno dela, como se o tiro lhe houvesse incendiado o cérebro.

Eddie chegou ao galho mais baixo da árvore que lhe salvara a vida e sentou-se, trêmulo, com uma perna de cada lado.

— Santa Maria Mãe de Deus — disse. — Estou olhando direto pra ele, e mesmo assim não acredi...

O urso virou-se para ele. Eddie saltou agilmente da árvore e correu para Susannah e Roland. O urso não tomou conhecimento, marchando tropegamente para o pinheiro que fora o refúgio de Eddie, tentando agarrá-lo, não conseguindo e caindo de joelhos. Agora eles ouviam os sons que vinham de dentro do bicho, e que fizeram Eddie pensar num enorme motor de caminhão arranhando as marchas.

Um espasmo convulsionou a fera, curvando suas costas. Ela ergueu as patas dianteiras e dilacerou a própria cara. Sangue infestado de vermes esguichou com força. Então ela caiu, o chão tremendo com a queda, e ficou imóvel. Depois de todos os seus estranhos séculos, o urso que o Povo Antigo chamara Mir — o mundo embaixo do mundo — estava morto.

9

Eddie tomou Susannah nos braços, segurou-a com as mãos pegajosas trançadas na parte baixa de suas costas e deu-lhe um beijo profundo. Ele recendia a suor e resina de pinheiro. Ela tocou suas bochechas, o pescoço; correu os dedos pelos cabelos molhados. Sentia uma insana vontade de tocá-lo em todos os lugares até estar absolutamente segura de que ele estava ali.

— Ele quase me pegou — disse Eddie. — Foi como estar num brinquedo maluco de um parque. Que tiro! Nossa, Suze... que tiro!

— Espero nunca mais precisar fazer algo assim — disse ela, mas uma vozinha dentro de si protestou. A voz insinuou que ela *mal podia esperar* fazer algo assim de novo. E era fria, a voz. Fria.

— O que foi... — ela começou, voltando-se para Roland, mas ele não estava mais parado ali.

O pistoleiro caminhava para junto do urso, que agora jazia no chão com os joelhos peludos para cima. De dentro da fera vinha uma série de arquejos e gorgolejos abafados enquanto suas entranhas iam parando lentamente. Roland viu sua faca enterrada fundo numa árvore perto da árvore monumental ferida que salvara a vida de Eddie. Arrancou-a e limpou-a na macia camisa de pele de gamo que substituíra os frangalhos que ele usava quando os três haviam deixado a praia. Ficou parado ao lado do urso, olhando-o com uma expressão de pena e espanto.

Olá, estranho, pensou. *Olá, velho amigo. Eu nunca acreditei em você, não de verdade. Acho que Alain acreditava, e sei que Cuthbert acreditava — Cuthbert acreditava em tudo* —, *mas eu era o teimoso. Achei que você era apenas uma história para crianças... outro vento que soprava pela cabeça da minha velha babá antes de finalmente escapar da sua boca tagarela. Mas você estava aqui o tempo todo, mais um refugiado dos tempos passados, como a bomba de água no antigo posto de parada e as antigas máquinas sob as montanhas. Seriam os Vagos Mutantes que idolatravam esses quebrados restos os descendentes finais do povo que um dia viveu nesta floresta e por fim fugiu da sua ira? Eu não sei, nunca vou saber... mas parece provável. Sim. E então eu cheguei com meus amigos — meus novos amigos mortais, que estão se tornando tão parecidos com meus velhos amigos mortais. Nós viemos, tecendo nosso mágico círculo em torno de tudo que tocamos, um fio venenoso após outro, e agora aqui jaz você, a nossos pés. O mundo seguiu adiante de novo, e desta vez, velho amigo, foi você quem ficou para trás.*

O corpo do monstro ainda irradiava um calor profundo e doentio. Os parasitas deixavam em hordas sua boca e narinas destroçadas, mas morriam quase na mesma hora. Montes deles, com uma aparência branca como cera, cresciam em cada lado da cabeça do urso.

Eddie aproximou-se devagar. Passara Susannah para um dos quadris, carregando-a como uma mãe poderia carregar um bebê.

— O que era isso, Roland? Você sabe?

— Acho que o chamam de Guardião — disse Susannah.

— Sim. — A voz de Roland estava lenta de espanto. — Eu achava que todos tinham desaparecido, *deveriam* ter desaparecido... se é que algum dia existiram fora dos contos da carochinha, para começar.

— Fosse o que fosse, estava louco — disse Eddie.

Roland deu um sorrisinho.

— Se você tivesse vivido dois ou três mil anos, também enlouqueceria.

— Dois ou três mil... Nossa!

Susannah disse:

— É um urso? Mesmo? E o que é isso?

Apontava o que parecia ser uma plaqueta quadrada de metal numa das grossas patas traseiras do urso. Estava quase coberta com duros emaranhados de pelo, mas o sol da tarde revelara um único ponto estrelado de luz na superfície de aço inoxidável.

Eddie ajoelhou-se e estendeu a mão hesitante para a plaqueta, ciente de que estranhos estalos abafados ainda vinham do fundo do interior do gigante caído. Olhou para Roland.

— Vá em frente — disse o pistoleiro. — Ele já era.

Eddie afastou um punhado de pelos para o lado e curvou-se para mais perto. Havia palavras gravadas no metal. Estavam muito apagadas, mas ele conseguiu ler fazendo um pequeno esforço.

NORTH CENTRAL POSITRONICS, LTD.
Granite City
Northeast Corridor

Desenho: 4 GUARDIÃO
Número de série: AA 24123 CX 755431297 L 14
Tipo/Espécie URSO
SHARDIK

NSAS CÉLULAS SUBNUCLEARES NÃO DEVEM SER SUBSTITUÍDAS**NS**

— Jesus do céu, essa coisa é um *robô* — disse Eddie baixinho.

— Não pode ser — disse Susannah. — Quando eu atirei nele, ele *sangrou.*

— Talvez, mas o urso comum de todos os dias não tem uma antena parabólica saindo da cabeça. E, até onde eu sei, o urso comum de todos os dias não vive dois ou três... — Eddie interrompeu-se de repente, olhando para Roland. Quando tornou a falar, sua voz estava enojada. — Roland, o que está fazendo?

Roland não respondeu; não precisava responder. O que ele estava fazendo — arrancando um dos olhos do urso com a faca — era perfeitamente óbvio. A cirurgia foi rápida, limpa e precisa. Depois de concluída, ele equilibrou a bola parda de gelatina supurante na lâmina da faca por um instante, e em seguida virou-a. Mais alguns vermes saíram da órbita vazia, tentaram dirigir-se para o focinho do urso, contorcendo-se, e morrendo.

O pistoleiro curvou-se sobre a órbita de Shardik, o grande urso Guardião, e olhou para dentro.

— Venham olhar, os dois — disse. — Eu vou lhes mostrar uma maravilha dos últimos dias.

— Me coloque no chão, Eddie — disse Susannah.

Ele o fez, e ela se adiantou rapidamente sobre as mãos e as coxas até onde o pistoleiro se curvava sobre a cara larga e frouxa do urso. Eddie juntou-se a eles, olhando por entre seus ombros. Os três fitaram em silêncio chocado por quase um minuto inteiro; o único som vinha dos corvos que ainda circulavam mal-humorados no céu.

Sangue vazava da órbita numas poucas gotas densas e agonizantes. Mas Eddie viu que não era *apenas* sangue. Havia também um líquido claro, que desprendia um odor identificável — banana. E, incrustado no intricado emaranhado de tendões que formavam a órbita, ele viu uma rede do que pareciam ser barbantes. Além deles, no fundo da órbita, havia uma centelha vermelha, piscando. Ela iluminava uma minúscula placa quadrada marcada com rabiscos prateados do que só podia ser uma solda.

— Não é um urso, é a porra de um Walkman Sony — murmurou ele.

Susannah virou-se para ele.

— Como?

— Nada. — Eddie olhou para Roland. — Acha que é seguro enfiar o dedo?

Roland deu de ombros.

— Acho que sim. Se havia um demônio nessa criatura, já fugiu.

Eddie enfiou o dedo mindinho, preparado para retirá-lo se sentisse um mínimo de eletricidade que fosse. Tocou a carne que esfriava dentro da órbita, que era quase do tamanho de uma bola de beisebol, e depois um dos barbantes. Só que não era um barbante; era um fio de aço da grossura de um fio de teia de aranha. Ele retirou o dedo e viu a minúscula centelha vermelha piscar mais uma vez, antes de se apagar para sempre.

— Shardik — murmurou. — Eu *conheço* esse nome, mas não consigo lembrar de onde. Significa alguma coisa pra você, Susannah?

Ela balançou a cabeça.

— O problema é... — Eddie riu sem jeito. — Eu o associo com coelhos. Não é bizarro?

Roland levantou-se. Seus joelhos estalaram como tiros.

— Vamos ter de levantar acampamento — disse ele. — O terreno aqui está podre. A outra clareira, aquela onde vamos para atirar, vai...

Deu dois passos trêmulos e depois desabou de joelhos, apertando a cabeça caída com as palmas das mãos.

10

Eddie e Susannah trocaram um único olhar assustado e depois Eddie se apressou até Roland.

— O que foi? Roland, qual é o problema?

— *Havia* um garoto — disse o pistoleiro numa voz distante, murmurante. E depois, logo na respiração seguinte: — *Não havia* um garoto.

— Roland? — disse Susannah. Aproximou-se dele, passou um braço em torno de seus ombros, sentindo-o tremer. — Roland, o que foi?

— O garoto — disse Roland, olhando para ela com olhos indecisos, ofuscados. — É o garoto. *Sempre* o garoto.

— *Que* garoto? — berrou Eddie, quase em desespero. — *Que* garoto?

— Vá, então — disse Roland. — Existem outros mundos além deste. — E desmaiou.

11

Naquela noite os três ficaram sentados em torno da fogueira que Eddie e Susannah haviam feito na clareira que Eddie chamava de "galeria de tiro". Teria sido um lugar ruim para acampar no inverno, aberto para o vale como era, mas por enquanto estava ótimo. Eddie imaginava que ali no mundo de Roland ainda era final de verão.

A escura abóbada do céu arqueava-se acima deles, salpicada pelo que pareciam ser galáxias inteiras. Quase bem na frente, ao sul, do outro lado do rio de escuridão que era o vale, Eddie via a Velha Mãe erguendo-se acima do horizonte distante, invisível. Olhou para Roland, que estava sentado encolhido junto à fogueira com três peles nos ombros apesar da noite agradável e do calor do fogo. Ele tinha um prato intocado ao lado e um osso na mão. Eddie olhou de novo para o céu e lembrou-se de uma história que o pistoleiro contara a ele e Susannah num dos longos dias que haviam passado quando vinham da praia, por entre os sopés de montanhas e finalmente entrando naquelas densas matas onde encontraram abrigo temporário.

Antes do início do tempo, dissera Roland, o Velho Astro e a Velha Mãe eram jovens e recém-casados apaixonados. Aí, um dia, tiveram uma terrível discussão. A Velha Mãe (que naqueles dias de outrora era conhecida por seu verdadeiro nome, Lydia) pegara o Velho Astro (cujo verdadeiro nome era Apon) rondando uma bela moça chamada Cassiopeia. Os dois tiveram uma briga feia, com puxões de cabelo, dedos nos olhos, bombardeios de louças. Um desses pedaços de louça atirados havia se transformado na terra; um caco menor na lua; uma brasa do fogão da cozinha deles se transformara no sol. No fim, os deuses intervieram, para que Apon e Lydia, em sua fúria, não destruíssem o universo antes de ele mal haver começado. Cassiopeia, a atraente moça que havia causado a encrenca para início de conversa ("Ééé, tá certo. É sempre a mulher", dissera Susannah nesse ponto), fora banida para uma cadeira de balanço feita de estrelas para todo o sempre. Mas nem mesmo isso havia resolvido o problema. Lydia mostrara-se disposta a tentar de novo, mas Apon estava inflexível e cheio de orgulho ("Ééé, a culpa sempre é do homem", resmungara Eddie nesse ponto). Então eles se separaram, e agora olhavam um para o outro com um misto de raiva e saudade de lados opostos das ruínas coalhadas de estrelas do seu divórcio. Apon e Lydia haviam partido há três bilhões de anos, disse o pistoleiro; tornaram-se o Velho Astro e a Velha Mãe, o norte e o sul, cada um definhando pelo outro, mas agora orgulhosos demais para pedir por uma reconciliação... e Cassiopeia fica de lado em sua cadeira, balançando-se e rindo dos dois.

Eddie assustou-se com um toque gentil em seu braço. Era Susannah.

— Venha — disse ela. — Precisamos fazer com que ele fale.

Eddie carregou-a para a fogueira e a depositou com cuidado ao lado direito de Roland. Sentou-se no esquerdo. Roland olhou primeiro para ela, depois para ele.

— Como vocês estão sentados colados em mim — observou. — Parecem namorados... ou guardas numa prisão.

— É hora de você falar um pouco. — A voz de Susannah era baixa, nítida e melodiosa. — Se nós somos seus companheiros, Roland... e parece que somos, goste você disso ou não... é hora de você começar a nos *tratar* como companheiros. Diga-nos qual é o problema...

— ... e o que podemos fazer a respeito — concluiu Eddie.

Roland deu um profundo suspiro.

— Não sei como começar — disse. — Faz tanto tempo desde que eu tive companheiros... ou uma história para contar...

— Comece com o urso — disse Eddie.

Susannah curvou-se para a frente e tocou o maxilar que Roland tinha nas mãos. O osso a assustava, mas ela o tocou mesmo assim.

— E termine com isto.

— Sim. — Roland ergueu o osso à altura dos olhos e encarou-o por um instante, antes de largá-lo no colo. — Vamos precisar falar disto, não vamos? É o centro de tudo.

Mas o urso vinha primeiro.

12

— Esta é a história que me contaram quando eu era criança — disse Roland. — Quando tudo era novo, os Grandes Anciãos... não eram deuses, mas pessoas que tinham um conhecimento que quase se equiparava ao dos deuses... criaram os Doze Guardiões para montar guarda nos doze portais que dão para dentro e para fora do mundo. Às vezes eu ouvia que esses portais eram coisas naturais, como as constelações que vemos no céu ou a fenda sem fundo da terra que chamamos Cova do Dragão, por causa da grande irrupção de vapor que expelia a cada trinta ou quarenta dias. Mas outras pessoas... lembro-me de uma em particular, o cozinheiro-chefe do castelo do meu pai, um homem chamado Hax... outras pessoas diziam que *não* eram naturais, que haviam sido criadas pelos próprios Grandes Anciãos, nos dias antes de se enforcarem com orgulho como um laço e desaparecerem da terra. Hax dizia que a criação dos Doze Guardiões fora o último ato dos Grandes Anciãos, sua tentativa de expiar os grandes males que haviam feito uns aos outros, e à própria terra.

— Portais — disse Eddie. — *Portas*, você quer dizer. Voltamos a elas de novo. Essas portas que dão para dentro e para fora do mundo se abrem para o mundo de onde Suze e eu viemos? Como aquelas que encontramos na praia?

— Eu não sei — disse Roland. — Para cada coisa que eu sei, há cem que eu não sei. Vocês... os dois... terão de se conformar com esse fato. O mundo seguiu adiante, nós dizemos. Quando o fez, foi como uma grande onda que recua, deixando para trás apenas ruínas... ruínas que às vezes parecem um mapa.

— Bem, dê um *palpite*! — exclamou Eddie, e a pura avidez em sua voz disse ao pistoleiro que Eddie não desistira da ideia de retornar ao seu próprio mundo, e de Susannah, mesmo agora. Não inteiramente.

— Deixe ele em paz, Eddie — disse Susannah. — O cara não dá palpites.

— Não é verdade, o cara às vezes *dá* palpites — disse Roland, surpreendendo os dois. — Quando o palpite é a única coisa que resta, ele às vezes palpita. A resposta é não. Eu não acho... não *palpito*... que esses portais sejam parecidos com as portas na praia. Eu não palpito que eles deem para um *onde* ou *quando* que nós reconheçamos. Acho que as portas na praia... as que levam ao mundo de onde vocês dois vêm... eram como o pivô no centro da prancha de uma criança. Sabem o que é?

— Gangorra? — perguntou Susannah, e virou a mão de um lado para outro, para demonstrar.

— Isso! — concordou Roland, parecendo satisfeito. — Exato. Numa das pontas dessa gagorra...

— Gangorra — corrigiu Eddie, com um leve sorriso.

— Isso. Numa ponta, meu ka. Na outra, o do homem de preto, Walter. As portas eram o centro, resultado da tensão entre dois destinos opostos. Os outros portais são muito maiores do que Walter, ou eu, ou a pequena sociedade que nós três formamos.

— Você está dizendo — perguntou Susannah, hesitante — que os portais onde esses Guardiões montam guarda ficam *fora* do ka? Além do ka?

— Estou dizendo que acredito que sim. — Deu seu próprio sorriso breve, uma fina foice à luz da fogueira. — Que eu *palpito* que sim.

Ele se calou por um instante, depois pegou um pedaço de pau. Varreu o tapete de agulhas de pinheiro e usou o pau para riscar na terra embaixo:

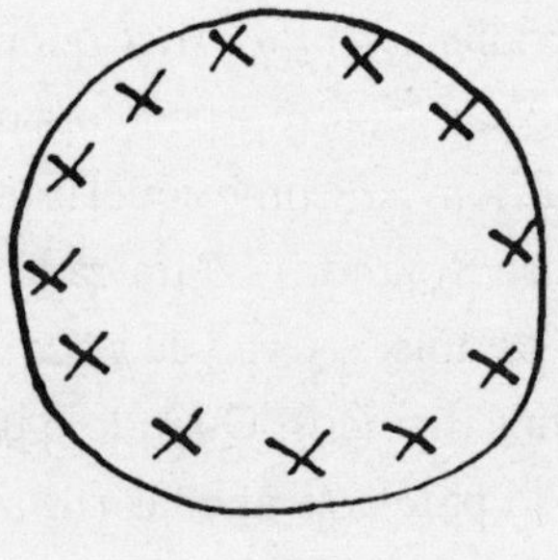

— Aqui está o mundo que me disseram que existia quando eu era criança. Os Xis são os portais formando um círculo em sua eterna borda. Se traçarmos seis linhas, ligando esses portais em pares... assim...

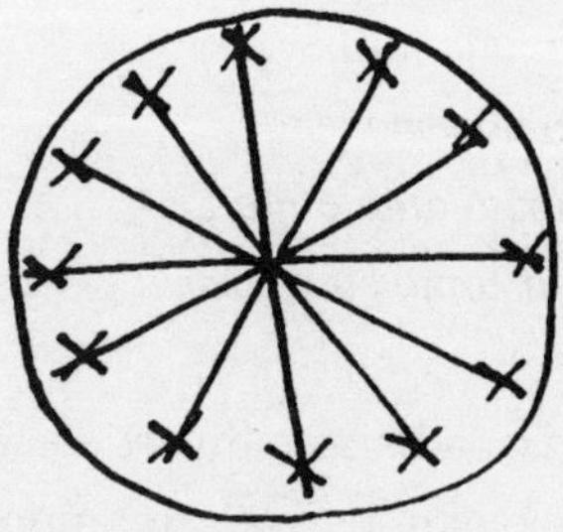

Ergueu o olhar.

— Estão vendo onde as linhas se cruzam no centro?

Eddie sentiu um arrepio subir pelas costas e descer pelos braços. De repente, sua boca ficou seca.

— É isso, Roland? É isso...?

Roland assentiu. O rosto comprido e marcado estava muito sério.

— Nesse nexo está o Grande Portal, o chamado Décimo Terceiro Portal que governa não apenas este mundo, mas todos os mundos.

Bateu no centro do círculo.

— Aqui está a Torre Negra pela qual tenho procurado durante toda a minha vida.

13

O pistoleiro retomou a história:

— Em cada um dos doze portais menores os Grandes Anciãos deixaram um Guardião. Quando eu era criança, sabia os nomes de todos eles nas rimas infantis que minha babá... e o cozinheiro Hax... me ensinaram... mas minha infância foi há muito tempo. Havia o Urso, lógico, e o Peixe... o Leão... o Morcego. E a Tartaruga... essa era importante...

O pistoleiro ergueu o olhar para o céu estrelado, a testa enrugada em profunda reflexão. Depois, um incrível sorriso animado irrompeu em suas feições e ele recitou:

Olhem a TARTARUGA *de enorme cintura!*
Em seu casco ela toda a terra contém.
Pensa devagar, mas sempre com ternura;
Todos nós dentro da mente tem.
Sobre suas costas todos vão jurar;
Ela vê a verdade e não nos pode valer.
Ela ama a terra e também ama o mar,
E ama até uma criança como eu e você.

Roland soltou uma risada baixa e divertida.

— Foi Hax quem me ensinou essa, cantando enquanto mexia o glacê para um bolo e me dava tiquinhos do doce na borda da colher. É espantoso o que a gente lembra, não é? De qualquer modo, quando cresci, passei a acreditar que os Guardiões não existiam de verdade... que eram mais símbolos do que substâncias. Parece que eu estava errado.

— Eu o chamei de robô — disse Eddie —, mas não era isso que ele realmente era. Susannah tem razão: a única coisa que os robôs sangram quando a gente atira neles é óleo lubrificante. Acho que ele era o que as pessoas do meu mundo chamam de ciborgue, Roland, uma criatura parte máquina e parte carne e osso. Eu vi um filme... nós falamos para você sobre o cinema, não é?

Sorrindo de leve, Roland assentiu.

— Bem, esse filme se chamava *Robocop*, e o cara no filme não era muito diferente do urso que Susannah matou. Como você sabia onde ela devia atirar?

— Isso eu lembrei das velhas histórias que Hax contava — disse Roland. — Se fosse pela minha babá, Eddie, você agora estaria na barriga do urso. Vocês às vezes mandam as crianças confusas em seu mundo colocarem o chapéu de pensar?

— Sim — disse Susannah. — Mandamos sim.

— Aqui também mandam, e o ditado vem da história dos Guardiões. Cada um supostamente levava um cérebro a mais fora da cabeça. Num chapéu. — Ele olhou-os com seus olhos terrivelmente assombrados e tornou a sorrir. — Não parecia muito um chapéu, parecia?

— Não — disse Eddie —, mas a história chegou perto o suficiente para salvar a nossa pele.

— Eu acho agora que andei procurando por um Guardião desde que iniciei minha jornada — disse Roland. — Quando encontrarmos o portal que Shardik guardava... e deve ser apenas uma questão de seguir sua trilha para trás... teremos enfim um rumo a seguir. Devemos partir do portal e simplesmente seguir em linha reta em frente. Para o centro do círculo... a Torre.

Eddie abriu a boca para dizer: *Tudo bem, vamos falar logo dessa Torre. De uma vez por todas, vamos falar — o que ela é, o que significa e, mais importante de tudo, o que acontece com a gente quando chegarmos lá*. Mas não saiu nenhum som, e depois de um instante ele tornou a fechá-la. Não era a hora... com Roland tão obviamente sofrendo. Não agora, com apenas a fagulha da única fogueira do acampamento para manter segura a noite.

— Assim, chegamos agora à outra parte — disse Roland, tenso. — Eu enfim descobri meu rumo... depois de todos os longos anos, descobri meu rumo... mas ao mesmo tempo parece que estou perdendo a sanidade. Eu a sinto desmoronando sob meus pés, como uma íngreme escarpa encharcada pela chuva. É o meu castigo por deixar um garoto que nunca existiu cair e morrer. E isso também é ka.

— Quem é esse garoto? — perguntou Susannah.

Roland olhou para Eddie.

— *Você* sabe?

Eddie fez que não com a cabeça.

— Mas eu já falei dele — disse Roland. — Na verdade, *delirei* sobre ele, quando a infecção piorou ao máximo e eu estive perto de morrer. — A voz do pistoleiro de repente elevou-se meia oitava, e a imitação da voz de Eddie saiu tão boa que Susannah sentiu uma pontada de medo supersticioso.

— "Se não fechar a matraca sobre esse maldito garoto, Roland, vou amordaçar você com a sua própria camisa! Estou cheio de ouvir falar dele!" Você se lembra de dizer isso, Eddie?

Eddie pensou com cuidado. Roland falara mil coisas quando os dois fizeram sua terrível jornada da porta marcada PRISIONEIRO para a marcada DAMA DAS SOMBRAS, e ele dissera o que parecia mil nomes em seus monólogos febris — Alain, Cort, Jamie de Curry, Cuthbert (este mais vezes do que todos os outros), Hax, Martin (ou talvez fosse Marta, como o animal), Walter, Susan, até um cara com o nome bizarro de Zoltan. Eddie ficara muito cansado de ouvir falar dessas pessoas que jamais conhecera (nem queria conhecer), mas é claro que tinha seus problemas particulares na ocasião, sendo a desintoxicação da heroína e a diferença de fuso horário cósmico apenas dois deles. E, para ser justo, achava que Roland ficara tão cansado dos seus Contos de Fada sem pé nem cabeça — de que ele e Henry haviam sido criados juntos e ficado viciados juntos — quanto Eddie ficara dos dele.

Mas ele não se lembrava de alguma vez ter dito a Roland que o amordaçaria com sua própria camisa se ele não parasse de falar de um garoto.

— Não se lembra de nada? — perguntou Roland. — Absolutamente nada?

Havia alguma coisa? Alguma comichão distante, como a sensação de déjà-vu que ele tivera ao ver o estilingue oculto dentro do nó de madeira que se projetava do cepo? Eddie tentou encontrar a comichão, mas ela desaparecera. Concluiu que jamais estivera ali, para começar; ele apenas *queria* que ela estivesse, porque Roland estava sofrendo tanto.

— Não — ele disse. — Lamento, cara.

— Mas eu *contei* a você. — Embora Roland transmitisse um tom calmo, a urgência o percorria e pulsava abaixo da superfície como um fio escarlate. — O garoto se chamava Jake. Eu o sacrifiquei, o matei, a fim de poder alcançar Walter e fazê-lo falar. Eu o matei embaixo das montanhas.

Sobre esse ponto, Eddie pôde ser mais positivo.

— Bem, talvez tenha sido isso que aconteceu, mas não foi o que você *disse* que aconteceu. Disse que foi sozinho ao sopé das montanhas, naquele vagonete maluco. Falou *disso* à beça quando estávamos subindo a praia, Roland. De como foi assustador estar sozinho.

— Eu me lembro. Mas também me lembro de contar a você sobre o garoto, e que ele caiu da ponte no abismo. E é o abismo entre essas duas lembranças que está dilacerando minha mente.

— Eu não estou entendendo nada — disse Susannah, preocupada.

— Eu acho — continuou Roland — que só estou começando a entender.

Ele jogou mais lenha na fogueira, fazendo subir faíscas vermelhas em forma de espiral no céu escuro, e tornou a se acomodar entre eles.

— Vou contar uma história que é verdadeira — disse —, e depois outra que não é... mas *deveria ser*. Comprei um jumento em Pricetown, e quando finalmente cheguei a Tull, a última cidade antes do deserto, ele continuava descansado...

14

Assim o pistoleiro iniciou a mais recente parte de sua longa narrativa. Eddie ouvira fragmentos da história, mas escutava com total fascinação assim como Susannah, para quem ela era completamente nova. Roland falou-lhes do bar com o infindável jogo acontecendo no canto, do pianista chamado Sheb, da mulher chamada Allie com a cicatriz na testa... e de Nort, o comedor de erva que morrera e fora ressuscitado para uma espécie horrível de vida pelo homem de preto. Falou-lhes de Sylvia Pittston, o símbolo de insanidade religiosa, e da chacina apocalíptica em que ele, Roland, o Pistoleiro, havia matado cada homem, mulher e criança da cidade.

— Puta que pariu! — disse Eddie com a voz abalada, baixa. — Agora entendi por que você estava com tão poucas balas, Roland.

— Silêncio! — cortou Susannah, irritada. — Deixe-o terminar!

Roland continuou, contando sua história com a mesma impassibilidade com que atravessara o deserto após passar pela cabana do último Colono, um jovem cujo cabelo ruivo lhe caía quase à altura da cintura. Contou-lhes que seu jumento afinal morrera. Contou-lhes até que o pássaro de estimação do Colono, Zoltan, comera os olhos do jumento.

Contou-lhes dos longos dias e das curtas noites do deserto que se haviam seguido, e sobre como ele havia ido atrás dos vestígios frios das fogueiras de Walter, e de como finalmente chegara, cambaleando e morrendo de desidratação, ao posto de parada.

— Estava vazio. Fora abandonado, acho, desde os dias em que aquele grande urso ainda era uma coisa recém-criada. Passei uma noite ali e segui em frente. Foi isso o que aconteceu... mas agora vou lhes contar outra história.

— A que não é verdadeira mas deveria ser? — perguntou Susannah.

Roland assentiu.

— Nessa história inventada... nessa fábula... um pistoleiro chamado Roland conheceu um garoto chamado Jake no posto de parada. O garoto era do mundo de vocês, da sua cidade de Nova York, e de um *quando* em algum lugar entre o 1987 de Eddie e o 1963 de Odetta Holmes.

Eddie curvava-se para a frente com ansiedade.

— Tem uma porta nessa história, Roland? Uma porta com a inscrição O GAROTO, ou algo do tipo?

Roland fez que não com a cabeça.

— A porta do garoto foi a morte. Ele estava indo para a escola quando um homem... um homem que eu achei que fosse Walter, o empurrou na rua, onde ele foi atropelado por um carro. Ele ouviu esse homem dizer alguma coisa como: "Me deixem passar. Sou padre". Jake *viu* esse homem... apenas por um instante... e em seguida estava no *meu* mundo.

O pistoleiro fez uma pausa, olhando para o fogo.

— Agora quero deixar esta história do garoto que nunca existiu e voltar ao que realmente aconteceu por um minuto. Certo?

Eddie e Susannah trocaram um olhar intrigado, e Eddie fez um gesto com a mão de "você primeiro, meu caro Alphonse".

— Como eu disse, o posto de parada estava deserto. Havia, porém, uma bomba de água que ainda funcionava. Nos fundos do estábulo, onde eram tratados os cavalos de diligência. Segui o barulho até lá, mas eu a teria encontrado mesmo que fosse completamente silenciosa. Eu senti o *cheiro* da água, entendem. Depois de passar bastante tempo no deserto, quando a gente se sente à beira de morrer de sede, isso realmente pode acontecer. Bebi e depois adormeci. Quando acordei, bebi de novo. Quis seguir em frente na mesma hora... a necessidade de fazer isso era como uma febre. O remédio que você me trouxe do seu mundo, a *asmina*, é uma substância maravilhosa, Eddie, mas há febres além do poder de cura de qualquer remédio, e essa era uma delas. Eu sabia que meu corpo precisava de descanso, mas ainda assim exigiu cada resquício da minha força de vontade ficar ali até mesmo uma única noite. Ao amanhecer, sentia-me repousado, então tornei a encher os cantis e segui em frente. *Não levei nada daquele lugar além de água*. Isso é o mais importante do que realmente aconteceu.

Susannah falou com a voz mais moderada, agradável e semelhante à de Odetta Holmes.

— Certo, isso foi o que realmente aconteceu. Você tornou a encher os cantis e continuou. Agora nos conte o resto do que *não* aconteceu, Roland.

O pistoleiro colocou o maxilar no colo por um momento, fechou as mãos em punhos e esfregou os olhos com elas — um gesto curiosamente infantil. Depois pegou mais uma vez o maxilar, como se em busca de coragem, e continuou.

— Eu hipnotizei o garoto que não estava lá — disse. — Fiz isso com uma das minhas conchas. É um truque. Sabia fazê-lo havia anos, e aprendi com uma pessoa muito improvável, Marten, o mágico da corte de meu pai. Foi fácil com o garoto. Enquanto entrava em transe, ele me contou as circunstâncias de sua morte, como eu as contei para vocês. Depois que já tinha ouvido tanto da história quanto achei possível, sem angustiá-lo ou chegar a machucá-lo, dei-lhe uma ordem para que não se lembrasse de nada sobre sua morte quando tornasse a acordar.

— Quem iria querer se lembrar? — resmungou Eddie.

Roland assentiu.

— Quem, de fato? O garoto passou do transe direto para um sono natural. Eu também dormi. Quando acordamos, eu disse ao garoto que pretendia alcançar o homem de preto. Ele sabia de quem eu falava; Walter também havia parado no posto de parada das diligências. Jake ficou assustado e se escondeu dele. Tenho certeza de que Walter sabia que ele estava lá, mas lhe convinha fingir que não. Deixou o garoto para trás como uma armadilha engatilhada.

"Perguntei se tinha alguma coisa para comer ali. Pareceu-me que deveria haver. Ele parecia bastante saudável, e o clima do deserto é ótimo quando se trata de conservar comida. Ele disse que tinha um pouco de carne seca, e que havia um celeiro. Ainda não o tinha explorado porque estava com medo. — O pistoleiro lançou-lhes um olhar sinistro. — Ele tinha razão de sentir medo. Encontrei comida... e também encontrei um Demônio Falante.

Eddie encarou o maxilar com os olhos arregalados. A luz alaranjada da fogueira dançava em suas curvas fósseis e dentes agourentos.

— Demônio Falante? Quer dizer *essa* coisa aí?

— Não — respondeu ele. — Sim. Os dois. Escute que você vai entender.

Falou-lhes dos gemidos vindos da terra além do celeiro; que vira areia escorrendo dos antigos blocos que formavam as paredes desse celeiro. Disse que estava se aproximando do buraco que começava a surgir ali, quando Jake gritou para que ele subisse.

Ordenara que o demônio falasse... e assim fizera o demônio, com a voz de Allie, a mulher com a cicatriz na testa, a que tinha o bar em Tull. *Passe devagar pelo Estreito, pistoleiro. Enquanto você viaja com o garoto, o homem de preto viaja com a sua alma no bolso.*

— O Estreito? — perguntou Susannah, sobressaltada.

— É. — Roland olhou-a atentamente. — Quer dizer alguma coisa para você, não?

— Sim... e não.

Ela falou com muita hesitação. Parte daquilo, Roland adivinhou, era simples relutância em falar de coisas que lhe eram dolorosas. Ele achou, contudo, que no geral se devia ao desejo de não confundir questões que já eram confusas, dizendo mais do que de fato ela sabia. Ele admirava isso. Ele *a* admirava.

— Diga o que sabe ao certo — aconselhou. — Não mais que isso.

— Está bem. O Estreito era um lugar que Detta Walker conhecia. Um lugar em que ela *pensava*. É uma gíria, que ela pegou escutando os adultos quando se sentavam na varanda, bebendo cerveja e conversando sobre os velhos tempos. Significa um lugar estragado, ou inútil, ou as duas coisas. Alguma coisa no Estreito, na ideia do Estreito, fascinava Detta. Não me perguntem o quê; talvez eu um dia tenha sabido, mas já não sei mais. E nem quero saber.

“Detta roubou o prato de porcelana da minha tia Blue, a que minha família lhe deu como presente de casamento, e a levou para o Estreito... o Estreito *dela*... com a intenção de quebrá-lo. Aquele lugar era um fosso de saibro cheio de lixo. Um terreno de despejo. Mais tarde, ela às vezes pegava rapazes em lanchonetes e pensões de estrada para motoristas. — Susannah deixou a cabeça cair por um momento, os lábios cerrados com força. Depois ergueu-a de novo e continuou. — Rapazes *brancos*. E quando eles a levavam até seus carros no estacionamento, Detta os provocava e depois saía correndo. Aqueles estacionamentos... também faziam parte do Estreito. Era um jogo perigoso, mas ela era muito jovem, rápida demais e má o bastante para jogá-lo até o fim e se divertir. Mais tarde, em Nova York, ela partia em expedições de furtos a lojas... vocês sabem disso. Os dois. Sempre lojas chiques: Macy’s, Gimbel’s, Bloomingdale’s... e roubava quinquilharias. E quando decidia cair numa dessas farras, pensava: *Eu vô pro Estreito hoje. Vô robá alguma merda dos brancos. Vô robá uma coisa especial e depois quebrá aquele filho da puta.*

Fez uma pausa, os lábios trêmulos, encarando o fogo. Quando tornou a olhar em volta, Roland e Eddie viram lágrimas em seus olhos.

— Estou chorando, mas não deixem que isso engane vocês. Eu me lembro que fazia essas coisas, e me lembro que *gostava*. Acho que estou chorando porque sei que faria tudo de novo, nas circunstâncias certas.

Roland parecia ter recuperado parte de sua antiga serenidade, de seu misterioso equilíbrio.

— Temos um provérbio na minha terra, Susannah: "O ladrão sábio sempre prospera".

— Não vejo nada de sábio em roubar um monte de bijuteria imitando pedras preciosas — retrucou ela, irritada.

— Você já foi pega alguma vez?

— Não...

Ele abriu as mãos como para dizer: Então.

— Para Detta, então, o Estreito era um lugar ruim? — perguntou Eddie. — É isso? Porque não *parece* exatamente isso.

— Ruim e bom ao mesmo tempo. Era um lugar poderoso, um lugar onde ela... ela se *reinventava*. Acho que poderia ser essa a palavra... mas também era um lugar *perdido*. E esse é o tema do garoto-fantasma de Roland, não?

— Talvez não — disse Roland. — Também tínhamos o Estreito, você sabe, no meu mundo. Era gíria para nós, também, e os significados são muito semelhantes.

— O que significava para você e seus amigos? — perguntou Eddie.

— Isso variava um pouco de lugar para lugar e de situação para situação. Às vezes significava um monte de lixo. Podia querer dizer um prostíbulo ou um lugar onde homens iam jogar ou mascar erva-do-diabo. Mas o sentido mais comum que eu conheço também é o mais simples.

Ele encarou os dois.

— O Estreito é um lugar de desolação — disse ele. — O Estreito são as terras devastadas.

15

Dessa vez foi Susannah quem jogou mais lenha na fogueira. No sul, a Velha Mãe resplandecia brilhante, sem oscilar. Ela sabia o que isso queria dizer pelo que estudara na escola: ela era um planeta, não uma estrela. *Vênus?*, pensou. *Ou será o sistema solar do qual este mundo faz parte tão diferente quanto tudo o mais?*

Mais uma vez ela foi tomada por aquela sensação de irrealidade, a sensação de que tudo aquilo só podia ser um sonho.

— Continue — ela disse. — O que aconteceu depois que a voz o avisou do Estreito e do menino?

— Bati com o punho no buraco de onde escorria a areia, como me ensinaram a fazer se algum dia acontecesse algo assim comigo. O que puxei foi um maxilar... mas não este. O maxilar que tirei da parede do posto de parada era muito maior; de um dos Grandes Anciãos, tenho quase certeza.

— O que aconteceu com ele? — perguntou Susannah, baixinho.

— Uma noite eu o dei para o garoto — disse Roland. O fogo pintava-lhe nas faces formas vívidas de cor laranja forte e sombras bruxuleantes. — Como proteção... um tipo de talismã. Depois achei que já tinha servido ao seu propósito e joguei-o fora.

— Então de quem é o maxilar que você tem aí, Roland? — perguntou Eddie.

Roland ergueu-o, olhou-o longamente e em reflexão, e tornou a largá-lo.

— Mais tarde, depois que Jake... depois que ele morreu... alcancei o homem que eu vinha perseguindo.

— Walter — acrescentou Susannah.

— Sim. Confabulamos, ele e eu... uma *longa* confabulação. Adormeci em determinado momento, e quando acordei, Walter estava morto. Morto no mínimo havia uns cem anos, e na certa mais. Nada sobrara dele além dos ossos, o que fazia sentido, pois estávamos num lugar de ossos.

— É, deve ter sido uma bela e longa confabulação, com certeza — disse Eddie, secamente.

Susannah fez um leve ar de reprovação a esse comentário, mas Roland apenas assentiu.

— Longuíssima — disse, olhando para o fogo.

— Você acordou aquela manhã e alcançou o mar Ocidental naquela mesma noite — disse Eddie. — A noite em que vieram as lagostrosidades, certo?

Roland tornou a assentir.

— Sim. Mas antes de deixar o lugar onde eu e Walter tínhamos conversado... ou sonhado... ou fosse lá o que fizemos... Peguei isto da sua caveira. — Ele levantou o osso e novamente a luz laranja refletiu-se nos dentes.

O maxilar de Walter, pensou Eddie, e sentiu um leve calafrio percorrê-lo. *O maxilar do homem de preto. Lembre-se disso, Eddie, meu garoto, da próxima vez em que começar a achar que Roland talvez seja apenas mais um dos amigos. Ele o tem levado consigo por aí todo esse tempo como uma espécie de… troféu de canibal. Minha nossa.*

— Lembro-me do que pensei quando o peguei — disse Roland. — Lembro-me muito bem; é a única lembrança que tenho daquele tempo que não está duplicada para mim. Pensei: "Foi má sorte jogar fora o que encontrei quando encontrei o garoto. Isto vai substituí-lo". Só então ouvi a risada de Walter… aquela risada má, abafada. Ouvi também sua voz.

— O que ele disse? — perguntou Susannah.

— "Tarde demais, pistoleiro" — respondeu Roland. — Foi o que ele disse. "Tarde demais… sua sorte será má a partir de agora até o fim da eternidade… este é o seu ka."

16

— Tudo bem — disse Eddie por fim. — Entendo o paradoxo básico. Sua memória está dividida…

— Dividida *não. Duplicada.*

— Tudo bem; é quase a mesma coisa, não? — Eddie pegou um graveto e fez seu próprio desenho na areia:

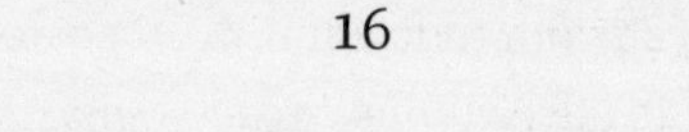

Indicou com uma batida a linha esquerda.

— Esta é sua lembrança da época antes de chegar ao posto de parada… uma única trilha.

— Sim.

Eddie indicou a linha à direita.

— E depois que saiu no outro lado das montanhas, no lugar dos ossos… o lugar onde Walter estava à sua espera. É também uma única trilha.

— Sim.

Então Eddie apontou primeiro a área do meio e em seguida desenhou um círculo torto.

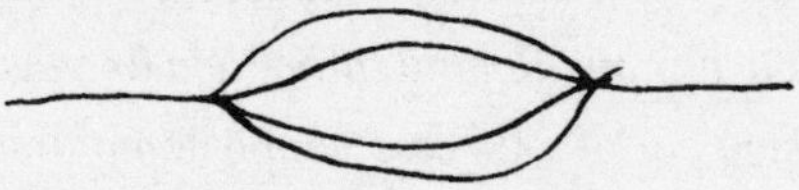

— Isto é o que você precisa fazer, Roland... isolar essa trilha dupla. Erga uma paliçada em volta dela em sua mente e depois esqueça-a. Porque ela não *significa* nada, não *muda* nada, aconteceu, está *feito*...

— Mas não está. — Roland ergueu o osso. — Se minhas lembranças do garoto Jake são falsas, e sei que são, *como posso ter isto*? Eu o trouxe para substituir o que joguei fora... mas o que joguei fora veio do celeiro do posto de parada, e ao longo da trilha eu sei que é verdade, *eu nunca desci até o celeiro*! Nunca falei com o demônio! Segui em frente sozinho, com água potável *e nada mais*!

— Roland, me escute — disse Eddie a sério. — Se o osso em sua mão fosse o do posto de parada, seria uma coisa. Mas não é possível que você tenha tido uma alucinação com tudo aquilo... o posto de parada, o garoto, o Demônio Falante... então talvez tenha pegado o maxilar de Walter porque...

— Não foi alucinação — interrompeu Roland. Encarou os dois com seus olhos azuis afiados e fez uma coisa que nenhum dos amigos esperava... uma coisa que Eddie teria jurado que Roland não sabia que ele próprio pretendia fazer.

Atirou o maxilar no fogo.

17

Por um momento, o maxilar apenas ficou ali, uma relíquia branca entortada num meio sorriso. Então, de repente, resplandeceu numa chama vermelha, inundando a clareira com uma ofuscante luz arroxeada. Eddie e Susannah gritaram e levaram as mãos aos olhos para protegê-los daquela forma ardente.

O osso começou a mudar. Não a derreter, mas a *mudar*. Os dentes, projetados como lápides, começaram a juntar-se em grumos. A curva suave da arcada superior endireitou-se, curvando-se depois para baixo, desdenhosa nas pontas.

As mãos de Eddie ficaram inertes em seu colo e ele fitou com boquiaberta admiração o osso que não era mais um osso. Era agora da cor de aço incandescente. Os dentes haviam-se tornado três Vês invertidos, o do meio maior do que os das pontas. E de repente Eddie viu o que aquilo queria se tornar, assim como vira o estilingue na floresta do cepo.

Achou ser uma chave.

Você precisa se lembrar da forma, pensou febrilmente. *Você precisa, você precisa.*

Passou os olhos pela forma em desespero — três Vês, o do centro maior e mais profundo que os dois da ponta. Três reentrâncias... e o mais próximo da ponta tinha um floreado, a forma chapada de um s minúsculo...

Então a forma em chamas mudou mais uma vez. O osso que se tornara uma coisa parecida com uma chave recolheu-se para dentro de si, concentrando-se em pétalas e dobras sobrepostas tão escuras e aveludadas quanto uma noite de verão sem luar. Por um momento Eddie viu uma rosa — uma triunfante rosa que poderia ter desabrochado no amanhecer do primeiro dia daquele mundo, uma coisa de beleza sem-fim e atemporal. Viu com o olho e seu coração abriu-se. Era como se todo o amor e a vida houvessem de repente surgido, desprendendo-se do artefato morto de Roland; estavam ali no fogo, ardendo em triunfo e um certo desafio impreciso, maravilhoso, declarando que o desespero era uma miragem e a morte um sonho.

A rosa!, pensou ele incoerentemente. *Primeiro a chave, depois a rosa! Veja! Veja a abertura do caminho para a Torre!*

Uma tosse áspera subiu da fogueira. Um leque de centelhas se lançou para fora. Susannah deu um grito e girou para longe, abafando os salpicos cor de laranja no vestido, enquanto as chamas esguichavam para cima em direção ao céu estrelado. Eddie não se mexeu. Ficou vidrado em sua visão, preso num estado de admiração ao mesmo tempo maravilhoso e terrível, indiferente às centelhas que dançavam pela sua pele. Então as chamas tornaram a abaixar.

O osso se fora.

A chave se fora.

A rosa se fora.

Lembre-se, pensou ele. *Lembre-se da rosa... e lembre-se da forma da chave.*

Susannah soluçava de choque e terror, mas Eddie ignorou isso por enquanto e pegou o graveto com o qual ele e Roland haviam desenhado. E na terra traçou uma forma com a mão trêmula:

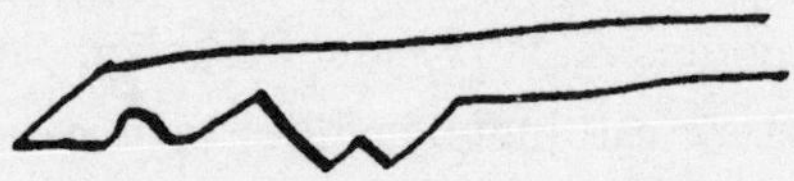

18

— Por que fez isso? — Susannah enfim perguntou. — Por que, em nome de Deus... e qual é o significado?

Haviam se passado quinze minutos. E os três tinham deixado que o fogo ardesse baixo; os tocos de lenha em brasa haviam sido extintos com pisadas ou sozinhos. Eddie estava sentado com os braços em volta da esposa, ela com as costas contra o tórax dele. Afastado num canto, Roland abraçava os joelhos colados no peito, olhando mal-humorado para as brasas vermelho-alaranjadas. Pelo que Eddie sabia, nenhum deles vira a mudança do osso. Os dois o tinham visto brilhando incandescente, e Roland o vira explodir (ou teria implodido? Para Eddie isso parecia mais próximo do que vira), porém foi só. Ou assim ele acreditava; Roland, contudo, às vezes não falava o que pensava, e quando decidia abrir o jogo, ainda assim jogava de maneira bem fechada, algo que Eddie aprendera por amarga experiência. Pensou em lhes dizer o que vira — ou *pensou* que vira — e decidiu jogar suas próprias cartas mais fechadas ainda, ao menos por enquanto.

Do próprio maxilar não se via sinal algum — nem uma lasca sequer.

— Eu fiz isso porque uma voz me falou na cabeça e disse que eu devia — respondeu enfim Roland. — Era a voz do meu pai; de *todos* os meus pais. Quando a gente ouve uma voz como essa, não obedecer... e de imediato... é impensável. Assim me ensinaram. Quanto ao que queria dizer, não sei... pelo menos, não agora. Só sei que o osso proferiu sua palavra final. Eu o trouxe por todo esse caminho até aqui para ouvi-la.

Ou vê-la, pensou Eddie. *Lembre-se. Lembre-se da rosa. E lembre-se da forma da chave.*

— Essa coisa quase nos fritou com aquele clarão! — Susannah parecia ao mesmo tempo cansada e irritada.

Roland balançou a cabeça.

— Para mim, pareceram mais aqueles fogos de artifício que os barões às vezes disparavam no céu em suas festas de fim de ano. Brilhantes e assustadores, mas não perigosos.

Eddie teve uma ideia.

— A duplicação em sua mente, Roland... ela sumiu? Foi embora quando o osso explodiu, ou seja lá o que tenha feito?

Estava quase convencido de que sim; vira que no cinema esse tipo de terapia bruta de choque quase sempre funcionava. Mas Roland balançou a cabeça, negando.

Susannah ajeitou-se nos braços de Eddie.

— Você disse que estava começando a entender.

Roland assentiu.

— É, acho que sim. Se eu estiver certo, temo por Jake. Onde quer que ele esteja, em *qualquer tempo* que esteja, temo por ele.

— Como assim? — perguntou Eddie.

Roland levantou-se, foi até sua pilha de peles e começou a estendê-las.

— Chega de histórias e emoção por hoje. É hora de dormir. Pela manhã, vamos refazer o rastro do urso e ver se conseguimos encontrar o portal que o mandaram guardar. Eu conto a vocês o que sei e o que acredito que aconteceu, o que acredito que continua acontecendo, no caminho.

Com isso, embrulhou-se numa velha manta e numa nova pele de veado, se afastou da fogueira, e não falou mais nada.

Eddie e Susannah deitaram-se juntos. Quando tiveram certeza de que o pistoleiro estava adormecido, fizeram amor. Roland ouviu-os, deitado ali acordado, e também ouviu a conversa em voz baixa dos dois após o ato. Foi quase tudo sobre ele, que continuou desperto em silêncio, os olhos abertos fitando as trevas, muito depois de a conversa deles haver cessado e sua respiração se igualado num mesmo ritmo tranquilo.

Era ótimo, pensou, ser jovem e estar apaixonado. Mesmo no cemitério em que este mundo se transformara, era ótimo.

Aproveitem enquanto podem, pensou, *pois há mais mortes à frente. Chegamos a um regato de sangue. Este nos levará a um rio do mesmo material, não tenho dúvidas. E ao longo do caminho, mais adiante, para um mar. Neste mundo, as sepulturas se escancaram e nenhum dos mortos descansa em paz.*

Quando o amanhecer começou a surgir no leste, ele fechou os olhos. Dormiu brevemente. E sonhou com Jake.

19

Eddie também sonhou — sonhou que estava de volta a Nova York, seguindo a pé pela Segunda Avenida com um livro na mão.

No sonho, era primavera. O ar estava quente, e a cidade vicejava, a saudade de casa batendo forte dentro dele como um músculo com um anzol enganchado bem fundo. *Aproveite este sonho, e faça-o durar o máximo que der*, pensou ele. *Saboreie-o... porque é o mais perto de Nova York que você vai conseguir chegar. Você não pode ir para casa, Eddie. Essa parte acabou.*

Baixou o olhar para o livro e não se surpreendeu em nada ver que era *Você não pode mais voltar para casa*, de Thomas Wolfe. Estampadas na capa vermelho-escura havia três formas: chave, rosa e porta. Eddie parou um instante, abriu o livro e leu a primeira linha. *O homem de preto fugia pelo deserto*, escreveu Thomas Wolfe, *e o pistoleiro ia atrás*.

Eddie fechou o livro e continuou andando. Eram umas nove da manhã, imaginou, talvez nove e meia, e o tráfego na Segunda Avenida estava tranquilo. Carros buzinavam e costuravam de uma pista para outra com a luz do sol primaveril cintilando nos para-brisas e nas brilhantes pinturas amarelas. Um mendigo na esquina da Segunda Avenida com a rua 52 pediu-lhe uma esmola e ele atirou-lhe no colo o livro de capa vermelha. Observou (também sem se surpreender) que o mendigo era Enrico Balazar. Estava sentado de pernas cruzadas diante de uma loja de artefatos mágicos. CASA DAS CARTAS, dizia a placa na janela, e o interior da vitrine exibia uma torre construída com cartas de tarô. Em pé no topo, um modelo de King Kong. Uma pequena antena parabólica brotava da cabeça do enorme gorila.

Eddie seguia a pé, sem pressa, a caminho do centro, as placas das ruas flutuando acima dele. Soube aonde ia assim que a viu: uma lojinha na esquina da Segunda com a 46.

Isso, pensou. Uma sensação de grande alívio varreu-lhe por inteiro. *Este é o lugar. O lugar exato.* A vitrine da delicatéssen estava cheia de carnes e queijos pendurados. DÉLI ARTESANAL DE TOM E JERRY, dizia a tabuleta. ESPECIALIDADE DA CASA: TÁBUAS PARA EVENTOS!

Enquanto estava ali parado olhando o interior da delicatéssen, outra pessoa que ele conhecia dobrou a esquina. Era Jack Andolini, com um terno de colete cor de sorvete de baunilha e uma bengala preta na mão esquerda. Metade do seu rosto desaparecera, despedaçada pelas garras das lagostrosidades.

Entre, Eddie, disse Jack ao passar. *Afinal, há outros mundos além destes, e a porra daquele trem passa por todos eles.*

Não posso, respondeu Eddie. *A porta está trancada.* Ele não sabia como estava ciente disso, mas estava; tinha certeza absoluta.

Chic, chum, cham, não se preocupe, você tem a chave, disse Jack, sem olhar para trás. Eddie baixou os olhos e viu que tinha a chave, sim; uma coisa de aspecto primitivo com três cortes iguais a Vês invertidos.

Esse formato de s na ponta é o segredo, pensou. Avançou sob o toldo da Déli Artesanal Tom e Jerry e inseriu a chave na fechadura. Ela girou com facilidade. Ele abriu a porta e entrou num imenso campo aberto. Virou-se e viu atrás de si o tráfego na Segunda Avenida fluindo, e em seguida a porta fechou-se com uma violenta batida e desabou. Não havia nada atrás dela. Absolutamente nada. Ele deu meia-volta para vistoriar seus novos arredores, e o que viu encheu-o a princípio de terror. O campo era escarlate-escuro, como se alguma batalha titânica houvesse sido travada ali e o terreno tivesse ficado encharcado com tanto sangue que fora impossível absorver tudo.

Então ele percebeu que o que via não era sangue, mas rosas.

A sensação de alegria e triunfo misturados mais uma vez o inundou, tomando o seu coração até ele achar que talvez fosse explodir no peito. Ergueu os punhos fechados para o alto da cabeça num gesto de vitória… e então se imobilizou.

O campo se estendia por quilômetros a fio, subindo por uma suave saliência de terra até o horizonte, onde estava a Torre Negra. Era uma coluna de pedra bruta tão alta no céu que ele mal conseguia discernir a ponta. A base, rodeada por chamativas rosas vermelhas, era formidável, de peso e tamanho titânicos, mas a Torre ia se tornando cada vez mais estranhamente graciosa à medida que se erguia e afilava. A pedra da qual fora feita não era preta, como ele imaginara que fosse, mas cor de fuligem. Janelas estreitas, vazadas, marchavam numa espiral ascendente até em cima; embaixo, percorriam um lance de escadas de pedra, contornando-a a subir sem parar. A Torre era um ponto de exclamação cinza-escuro plantado na terra que se erguia do campo de rosas vermelhas. O céu abobadado que a envolvia era azul, mas cheio de nuvens brancas infladas como embarcações velejando. Flutuavam numa infindável torrente acima e ao redor do topo da Torre Negra.

Como é magnífica!, maravilhava-se Eddie. *Magnífica e estranha!* Mas o sentimento de alegria e triunfo havia sumido; restara-lhe uma sensação de profundo mal-estar e destruição iminente. Olhou em volta e percebeu com repentino horror que estava em pé na sombra da Torre. Não, não apenas *em pé*; mas enterrado vivo nela.

Gritou, mas seu grito desapareceu na explosão dourada de uma tremenda trombeta. Vinha do topo da Torre, e parecia encher o mundo. Enquanto essa nota de advertência se sustentava e estendia-se sobre o campo onde ele se encontrava, trevas brotaram das janelas que se enroscavam na Torre como uma guirlanda. As trevas transbordaram e se propagaram pelo céu em lânguidas torrentes, que se juntaram e formaram uma mancha de escuridão intumescente. Não parecia uma nuvem; mas um tumor pairando sobre a terra. O céu ficou coberto. E, Eddie viu, não era uma nuvem nem um tumor, mas uma *forma*, uma *forma* gigantesca e tenebrosa, precipitando-se para o lugar onde ele estava. De nada adiantaria sair correndo daquele ciclope que se aglutinava no céu acima das rosas vermelhas; ele o pegaria, agarraria e levaria embora consigo. O levaria para a Torre Negra, e o mundo da luz não o veria mais.

Rendilhados formaram-se na escuridão, e terríveis olhos não humanos, cada um, parecendo ter o tamanho do urso Shardik que jazia morto na floresta, o espiavam de cima. Eram rubros — rubros como as rosas, rubros como sangue.

A voz cadavérica de Jack Andolini martelou os seus ouvidos: *Mil mundos, Eddie... dez mil!... e aquele trem passa por cada um. Se conseguir colocá-lo em movimento. E se conseguir, seus problemas estão apenas começando, porque esse dispositivo é uma verdadeira desgraça para desativar.*

A voz de Jack se tornara mecânica, entoada. *Uma verdadeira desgraça para desativar, Eddie meu garoto, é melhor acreditar, é uma desgraça mesmo...*

"... *DESATIVANDO! DESATIVAÇÃO ESTARÁ COMPLETA EM UMA HORA E SEIS MINUTOS!*"

No sonho, Eddie levou as mãos aos olhos para tapá-los...

20

... E acordou, sentando-se ereto como um fuso ao lado da fogueira do acampamento. Olhava o mundo por entre os próprios dedos. E mesmo assim aquela voz continuava retumbando sem parar, a voz de algum comandante babaca do esquadrão SWAT berrando através de um megafone.

"*NÃO HÁ NENHUM PERIGO! REPITO, NÃO HÁ NENHUM PERIGO! CINCO CÉLULAS SUBNUCLEARES ESTÃO INATIVAS, DUAS CÉLULAS SUBNUCLEARES AGORA EM FASE DE DESATIVAÇÃO, UMA CÉLULA ESTÁ OPERANDO EM DOIS POR CENTO DA CAPACIDADE. ESTAS CÉLULAS DE NADA SERVEM! COMUNIQUE LOCAÇÃO À NORTH CENTRAL POSITRONICS, LIMITADA! LIGUE 1-900-44! O CÓDIGO PARA ESTE DISPOSITIVO 'SHARDIK'. OFERECE-SE RECOMPENSA! REPITO, OFERECE-SE RECOMPENSA!*"

A voz calou-se. Eddie viu Roland em pé na borda da clareira, segurando Susannah na dobra de um braço. Olhavam fixos na direção do som da voz, e quando o anúncio recomeçou, Eddie conseguiu finalmente se livrar dos calafrios remanescentes de seu pesadelo. Levantou-se e juntou-se aos dois, perguntando-se quantos séculos se haviam passado desde que aquele anúncio fora gravado, programado para ser transmitido só no caso do registro de uma total avaria de sistema.

"*ESTE DISPOSITIVO ESTÁ SENDO DESATIVADO! O ENCERRAMENTO DA OPERAÇÃO SERÁ CONCLUÍDO EM UMA HORA E CINCO MINUTOS! NÃO HÁ PERIGO! REPITO...*"

Eddie tocou o braço de Susannah e ela se virou.

— Há quanto tempo isto está acontecendo?

— Uns quinze minutos. Você estava morto pro mun... — Ela se interrompeu. — Eddie, você está com uma cara péssima! Está se sentindo mal?

— Não. Só tive um pesadelo.

Roland examinava-o de um jeito que o deixou incomodado.

— Às vezes há verdade nos sonhos, Eddie. Qual foi o seu?

Ele pensou um momento, depois abanou a cabeça.

— Não lembro.

— Quer saber? Eu duvido disso.

Eddie deu de ombros e presenteou Roland com um sorrisinho.

— Duvide o quanto quiser... fique à vontade. E como *você* está se sentindo esta manhã, Roland?

— Como sempre — disse Roland. Com seus olhos azuis desbotados, ele continuava absorvendo o semblante de Eddie.

— Chega — disse Susannah. A voz foi ríspida, mas Eddie captou um tom velado de nervosismo. — Os dois. Tenho mais o que fazer do que ficar vendo vocês ficarem se rodeando e chutando a canela um do outro como uma dupla de menininhos disputando a bola numa pelada. Ainda mais esta manhã, com aquele urso morto tentando acabar com o mundo todo aos berros.

O pistoleiro concordou com a cabeça, mas sem tirar os olhos de Eddie.

— Tudo bem... mas tem certeza de que não tem nada que deseja me contar, Eddie?

Ele pensou... realmente pensou em contar. O que vira no fogo, o que vira no sonho. Decidiu-se contra. Talvez fosse apenas a lembrança da rosa no fogo, e das rosas que haviam atapetado aquele campo onírico em uma profusão tão espetacular. Sabia que não podia contar as coisas como as vira e o coração sentira no sonho; isso apenas as depreciaria. E, pelo menos por enquanto, queria pensar nessas coisas sozinho.

Mas lembre-se, disse a si mesmo de novo... só que a voz na mente não soou muito igual a sua. Parecia mais grave, envelhecida... a voz de um estranho. *Lembre-se da rosa... e do formato da chave.*

— Eu vou — murmurou.

— Você vai o quê? — perguntou Roland.

— Contar — disse Eddie. — Se me ocorrer alguma coisa que pareça, você sabe, realmente importante. Eu conto. A vocês dois. Agora não há nada o que falar. Portanto, se vamos a algum lugar, Shane, velho amigão, montemos.

— Shane? Quem é Shane?

— Eu conto outra hora, também. Enquanto isso, vamos.

Guardaram o equipamento que haviam trazido do antigo acampamento e tomaram o caminho de volta, Susannah novamente em sua cadeira de rodas. Eddie tinha um pressentimento de que ela não ficaria nela por muito mais tempo.

21

Uma vez, muito tempo atrás, antes que se interessasse tanto pelo tema da heroína para conseguir se interessar por qualquer outra coisa, Eddie e dois amigos haviam ido de carro até New Jersey para ver a apresentação de dois grupos de speed-metal — Anthrax e Megadeth — em Meadowlands. Ele achava que o Anthrax tinha sido ligeiramente mais barulhento do que o anúncio repetido que saía do urso caído, mas tinha as suas dúvidas. Roland os fez parar quando ainda estavam na mata, a um quilômetro da clareira, e rasgou seis pequenos retalhos do tecido de sua velha camisa. Eles os enfiaram nos ouvidos e em seguida prosseguiram. Mesmo o pano não ajudou muito para amortecer a constante explosão de som.

"ESTE DISPOSITIVO ESTÁ SENDO DESATIVADO!", ressoou o urso quando eles entraram mais uma vez na clareira. Shardik jazia como caíra, na base da árvore em que Eddie escalara, um Colosso derrubado com as pernas abertas e os joelhos no ar, como uma giganta peluda que morrera tentando dar à luz. "O ENCERRAMENTO DA OPERAÇÃO SERÁ CONCLUÍDO EM QUARENTA E SETE MINUTOS! NÃO HÁ NENHUM PERIGO..."

Há, sim, pensou Eddie, pegando as peles espalhadas que haviam sobrado ilesas do ataque do urso ou nos movimentos frenéticos na hora de sua morte. Bastante *perigo. Para as porras dos meus ouvidos*. Pegou o cinturão de Roland e entregou-o em silêncio. O cepo de madeira em que andara trabalhando estava ali perto; ele o agarrou e enfiou no bolso do encosto da cadeira de rodas de Susannah, enquanto o pistoleiro afivelava devagar o largo cinto na cintura e apertava a tira de couro cru.

"... EM FASE DE DESATIVAÇÃO, UMA CÉLULA ESTÁ OPERANDO EM UM POR CENTO DA CAPACIDADE. ESTAS CÉLULAS..."

Susannah acompanhou Eddie, segurando no colo uma sacola que ela mesma havia costurado. À medida que Eddie ia lhe passando as peles, ela as enfiava na sacola. Quando todos estavam abastecidos e prontos para ir embora, Roland tocou de leve o braço de Eddie e entregou-lhe um embornal. Continha sobretudo carne de veado bastante salgada, de uma jazida natural de sal que Roland encontrara cerca de cinco quilômetros acima do pequeno riacho. O pistoleiro já acomodara um saco semelhante num dos ombros. Sua bolsa — reabastecida e novamente recheada de todo tipo de coisas — pendia do outro ombro.

Um estranho arreio artesanal, com uma sela de pele de veado costurada, balançava pendurado em um galho próximo. Roland o soltou, examinou-o por um momento e o colocou em suas costas, atando as tiras embaixo do peito. Susannah fez uma careta ao ver a cena, e Roland viu. Não tentou falar — tão próximos do urso, não teria conseguido se fazer ouvir nem se gritasse a plenos pulmões —, mas deu de ombros em solidariedade e abriu as mãos: *Você sabe que vamos precisar disso.*

Ela retribuiu o gesto. *Eu sei… mas não quer dizer que eu goste.*

O pistoleiro apontou para o outro lado da clareira. Duas árvores inclinadas e lascadas marcavam o lugar por onde Shardik, outrora chamado de Mir por aquelas bandas, entrara na clareira.

Eddie curvou-se em direção a Susannah, fez um círculo com o polegar e o indicador e ergueu as sobrancelhas interrogativamente. *Tudo bem?*

Ela assentiu, e então pressionou as bases das palmas das mãos nos ouvidos. *Tudo bem… mas vamos sair logo daqui antes que eu fique surda.*

Os três avançaram pela clareira, Eddie empurrando Susannah, que levava a sacola de peles no colo. A bolsa nas costas da cadeira de rodas estava cheia de outros artigos; o toco de madeira com o estilingue quase inteiramente oculto dentro era um deles.

Atrás deles o urso continuava urrando seu comunicado final para o mundo, dizendo-lhe que a desativação seria concluída em quarenta minutos. Eddie mal podia esperar. As árvores quebradas inclinavam-se umas em direção às outras, formando um portão rústico, e ele pensou: *É aqui que realmente começa a jornada para Torre Negra de Roland, pelo menos para nós.*

Pensou mais uma vez no sonho — as janelas espiraladas soltando bandeiras não desfraldadas de trevas, bandeiras que pareciam espalhar-se sobre o campo de rosas como uma mancha — e quando eles passaram sob as árvores arqueadas, um arrepio intenso percorreu seu corpo.

22

Conseguiram usar a cadeira de rodas por mais tempo do que Roland esperara. Os abetos daquela floresta eram velhíssimos, e os galhos espraiados haviam criado um profundo tapete de agulhas que desencorajava a maior parte da vegetação rasteira. Susannah tinha braços fortes — mais fortes que os de Eddie, embora Roland não acreditasse que a situação fosse se manter por muito mais tempo —, e ela se deslocava facilmente pelo terreno plano e sombreado da floresta. Quando chegaram a uma das árvores que o urso derrubara, Roland ergueu-a da cadeira e Eddie a carregou por cima do obstáculo.

Vindo de trás deles, apenas um pouco amortecido pela distância, o urso lhes dizia no volume máximo de sua voz mecânica que a capacidade da última célula nuclear ainda em operação era agora insignificante.

— Espero que você mantenha esse maldito arreio vazio em cima dos seus ombros o dia todo! — gritou Susannah para o pistoleiro.

Roland concordou, mas menos de quinze minutos depois o terreno passou a descer e aquela antiga parte da floresta começou a ser invadida por árvores menores e mais jovens: abetos, amieiros e alguns bordos atrofiados agarravam sinistramente o solo para firmar-se. O tapete de agulhas se dispersou e as rodas da cadeira de Susannah começaram a enganchar-se no mato baixo, duro e espesso que crescia nas alamedas entre as árvores. Os finos galhos batiam e retiniam nos raios de aço inoxidável. Eddie empurrou a cadeira com todo o seu peso e os três conseguiram avançar por mais um quarto de quilômetro dessa forma. O declive então começou a ficar mais íngreme, e o terreno sob os pés foi amolecendo.

— Hora de ir para a garupa, senhora — disse Roland.

— Vamos tentar a cadeira um pouco mais, que tal? Talvez fique mais fácil…

Roland balançou a cabeça.

— Se tentar subir aquela encosta, vai acabar… como era mesmo, Eddie? Dar uma lupa?

Eddie balançou a cabeça, dando um enorme sorriso.

— A gente chama isso de dar um looping, Roland. Palavra dos meus dias desperdiçados surfando na calçada.

— Como quer que você chame, quer dizer aterrissar de cabeça. Vamos, Susannah. Monte logo.

— Detesto ser aleijada — ela disse, irritada, mas deixou Eddie levantá-la da cadeira e ajudou-o para se acomodar com firmeza no arreio que Roland levava nas costas. Assim que se ajeitou, Susannah tocou na coronha da pistola dele. — Você quer isto, benzinho? — perguntou a Eddie.

Ele fez que não com a cabeça.

— Você é mais rápida. E sabe disso.

Grunhindo, Susannah ajustou o cinturão, ajeitando a coronha para que ficasse de fácil acesso à sua mão direita.

— Eu estou empatando vocês, meninos, e *disso* eu sei… mas se a gente chegar a encontrar um bom asfalto de duas pistas, vou deixar os dois na poeira.

— Não duvido — disse Roland… e fez um movimento com a cabeça. A mata estava silenciosa.

— Mano Urso finalmente desistiu — disse Susannah. — Louvado seja Deus.

— Achei que ainda faltavam sete minutos — disse Eddie.

Roland ajeitou as tiras do arreio.

— O relógio dele deve ter começado a atrasar um pouquinho durante os últimos quinhentos ou seiscentos anos.

— Você acha mesmo que ele era velho assim, Roland?

O pistoleiro assentiu.

— No mínimo. E agora se foi… o último dos Doze Guardiões, pelo que sabemos.

— Pergunte se eu dou a mínima — retrucou Eddie, e Susannah riu.

— Você está confortável? — Roland perguntou a ela.

— Não. Minha bunda já está doendo, mas vamos lá. Só tente não me deixar cair.

Roland assentiu e pôs-se a descer a encosta. Eddie o seguiu, empurrando a cadeira vazia e tentando não batê-la com muita força nas pedras que haviam começado a despontar do terreno como nós de dedos brancos. Agora que o urso finalmente se calara, ele achou que a floresta parecia silenciosa demais — quase fazendo com que ele se sentisse um personagem de um daqueles melodramáticos filmes antigos de selvas sobre canibais e macacos gigantescos.

23

O rastro de volta do urso foi fácil de encontrar, porém mais difícil de seguir. A uns oito quilômetros da clareira, eles chegaram a uma área baixa, lamacenta, não exatamente um pântano. Quando o chão começou a elevar-se e firmar-se de novo, o jeans de Roland estava encharcado até os joelhos e ele ofegava com longas e constantes arfadas. Mesmo assim, continuava um pouco mais em forma do que Eddie, que considerara exaustiva a luta para carregar a cadeira de rodas de Susannah pelo estrume e pela água parada.

— Hora de descansar e comer alguma coisa — disse Roland.

— Ah, nossa! Eu quero comer alguma coisa — arquejou Eddie. Ajudou Susannah a sair do arreio e instalou-a no tronco de uma árvore tombada com marcas de garras na casca, em longas ranhuras diagonais. Ele meio se sentou, meio desabou a seu lado.

— Você enlameou bastante minha cadeira de rodas, moço branco — disse Susannah. — Vô botá tudinho no meu relatório.

Eddie arqueou uma sobrancelha para ela.

— No próximo lava-jato a que chegarmos, faço questão de empurrar você pessoalmente. Vou até passar cera de tartaruga na porra da cadeira. Fechou?

Ela sorriu.

— Combinado, gatão.

Eddie trazia um dos cantis de água de Roland pendurado na cinta. Deu um tapinha nele.

— Podemos?

— Sim — disse Roland. — Mas não bebam muito agora; só um pouco para cada um antes de levantarmos acampamento de novo. Assim ninguém fica com cólica.

— Roland, o Escoteiro Águia de Oz — disse Eddie, dando risadinhas enquanto desprendia o cantil.

— O que é Oz?

— Um lugar de faz de conta num filme — respondeu Susannah.

— Oz era muito mais que isso. Meu irmão Henry lia para mim as histórias de vez em quando. Uma dessas noites eu conto para você, Roland.

— Seria ótimo — disse o pistoleiro, sério. — Estou ansioso para conhecer mais o mundo de vocês.

— Mas Oz não é o nosso mundo. Como disse Susannah, é um lugar de faz de conta…

Roland passou-lhes pedaços de carne que haviam sido embrulhados em folhas largas.

— A maneira mais rápida de aprender sobre um lugar é saber com o que ele sonha. Eu gostaria de ouvir as histórias desse Oz.

— Combinado, então. Suze pode contar sobre Dorothy, Totó e o Homem de Lata, e eu o resto. — Ele deu uma mordida no pedaço de carne e revirou os olhos, aprovando-a. A carne absorvera o sabor das folhas em que fora enrolada e estava deliciosa. Eddie devorou sua porção, o estômago gorgolejando ocupado sem parar. Agora que recuperava o fôlego, sentia-se bem… ótimo, na verdade. O corpo desenvolvia uma sólida camada de músculo, e cada parte sentia-se em paz com a outra.

Não se preocupe, pensou. *Hoje à noite tudo será discutido de novo. Acho que ele vai insistir até eu ficar a ponto de cair duro.*

Susannah comeu com mais delicadeza, empurrando cada segunda ou terceira mordida com um gole de água, girando a carne nas mãos, e comendo de fora para dentro.

— Termine o que começou na noite passada — ela convidou Roland. — Você disse que achava que entendia essas suas lembranças conflitantes.

Roland confirmou com a cabeça.

— Sim. Acho que as duas lembranças são verdadeiras. Uma é um pouco mais real do que a outra, mas esta não *nega* a verdade da outra.

— Isso não faz o menor sentido para mim — disse Eddie. — Esse garoto Jake estava ou não estava no posto de parada, Roland.

— É um paradoxo… uma coisa que é e não é ao mesmo tempo. Até ser resolvido, eu vou continuar dividido. O que já é bastante terrível, mas a divisão básica está aumentando. Sinto isso acontecendo. É… indizível.

— O que você acha que causou isso? — perguntou Susannah.

— Eu contei que o garoto foi empurrado na frente de um carro. *Empurrado*. Ora, quem a gente conhece que gostava de empurrar pessoas na frente de coisas?

A compreensão iluminou o rosto dela.

— Jack Mort. Quer dizer que foi *ele* quem empurrou o garoto na rua?

— Sim.

— Mas você disse que foi o homem de preto — objetou Eddie. — Seu amigo Walter. Disse que o garoto *viu* ele... um homem que parecia um padre. O garoto não chegou até a ouvir ele *dizer* que era? "Me deixem passar, sou padre", alguma coisa assim?

— Ah, Walter estava lá. Os *dois* estavam lá, e os dois empurraram Jake.

— Alguém aí traga o tranquilizante e a camisa de força — chamou Eddie. — Roland acabou de pirar de vez.

O pistoleiro não deu atenção; começava a entender que as piadas e brincadeiras de Eddie eram seu jeito de lidar com a tensão. Cuthbert não fora muito diferente... assim como Susannah, à sua maneira, não era muito diferente de Alain.

— O que mais me frustra em tudo isso — disse ele — é que eu deveria ter *sabido*. Eu estava *em* Jack Mort, afinal, e tinha acesso aos pensamentos dele, assim como tenho aos seus, Eddie, e aos de Susannah. *Vi* Jake quando eu estava em Mort. Eu o vi pelos olhos de Mort, *e soube que Mort planejava empurrá-lo*. Não só isso; eu o *impedi* de fazê-lo. Tudo o que precisei fazer foi entrar no seu corpo. Não que ele soubesse que era isso, tão concentrado estava no que planejava fazer que chegou a pensar que eu era uma mosca pousando em seu pescoço.

Eddie começou a entender.

— Se Jake não foi empurrado na rua, ele nunca morreu. E se não morreu, nunca entrou neste mundo. E se nunca entrou neste mundo, você nunca o conheceu no posto de parada. Certo?

— Certo. Cheguei a pensar que, se era para Jack Mort matar o garoto, eu deveria ficar de lado e deixar acontecer. Para evitar criar o próprio paradoxo que está me dilacerando. Mas eu não poderia fazer isso. Eu... eu...

— Não poderia matar o garoto duas vezes, poderia? — perguntou Eddie, baixinho. — Toda vez que estou quase decidindo que você é tão mecânico quanto aquele urso, você me surpreende com algo que parece ser humano. Porra.

— Deixe disso, Eddie — disse Susannah.

Eddie deu uma olhada no rosto ligeiramente cabisbaixo do pistoleiro e fez uma careta.

— Me desculpe, Roland. Minha mãe dizia que minha boca tinha o péssimo hábito de falar antes de pensar.

— Está tudo bem. Eu tive um amigo que era do mesmo jeito.

— Cuthbert?

Roland assentiu. Olhou a mão direita danificada por um longo tempo, fechou-a num punho doloroso, deu um suspiro e ergueu mais uma vez os olhos. Em algum lugar, mais embrenhado na floresta, uma cotovia cantou docemente.

— Vejam no que acredito. Se eu não houvesse entrado em Jack Mort quando o fiz, ele *ainda* não teria empurrado Jake naquele dia. Não naquele momento. Por que não? Ka-tet. Simples assim. Pela primeira vez desde que morreu o último dos amigos com quem parti nesta jornada, eu me encontro mais uma vez no centro do ka-tet.

— Quarteto? — perguntou Eddie, em dúvida.

O pistoleiro fez que não com a cabeça.

— Ka... a palavra em que você pensa como "destino", Eddie, embora o verdadeiro sentido seja muito mais complexo e difícil de definir, como ocorre quase sempre com palavras da Língua Superior. E tet, que quer dizer um grupo de pessoas com os mesmos interesses e metas. Nós três somos um tet, por exemplo. Ka-tet é o lugar onde muitas vidas são reunidas pelo destino.

— Como em *A ponte de San Luis Rey* — murmurou Susannah.

— O que é isso? — perguntou Roland.

— Uma história sobre pessoas que morrem juntas quando a ponte que estão atravessando desaba. É famosa no nosso mundo.

Roland assentiu, concordando.

— Neste caso, ka-tet juntou Jake, Walter, Jack Mort e a mim. Não houve nenhuma armadilha, como desconfiei pela primeira vez quando percebi quem Jack Mort pretendia que fosse sua próxima vítima, porque não se pode mudar o ka-tet nem curvá-lo à vontade de pessoa alguma. Mas se pode *ver*, *saber* e *entender* o ka-tet. Walter viu e Walter soube. — O pistoleiro bateu na coxa com o punho e exclamou, ressentido: — Como ele devia estar rindo por dentro quando eu consegui alcançá-lo!

— Vamos voltar para o que teria acontecido caso você não tivesse atrapalhado os planos de Jack Mort no dia em que ele seguia Jake — disse Eddie.

— Você dizia que se não tivesse impedido Mort, alguém ou alguma coisa teria impedido. Correto?

— Sim... porque não era o dia *certo* de Jake morrer. Era *próximo* do dia, mas não *o* dia. Eu senti isso também. Talvez pouco antes de fazê-lo, Mort teria visto alguém que o estava vigiando. Ou um estranho total teria intervindo. Ou...

— Ou um policial — interrompeu Susannah. — Talvez ele tivesse visto um policial no lugar errado e na hora errada.

— Sim. O motivo exato, o agente do ka-tet, não importa. Sei por experiência própria que Mort era mais astuto do que uma raposa velha. Se pressentisse a menor coisa errada, teria cancelado e esperado outro dia.

"Eu também sei de outra coisa. Ele caçava disfarçado. No dia em que jogou um tijolo na cabeça de Detta Holmes, ele usava um gorro de tricô e um suéter velho grande demais. Queria parecer um bebum, porque atirou o tijolo de um prédio onde muitos bebuns passavam o tempo. Entendem?"

Eles fizeram que sim com a cabeça.

— No dia, anos depois, em que ele empurrou você na frente do trem, Susannah, estava vestido como um operário de construção. Usava um grande capacete amarelo que ele chamava de "chapéu duro" e um bigode falso. No dia em que ele *teria* empurrado Jake no tráfego, causando sua morte, *teria se vestido de padre.*

— Minha nossa — Susannah quase sussurrou. — O homem que o empurrou em Nova York era Jack Mort, e o homem que ele viu no posto de parada era esse cara que você estava caçando... Walter.

— Sim.

— E o menino pensou que eles eram o mesmo homem porque os dois usavam o mesmo tipo de beca preta?

Roland assentiu.

— Havia até mesmo uma semelhança física entre Walter e Jack Mort. Não como se fossem irmãos, não tanto assim, mas os dois eram homens altos de cabelo escuro e pele muito branca. E considerando o fato de que Jake estava agonizando quando viu Mort, e estava num lugar estranho, e quase sem sentidos de tanto medo quando viu Walter, acho que o engano dele é ao mesmo tempo compreensível e perdoável. Se há um asno nessa história, sou eu, por não perceber a verdade antes.

— Será que Mort saberia que estava sendo usado? — perguntou Eddie. Revivendo suas próprias experiências e noções malucas quando Roland havia invadido sua mente, não via como Mort poderia *deixar* de saber… mas Roland balançava a cabeça, negando.

— Walter teria sido extremamente sutil. Mort teria pensado que o disfarce de padre era uma ideia sua, ou assim eu acredito. Não teria reconhecido a voz de um intruso… de Walter… sussurrando no fundo de sua mente, dizendo-lhe o que fazer.

— Jack Mort — espantou-se Eddie. — Era Jack Mort o tempo todo.

— Sim… com a ajuda de Walter. E assim acabei salvando a vida de Jake, afinal. Quando fiz Mort saltar da plataforma do metrô na frente do trem, mudei tudo.

Susannah perguntou:

— Se esse Walter conseguia entrar no nosso mundo, talvez pela sua própria porta particular, sempre que queria, não poderia ter usado outra pessoa para empurrar o garoto? Se ele era capaz de sugerir a Mort que se vestisse de padre, então poderia mandar outra pessoa fazer… O que foi, Eddie? Por que está balançando a cabeça?

— Porque não acho que Walter iria querer que isso acontecesse. O que Walter queria é o que *está* acontecendo… pois Roland vem perdendo a própria mente, pedaço por pedaço. Não é mesmo?

O pistoleiro assentiu.

— Walter não poderia ter feito desse jeito mesmo se quisesse — acrescentou Eddie —, porque estava morto muito antes de Roland encontrar a porta na praia. Quando Roland cruzou aquela última e entrou na cabeça de Jack Mort, os dias de arranjar confusão do velho Walt já haviam acabado.

Susannah refletiu e então concordou.

— Entendo… eu *acho*. Este negócio de viagem no tempo é confuso pra cacete, não?

Roland começou a pegar suas coisas e a amarrá-las no lugar.

— Hora de ir andando.

Eddie levantou-se e colocou a mochila no ombro.

— Pode se consolar com uma coisa, pelo menos — disse ele a Roland. — Você… ou esse negócio de ka-tet… conseguiu salvar o garoto, afinal.

Roland atava com nós as tiras do arreio no peito. Olhou em seguida para cima, e a claridade resplandecente de seus olhos fez Eddie recuar.

— Consegui? — ele perguntou duramente. — Consegui mesmo? Estou enlouquecendo um pouco de cada vez, tentando conviver com essas duas versões da mesma realidade. Eu tinha esperanças a princípio de que um mundo ou outro começasse a desaparecer, mas não é o que vem acontecendo. Na verdade, o que vem acontecendo é exatamente o contrário: essas duas realidades estão ficando cada vez mais gritantes na minha cabeça, vociferando uma com a outra, como duas facções contrárias que não vão demorar a partir para a guerra. Então me diga o seguinte, Eddie: *Como imagina que Jake se sente? Como imagina que seja saber que você está morto num mundo e vivo no outro?*

A cotovia cantou mais uma vez, mas nenhum deles notou. Eddie, encarando os desbotados olhos azuis brilhando no rosto pálido de Roland, não conseguiu pensar em nada para dizer.

24

Eles acamparam naquela noite a exatos quinze quilômetros do urso morto, dormiram o sono dos completamente exaustos (até Roland dormiu a noite toda, embora seus sonhos fossem pesadelos que se repetiam) e levantaram-se na manhã seguinte ao nascer do sol. Eddie fez uma pequena fogueira em silêncio, e lançou um olhar para Susannah quando um disparo de pistola ressoou nas matas próximas.

— Café da manhã — disse ela.

Roland voltou três minutos depois com uma pele atirada num dos ombros. Sobre ela estava o cadáver recém-eviscerado de um coelho. Susannah preparou-o. Os três comeram e seguiram em frente.

Eddie não parava de pensar sobre como seria ter a lembrança da própria morte. Não conseguia chegar perto de imaginar.

25

Logo depois do meio-dia, entraram numa área onde a maioria das árvores fora derrubada e os arbustos esmagados rente à terra — parecia que um ciclone baixara ali muitos anos antes, criando uma extensa e melancólica alameda de destruição.

— Estamos perto do lugar que queremos encontrar — disse Roland. — Ele derrubou tudo para desobstruir as linhas de visão. Nosso amigo urso não queria surpresas. Era grande, mas não complacente.

— Ele *nos* deixou algumas surpresas? — perguntou Eddie.

— Pode ter feito isso. — Roland sorriu brevemente e tocou o ombro de Eddie. — Mas tem isso… serão *velhas* surpresas.

O avanço por essa zona de destruição foi devagar. A maioria das árvores tombadas era muito antiga — muitas já haviam quase se juntado de novo ao solo de onde haviam brotado —, mas ainda formavam um emaranhado considerável para criar um formidável caminho de obstáculos. Seria difícil, mesmo se os três pudessem andar; com Susannah amarrada em seu arreio nas costas do pistoleiro, passou a ser um exercício de irritação e resistência.

As árvores achatadas e as misturas de vegetação rasteira contribuíram para encobrir o rastro de volta do urso, e também ajudaram a diminuir a velocidade deles. Até o meio-dia haviam seguido marcas de garras mais nítidas que trilhas nas árvores. Ali, contudo, perto do ponto de partida, a fúria do urso ainda não se desenvolvera com força total, e aqueles sinais úteis de sua passagem desapareceram. Roland caminhava devagar, à procura de excrementos nas matas e tufos de pelo nos troncos de árvores nos quais o urso escalara. O percurso de menos de cinco quilômetros nessa brenha degradada consumiu a tarde toda.

Eddie acabara de concluir que eles iriam perder a luz e precisar acampar naqueles arredores arrepiantes quando chegaram a uma fina orla de amieiros. Além dela, ele ouvia um córrego passando ruidoso sobre um leito de pedras. Atrás deles, o poente emitia raios de soturna luz vermelha pelo terreno emaranhado que haviam atravessado pouco antes, tornando as árvores tombadas formas escuras entrecruzadas como ideogramas chineses.

Roland fez com que parassem e soltou Susannah, sentando-a. Alongou as costas, girando-as de um lado para outro, com as mãos nos quadris.

— Vamos passar a noite aqui? — perguntou Eddie.

Roland balançou a cabeça.

— Dê sua arma a Eddie, Susannah.

Ela fez como ele pediu, olhando-o interrogativamente.

— Venha, Eddie. O lugar que a gente quer está no outro lado daquelas árvores. Vamos dar uma olhada. Também é possível que façamos um trabalhinho.

— O que faz você pensar...

— Escute bem.

Eddie prestou atenção e percebeu que ouvia máquinas. Percebeu também que já as ouvia havia algum tempo.

— Não quero deixar Susannah.

— Não vamos longe e ela tem uma boa voz alta.

Eddie abaixou o olhar para Susannah.

— Vão... só não demorem. — Ela se virou e examinou o caminho que haviam percorrido com olhos pensativos. — Não sei se há fantasmas aqui, mas passa uma *sensação* de que sim.

— Estaremos de volta antes de escurecer — prometeu Roland. Dirigiu-se para a fileira de amieiros, e um instante depois Eddie o seguiu.

26

A menos de quinze metros andando entre as árvores, Eddie se deu conta de que seguiam por um caminho que o urso na certa fizera para si ao longo dos anos. Os amieiros curvavam-se, entrelaçando-se acima dos dois, e formavam um túnel. Os barulhos foram ficando mais altos agora, e ele começou a identificá-los. Um era um zumbido baixo, grave. Sentia-o sob os pés — uma leve vibração, como se uma grande peça de maquinaria varasse a terra. Mais altos e urgentes, outros ruídos se entrecruzavam como riscos fortes — guinchos, chiados e trinados.

Roland aproximou a boca da orelha de Eddie e disse:

— Acho que não tem muito perigo se ficarmos quietos.

Os dois avançaram por mais uns cinco metros e Roland parou de novo. Sacou a arma e usou o cano para afastar um galho suspenso, pesado com folhas tingidas pelo pôr do sol. Eddie viu por essa pequena abertura a clareira onde o urso vivera por tanto tempo — a base de operações da qual partira em suas várias expedições de pilhagem e terror.

Ali não havia vegetação rasteira alguma; o terreno fora batido até o chão havia muito tempo. Um riacho emergia da base de um paredão de pedra de cerca de cinquenta metros de altura e corria pela clareira em forma de ponta de flecha. No lado em que se achavam do riacho, de costas para o paredão, erguia-se uma caixa de metal de quase três metros de altura. Tinha o topo curvo, e lembrava a Eddie a entrada de uma estação de metrô. A frente era pintada de listras amarelas e pretas. A terra que revestia a clareira não era preta, como a camada superior de solo na floresta, mas de um estranho cinza poeirento. Estava coberta de ossos, e após um momento Eddie percebeu que o que julgara ser solo cinza eram mais ossos, ossos tão antigos que se desfaziam de volta ao pó.

Havia coisas se movendo na terra — coisas que emitiam chiados e rangidos. Quatro... não, cinco delas. Pequenos dispositivos de metal, o maior do tamanho de um filhote de collie. Eram robôs, percebeu Eddie, ou alguma coisa *semelhante* a robôs. Eram parecidas entre si, assim como ao urso a que haviam sem a menor dúvida servido apenas de um modo — encimando cada um deles, uma pequena antena parabólica a girar rapidamente.

Mais chapéus pensantes, pensou Eddie. *Meu Deus, que espécie de mundo é este, afinal de contas?*

O maior dos dispositivos parecia o trator de brinquedo que ele ganhara em seu sexto ou sétimo aniversário; as esteiras revolviam-se levantando minúsculas nuvens de pó de osso enquanto giravam. Outro parecia um rato de aço inoxidável. Um terceiro lembrava uma cobra feita de pequenos segmentos de aço articulados — contorcia-se e arqueava-se. Formavam um círculo irregular na outra extremidade do riacho, girando e girando numa profunda pista que haviam sulcado no terreno. Olhá-los fez Eddie pensar nas histórias em quadrinhos que vira nas pilhas de velhas revistas do *Saturday Evening Post* que sua mãe por algum motivo guardava e juntava no hall do apartamento. Nos quadrinhos, homens preocupados, fumando cigarros, abriam sulcos no tapete andando de um lado para outro enquanto esperavam suas mulheres darem à luz.

Quando seus olhos se acostumaram com a simples geografia da clareira, Eddie percebeu que havia muito mais do que cinco daquelas aberrações. Via pelo menos outras doze, e na certa mais se escondiam atrás dos restos ósseos das antigas matanças do urso. A diferença era que as outras não se mexiam. Os membros do séquito mecânico do urso haviam morrido, um por um, ao longo dos anos, até restar apenas aquele grupinho de cinco... e não pareciam muito saudáveis, com seus guinchos, rangidos e chiados enferrujados. A cobra em particular tinha um olhar hesitante, estropiado, ao seguir o rato mecânico girando sem parar em volta do círculo. De vez em quando a engenhoca que ia atrás da cobra — um bloco de aço que caminhava sobre pernas mecânicas atarracadas — alcançava-a e dava-lhe uma cutucada, como dizendo que se apressasse, porra.

Eddie se perguntava qual fora a tarefa deles. Certamente não proteção; o urso fora construído para proteger a si mesmo, e Eddie imaginava que, se o velho Shardik os houvesse encontrado ainda em seu pleno vigor, os teria mastigado e cuspido num piscar de olhos. Talvez aqueles robozinhos houvessem sido sua equipe de manutenção, ou batedores, ou mensageiros. Imaginava que poderiam ser perigosos, mas só em defesa própria... ou na de seu chefe. Não pareciam belicosos.

Havia até alguma coisa digna de pena neles. A maioria da equipe estava agora extinta e seu chefe defunto, e Eddie acreditava que de algum modo eles sabiam. Não pela ameaça que projetavam, mas pela estranha tristeza, não humana. Velhos e quase esgotados, circulavam, giravam e serpenteavam seu caminho em volta da trilha de aflição que haviam cavado naquela clareira abandonada por Deus, e quase pareceu a Eddie poder ler o confuso desenrolar de seus pensamentos; *Ah, nossa, ah, nossa, e agora? Qual o nosso propósito, agora que Ele se foi? E quem vai cuidar de nós, agora que Ele se foi? Ah, nossa, ah, nossa, ah, nossa...*

Eddie sentiu um puxão na parte de trás da perna e chegou bem próximo de gritar de medo e surpresa. Girou-se, engatilhando a arma de Roland, e viu Susannah encarando-o de baixo com os olhos arregalados. Eddie exalou uma longa expiração e largou a arma na posição de descanso. Ajoelhou-se, pôs as mãos nos ombros de Susannah, beijou-lhe a face, sussurrando-lhe no ouvido.

— Cheguei realmente perto de enfiar uma bala na sua cabeça oca... o que está fazendo aqui?

— Eu queria ver — sussurrou ela de volta, não parecendo nem um pouco constrangida. Desviou os olhos para Roland, quando ele também se abaixou a seu lado. — Além disso, estava assustador ficar lá sozinha.

Susannah sofrera vários pequenos arranhões ao rastejar atrás deles pelo matagal, mas Roland teve de reconhecer que ela era mais silenciosa do que um fantasma quando queria; ele não ouvira um ruído sequer. Pegou um trapo (o último remanescente de sua camisa velha) no bolso de trás e limpou os fiozinhos de sangue dos braços de Susannah. Examinou seu trabalho por um momento e depois fez leves aplicações num pequeno corte também na testa.

— Dê sua olhada, então — disse ele. A voz praticamente não escapou pelos seus lábios. — Acho que a mereceu.

Ele usou uma das mãos para abrir uma linha de visão no nível dela entre os arbustos de salsaparrilha, e esperou-a olhar extasiada a clareira. Por fim, ela recuou e Roland soltou os galhos que voltaram a se juntar.

— Sinto pena deles — ela sussurrou. — Não é loucura?

— Nem um pouco. — Roland retribuiu-lhe o sussurro. — São criaturas de grande tristeza, acho, à sua estranha maneira. Eddie vai livrá-las do sofrimento.

Eddie negou de imediato com a cabeça.

— Sim, você vai... a não ser que queira passar a noite toda de cócoras aqui espreitando o que chama de "ferramentazinhas". Mire nos chapéus. Nas coisinhas girando.

— E se eu *errar*? — sussurrou Eddie, furioso.

Roland deu de ombros.

Eddie levantou-se e, com relutância, empunhou mais uma vez o revólver do pistoleiro. Perscrutou pelos arbustos os mecanismos escravizados a circular, girando e girando em sua órbita inútil e solitária. *Será como atirar em filhotes de cachorro*, pensou ele, sorumbático. Então viu um deles — a coisa que parecia uma caixa ambulante — expelir do meio uma garra de aparência terrível e apertá-la por um momento na cobra. A cobra soltou um zumbido surpreso e saltou para a frente. A caixa ambulante retirou a garra.

Bem... talvez não exatamente como atirar em filhotes de cachorro, decidiu Eddie. Lançou outro olhar a Roland, que o retribuiu impassível, com os braços cruzados no peito.

Você escolhe umas horas estranhas para dar lições, cara.

Eddie pensou em Susannah, primeiro atirando no traseiro do urso, depois explodindo em pedaços seu dispositivo sensor enquanto a criatura ia com tudo na direção dela e de Roland, e sentiu-se meio envergonhado de si mesmo. E mais: parte dele queria caçá-los, assim como parte dele *quisera* bater de frente contra Balazar e sua gangue de imbecis no Nossa Torre Inclinada. A compulsão era na certa doentia, mas isso não mudava seu princípio de atração: *Vamos ver quem se afasta primeiro... vamos só ver.*

É, era bem doentio, com certeza.

Finja que é uma barraca de tiro ao alvo, e você quer ganhar um cachorro de pelúcia para sua namorada, pensou ele. *Ou um urso de pelúcia.* Mirou na caixa ambulante e olhou impacientemente em volta quando Roland tocou o seu ombro.

— Recite sua lição, Eddie. E seja fiel.

Eddie sibilou impaciente, por entre os dentes, irritado com a distração, mas os olhos de Roland não hesitaram, e assim ele inspirou fundo e tentou limpar tudo da mente: os guinchos e rangidos do equipamento que já funcionavam há tempo demais, as dores e tensões do corpo, a noção de que Susannah estava ali, agachada e apoiada nas palmas das mãos, observando, a noção *adicional* de que ela estava mais perto do chão, e se ele errasse uma das engenhocas ali, ela seria o alvo mais próximo se a coisa decidisse retaliar.

— "Eu não atiro com a mão; aquele que atira com a mão esqueceu o rosto de seu pai."

Era uma piada, pensou; ele não reconheceria seu velho pai se passasse por ele na rua. Mas sentia as palavras fazendo seu trabalho, limpando a sua mente e acalmando os nervos. Não sabia se tinha o necessário para ser um pistoleiro — a ideia lhe pareceu imensamente improvável, embora ele soubesse que conseguira estar bastante à altura durante o tiroteio na boate de Balazar —, mas *sabia*, sim, que parte dele gostara da frieza que sentira quando recitara as palavras do tão antigo catecismo que o pistoleiro lhes ensinara; a frieza e a maneira como tudo parecia se destacar com sua própria nitidez ofegante. Outra parte dele entendia que era apenas mais uma droga letal, não muito diferente da heroína que matara Henry e quase o matara também, mas isso não alterava o prazer tenso, sutil do momento. Tamborilava nele como cabos retesados vibrando num vento forte.

— "Eu não miro com a mão; aquele que mira com a mão esqueceu o rosto de seu pai. Eu miro com o olho. Eu não mato com a arma; aquele que mata com a arma esqueceu o rosto de seu pai."

Então, sem saber o que pretendia fazer, avançou das árvores e falou para os robôs que giravam pesadamente no outro lado da clareira:

— "*Eu mato com o coração.*"

Eles interromperam seu incessante círculo. Um deles soltou um zumbido alto que podia ser um alarme ou aviso. As antenas parabólicas, cada uma não maior do que metade de uma barra de chocolate, viraram-se para a sua voz.

Eddie começou a disparar.

Os sensores explodiram como pombas de barro, um após o outro. A pena havia deixado o coração de Eddie; só havia aquela frieza, e a certeza de que não ia parar, não podia parar, até concluir o trabalho.

Trovões encheram a clareira crepuscular e ricochetearam no paredão de pedra lascada em seu lado mais largo. A cobra de aço deu dois saltos mortais de lado e caiu se contorcendo no pó. O mecanismo maior — o que lembrara a Eddie do seu trator de brinquedo da infância — tentou fugir. Eddie explodiu a antena parabólica para o outro mundo enquanto o robô corria na beira do sulco. Caiu sobre o nariz meio quadrado, com pequenas chamas azuis esguichando das cavidades de aço em que se alojavam seus olhos vidrados.

O único sensor que ele errou foi o do rato de aço inoxidável; o disparo ricocheteou em suas costas com uma alta lamúria de mosquito. Ele se jogou para fora do sulco, fez um semicírculo em volta da coisa em forma de caixa que vinha seguindo a cobra, e precipitou-se pela clareira em espantosa velocidade. Emitia um tinido raivoso, e ao estreitar a distância, Eddie viu que tinha a boca debruada de pontas longas e afiadas. Não pareciam dentes, mas agulhas de máquina de costura que se tornavam indistintas umas nas outras para cima e para baixo. Não, aquelas coisinhas realmente não eram muito parecidas com filhotes de cachorro.

— *Pegue ele, Roland*! — gritou Eddie, desesperado, mas quando deu uma rápida olhada em volta viu que Roland continuava em pé com os braços cruzados no peito, a expressão serena e distante. Poderia estar pensando em jogadas de xadrez ou antigas cartas de amor.

A antena nas costas do rato de repente engatou. Mudou ligeiramente de direção e zumbiu direto na direção de Susannah Dean.

Resta uma bala, pensou Eddie. *Se eu errar, ele vai dilacerar o rosto dela.*

Em vez de disparar, ele avançou e chutou o rato com o máximo de força que conseguiu. Trocara os sapatos por um par de mocassins de couro de veado, e sentiu o choque subir até o joelho. O rato soltou um rangido de catraca esganiçado, enferrujado, deu repetidas cambalhotas na terra e parou de costas. Eddie viu o que parecia uma dezena de pernas mecânicas curtas e grossas subindo e descendo como pistons. Cada uma era arrematada com uma cortante garra de aço. As garras rodopiavam sem parar em argolas de suspensões do tamanho de borrachas de pontas de lápis.

Uma vara de aço despontou da seção média do robô e girou a engenhoca de novo para cima. Eddie baixou o revólver de Roland, ignorando um impulso momentâneo de firmá-lo com a mão livre. Essa podia ser a forma como os policiais em seu próprio mundo ensinavam a atirar, mas não era como se fazia ali. *Quando você se esquecer que a arma está aí, quando tiver a sensação de que está atirando com o dedo*, Roland lhes dissera, *então vai estar chegando perto*.

Eddie apertou o gatilho. A pequena antena parabólica, que recomeçara a girar numa tentativa de encontrar os inimigos, desapareceu num clarão azul. O rato fez um barulho de engasgo — *Gluup*! — e caiu morto de lado.

Eddie virou-se com o coração martelando no peito. Não conseguia lembrar-se de estar tão furioso desde que percebera que Roland pretendia mantê-lo em seu mundo até que a sua maldita Torre fosse conquistada ou perdida... provavelmente até que todos já estivessem debaixo da terra.

Apontou para o coração de Roland com a arma vazia e falou numa voz grave que mal reconhecia como a sua.

— Se tivesse sobrado um tiro nela, você poderia parar agora mesmo de se preocupar com a porra da sua Torre.

— Pare com isso, Eddie! — gritou Susannah rispidamente.

Eddie encarou-a.

— Ele estava indo atrás de *você*, Susannah, e pretendia transformá-la em picadinho.

— Mas não me pegou. *Você o* pegou, Eddie. Você o pegou.

— Não graças a ele. — Eddie fez menção de recolocar o revólver no coldre e então percebeu, para sua aversão ainda maior, que não tinha onde colocá-lo. Susannah estava usando o coldre. — Ele e as suas lições. Ele e as porras das suas *lições*. — Virou-se para Roland: — Estou te dizendo, por dois centavos...

A expressão levemente interessada de Roland de repente mudou.

— PARA O CHÃO! — ele gritou.

Eddie não fez perguntas. A raiva e a confusão foram logo varridas de sua mente. Ele se jogou no chão, e ao fazê-lo viu a mão esquerda do pistoleiro descer como um borrão do seu lado. *Meu Deus*, pensou, ainda caindo, *ele não pode ser TÃO rápido assim*, ninguém *pode ser tão rápido assim, eu não sou ruim, mas Susannah me faz parecer lento e ele faz Susannah parecer uma tartaruga tentando subir um morro em cima de um pedaço de vidro…*

Alguma coisa passou rente à sua cabeça, alguma coisa que guinchou para ele com raiva mecânica e arrancou um tufo do seu cabelo. Então o pistoleiro estava atirando do quadril, três rápidos disparos como estalos de trovão, e os guinchos cessaram. Uma criatura que pareceu a Eddie um grande morcego mecânico caiu com um baque no chão, entre o lugar onde Eddie agora se estendia e aquele onde Susannah estava ajoelhada ao lado de Roland. Uma das asas articuladas, salpicada de ferrugem, se debateu debilmente uma vez no chão, como se estivesse com raiva da oportunidade perdida, e ficou imóvel.

Roland foi até Eddie, caminhando tranquilo com suas velhas botas. Estendeu-lhe a mão. Eddie tomou-a e deixou o pistoleiro ajudá-lo a se levantar. Ele perdera o fôlego com o susto e descobriu que não conseguia falar. *E até melhor assim… parece que toda vez que abro a boca meto os pés pelas mãos.*

— Eddie! Você está bem? — Susannah atravessava a clareira até onde ele se achava com a cabeça abaixada e as mãos apoiadas na parte superior das coxas, tentando respirar.

— Estou. — A palavra saiu como um estalo. Ele se endireitou com algum esforço. — Só ganhei um cortezinho de cabelo.

— Ele estava numa árvore — disse Roland serenamente. — Eu mesmo não o vi, a princípio. A luz fica ardilosa nesta hora do dia. — Interrompeu-se e depois continuou na mesma voz serena: — Ela nunca correu perigo algum, Eddie.

Eddie assentiu. Roland, ele agora via, quase poderia ter comido um hambúrguer e tomado um milk-shake antes de começar a puxar a arma. Era rápido assim.

— Tudo bem. Digamos apenas que eu desaprovo as suas técnicas de ensino, certo? Mas não vou pedir desculpas, então se estiver esperando alguma, pode desistir agora mesmo.

Roland curvou-se, levantou Susannah e pôs-se a espaná-la com os dedos. Fazia isso com uma espécie de afeto desinteressado, como uma mãe na filha que se levantavam após levar os inevitáveis tombos na poeira do quintal.

— Suas desculpas não são esperadas nem necessárias — respondeu ele. — Susannah e eu tivemos uma conversa parecida com essa dois dias atrás. Não foi, Susannah?

Ela fez que sim com a cabeça.

— A opinião de Roland é que os pistoleiros aprendizes que não mordem de vez em quando a mão que os alimenta precisam de uma boa palmada.

Eddie olhou os estragos em volta e se pôs aos poucos a tirar com a mão a poeira de ossos da calça e camisa.

— E se eu disser que não quero ser um pistoleiro, Roland, velho camarada?

— Eu diria que o que você quer não tem muita importância.

Roland olhava para o quiosque de metal erguido junto à muralha de pedra, e parecia ter perdido o interesse pela conversa. Eddie já vira isso antes. Quando a conversa envolvia questões do que deveria ser, poderia ser ou tinha de ser, Roland quase sempre perdia o interesse.

— Ka? — perguntou Eddie, com um traço do antigo ressentimento.

— Isso mesmo. Ka. Encontramos um dos doze portais que circundam a borda do mundo… um dos seis caminhos para a Torre Negra.

Roland havia caminhado até o quiosque e passava a mão pelas listras pretas e amarelas que se estendiam por sua fachada.

— E isso também é ka.

27

Eddie voltou para pegar a cadeira de rodas de Susannah. Ninguém precisou pedir para que fizesse isso; ele queria ficar algum tempo a sós, para se controlar. Agora que cessara o tiroteio, cada músculo de seu corpo parecia ter adquirido um tremorzinho ritmado. Não queria que nenhum dos dois o visse assim — não porque pudessem interpretar erroneamente como medo, mas porque um deles ou os dois talvez percebessem o que de fato era: sobrecarga de excitação. Ele gostara daquilo. Mesmo com o morcego que quase o havia escalpelado, ele gostara.

É besteira, cara. E você sabe disso.

O problema era que ele *não* sabia. Eddie se vira cara a cara com uma coisa que Susannah descobrira por si mesma depois de atirar no urso: ele podia *falar* que não queria ser pistoleiro, que não queria ficar perambulando naquele mundo maluco onde os três pareciam ser a única vida humana, que realmente queria mais do que qualquer outra coisa estar parado na esquina da Broadway com a rua 42, estalando os dedos, mastigando um cachorro--quente com molho apimentado e ouvindo o Creedence Clearwater Revival explodir dos fones de ouvido do seu walkman, enquanto via as garotas passarem, as gatas de Nova York incrivelmente sexys, com as bocas em biquinhos de desprezo e as pernas compridas exibidas em minissaias. Sabia que podia falar essas coisas até dizer chega, mas o coração sabia de outras coisas. Sabia que *gostara* de mandar pelos ares a coleção de animaizinhos ferozes, pelo menos enquanto o jogo estava acontecendo e a arma de Roland era o seu estrondo pessoal. *Curtira* chutar o rato robô, embora houvesse machucado o pé e sentido um tremendo cagaço. De uma maneira estranha, essa parte — a de ficar apavorado — parecera na verdade somar-se à curtição.

Tudo isso já era ruim o suficiente, mas o coração sabia de uma coisa ainda pior: que se uma porta que o levasse de volta a Nova York aparecesse diante dele agora mesmo, talvez ele não a atravessasse. Pelo menos não antes de ter visto por si mesmo a Torre Negra. Começava a acreditar que a doença de Roland era contagiosa.

Enquanto se debatia com a cadeira de rodas de Susannah pelo emaranhado de detritos de amieiros, xingando os galhos que açoitavam o seu rosto e tentavam espetar os olhos, Eddie se viu capaz de reconhecer pelo menos algumas dessas coisas, e o reconhecimento esfriou um pouco o seu sangue. *Eu quero ver se ela se parece com a do meu sonho*, pensou. *Ver uma coisa dessas... seria realmente fantástico.*

E outra voz falou em seu íntimo. *Aposto que os outros amigos dele — aqueles com nomes que parecem saídos diretos da Távola Redonda da corte do rei Artur —, aposto que se sentiram da mesma maneira, Eddie. E todos estão mortos. Cada um deles.*

Ele reconheceu aquela voz, gostasse ou não. Era a voz de Henry, o que a tornava difícil de ser ignorada.

28

Roland, com Susannah equilibrada no quadril direito, estava em pé diante da caixa de metal que lembrava uma entrada de metrô depois de fechada. Eddie deixou a cadeira de rodas na borda da clareira e se encaminhou até lá. Ao fazê-lo, o zumbido e a vibração constantes sob seus pés tornaram-se mais altos. A maquinaria que fazia o barulho, compreendeu, estava dentro ou embaixo da caixa. Ele parecia ouvir os sons não com os ouvidos, mas em algum lugar no fundo da mente, e nas entranhas.

— Então este é um dos doze portais. Para onde ele dá, Roland? Para a Disney?

Roland balançou a cabeça.

— Não sei para onde dá. Talvez para lugar nenhum... ou para todos os lugares. Existe muita coisa do meu mundo que eu desconheço... sem dúvida vocês dois já perceberam. E algumas coisas que eu conheço mudaram.

— Porque o mundo seguiu adiante

— Sim. — Roland olhou para Eddie. — Aqui, isso não é uma figura de retórica. O mundo realmente *continua* seguindo adiante, e cada vez mais depressa. Ao mesmo tempo, tudo está se desgastando... desmoronando... — Chutou o cadáver mecânico da caixa ambulante para exemplificar sua afirmação.

Eddie pensou no diagrama tosco dos portais que Roland desenhara no chão.

— *Esta* é a borda do mundo? — perguntou, quase timidamente. — Quer dizer, não parece muito diferente de qualquer outro lugar. — Deu uma risadinha. — Se há um precipício, eu não estou vendo.

Roland balançou a cabeça.

— Não é este tipo de borda. É o lugar onde começam os Feixes. Ou assim me disseram.

— Feixes? — perguntou Susannah. — Que Feixes?

— Os Grandes Anciãos não fizeram o mundo, mas o *re*fizeram. Alguns contadores de histórias dizem que esses Feixes o salvaram; outros dizem que eles são as sementes da destruição do mundo. Os Grandes Anciãos criaram os Feixes. Eles são uma espécie de linhas... linhas que se *conectam*... e *seguram*...

— Está falando de magnetismo? — perguntou Susannah, cautelosa.

O rosto de Roland se iluminou, transformando suas planícies e vales acentuados numa coisa nova e assombrosa, e por um instante Eddie soube como seria a aparência de Roland se ele *realmente* chegasse à sua Torre.

— Sim! Não *só* magnetismo, mas isso faz parte... e gravidade... e o alinhamento certo do espaço, tamanho e dimensão. Os Feixes são as forças que mantêm tudo unido.

— Bem-vinda à física no manicômio — disse Eddie, baixinho.

Susannah ignorou-o.

— E a Torre Negra? É algum tipo de gerador? Uma central de energia elétrica para esses Feixes?

— Não sei.

— Mas você *sabe* que este é o ponto A — disse Eddie. — Se a gente andasse tempo o bastante numa linha reta, chegaria ao outro portal, vamos chamar de ponto C, na outra borda do mundo. Mas antes disso chegaríamos ao ponto B. O ponto central. A Torre Negra.

O pistoleiro assentiu.

— Quanto tempo dura essa viagem? Você sabe?

— Não. Mas sei que é muito longe, e a distância aumenta a cada dia que passa.

Eddie curvara-se para examinar a caixa ambulante. Agora se endireitava e encarava Roland.

— Não pode ser. — Ele falou como alguém tentando explicar a uma criança pequena que não existia de verdade um bicho-papão dentro do armário, que *não podia* existir, porque essa coisa de bicho-papão não existe de verdade. — Os mundos não *crescem*, Roland.

— Não mesmo? Quando eu era menino, Eddie, havia mapas. Eu me lembro de um em particular. Era chamado de Os Maiores Reinos da Terra Ocidental. Mostrava minha região, que se chamava Gilead. Mostrava os Baronatos da Baixada, que foram tomados por rebeliões e guerra civil no ano seguinte àquele em que ganhei minhas armas, as colinas, o deserto, as montanhas e o mar Ocidental. Era uma longa distância de Gilead até o mar Ocidental, 1500 quilômetros ou mais... *mas eu levei mais de vinte anos para percorrer essa distância.*

— Isso é impossível — apressou-se a dizer Susannah, tensa. — Mesmo que você percorresse *a pé* toda essa distância, não levaria vinte anos.

— Bem, você precisa incluir as paradas para escrever cartões-postais e tomar umas cervejas — disse Eddie, mas os dois o ignoraram.

— Eu não viajei a pé, percorri quase toda essa extensão na garupa de um cavalo — explicou Roland. — Precisei... diminuir a velocidade, digamos, de vez em quando, mas na maior parte daquele tempo eu seguia adiante. Afastando-me de John Farson, que liderou a revolta que fez desabar o mundo em que fui criado, e que queria minha cabeça numa estaca em seu pátio... ele tinha bons motivos para desejar isso, imagino, pois eu e meus compatriotas fomos responsáveis pelas mortes de inúmeros de seus seguidores... e porque eu roubei uma coisa pela qual ele tinha muito apreço.

— O quê, Roland? — perguntou Eddie, curioso.

Roland balançou a cabeça.

— Esta é uma história para outro dia, ou talvez nunca. Por ora, não pensem no assunto além do seguinte: eu atravessei *vários* milhares de quilômetros nessa jornada. Porque o mundo está crescendo.

— Uma coisa dessas simplesmente não pode acontecer — reiterou Eddie, mas ainda assim muitíssimo abalado. — Haveria terremotos, inundações, ondas gigantescas provocadas por maremotos... Não sei o que mais.

— *Escute*! — disse Roland, furioso. — Olhe em volta de você! O que é que vê? Um mundo que está diminuindo de velocidade como a porra de uma criança, mesmo que se acelere e se mova de algum outro modo que nenhum de nós entende. Olhe o que você matou, Eddie! Olhe o que você matou, pelo seu pai!

Deu dois passos em direção ao riacho, pegou a cobra de aço, examinou-a brevemente, e jogou-a para Eddie, que a agarrou com a mão esquerda. A cobra partiu-se em dois pedaços quando ele a pegou.

— Viu? Ela está exausta. *Todas* as criaturas que encontramos aqui estavam exaustas. Se não tivéssemos chegado, teriam morrido de qualquer modo em breve. Assim como o urso teria morrido.

— O urso tinha algum tipo de doença — disse Susannah.

O pistoleiro assentiu.

— Parasitas que atacaram as partes orgânicas de seu corpo. Mas por que nunca atacaram antes?

Susannah não respondeu.

Eddie examinava a cobra. Ao contrário do urso, parecia ser uma construção totalmente artificial, uma coisa de metal, circuitos e metros (ou talvez *quilômetros*) de tênue fiação elétrica. Mas ele viu manchas de ferrugem, não apenas na superfície da metade da cobra que continuava em sua mão, e sim nas entranhas. E uma faixa de umidade por onde vazara óleo ou se infiltrara água. A substância deteriorara alguns dos fios elétricos, e uma matéria verde que parecia musgo crescera sobre várias placas de circuito.

Eddie virou a cobra do avesso. Uma plaqueta de aço a anunciava como sendo obra da North Central Positronics, Ltd., trazia um número de série, mas nenhum nome. *Na certa insignificante demais para receber um*, pensou ele. *Apenas um sofisticado desentupidor mecânico, projetado para fazer uma lavagem intestinal de vez em quando no velho Irmão Urso, para garantir que ele não tivesse prisão de ventre, ou algo igualmente nojento.*

Largou a cobra e limpou as mãos nas calças.

Roland pegara a engenhoca-trator. Puxou com força uma das esteiras. Ela se soltou com facilidade, despejando uma nuvem de ferrugem entre suas botas. Ele atirou-a para o lado.

— Tudo no mundo está ou parando ou se despedaçando — disse ele categoricamente. — Ao mesmo tempo, as forças que interligam o mundo e lhe dão coerência... de tempo e dimensão, e também no espaço... estão enfraquecendo. Sabíamos disso mesmo quando éramos crianças, mas não tínhamos a menor ideia de em quanto tempo chegaria o fim. Como poderíamos? E no entanto eu agora estou vivendo nesses tempos, e não acredito que afetem apenas o meu mundo. Afetam também o de vocês, Eddie e Susannah; talvez afetem um bilhão de outros. Os Feixes estão se quebrando. Não sei se isto é uma causa ou apenas outro sintoma, mas sei que é verdade. Venham! Cheguem mais perto! Escutem!

Quando Eddie se aproximou da caixa de metal com suas listras alternadas de amarelo e preto, uma forte e desagradável lembrança se apoderou dele — pela primeira vez em anos se viu pensando no desmoronamento de uma ruína vitoriana em Dutch Hill, a cerca de um quilômetro e meio do bairro onde ele e Henry cresceram. Essa ruína, conhecida da garotada do bairro como A Mansão, ocupava um terreno baldio, cheio de ervas daninhas, na rua Rhinehold. Eddie imaginava que quase toda a garotada do município ouvira histórias fantasmagóricas sobre A Mansão. A casa estava lá meio desmoronada sob o telhado muito inclinado, parecendo encarar com raiva os passantes das profundas sombras projetadas dos beirais. As janelas haviam desaparecido, lógico — garotos conseguem atirar pedras nas vidraças sem chegar perto demais de um alvo —, mas a casa não fora pichada com aerossol, e não se tornara ponto de encontro nem galeria de tiro ao alvo. O mais estranho de tudo era o simples fato de continuar a existir: ninguém a incendiara para receber o seguro ou apenas vê-la destruir-se em chamas. A garotada dizia que era mal-assombrada, óbvio, e um dia em que Eddie ficara na calçada com Henry olhando-a (haviam feito a peregrinação especificamente para ver aquele objeto de mítico rumor, embora Henry houvesse dito à mãe que iam só lanchar no Dahlberg's com alguns amigos), parecera que a casa poderia *realmente* ser mal-assombrada. Ele não sentira uma certa força poderosa e hostil emanando daquelas sombreadas janelas vitorianas, janelas que pareciam encará-lo com o olhar fixo de um louco perigoso? E um certo vento sutil fazendo arrepiar os pelos dos braços e da nuca? Não tivera a nítida intuição de que, se colocasse o pé naquele lugar, a porta ia bater e trancar-se atrás dele e as paredes começariam a se fechar, triturando os ossos dos camundongos mortos até pulverizá-los, querendo esmagar os *dele* da mesma maneira?

Assombrosa. Assombrada.

Ele sentia essa mesma antiga sensação de mistério e perigo agora, ao aproximar-se da caixa de metal. Um arrepio começou a subir pelas pernas e descer pelos braços; os pelos na nuca se eriçaram e tornaram-se espetados e duros. Sentiu o mesmo vento sutil passar soprando por ele, embora as folhas nas árvores que cercavam a clareira estivessem inteiramente imóveis.

Contudo, dirigiu-se para a porta mesmo assim (pois era isso o que era, lógico, outra porta, embora estivesse trancada e sempre fosse estar para gente como ele), sem parar até encostar o ouvido nela.

A sensação era como se houvesse tomado um ácido muito forte meia hora antes e a droga estivesse começando a fazer efeito. Estranhas cores flutuavam na escuridão atrás de seus olhos. Tinha a impressão de ouvir vozes murmurando-lhe de longos corredores como gargantas de pedra, corredores iluminados com tochas elétricas gotejando. Antigamente esses archotes da idade moderna haviam projetado um brilho de luz forte em tudo, mas agora não passavam de melancólicas cores azul-claras. Ele pressentiu vazio... abandono... desolação... morte.

A maquinaria ribombava sem parar, mas o barulho que ouvia ali não era acompanhado de um tom subjacente? Um tipo de ruído desesperado sob o zumbido, como a arritmia de um coração enfermo? A sensação de que a maquinaria produzia aquele ruído, embora muito mais sofisticado até mesmo do que aquele dentro do urso, estava de algum modo entrando em desarmonia consigo mesma?

— Tudo é silêncio nos salões dos mortos — Eddie ouviu-se murmurar numa voz que se extinguia, baixando. — Tudo é esquecido nos salões de pedra dos mortos. Veja as escadas que se erguem nas trevas; veja os salões das ruínas. Estes são os salões dos mortos, onde as aranhas tecem e os grandes circuitos caem em silêncio, um por um.

Roland tirou-o dali com força, e Eddie o olhou com olhos aturdidos.

— Já chega — disse Roland.

— Seja lá o que eles colocaram aí, não está muito bem agora, está? — Eddie ouviu-se perguntar. A voz trêmula parecia vir de muito longe. Ele continuava sentindo a força que vinha daquela caixa. Ela o chamava.

— Não. Nada no meu mundo está muito bem atualmente.

— Se vocês meninos planejam acampar por aqui esta noite, vão ter de fazer isso sem a minha companhia — disse Susannah. Seu rosto era uma mancha pálida no cinzento estertor da luz crepuscular. — Eu vou mais para lá. Não gosto de como essa coisa me faz sentir.

— Vamos *todos* acampar mais adiante — disse Roland. — Vamos embora.

— Que ótima ideia — disse Eddie.

Ao se afastarem da caixa, o barulho da maquinaria começou a diminuir. Eddie sentiu seu domínio sobre ele enfraquecer, embora ainda o chamasse, o convidasse a explorar os corredores mal iluminados, as escadas altas, os salões das ruínas onde as aranhas tecem e os painéis de controle vão se desligando, um por um.

29

Sonhando naquela noite, Eddie mais uma vez seguiu a pé pela Segunda Avenida até a Déli Artesanal Tom e Jerry, na esquina da Segunda com a 46. Passou por uma loja de discos e os Rolling Stones ribombavam dos alto-falantes:

Vejo uma porta vermelha e quero pintá-la de preto,
Não quero mais cores, quero que tudo fique preto,
Vejo as garotas passarem com suas roupas de verão,
Tenho de virar a cabeça até sumir minha escuridão...

Ele continuou em frente, passando por uma loja chamada Reflexos de Você, entre a rua 49 e a 48. Viu-se num dos espelhos na vitrina. Achou que estava com uma aparência melhor do que estivera em anos — os cabelos um pouco compridos demais, mas tirando isso estava bronzeado e em boa forma. Mas as roupas... francamente. Totalmente careta. Paletó azul, camisa branca, gravata vermelho-escuro, calças elegantes... ele jamais tivera uma roupa tão careta quanto aquela na vida.

Alguém o estava sacudindo.

Eddie tentou mergulhar mais fundo no sonho. Não queria acordar agora. Não antes de chegar à delicatéssen e usar sua chave para transpor a porta e entrar no campo de rosas. Queria ver tudo de novo — a infinita manta vermelha, o céu azul cósmico onde navegavam aquelas esplêndidas nuvens-navios e a Torre Negra. Sentia medo das trevas que viviam naquela fantasmagórica coluna, à espera para devorar quem chegasse perto demais, mas mesmo assim queria vê-la mais uma vez. *Precisava* vê-la.

Mas a mão não parava de sacudi-lo. O sonho começou a escurecer, e o cheiro dos canos de descarga dos carros pela Segunda Avenida tornou-se o cheiro de fumaça de madeira — rarefeito agora, porque o fogo quase se apagara.

Era Susannah. Parecia assustada. Eddie sentou-se e passou o braço em volta dela. Haviam acampado na borda oposta do arvoredo de amieiros, ao alcance do ruído do riacho que passava pela clareira cheia de ossos. Do outro lado dos brilhantes carvões em brasa que haviam sido a fogueira do acampamento, Roland dormia. Não era um sono tranquilo. Desvencilhara-se da única manta que o cobria e estava deitado com os joelhos puxados quase junto ao peito. Sem as botas, seus pés pareciam brancos, estreitos e indefesos. O grande dedão do pé direito se fora, vítima da coisa-lagosta que também arrancara parte da sua mão direita.

Ele gemia sem parar uma frase incompreensível. Após algumas repetições, Eddie viu que era a frase que ele dissera antes de se ajoelhar na clareira, quando Susannah havia atirado no urso: *Vá então... há outros mundos além destes*. Ele ficava em silêncio por um instante, e então chamava pelo nome do garoto:

— Jake! Onde você está? Jake!

A desolação e o desespero em sua voz apavoraram Eddie. Com os braços em volta de Susannah, ele a segurou forte contra si. Sentiu-a tremendo, embora a noite estivesse quente.

O pistoleiro virou-se, deitando-se de costas. A luz das estrelas bateu em cheio em seus olhos abertos.

— *Jake! Onde você está?* — gritou ele para a noite. — *Volte*!

— Ai, meu Deus... lá vai ele de novo. O que a gente faz, Suze?

— Não sei. Eu só sabia que não aguentava mais ouvir isso sozinha. Ele parece tão distante. Tão distante de tudo.

— Vá então — murmurou o pistoleiro, se virando novamente para o lado e puxando mais uma vez os joelhos para cima —, há outros mundos além destes. — Calou-se por um instante. E então seu peito se elevou e ele soltou o nome do garoto num longo e arrepiante grito. Nas matas atrás, um pássaro grande fugiu voando, num seco rodopio de asas, para alguma parte menos excitante do mundo.

— Tem alguma ideia? — perguntou Susannah, com os olhos arregalados e marejados de lágrimas. — Será que deveríamos acordá-lo?

— Não sei. — Eddie viu o revólver do pistoleiro, o que ele usava no quadril esquerdo. Fora posto dentro do coldre envolto num quadrado de pele dobrada com todo esmero, a fácil alcance do lugar em que Roland estava deitado. — Não sei se tenho coragem — acabou acrescentando.

— Isso o está levando à loucura.

Eddie assentiu.

— O que vamos fazer a respeito? Eddie, *o que vamos fazer*?

Eddie não sabia. Um antibiótico detivera a infecção causada pela coisa--lagosta; agora Roland ardia mais uma vez de infecção, só que Eddie não achava que nenhum antibiótico existente no mundo poderia curar o problema que o consumia desta vez.

— Eu não sei. Deite-se aqui comigo, Suze.

Ele jogou uma pele sobre os dois, e depois de algum tempo o tremor dela se acalmou.

— Se ele enlouquecer, pode nos machucar — disse ela.

— E eu não sei disso? — Essa ideia desagradável lhe ocorrera pensando no urso, os olhos vermelhos cheios de ódio (e não teria havido também desorientação, espreitando fundo daqueles abismos vermelhos?) e suas mortais garras dilacerantes. Eddie desviou os olhos para o revólver, pousado tão perto da mão esquerda boa do pistoleiro, e lembrou-se mais uma vez de como Roland fora rápido quando vira o morcego mecânico lançando-se sobre eles. A rapidez com que a mão pareceu desaparecer. Se o pistoleiro enlouquecesse, e se ele e Susannah se tornassem o foco dessa loucura, eles não teriam chance. Nenhuma chance.

Ele aninhou o rosto no vão do pescoço de Susannah e fechou os olhos.

Não muito depois, o balbucio de Roland cessou. Eddie ergueu a cabeça e o examinou. O pistoleiro parecia haver recuperado o sono natural, regular. Eddie olhou para Susannah e viu que ela também adormecera. Deitou-se ao seu lado, beijou-lhe delicadamente a curva do seio e cerrou os olhos.

Você não, companheiro; você vai ficar acordado por muito, muito tempo.

Mas eles estavam viajando havia dois dias e Eddie estava completamente exausto. Deixou-se levar… e apagou.

De volta ao sonho, pensou ao se largar. *Quero voltar para a Segunda Avenida… para a delicatéssen de Tom e Jerry. É isso que eu quero.*

O sonho, contudo, não retornou naquela noite.

30

Comeram um rápido desjejum enquanto o sol se erguia, levantaram acampamento e distribuíram o equipamento, e depois voltaram à clareira em forma de cunha. Não parecia tão assustadora na clara luz da manhã, mas todos os três fizeram questão de se manter bem afastados da caixa de metal com as listras pretas e amarelas. Se Roland tinha alguma lembrança dos sonhos ruins que o haviam perturbado à noite, não dava nenhum sinal. Fizera as tarefas matinais como de costume, em silêncio, pensativo e indiferente.

— Como pensa seguir em linha reta a partir daqui? — perguntou Susannah ao pistoleiro.

— Se as lendas estiverem certas, não deve ser problema algum. Lembra-se de quando me perguntou sobre magnetismo?

Ela assentiu.

O pistoleiro remexeu no fundo da bolsa, retirando por fim lá de dentro um quadrado de couro flexível, curtido pelo tempo. Espetada nele havia uma longa agulha de prata.

— Uma bússola! — exclamou Eddie. — Você *é* mesmo um Escoteiro Águia!

Roland negou, balançando a cabeça.

— Não é uma bússola. Eu sei o que são bússolas, lógico, mas atualmente eu me oriento pelo sol e pelas estrelas, e até hoje isso tem me servido muito bem.

— *Até hoje*? — perguntou Susannah, com uma ponta de preocupação.

Ele assentiu.

— As direções do mundo também estão à deriva.

— *Deus do céu*! — exclamou Eddie.

Tentava imaginar um mundo onde o verdadeiro norte se afastasse furtivamente para o leste ou oeste e desistiu na mesma hora. A ideia o fez sentir-se um pouco enjoado, como olhar para baixo do alto de um arranha-céu sempre o fizera sentir-se um pouco enjoado.

— Isto é apenas uma agulha, mas é de aço, e deve servir tão bem ao nosso propósito quanto uma bússola. — Remexeu de novo na bolsa e retirou uma caneca de cerâmica meio tosca.

Uma rachadura cortava-a de cima a baixo num dos lados. Roland colara esse artefato, que encontrara no antigo local de acampamento, com goma de pinheiro. Dirigiu-se então até o riacho, mergulhou a caneca e a levou de volta ao lugar onde Susannah estava sentada na cadeira de rodas. Apoiou-a com todo o cuidado no braço da cadeira, e quando a superfície da água na caneca parou de se mexer, ele largou a agulha dentro. Ela mergulhou até o fundo e ficou ali imóvel.

— Uau! — exclamou Eddie. — Genial! Eu me ajoelharia a seus pés em assombro, Roland, mas não quero desmanchar o vinco das calças.

— Ainda não terminei. Segure firme a caneca, Susannah.

Ela o fez, e Roland a empurrou devagar pela clareira. Quando chegou a uns quatro metros da porta, girou a cadeira com todo o cuidado para Susannah ficar de costas para a porta.

— Eddie! — gritou ela. — Veja isto!

Ele curvou-se sobre a caneca de cerâmica, com uma leve consciência de que a água já estava vazando pela cola improvisada de Roland. A agulha subia ligeiramente para a superfície. Atingiu-a e ficou balançando ali, para cima e para baixo, com tanta placidez quanto teria feito uma rolha. Sua direção era em linha reta do portal atrás deles e apontava a velha e emaranhada floresta à frente.

— Minha nossa... uma agulha flutuante. Agora eu *realmente* vi tudo.

— Segure a caneca, Susannah.

Ela a segurou firme, enquanto Roland empurrava a cadeira de rodas mais para dentro da clareira, em ângulo reto com a caixa. A agulha perdeu seu ponto estável, balançou aleatoriamente por um momento e mergulhou mais uma vez até o fundo da caneca. Quando Roland voltou com a cadeira para o local anterior, ela tornou a subir e apontou a direção.

— Se a gente tivesse limalha de ferro e uma folha de papel — disse o pistoleiro —, poderia espalhar a limalha na superfície do papel e vê-la se aglutinar numa linha que apontaria a mesma direção.

— Isso vai acontecer quando deixarmos o Portal? — perguntou Eddie.

Roland fez que sim com a cabeça.

— Não só isso. Podemos realmente *ver* o Feixe.

Susannah virou-se para olhar sob o ombro e esbarrou com o cotovelo de leve na caneca. A agulha girou sem direção quando a água se agitou, e depois tornou a estabilizar-se firmemente na direção original.

— Não é para esse lado — disse Roland. — Olhem para baixo, os dois... Eddie para os pés, Susannah para o colo.

Eles fizeram o que Roland pediu.

— Quando eu mandar erguer os olhos, olhem direto em frente, na direção que a agulha apontar. Não olhem para nenhuma outra coisa; deixem os olhos verem o que for. Agora... ergam os olhos!

Eles obedeceram. Por um momento, Eddie não viu nada além da mata. Tentou relaxar os olhos... e de repente estava ali, como ali estivera a forma do estilingue, dentro do nó da madeira, e ele entendeu por que Roland os mandara não olhar para mais nada. O efeito do Feixe estava em toda parte ao longo de seu rumo, mas era sutil. As agulhas dos pinheiros e outras árvores apontavam naquela direção. Os arbustos de salsaparrilha cresciam ligeiramente inclinados, e a inclinação era na direção do Feixe. Nem todas as árvores que o urso derrubara para desobstruir sua linha de visão haviam caído ao longo daquele caminho camuflado — que seguia para sudeste, se o senso de direção de Eddie estivesse correto —, mas a maioria caíra, como se a força que emanava da caixa as houvesse empurrado naquela direção quando oscilaram. A prova mais evidente estava na forma como as sombras se projetavam no chão. Com o sol surgindo a leste, todas apontavam para oeste, lógico, mas quando Eddie olhou para o sudeste, viu o desenho de espinha de peixe irregular que só existia ao longo da linha para a qual apontara a agulha na caneca.

— Acho que talvez eu esteja vendo *alguma coisa* — disse Susannah, em dúvida —, mas...

— Olhe para as sombras! As *sombras*, Suze!

Eddie viu os olhos de Susannah se arregalarem quando tudo se encaixou para ela.

— Meu Deus! Está ali! *Bem ali*! É como quando a gente tem um repartido natural no cabelo!

Agora que Eddie a vira, não podia mais deixar de vê-la; uma tênue linha cortando o desordenado emaranhado que cercava a clareira, um caminho de borda reta que era o rumo do Feixe. Teve uma repentina consciência de como era imensa a força que fluía ao seu redor (e na certa através dele, como raios X), e teve de controlar a vontade de se afastar, para a direita ou para a esquerda.

— Então, Roland, isso não vai me deixar estéril, vai?

Roland deu de ombros, com um leve sorriso.

— É como um leito de rio — maravilhou-se Susannah. — Um leito de rio tão invadido pelo mato que a gente mal consegue vê-lo... mas ele continua ali. O desenho das sombras não vai mudar nunca, enquanto permanecermos dentro do caminho do Feixe, vai?

— Não — respondeu Roland. — Elas vão mudar de direção à medida que o sol se mover pelo céu, lógico, mas a gente vai sempre conseguir ver a trajetória do Feixe. Vocês precisam se lembrar que ele vem fluindo ao longo deste mesmo caminho há milhares, talvez *dezenas* de milhares, de anos. Olhem para cima, os dois, para o céu!

Eles olharam, e viram que as pequenas nuvens também haviam adquirido aquele desenho em forma de espinha de peixe ao longo da trajetória do Feixe... e as nuvens nos corredores daquela energia fluíam mais rápido do que as dos lados. Eram empurradas em direção ao sudeste. Em direção à Torre Negra.

— Estão vendo? Até as nuvens precisam obedecer.

Um pequeno bando de pássaros avançou rumo a elas. Quando chegaram ao caminho do Feixe, também foram desviados para sudeste por um instante. Embora Eddie tenha visto nitidamente isso acontecer, mal podia acreditar nos próprios olhos. Depois de atravessarem o estreito corredor da influência do Feixe, os pássaros retomaram a trajetória anterior.

— Bem — disse Eddie —, acho que temos de ir andando. Uma jornada de 1500 quilômetros começa com um passo, essa merda toda.

— Espere um pouco — Susannah olhava para Roland. — Não são *só* 1500 quilômetros, são? Não mais. De que distância *estamos* falando, Roland? Seis mil quilômetros? Dez? Dezesseis?

— Não sei dizer. Vai ser muito longe.

— Bem, como diabo a gente vai chegar lá, com vocês dois me empurrando nesta maldita cadeira de rodas? Teremos sorte se fizermos quatro quilômetros por dia para atravessar até o outro lado depois do Estreito, e você sabe disso.

— O caminho foi aberto — disse Roland, paciente —, e isso basta por ora. Pode chegar um momento, Susannah Dean, em que vamos viajar mais rápido do que você gostaria.

— Ah, é? — Ela o encarou com irritação, e os dois homens viram mais uma vez Detta Walker se insinuando perigosamente em seus olhos. — Você tem um carro de corrida em posição de largada? Se tiver, talvez fosse interessante termos uma maldita pista para correr!

— A terra em que viajamos vai mudar. Sempre muda.

Susannah abanou a mão para o pistoleiro; *pode falar o que quiser*, dizia.

— Você parece a minha velha mãe falando, dizendo que Deus proverá.

— E Ele não proveu? — perguntou Roland com ar grave.

Ela olhou por um momento em silenciosa surpresa, e então jogou a cabeça para trás, rindo para o céu.

— Bem, depende do ponto de vista. Só posso dizer que se isso é prover, Roland, eu detestaria ver o que aconteceria se Ele decidisse nos deixar famintos.

— Vamos lá, seguir em frente — disse Eddie. — Quero sair deste lugar. Não gosto daqui.

E estava sendo honesto, mas não por completo. Também sentia uma profunda vontade de pôr o pé naquele caminho oculto, naquela rodovia escondida. Cada passo era um passo mais para perto do campo de rosas e da Torre que o dominava. Ele compreendeu — não sem um certo espanto — que pretendia ver aquela Torre... ou morrer tentando.

Parabéns, Roland, pensou. *Você conseguiu. Fui convertido. Cantemos aleluia.*

— Só mais uma coisa, antes de seguirmos. — Roland curvou-se e soltou as correias de couro cru em volta da coxa esquerda. E então começou a desafivelar o cinturão da arma.

— Que negócio é esse? — perguntou Eddie. Roland soltou o cinturão e estendeu-o para ele.

— Você sabe por que estou fazendo isso — disse ele com calma.

— Coloca isso de volta, cara! — Eddie sentiu uma terrível mistura de emoções contraditórias agitando-se dentro de si; sentia os dedos tremendo até dentro dos punhos fechados. — O que acha que está *fazendo*?

— Perdendo minha sanidade, um pedaço de cada vez. Até a ferida dentro de mim se fechar, se algum dia fechar, não estou em condições de usar isto. E você sabe muito bem.

— Pegue, Eddie — disse Susannah baixinho.

— Se você não estivesse usando essa maldita coisa ontem à noite, quando aquele morcego se jogou em cima de mim, eu teria amanhecido devorado do nariz para cima!

A resposta do pistoleiro foi continuar a estender a arma remanescente para Eddie. A postura de seu corpo dizia que ele estava disposto a ficar daquele jeito o dia inteiro, se fosse necessário.

— Tá bom! — gritou Eddie. — Porra, tá *bom*!

Arrancou o cinturão da mão de Roland e o afivelou na cinta, numa série de gestos bruscos. Devia sentir-se aliviado, imaginou... não olhara para aquela arma, estendida tão perto da mão de Roland no meio da noite, e pensara no que poderia acontecer se o pistoleiro realmente transpusesse as raias da loucura? Não haviam ele e Susannah pensado nisso? Mas não sentiu alívio nenhum. Apenas medo, culpa e uma estranha, dilacerante tristeza, profunda demais para lágrimas.

Roland parecia tão estranho sem suas armas.

Tão *errado*.

— Tudo bem? Agora que as porras dos aprendizes burros têm as armas e o mestre está desarmado, podemos dar o fora? Se alguma coisa sair do mato e vier pra cima da gente, Roland, você sempre pode atirar sua faca nela.

— Ah, a faca — murmurou ele. — Quase me esqueci. — Tirou-a da bolsa e entregou-a, cabo primeiro, para Eddie.

— Isto é *ridículo*! — gritou Eddie.

— A *vida* é ridícula.

— É, coloca isso num cartão-postal e mande para a porra da *Seleções*. — Eddie enfiou a faca no cinturão e encarou Roland com ar de desafio. — *Agora* podemos ir?

— Há mais uma coisa — disse Roland.

— Porra, caralho!

O sorriso tocou mais uma vez a boca de Roland.

— Estou só brincando — disse ele.

Eddie ficou boquiaberto. Susannah desatou a rir novamente. A risada se elevou, musical como sinos no silêncio da manhã.

31

Eles levaram quase toda a manhã para desobstruir a zona de destruição com a qual o grande urso se protegera, mas a caminhada foi um pouco mais fácil ao longo do trajeto do Feixe, e assim que deixaram a massa de madeira derrubada e os emaranhados de vegetação rasteira para trás, a floresta densa voltou a predominar e eles conseguiram prosseguir com mais rapidez. O riacho que surgira do paredão de pedra na clareira os acompanhava, agitado, à direita. Ao curso de água haviam se juntado vários córregos menores, e seu barulho se tornara mais alto. Viam-se mais animais ali — eles os ouviam se movendo pelas matas, na sua faina diária — e duas vezes viram pequenos grupos de cervos. Um deles, um macho com nobres galhos em sua empertigada e curiosa cabeça, parecia pesar no mínimo uns cento e trinta quilos. O riacho se afastou numa curva de seu caminho quando eles recomeçaram a subir. E, quando a tarde passou a declinar para o anoitecer, Eddie viu alguma coisa.

— Será que podemos parar aqui? Descansar um pouco?

— O que foi? — perguntou Susannah.

— Sim — disse Roland. — Podemos parar.

De repente, Eddie sentiu novamente a presença de Henry, como um peso se instalando em seus ombros. *Ora, veja só o veadinho. Está vendo alguma coisinha fofa na árvore, veadinho? Quer entalhar alguma coisa, veadinho? Quer mesmo? Ahhh... mas não é mesmo uma GRACINHA?*

— Não *precisamos* parar. Quer dizer, não é nada importante. Eu só...

—... viu alguma coisa — Roland concluiu por ele. — Seja o que for, feche a matraca e faça.

— Não é nada mesmo. — Eddie sentiu o sangue afluir-lhe ao rosto. Tentou desviar o olhar do freixo que havia atraído sua atenção.

— Mas é, sim. É alguma coisa de que você precisa, e isso está longe de não ser nada. Se *você* precisa, Eddie, *nós* também precisamos. O que não precisamos é de um homem que não consegue se livrar de sua inútil bagagem de lembranças.

O sangue quente pegou fogo. Eddie ficou com o rosto em chamas apontado para os mocassins por mais alguns instantes, sentindo que Roland lhe via diretamente o fundo do seu coração confuso com os desbotados olhos azuis de artilheiro.

— Eddie? — perguntou Susannah, curiosa. — O que foi, querido?

A voz dela deu a ele a coragem que necessitava. Ele se encaminhou até o freixo delgado, reto, tirando a faca de Roland da cinta.

— Talvez nada — resmungou, e então se forçou a acrescentar. — Talvez muita coisa. Se eu não estragar tudo, talvez muita mesmo.

— O freixo é uma árvore nobre e cheia de poder — observou Roland por trás dele, mas Eddie mal ouviu. A voz escrota e controladora de Henry se fora; e sua vergonha se fora junto. Ele pensava apenas no galho que atraíra seu olhar. Este engrossava e se abaulava ligeiramente ao se estender para o tronco. Era essa grossura de forma estranha que Eddie queria.

Achou que a forma da chave estava enterrada ali — a chave que vira brevemente no fogo antes dos restos incandescentes do maxilar mudarem mais uma vez e surgir a rosa. Três Vês invertidos, o V do centro mais fundo e largo do que os outros dois. E a pequena forma de *s* na ponta. Era esse o segredo.

Um murmúrio do sonho retornou-lhe à mente: *Chic, chum, cham, não se preocupe, você tem a chave.*

Talvez, pensou. *Mas desta vez tenho de conseguir toda ela. Acho que desta vez só noventa por cento não vai ser o suficiente.*

Com grande cuidado, cortou o galho da árvore e em seguida desbastou a ponta estreita. Restou-lhe um grosso cepo de freixo de uns três metros de comprimento. Parecia pesado e essencial em sua mão, cheio de vida e inteiramente disposto a revelar sua forma secreta... quer dizer, a um homem com suficiente habilidade para desenredá-la.

Seria ele esse homem? E isso tinha importância?

Eddie Dean achou que a resposta às duas perguntas era sim.

O pistoleiro cerrou a mão esquerda boa sobre a direita de Eddie.

— Acho que você sabe um segredo.

— Talvez eu saiba, sim.

— Pode dizer?

Ele balançou a cabeça.

— Acho melhor não. Ainda não.

Roland refletiu sobre estas palavras e assentiu.

— Tudo bem. Eu quero lhe fazer apenas uma pergunta, e depois não falamos mais a respeito. Você teria talvez visto de algum modo o âmago do meu... do meu problema?

Eddie pensou: *E isso é o mais perto que ele jamais chegará de mostrar o desespero que o vem devorando vivo.*

— Não sei. Neste exato momento não posso dizer com certeza. Mas espero que sim, cara. Espero que sim, mesmo, de verdade.

Roland tornou a assentir e soltou a mão de Eddie.

— Eu lhe agradeço. Ainda temos duas horas de luz do dia... por que não a aproveitamos?

— Por mim, tudo bem.

Seguiram em frente. Roland empurrando Susannah e Eddie abrindo caminho, levando o cepo de madeira com a chave enterrada. Ele parecia vibrar com seu próprio calor, secreto e cheio de energia.

32

Naquela noite, depois do jantar, Eddie tirou a faca do pistoleiro da cinta e se pôs a entalhar. A faca era incrivelmente afiada e parecia jamais perder o gume. Ele trabalhou devagar e com todo o cuidado à luz da fogueira, girando o cepo de freixo de um lado para o outro nas mãos, vendo os caracóis de finos veios surgirem antes dos golpes longos e certeiros.

Susannah se deitou, enlaçou os dedos sob a cabeça e ficou vendo as estrelas girarem pelo céu escuro.

Na borda do acampamento, além do brilho da fogueira, Roland ouvia mais uma vez as vozes da loucura despontarem em sua dolorida e confusa mente.

Havia um garoto.

Não havia um garoto.

Havia.

Não havia.

Havia...

Ele cerrou os olhos, levou a mão fria em concha à testa dolorida, e se perguntou quanto tempo ainda levaria para simplesmente rebentar como uma corda de arco esticada em excesso.

Ah, Jake, pensou. *Onde você está? Onde você está?*

E acima dos três, o Velho Astro e a Velha Mãe ergueram-se para seus lugares designados e se encararam através das ruínas estreladas de seu antigo casamento desfeito.

2. A CHAVE E A ROSA

1

Por três semanas, John "Jake" Chambers lutou bravamente contra a loucura que aumentava em sua mente. Durante esse tempo, sentiu-se como o último homem a bordo de um transatlântico que afundava, trabalhando pela vida nas bombas e tentando manter o navio à tona até a tempestade passar, os céus se abrirem e o socorro chegar... socorro de algum lugar. Socorro de *qualquer lugar*. Em 31 de maio de 1977, quatro dias antes das férias de verão, ele finalmente encarou o fato de que não viria socorro algum. Era hora de desistir; hora de deixar a tempestade levá-lo embora.

A gota de água foi sua redação final em inglês.

John Chambers, Jake para os três ou quatro meninos que eram quase seus amigos (se o pai soubesse desse pequeno factoide, sem dúvida subiria pelas paredes), concluía seu primeiro ano no Colégio Piper. Embora tivesse onze anos e cursasse o sexto ano, era pequeno para a idade, e as pessoas que o conheciam pela primeira vez quase sempre o julgavam muito mais jovem. Na verdade, fora confundido algumas vezes com uma menina até mais ou menos um ano atrás, quando insistira tanto para ter os cabelos cortados curtos que a mãe acabara cedendo e deixara. Com o pai, lógico, não havia problema na questão do corte de cabelo. O pai apenas dera seu sorriso duro, de aço inoxidável, e dissera: *O moleque quer parecer com um fuzileiro, Laurie. Que bom para ele.*

Para o pai, ele nunca era Jake, e raramente John. Em geral, era apenas "o moleque".

O pai explicara-lhe que o Colégio Piper no verão passado (fora o Verão do Bicentenário — só bandeirolas e bandeiras, e o porto de Nova York entupido de Grandes Navios) era, simplesmente, A Melhor Porra de Colégio no Município para um Garoto da sua Idade. O fato de Jake ter sido aceito lá não tinha nada a ver com dinheiro, explicara... quase *insistira* Elmer Chambers. O pai parecera loucamente orgulhoso disso, embora, mesmo aos dez anos, Jake desconfiasse que talvez esse fato não fosse *autêntico*, que na verdade pudesse ser um monte de besteira que o pai *transformara* em fato para poder lançá-lo como quem não quer nada numa conversa num almoço ou bebendo: *Meu moleque? Ah, ele vai estudar no Piper. Melhor Porra de Colégio no Município para um Garoto da Idade Dele. Naquele colégio ninguém entra por dinheiro, vocês sabem; no Piper, é cuca ou nada.*

Jake tinha perfeita consciência de que na feroz fornalha da cabeça de Elmer Chambers, o carvão bruto do desejo e da opinião muitas vezes se fundia nos duros diamantes que ele chamava de fatos... ou, em circunstâncias mais informais, "factoides". Sua expressão favorita, muitas vezes falada com reverência, era Fato *é*..., e ele a usava em toda oportunidade possível.

Fato é que ninguém *entra por dinheiro no Colégio Piper*, dissera-lhe o pai naquele Verão do Bicentenário, o verão dos céus azuis, flâmulas e bandeiras e Grandes Navios, um verão que parecia perfeito na memória de Jake porque ele ainda não começara a perder o juízo e sua única preocupação não era se estaria ou não à altura do Colégio Piper, que parecia um ninho de gênios recém-chocados. *A única coisa que o faz entrar num lugar daquele é o que você tem aqui.* Elmer Chambers estendera a mão por sobre sua escrivaninha e batera no meio da testa do filho com um dedo duro e manchado de nicotina. *Está me entendendo, moleque?*

Jake assentira. Não era necessário falar com o pai, porque ele tratava a todos — incluindo a esposa — como tratava os subalternos na rede de televisão onde comandava a programação e era o mestre supremo. Era preciso apenas escutar, assentir nos momentos certos, e depois de algum tempo ser dispensado.

Ótimo, disse o pai, acendendo um dos oitenta cigarros Camel que fumava todo santo dia. *Estamos entendidos, então. Você vai precisar ralar, mas pode conseguir. Nunca teriam nos mandando isto se você não pudesse*. Pegou a carta de aceitação do Colégio Piper e sacudiu-a. Havia no gesto uma espécie de triunfo selvagem, como se a carta fosse um animal que ele houvesse matado na selva, um animal que ia agora esfolar e comer. *Portanto rale. Tenha boas notas. Faça com que eu e sua mãe nos orgulhemos de você. Se concluir o ano com a nota máxima nas matérias, ganha uma viagem para a Disney. É uma boa recompensa, certo, moleque?*

Jake tirara as boas notas — as máximas em tudo (até as três últimas semanas, quer dizer). Supunha que deixara o pai e a mãe orgulhosos dele, embora os visse tão pouco que era difícil saber. Em geral, não havia *ninguém* em casa quando ele voltava do colégio, a não ser Greta Shaw — a governanta —, e assim ele acaba mostrando as provas a ela. Depois disso, elas migravam para um canto de seu quarto. Às vezes ele as folheava e imaginava se significavam alguma coisa. *Queria* que significassem, mas tinha sérias dúvidas.

Jake não achava que iria para a Disney naquele verão. Com ou sem notas máximas.

Achava que o manicômio era uma possibilidade bem mais plausível.

Ao cruzar as portas duplas do Colégio Piper às 8h45 da manhã de 31 de maio, teve uma terrível visão. Viu o pai em seu gabinete na praça Rockefeller 70, curvado sobre a mesa com um Camel grudado no canto da boca, falando com um dos subalternos, a cabeça envolta em fumaça azul. Toda Nova York surgindo atrás e abaixo dele, o barulho e a agitação silenciados por duas camadas de vidro isolante.

Fato é que ninguém *entra por dinheiro no Sanatório Sunnyvale*, dizia ele ao subalterno num tom de satisfação sombria. Estendeu o braço e bateu na testa do ouvinte. *A única coisa que o faz entrar num lugar daquele é quando alguma coisa séria dá errado real aqui no sótão. Foi o que aconteceu com o moleque. Mas ele está ralando o rabo pra valer. Me disseram que faz as melhores porras de cestas da casa. E quando o soltarem de lá — se algum dia soltarem —, ele vai ganhar uma viagem. Uma viagem para...*

— ... o posto de parada — murmurou Jake, e tocou a testa com a mão que queria tremer. As vozes estavam voltando. As vozes berrantes, conflitantes, que o estavam enlouquecendo.

Você morreu, Jake. Foi atropelado por um carro e morreu.

Não seja idiota! Veja — está vendo aquele cartaz? LEMBRE-SE DO PIQUENIQUE DA TURMA UM, *é o que diz. Acha que fazem piqueniques de turma na pós-vida?*

Eu não sei. Mas sei que você foi atropelado por um carro.

Não!

Sim. Aconteceu no dia 9 de maio, às 8h25 da manhã. Você morreu menos de um minuto depois.

Não! Não! Não!

— John?

Ele se virou, muito assustado. O sr. Bissette, seu professor de francês, estava ali em pé, parecendo um pouco preocupado. Atrás dele, o resto dos alunos entrava no auditório para a assembleia matinal. Ouvia-se muito pouca bagunça, e nenhuma gritaria. Era de supor que também os pais dos outros alunos, como os do próprio Jake, lhes houvessem dito como eles tinham sorte por estarem estudando no Piper, onde o dinheiro não contava (embora a anuidade fosse de 22 mil dólares), só as cucas. Era de supor que a muitos deles se houvessem prometido viagens naquele verão caso tirassem boas notas. Era de supor que os pais dos viajantes sortudos até os acompanhassem em alguns casos. Era de supor…

— John, você está bem? — perguntou o sr. Bissette.

— Sim — disse Jake. — Estou ótimo. Perdi um pouco a hora de acordar hoje de manhã. Acho que ainda não acordei.

O rosto do sr. Bissette se tranquilizou e ele sorriu.

— Acontece nas melhores famílias.

Não com o meu pai. O mestre nunca perde a hora de acordar.

— Está preparado para a prova final de francês? — perguntou o sr. Bissette. — *Voulez-vous faire l'examen cet après-midi*?

— Acho que sim — disse Jake.

Na verdade, não sabia se estava ou não preparado para a prova. Nem se lembrava se *estudara* ou não para a prova final de francês. Naqueles dias nada parecia importar além das vozes em sua cabeça.

— Quero lhe dizer de novo o quanto gostei de ter você no meu curso este ano, John. Queria dizer a seus pais, também, mas eles faltaram à Noite dos Pais…

— Eles são muito ocupados — disse Jake.

O sr. Bissette balançou a cabeça.

— Bem, eu gostei de você. Só queria dizer isso… e que espero tê-lo de volta na turma de francês do ano que vem.

— Obrigado — disse Jake, e imaginou o que o sr. Bissette diria se ele acrescentasse: *Mas não acho que eu vou cursar francês no ano que vem, a não ser que entreguem um curso por correspondência na minha caixa postal no bom e velho Sunnyvale.*

Joanne Franks, a secretária do colégio, apareceu na entrada do auditório com a pequena sineta banhada de prata na mão. No Colégio Piper, *todas* as sinetas eram tocadas à mão. Jake achava que, quando se era um pai, isso tinha seu charme. Lembranças da escolinha onde haviam estudado e tudo o mais. Ele mesmo detestava aquilo. O som daquela sineta parecia varar a sua cabeça…

Não consigo aguentar muito mais tempo, pensou em desespero. *Desculpe, mas estou perdendo a cabeça. Estou realmente, realmente, perdendo a cabeça.*

O sr. Bissette avistara a srta. Franks. Ele se virou e tornou a se virar para Jake.

— *Está* tudo bem mesmo, John? Você parecia preocupado nestas últimas semanas. Perturbado. Está com alguma coisa na cabeça?

Jake quase se descontrolou com a bondade do sr. Bissette, mas então imaginou o que o professor diria se ele dissesse: *Sim. Estou com alguma coisa na cabeça. Um factoidezinho bem ruim. Eu morri, o senhor sabe, e fui para outro mundo. E depois morri de novo. O senhor vai dizer que essas coisas não acontecem, e óbvio que tem razão, e parte da minha mente sabe que o senhor tem razão, mas a maior parte sabe que o senhor não tem. Aconteceu. Eu* realmente *morri.*

Se ele dissesse uma coisa dessas, o sr. Bissette logo estaria no telefone com Elmer Chambers, e Jake achava que o sanatório Sunnyvale na certa pareceria um tratamento de repouso depois de tudo que o pai teria a dizer sobre moleques que tinham ideias malucas pouco antes das provas finais. Moleques que faziam coisas que não podiam ser discutidas no almoço e bebendo. Moleques que Piravam.

Jake forçou-se a sorrir para o sr. Bissette.

— Estou um pouco preocupado com as provas, só isso.

O sr. Bissette piscou o olho.

— Vai se sair muito bem.

A srta. Franks começou a tocar a sineta da Assembleia. Cada badalada apunhalava os ouvidos de Jake e depois parecia lampejar em seu cérebro como um pequeno foguete.

— Vamos entrar — disse o sr. Bissette. — Vamos nos atrasar. Não podemos nos atrasar no primeiro dia das provas finais, podemos?

Passaram pela srta. Franks e sua ruidosa sineta. O sr. Bissette dirigiu--se para a fila de assentos chamada Coro Docente. O Colégio Piper tinha muitos desses nomes bonitinhos; o auditório era a Sala de Reunião, a hora do recreio era Saídas, os alunos do sexto e oitavo ano Meninos e Meninas Sênior, e, lógico, as cadeiras dobráveis junto ao piano (que a srta. Franks logo iria começar a martelar com a mesma impiedade com que tocava a sineta de prata) era o Coro Docente. Tudo parte da tradição, supunha Jake. Se a pessoa era um pai que sabia que o filho fazia Saídas na Sala de Reunião, em vez de comer besteira na cantina, podia ficar tranquilo sabendo que tudo ia bem no quesito educação.

Ele se enfiou numa das cadeiras no fundo da sala e deixou-se levar pelos anúncios matinais. O terror corria interminável por sua mente, fazendo-o sentir-se um rato preso a uma roda. E quando tentava ver à frente alguma coisa melhor, mais alegre, só enxergava trevas.

O navio era a sua sanidade, e estava afundando.

O sr. Harley, o diretor, aproximou-se do pódio e fez um breve preâmbulo sobre a importância da Semana das Provas Finais, e que as notas que eles iriam receber constituiriam mais um passo na Grande Estrada da Vida. Disse que a escola contava com eles, que *ele* contava com eles, e seus pais contavam com eles. Não disse que todo o mundo livre contava com eles, mas deixou bastante implícito que talvez contasse. Concluiu dizendo que as sinetas estariam suspensas durante a Semana das Provas Finais (a primeira e única boa notícia que Jake recebia naquela manhã).

A srta. Franks, que tomara seu lugar ao piano, deu um acorde introdutório. O corpo discente, setenta meninos e cinquenta meninas, todos vestidos de uma maneira arrumada e sóbria que falava do gosto e da estabilidade financeira dos pais, levantaram-se a um só tempo e cantaram o hino da escola. Jake formava as palavras com a boca e pensava no lugar onde havia acordado depois de morrer. A princípio julgara-se no inferno… e quando o homem de manto e capuz pretos aparecera, tivera certeza.

Depois, claro, aparecera o outro homem. Um homem que Jake quase passara a amar.

Mas ele me deixou cair. Ele me matou.

Sentia o suor brotar fazendo-lhe cócegas na nuca e entre os ombros.

Do Piper saudamos a arte,
Sua bandeira levantamos forte,
Salve ó ti, nossa alma mater,
Piper, vitória ou morte!

Meu Deus, que hino de merda, pensou Jake, e de repente lhe ocorreu que o pai adoraria a composição.

2

O primeiro tempo era de redação, a única matéria onde não havia prova final. Seu dever de casa havia sido escrever uma redação final em casa. Tinha de ser um documento datilografado entre 1500 e 4 mil palavras. O tema que a sra. Avery dera era *Como Compreendo a Verdade*. A redação final contaria vinte e cinco por cento da nota final do semestre.

Jake entrou e foi para a sua cadeira na terceira fila. Eram apenas onze alunos ao todo. Ele se lembrou do primeiro dia de aulas em setembro passado, quando o sr. Harley lhes dissera que o Piper tinha a Maior Proporção de Professor por Aluno de Qualquer Bom Colégio Particular de Ensino Fundamental do Leste. Esmurrara repetidas vezes o atril na frente da Sala de Reunião para enfatizar esse ponto. Jake não havia ficado muito impressionado, mas passara a informação para o pai. Achava que o pai *iria* ficar impressionado, e não estava enganado.

Abriu o zíper da mochila e retirou com cuidado a pasta azul que continha sua redação final. Colocou-a sobre a carteira, pretendendo dar uma última olhada, quando teve a atenção atraída para a porta no lado esquerdo da sala. Sabia que esta dava para onde se guardavam os casacos, que estava fechado agora porque fazia mais de vinte graus em Nova York e ninguém tinha casaco que precisasse ser guardado. Não havia nada lá, a não ser um monte de cabides de metal num fio na parede e um longo tapete de borracha no chão para as botas. Algumas caixas de material escolar — giz, cadernos e coisas do tipo — estavam guardadas no outro canto.

Não era nada de mais.

Ainda assim, John levantou-se da sua cadeira, deixando a pasta fechada sobre a carteira, e cruzou a porta. Ouvia o baixo murmúrio dos colegas uns com os outros, e o folhear de páginas enquanto eles verificavam as redações finais, em busca do crucial moderador mal colocado ou da frase obscura, mas esses ruídos pareciam distantes.

Era a porta que prendia sua atenção.

Nos últimos dez dias, mais ou menos, à medida que as vozes em sua cabeça se tornavam cada vez mais altas, Jake fora ficando mais e mais fascinado por portas — todo tipo de portas. Devia ter aberto quinhentas vezes a que ficava entre seu quarto e o corredor no andar de cima, e a que ficava entre seu quarto e o banheiro, umas mil. Sempre que o fazia, sentia no peito uma tensão de esperança e expectativa, como se a resposta para todos os seus problemas estivesse em algum lugar por trás dessa ou daquela porta e ele sem sombra de dúvida fosse encontrá-la... um dia. Mas toda vez era apenas o corredor, ou o banheiro, ou a calçada da frente, ou o que fosse.

Na última quinta-feira, voltara da escola para casa, jogara-se na cama e adormecera — parecia que o sono era o único refúgio que lhe restava. Só que, quando acordara, quarenta e cinco minutos depois, estava de pé na porta do banheiro, olhando atordoado para nada mais excitante do que a privada e a banheira. Por sorte ninguém o vira.

Agora, ao aproximar-se da porta do lugar dos casacos, sentia a mesma explosão atordoante de esperança, a certeza de que a porta não ia se abrir para um quarto escuro contendo apenas os persistentes cheiros do inverno — flanela, borracha e lã molhada —, mas para outro mundo onde ele poderia voltar a ser *inteiro*. Uma luz quente, ofuscante, iria bater no piso da sala de aula num triângulo crescente, e ele veria pássaros circulando num céu azul desbotado, da cor de

(*dos olhos dele*)

velhas calças jeans. Um vento do deserto sopraria seus cabelos para trás e secaria o suor de tensão da sua testa.

Ele atravessaria aquela porta e estaria curado.

Jake girou a maçaneta e abriu a porta. Dentro havia apenas escuridão e uma fila de reluzentes cabides de metal. Uma luva esquecida muito tempo atrás jazia junto dos cadernos empilhados em ordem no canto.

Ele sentiu o coração afundar, e de repente teve vontade de simplesmente rastejar para dentro daquele quarto escuro com seus cheiros amargos de inverno e pó de giz. Poderia tirar a luva e sentar-se no canto debaixo dos cabides. Poderia sentar-se no tapete de borracha onde era para serem colocadas as botas no inverno. Poderia sentar-se ali, pôr o polegar na boca, apertar os joelhos contra o peito, fechar os olhos, e… e…

E simplesmente desistir.

A ideia — o *alívio* dessa ideia — exercia uma incrível atração. Seria um fim ao terror, confusão e deslocamento. Este último era de alguma forma o pior; a persistente sensação de que toda a sua vida se tornara um labirinto de espelhos num parque de diversão.

Mas Jake Chambers era feito de duro aço, tanto quanto Eddie e Susannah também eram. E agora o aço lançava seu certeiro facho azul de farol marítimo sobre a escuridão. Não haveria desistência. O que fosse que estivesse solto dentro dele poderia arrancar-lhe a sanidade no fim, mas enquanto isso ele não jogaria a toalha. Não mesmo.

Jamais!, pensou, com ferocidade. *Jamais! Jamais! Jam…*

— Depois que você acabar seu inventário do material escolar no cômodo dos casacos, John, talvez queira juntar-se a nós — disse a sra. Avery atrás dele, com sua voz seca, culta.

Houve uma pequena rajada de risadas quando Jake saiu do cômodo dos casacos. A sra. Avery estava de pé atrás da sua mesa, os longos dedos unidos pousados de leve sobre o mata-borrão, olhando-o com o rosto calmo, inteligente. Usava o conjunto azul nesse dia, e tinha os cabelos repuxados para trás no habitual coque. A gravura do escritor Nathaniel Hawthorne espiava por cima do ombro dela, na parede, de cara fechada para Jake.

— Desculpe — murmurou Jake, e fechou a porta.

Foi imediatamente tomado por um forte impulso de tornar a abri-la, conferir de novo, para ver se *dessa* vez aquele outro mundo, com seu sol quente e vistas do deserto, não estaria lá.

Em vez disso, encaminhou-se para a sua cadeira. Petra Jesserling olhou-o com olhos sorridentes, brilhando.

— Me leve lá pra dentro da próxima vez — sussurrou ela. — Aí vai ter alguma coisa para ver.

Jake sorriu de uma forma distraída e voltou ao seu lugar.

— Obrigado, John — disse a sra. Avery com sua voz sempre calma. — Agora, antes de me passarem suas redações finais… que tenho certeza serão todas ótimas, muito ordenadas, muito *específicas*… eu gostaria de passar a lista do Departamento de Inglês de leituras recomendadas para o verão. Quero dizer uma palavrinha sobre vários desses excelentes livros...

Enquanto falava, ela entregava uma pequena pilha de folhas mimeografadas a David Surrey. Ele começou a distribuí-las, e Jake abriu sua pasta para dar uma olhada final no que escrevera sobre o tópico *Como Compreendo a Verdade*. Ele tinha interesse genuíno nisso, porque não se lembrava mais de ter escrito a redação final tanto quanto de ter estudado para a prova final de francês.

Olhou a página do título intrigado e com crescente nervosismo. COMO COMPREENDO A VERDADE, *por John Chambers*, estava bem datilografado e centrado na folha, o que era bom, mas por algum motivo ele colara duas fotos abaixo. Uma era de uma porta — achava que devia ser do número dez da Downing Street, em Londres — e a outra de um trem Amtrak. Eram fotos coloridas, obviamente recortadas de uma revista.

Por que eu fiz isso? E quando *eu fiz isso?*

Ele virou a folha e olhou a primeira página da sua redação final, incapaz de acreditar ou entender o que via. Depois, à medida que a compreensão começava a permear seu choque, foi experimentando uma crescente sensação de horror. Finalmente acontecera; finalmente ele perdera o juízo o suficiente para que os outros pudessem *saber*.

3

COMO COMPREENDO A VERDADE
por John Chambers

Eu te mostrarei o medo num punhado de pó.
T. S. "BUTCH" ELIOT

Meu primeiro pensamento foi: ele mentiu a cada palavra.
ROBERT "SUNDANCE" BROWNING

O pistoleiro é a verdade.
Roland é a verdade.
O Prisioneiro é a verdade.

A Dama das Sombras é a verdade.

O Prisioneiro e a Dama são casados. Essa é a verdade.

O posto de parada é a verdade.

O Demônio Falante é a verdade.

Nós fomos embaixo das montanhas e essa é a verdade.

Havia monstros embaixo da montanha. Essa é a verdade.

Um deles tinha uma bomba de gás entre as pernas e fingia que era seu pênis. Essa é a verdade.

Roland me deixou morrer. Essa é a verdade.

Eu ainda o amo.

Essa é a verdade.

— E é então muitíssimo importante que todos vocês leiam *O senhor das moscas* — dizia a sra. Avery com sua voz nítida mas um tanto monótona. — E quando o fizerem, devem fazer-se algumas perguntas. Um bom romance é muitas vezes uma série de enigmas dentro de enigmas, e esse é um romance *muito* bom, um dos melhores escritos na segunda metade do século XX. Portanto, perguntem-se primeiro qual o significado que a concha marinha pode ter. Segundo...

Distante. Muito, muito distante. Jake passou para a segunda página da sua redação final com a mão trêmula, deixando uma mancha escura de suor na primeira.

*Quando é que uma porta não é uma porta? Quando é umbral, e essa é a verdade.**

Blaine é a verdade.

Blaine é a verdade.

O que tem quatro rodas e voa? Um caminhão de lixo, e essa é a verdade. Blaine é a verdade.

É preciso vigiar Blaine o tempo todo. Blaine é um saco,
e essa é a verdade.
Tenho bastante certeza de que Blaine é perigoso, e essa é
a
verdade.

* Em inglês, *ajar* ou *a jar*, encostada ou em uma jarra, respectivamente. (N. E.)

O que é que é todo preto, branco e vermelho? Uma zebra envergonhada, e essa é a verdade.

Blaine é a verdade.

Eu quero voltar e essa é a verdade.

Eu preciso voltar e essa é a verdade.

Eu vou enlouquecer se não voltar e essa é a verdade.

Eu não posso voltar para casa de novo se não encontrar uma pedra uma rosa uma porta e essa é a verdade.

Chuu-Chuu, e essa é a verdade.

Chuu-Chuu, Chuu-Chuu.

Chuu-Chuu. Chuu-Chuu. Chuu-Chuu.

Chuu-Chuu. Chuu-Chuu. Chuu-Chuu. Chuu-Chuu.

Estou com medo. Essa é a verdade.

Chuu-Chuu.

Jake ergueu os olhos devagar. Seu coração estava tão acelerado que ele via uma luz forte como a imagem residual de um flash dançando diante dos olhos, uma luz que pulsava a cada titânica pancada do coração.

Viu a sra. Avery entregando sua redação final a sua mãe e seu pai. O sr. Bissette estava parado ao seu lado, com uma expressão grave. Ouvia a sra. Avery dizer com sua voz nítida e monótona: *O filho de vocês está seriamente doente. Se precisam de evidências, é só ler a redação final dele.*

John não tem sido ele mesmo nas três últimas semanas, acrescentava o sr. Bissette. *Ele parece assustado parte do tempo e atordoado o tempo todo... não está exatamente presente, se entendem o que quero dizer.* Je pense que John est fou... comprenez-vous?

De novo a sra. Avery: *Vocês por acaso não guardam em casa alguns desses remédios de tarja preta que alteram os sentidos, num lugar a que John pode ter acesso?*

Jake não sabia sobre remédios que alteram os sentidos, mas sabia que o pai guardava vários gramas de cocaína na gaveta de baixo da escrivaninha de seu escritório. O pai iria sem dúvida pensar que ele a estava usando.

— Agora vou falar um pouco sobre *Ardil-22* — disse a sra. Avery na frente da sala. — O livro é bastante *desafiador* para alunos do sexto e do sétimo ano, mas vocês ainda assim vão achá-lo extremamente interessante, *se* abrirem a mente para o seu *encanto especial*. Podem pensar nesse romance, se quiserem, como uma comédia do surreal.

Eu não preciso ler *nada disso*, pensou Jake. *Já estou vivendo algo assim, e não é comédia.*

Foi até a última página da sua redação final. Não continha palavras. Em vez disso, ele havia colado uma foto da Torre de Pisa. Usara um lápis de cera para riscá-la de preto. As linhas escuras, de cera, envolviam a torre em espirais frenéticas.

Ele não se lembrava de ter feito nada disso.

Absolutamente *nada*.

Agora ouvia o pai dizendo ao sr. Bissette: Fou. *Sim, ele está definitivamente* fou. *Um moleque que desperdiça sua oportunidade num colégio como o Piper* TEM *de estar* fou, *não diriam vocês? Bem... eu cuido disso. Cuidar de tudo é o meu trabalho. A resposta é Sunnyvale. Ele precisa passar um tempo em Sunnyvale, fazendo cestas e se recuperando. Não se preocupem com nosso moleque, pessoal; ele pode correr... mas não pode se esconder.*

Será que eles iriam mandá-lo mesmo para o hospício se começasse a parecer que estava com um parafuso a menos? Jake achava que a resposta a isso era um grande pode apostar. O pai não toleraria de jeito nenhum um maluco dentro de casa. O nome do lugar onde o colocariam talvez não fosse Sunnyvale, mas haveria grades nas janelas e jovens de jaleco branco e solados de crepe patrulhando os corredores. Os jovens teriam grandes músculos, olhos vigilantes e acesso a agulhas hipodérmicas cheias de sono artificial.

Vão dizer para todo mundo que eu fui embora, pensou Jake. As vozes que discutiam dentro de sua cabeça ficaram temporariamente caladas por uma crescente onda de pânico. *Vão dizer que estou passando o ano com minha tia e tio em Modesto... ou na Suécia, como estudante de intercâmbio... ou consertando satélites no espaço cósmico. Minha mãe não vai gostar... vai chorar... mas vai concordar. Ela tem seus namorados e, além disso, ela* sempre *concorda com o que ele decide. Ela... eles... eu...*

Sentiu que um grito lhe subia à garganta e apertou os lábios com força para segurá-lo. Tornou a baixar os olhos para os rabiscos negros sobre a foto da Torre de Pisa e pensou: *Preciso dar o fora daqui. Preciso dar o fora daqui agora mesmo.*

Levantou a mão.

— Sim, John, o que foi? — A sra. Avery olhava-o com a expressão de branda irritação que reservava aos alunos que a interrompiam no meio da aula.

— Eu gostaria de ir lá fora um instante, se possível — disse Jake.

Esse era outro exemplo da linguagem do Piper. Os alunos nunca precisavam "fazer xixi", nem "esvaziar a bexiga", nem, Deus nos livre, "soltar um barro". Acreditava-se tacitamente que os alunos do Piper fossem demasiado perfeitos para criar subprodutos residuais em seu silencioso e elegante deslizar pela vida. De vez em quando alguém pedia licença para "ir lá fora um instante", e pronto.

A sra. Avery deu um suspiro.

— Precisa mesmo, John?

— Preciso, sim, senhora.

— Tudo bem. Volte o mais breve possível.

— Sim, sra. Avery.

Ele fechou a pasta e levantou-se, pegou-a e tornou a largá-la com relutância. Não adiantava. A sra. Avery iria querer saber por que ele estava levando sua redação final para o banheiro. Ele deveria ter retirado as malditas páginas da pasta e metido no bolso antes de pedir licença para sair. Tarde demais.

Jake cruzou o corredor até a porta, deixando a pasta em cima da carteira e a mochila embaixo.

— Espero que tudo corra bem, Chambers — sussurrou David Surrey, e deu uma risadinha escondendo a boca com a mão.

— Silencie essa sua boca rota, David — disse a sra. Avery, visivelmente irritada agora, e toda a classe riu.

Jake chegou à porta que dava para o corredor, e ao pegar na maçaneta a mesma sensação de esperança tornou a subir dentro dele: *É isso — é isso aí. Vou abrir a porta, e entrará o sol do deserto. Sentirei o vento seco no rosto. Cruzarei e jamais voltarei a ver esta sala de aula.*

Abriu a porta e havia apenas o corredor do outro lado, mas ainda assim ele estava certo numa coisa: jamais voltou a ver a sala de aula da sra. Avery.

4

Ele atravessou devagar o escuro corredor de lambris, suando um pouco. Passou por portas de salas de aula que se sentiria obrigado a abrir, não fosse pelas vidraças transparentes em cada uma. Olhou para dentro da sala de francês II do sr. Bissette e de introdução à geometria do sr. Knopf. Nas duas os alunos estavam sentados com lápis nas mãos e cabeças curvadas sobre cadernos. Olhou para dentro da sala de oratória e viu Stan Dorfman — um daqueles conhecidos que não era exatamente amigo seu — começando seu discurso final. Stan parecia apavorado, mas Jake poderia ter dito a Stan que ele não tinha a menor ideia do que era o medo — medo de *verdade*.

Eu morri.

Não. Não morri.

Morri, sim.

Não morri, não.

Morri.

Não morri.

Chegou a uma porta com a inscrição MENINAS. Empurrou-a, esperando ver um forte sol do deserto e uma névoa azul de montanha no horizonte. Em vez disso viu Belinda Stevens diante de uma das pias, olhando-se no espelho e espremendo uma espinha na testa.

— Nossa, quer fazer o favor de sair? — disse ela.

— Desculpe. Porta errada. Achei que fosse o deserto.

— *O quê?*

Mas ele já havia soltado a porta, que estava sendo automaticamente fechada. Passou pelo bebedouro e abriu a porta marcada MENINOS. Era aquela, ele sabia, tinha certeza, era aquela porta que iria levá-lo de volta…

Três mictórios reluziam imaculados sob as luzes fluorescentes. Uma torneira pingava solenemente numa pia. Nada mais.

Jake deixou a porta se fechar. Atravessou o corredor, os saltos dos sapatos emitindo pequenos estalidos firmes na cerâmica. Deu uma olhada dentro do gabinete antes de passar e viu apenas a sra. Franks. Ela estava falando ao telefone, rodando de um lado para outro na poltrona giratória e brincando com uma mecha de cabelo. A sineta banhada de prata estava sobre a mesa ao seu lado. Jake esperou que ela girasse de costas para a porta e passou correndo. Trinta segundos depois, saía para o sol forte da manhã de fins de maio.

Estou matando aula, pensou. Nem a sua distração o impediu de ficar espantado com esse fato inesperado. *Quando eu não voltar do banheiro, depois de cinco minutos, a sra. Avery vai mandar alguém verificar... e aí vão saber. Vão todos saber que eu saí do colégio, que matei aula.*

Pensou na pasta sobre sua carteira.

Vão ler e achar que fiquei louco. Fou. *Lógico que vão. Lógico. Porque eu estou.*

Então outra voz falou. Ele achava que fosse a voz do homem com os olhos de artilheiro, o homem que trazia os dois grandes canhões pendurados nos quadris. A voz era fria... mas não desprovida de conforto.

Não, Jake, disse Roland. *Você não ficou louco. Está perdido e assustado, mas não está louco e não precisa temer nem sua sombra pela manhã, andando atrás de você, nem à tarde, erguendo-se para recebê-lo. Você precisa encontrar seu caminho de volta para casa, só isso.*

— Mas para onde eu vou? — sussurrou Jake. Estava parado na calçada da rua 56, entre Park e Madison, olhando o trânsito passar zunindo. Um ônibus urbano passou roncando, deixando uma fina trilha de fumaça azul azeda de óleo diesel. — Para onde eu vou? Onde está a porra da *porta*?

Mas a voz do pistoleiro silenciara.

Jake virou para a esquerda, na direção do East River, e começou a avançar indistintamente. Não tinha ideia do rumo que seguia — nenhuma ideia. Só podia esperar que os pés o conduzissem para o lugar certo... como o haviam conduzido para o lugar errado não fazia muito tempo.

5

Acontecera três semanas antes.

Não se podia dizer: *Tudo começara três semanas antes*, porque daria a impressão de que houvera algum tipo de progressão, e isso não era verdade. Houvera uma progressão para as *vozes*, para a violência com que cada uma delas insistia em sua própria versão da realidade, mas o resto acontecera tudo de uma vez.

Ele saíra de casa às oito horas da manhã para ir a pé para o colégio — sempre ia a pé quando o tempo estava bom, e o tempo naquele maio estava absolutamente ótimo. O pai saíra para a emissora de televisão, a mãe continuava na cama, e a sra. Greta Shaw estava na cozinha, tomando café e lendo seu *New York Post*.

— Tchau, Greta — disse ele. — Já vou para o colégio.

Ela erguera a mão para ele sem tirar os olhos do jornal.

— Tenha um bom dia, Johnny.

Tudo seguindo a rotina. Apenas mais um dia na vida.

E assim fora durante os 1500 segundos seguintes. Depois, tudo mudara para sempre.

Ele andava sem pressa, com a mochila de livros numa das mãos, a lancheira na outra, olhando as vitrines. A 720 segundos do fim de sua vida como sempre a conhecera, parou para olhar a vitrine da Bendio's, onde manequins de casacos de pele e ternos eduardianos adotavam rígidas poses de conversação. Ele pensava em ir jogar boliche naquela tarde, depois da aula. Sua média era 158, excelente para um menino de apenas onze anos. Ambicionava um dia ser jogador profissional (e se seu pai soubesse *desse* factoidezinho *também* haveria subido pelas paredes).

Estava chegando agora — estava chegando o momento em que sua sanidade iria de repente eclipsar-se.

Atravessou a rua 39, e restavam 400 segundos. Teve de esperar o sinal verde para pedestres na 41, e eram 270. Parou para olhar a loja de artigos diversos na esquina da Quinta com a 42, e eram 190. E então, restando apenas pouco mais de três minutos de sua vida comum, Jake Chambers entrou debaixo do invisível guarda-chuva daquela força que Roland chamava de ka-tet.

Uma sensação estranha, desconfortável começou a insinuar-se nele. A princípio achou que fosse a sensação de estar sendo vigiado, e depois percebeu que não era em absoluto... ou não *exatamente* isso. Sentiu que estivera ali antes; que revivia um sonho de cuja maior parte havia esquecido. Esperou a sensação passar, mas ela não passou. Ficou mais forte, e agora começava a misturar-se com outro sentimento que ele relutantemente reconhecia como terror.

À frente, na esquina seguinte da Quinta com a 43, um homem negro de chapéu-panamá estava montando um carrinho de pretzels e refrigerantes.

É ele quem berra: "Ai, meu Deus, ele morreu!", pensou Jake.

Aproximando-se da outra esquina vinha a mulher gorda segurando a sacola da Bloomingdale's.

Ela vai largar a sacola. Largar a sacola e levar as mãos à boca e gritar. A sacola vai rasgar. Tem uma boneca dentro da sacola. Está enrolada numa toalha vermelha. Eu verei isso da rua. De onde estarei deitado na rua, com o sangue encharcando as calças e espalhando-se em volta de mim numa poça.

Atrás da mulher gorda estava um homem alto num terno de lã cinza. Ele carregava uma pasta.

Esse é o que vomita nos sapatos. É o que larga a pasta e vomita nos sapatos. O que está acontecendo comigo?

Mas os pés o conduzem dormente para o cruzamento, onde as pessoas atravessam com passo rápido e firme. Em algum lugar atrás dele, aproximando-se, vem o padre assassino. Ele *sabia* disso, como sabia que as mãos do padre se estenderiam num momento para empurrá-lo... mas não podia olhar para trás. Era como estar preso num pesadelo, onde as coisas simplesmente têm de seguir seu curso.

Restam agora 53 segundos. À sua frente, o vendedor de pretzels abre a portinhola do lado do carrinho.

Ele vai pegar uma garrafa de achocolatado, pensou Jake. Não uma lata, uma garrafa. Vai sacudi-la e tomá-la toda de uma vez.

O vendedor de pretzels pegou a garrafa de achocolatado, sacudiu-a com força e torceu a tampa fora.

Quarenta segundos restantes.

Agora o sinal vai mudar.

Apagou-se o sinal verde. O vermelho começou a piscar rápido. E em algum ponto, a menos de um quarteirão, um grande Cadillac azul rumava agora para o cruzamento da Quinta com a 43. Jake *sabia* disso, como sabia que o motorista era um sujeito gordo com um chapéu quase da mesma cor do carro.

Eu vou morrer!

Queria gritar isso bem alto para as pessoas que passavam sem se importar a toda sua volta, mas sua mandíbula estava travada. Os pés levaram-no serenamente para o cruzamento. O sinal vermelho parou de piscar e luziu seu aviso vermelho constante. O vendedor de pretzels jogou a garrafa vazia de achocolatado na cesta de lixo da esquina. A mulher gorda continuava na esquina na frente de Jake, segurando a sacola de compras pelas alças. O homem de terno cinzento estava logo atrás dela. Agora restavam 18 segundos.

Hora de passar o caminhão de brinquedos, Jake pensou.

Na frente dele uma van com a imagem de um alegre boneco de mola e as palavras BRINQUEDOS TOOKER POR ATACADO impressas na lateral passou pelo cruzamento, batendo nos buracos da rua. Atrás dele, Jake sabia que o homem de hábito preto começava a andar mais rápido, cobrindo a distância, estendendo as longas mãos. Mas não conseguia olhar para trás, como não se consegue nos sonhos quando alguma coisa se aproxima da gente.

Corra! E se não puder correr, sente-se e se agarre a um sinal de Proibido Estacionar! Não deixe isso apenas acontecer!

Mas ele estava impotente para *impedir* que acontecesse. À sua frente, na beira do meio-fio, havia uma moça de suéter branco e saia preta. À esquerda dela, um jovem latino com um som portátil. Estava terminando uma música de Donna Summer. A música seguinte, Jake sabia, seria "Dr. Love", do Kiss.

Eles vão se separar...

No exato instante em que esse pensamento passou por sua cabeça, a mulher deu um passo para a direita. O latino deu um passo para a esquerda, criando um espaço entre os dois. Os traidores pés de Jake carregaram-no para o espaço. Nove segundos agora.

Mais embaixo na rua, um forte sol de maio faiscou no enfeite do capô de um Cadillac azul. Jake sabia que era um Sedan de Ville 1976. Seis segundos. O carro ganhava velocidade. O sinal ia mudar e o sujeito que dirigia o de Ville, o gordo de chapéu azul com uma pena vistosamente enfiada na aba, pretendia passar pelo cruzamento antes que mudasse. Três segundos. Atrás de Jake, o homem de preto mergulhava para a frente. No som portátil do rapaz, "Love to Love You, Baby" acabava, e começava "Dr. Love".

Dois.

O Cadillac passou para a pista da rua mais próxima de Jake e avançou para o cruzamento, a grade assassina roncando.

Um.

A respiração de Jake prendeu na garganta.

Zero.

— Ah! — gritou Jake, quando umas mãos o atingiram com firmeza nas costas, empurrando-o, empurrando-o para a rua, empurrando-o para fora da vida…

Só que não *havia* mãos.

Ele cambaleou para a frente mesmo assim, com as próprias mãos se debatendo no ar, a boca um escuro O de angústia. O latino do som portátil estendeu a mão, agarrou o braço de Jake e puxou-o para trás.

— Cuidado, carinha — disse ele. — Nesse trânsito você vira linguiça.

O Cadillac passou. Jake teve um vislumbre do gordo de chapéu azul olhando pelo para-brisa, e depois ele já havia sumido.

Foi quando aconteceu; foi quando ele se cindiu ao meio e se transformou em dois meninos. Um jazia agonizante na rua. O outro estava ali parado na esquina, vendo apavorado e pasmo o vermelho passar para verde de novo e as pessoas começarem a atravessar à sua volta como se nada houvesse acontecido… como de fato nada acontecera.

Eu estou vivo!, regozijou-se metade de sua mente, gritando de alívio.

Morto!, gritou de volta a outra metade. *Morto na rua! Todos se reúnem à minha volta, e o homem de preto que me empurrou está dizendo: "Eu sou padre. Deixem-me passar".*

Ondas de fraqueza percorriam-no e transformavam seus pensamentos em um para-quedas estufado. Ele viu a mulher gorda se aproximar e, quando ela passou, olhou dentro da sua sacola. Viu os brilhantes olhos azuis de uma boneca espiando acima da borda de uma toalha vermelha, exatamente como sabia que veria. Depois ela se foi. O vendedor de pretzels não gritava: *Ai, meu Deus, ele morreu*; continuava a preparar tudo para os negócios do dia, assobiando a música de Donna Summer que estivera tocando no rádio do cara latino.

Jake se virou, procurando freneticamente o padre que não era padre. Ele não estava ali.

Jake gemeu.

Corta essa! Qual é o seu problema?

Ele não sabia. Só sabia que deveria estar estirado na rua agora mesmo, preparando-se para morrer, com a mulher gorda gritando e o cara de terno cinza vomitando e o homem de preto empurrando contra a multidão em volta.

E em parte da sua mente isso parecia estar acontecendo.

A fraqueza começou a voltar. Jake de repente largou o saco com a sua merenda na calçada e deu um tapa tão forte quanto pôde na própria cara. Uma mulher a caminho do trabalho lançou a ele um olhar esquisito. Ele a ignorou. Deixou a merenda caída na calçada e mergulhou no cruzamento, ignorando também o sinal vermelho para pedestres, que recomeçara a piscar. Agora não importava mais. A morte se aproximara... e passara sem olhar para trás. Não deveria ter acontecido dessa forma, e no nível mais profundo de sua existência ele sabia disso, mas acontecera.

Talvez agora ele vivesse para sempre.

A ideia lhe deu vontade de começar a gritar de novo.

6

Sua cabeça havia clareado um pouco quando ele chegou à escola, e sua mente agora trabalhava para convencê-lo de que não havia problema nenhum, nenhum mesmo. Talvez *houvesse* acontecido alguma coisa um pouco estranha, uma espécie de lampejo psíquico, uma espiada momentânea em seu possível futuro, mas e daí? Nada de mais, certo? A ideia até que era bem maneira — o tipo de coisa que viviam publicando nas revistas esquisitas de supermercado que Greta Shaw gostava de ler quando sabia que a mãe de Jake não estava por perto — revistas como *National Enquirer* e *Inside View*. Só que, óbvio, nesses jornais o lampejo psíquico era sempre uma espécie de ataque nuclear tático — uma mulher que sonhou com uma queda de avião e mudou sua reserva, ou um sujeito que sonhou que o irmão estava sendo mantido prisioneiro pelos chineses numa fábrica de biscoitos da sorte e isso se revelava verdade. Quando o lampejo psíquico consistia em saber que uma música do Kiss tocaria a seguir no rádio, que uma senhora gorda tinha uma boneca enrolada numa toalha vermelha em sua sacola do Bloomingdale's, e que um vendedor de pretzels tomaria uma garrafa de achocolatado em vez de uma lata, que tipo de importância poderia ter?

Esqueça, aconselhou ele a si mesmo. *Acabou.*

Uma ótima ideia, só que no terceiro tempo ele soube que *não* havia acabado. Estava assistindo à aula de pré-álgebra, vendo o sr. Knopf resolver equações simples no quadro-negro, e percebeu com incipiente horror que todo um novo conjunto de lembranças vinha à tona em sua mente. Era como ver objetos estranhos subirem flutuando devagar para a superfície de um lago lamacento.

Estou num lugar que não conheço, pensou. *Quer dizer, vou conhecer — ou teria conhecido se o Cadillac azul houvesse me pegado. É a estação do posto de parada — mas a parte de mim que está lá não sabe disso ainda. Aquela parte só sabe que está em algum lugar do deserto, e não há pessoas. Eu estive chorando, porque estou com medo. Estou com medo de que isso seja o inferno.*

Às três da tarde, quando chegou ao Boliche do Centro, ele soube que havia encontrado a bomba nos estábulos e tomara um gole de água. A água estava fria e tinha um forte gosto de sais minerais. Ele logo iria entrar e descobrir um pequeno suprimento de carne seca num aposento que antes fora uma cozinha. Sabia disso com tanta certeza quanto soubera que o vendedor de pretzels escolheria uma garrafa de achocolatado, e que a boneca espiando de dentro da sacola do Bloomingdale's tinha os olhos azuis.

Era como ser capaz de lembrar para a frente no tempo.

Ele derrubou apenas duas fileiras de pinos — a primeira um 96, a segunda um 87. Timmy olhou sua folha de pontos quando ele a virou no balcão e balançou a cabeça.

— Não está sendo o seu dia, campeão — disse ele.

— Você não sabe nem a metade — disse Jake.

Timmy deu uma olhada mais de perto.

— Você está bem? Parece mesmo pálido.

— Acho que talvez esteja pegando uma virose. — E não era mentira, também. Era evidente que estava pegando alguma *coisa*.

— Vá para casa descansar — aconselhou Timmy. — Tome muito líquido claro: gim, vodca, essas coisas.

Jake deu o devido sorriso.

— Talvez eu vá.

Foi andando devagar para casa. Toda Nova York se espalhava à sua volta, Nova York em sua forma mais sedutora — uma serenata de rua em fim de tarde, com um músico em cada esquina, todas as árvores floridas, e todo mundo aparentemente de bom humor. Jake viu tudo isso, mas também viu *por trás* disso: viu a si mesmo encolhendo-se nas sombras da cozinha enquanto o homem de preto bebia água da bomba do estábulo como um cachorro sorridente, viu-se soluçando de alívio quando ele — ou a coisa — passou adiante sem vê-lo, viu-se caindo em profundo sono no momento em que o sol baixava e as estrelas começavam a surgir, como lascas de gelo no áspero céu roxo do deserto.

Entrou no apartamento duplex com sua chave e foi até a cozinha pegar alguma coisa para comer. Não estava com fome, mas era hábito. Encaminhava-se para a geladeira quando bateu o olho por acaso na porta da despensa e parou. Percebeu de repente que a estação do posto de parada — e todo o resto daquele estranho outro mundo ao qual ele agora pertencia — ficava atrás daquela porta. Tudo que tinha a fazer era passar por ela e tornar a juntar-se ao Jake que já existia ali. Acabaria a estranha duplicação de sua mente; as vozes, discutindo sem parar a questão de estar ele morto ou não desde as 8h25 daquela manhã, silenciariam.

Jake empurrou a porta da despensa com as duas mãos, o rosto já se abrindo num sorriso radiante e aliviado... e então congelou quando a sra. Shaw, que estava de pé em cima de um banquinho no fundo da despensa, deu um grito. A lata de molho de tomate que ela segurava caiu no chão. Ela cambaleou no banquinho e Jake correu para segurá-la antes que ela se juntasse ao molho de tomate.

— Minha Nossa Senhora! — arquejou ela. — Você quase me matou de susto, Jake!

— Desculpe — disse ele.

Sentia muito mesmo, mas também estava muitíssimo decepcionado. Era apenas a despensa, afinal. Ele tivera tanta *certeza*...

— O que você está fazendo se esgueirando por aqui, aliás? É o dia do seu boliche! Eu só o esperava daqui a pelo menos mais uma hora. Ainda nem fiz o seu lanche, portanto não fique esperando.

— Tudo bem. Não estou com fome mesmo.

Ele se abaixou e pegou a lata que ela derrubara.

— Eu não pensaria isso pelo jeito como você irrompeu porta adentro — resmungou ela.

— Pensei ter ouvido um camundongo ou algo parecido. Acho que era só você.

— Acho que sim. — Ela desceu do banquinho e pegou a lata. — Você parece que está pegando uma gripe ou coisa assim, Johnny. — Colocou a mão na testa dele. — Não parece quente, mas isso nem sempre quer dizer muita coisa.

— Acho que é só cansaço — disse Jake, e pensou: *Se fosse só isso*. — Acho que vou só tomar um refrigerante e assistir a um pouco de TV.

Ela grunhiu.

— Quer me mostrar algum trabalho do colégio? Se quiser, se apresse. Estou atrasada com o jantar.

— Nada hoje — disse ele.

Saiu da despensa, pegou o refrigerante e foi para a sala. Ligou a TV e assistiu distraído, enquanto escutava as vozes discutindo, com novas lembranças daquele outro mundo poeirento continuando a vir à tona.

7

A mãe e o pai não notaram nada de errado com ele — o pai nem chegou antes das nove e meia — e isso estava ótimo para Jake. Ele foi se deitar às dez e ficou deitado no escuro, ouvindo a cidade além da janela: freadas, buzinadas, sirenes.

Você morreu.

Não morri, não. Estou bem aqui, seguro na minha cama.

Isso não faz diferença. Você morreu, e sabe disso.

O problema era que ele sabia as duas coisas.

Eu não sei qual das vozes diz a verdade, mas sei que não posso continuar assim. Então desistam, as duas. Parem de discutir e me deixem em paz. Tá bom? Por favor?

Mas elas não paravam. Não *podiam* parar, aparentemente. E ocorreu a Jake que ele devia se levantar — *agora mesmo* — e abrir a porta do banheiro. O outro mundo estaria lá. O posto de parada estaria lá, e o resto dele também, encolhido no estábulo debaixo de uma antiga manta, tentando dormir e imaginando que diabos havia acontecido.

Eu posso contar a ele, pensava, excitado. Jogou os cobertores para o lado, sabendo de repente que a porta ao lado da sua estante de livros não dava mais para o banheiro, e sim para um mundo que cheirava a calor, artemísia roxa e medo num punhado de pó, um mundo que agora estava encoberto pelo escuro da noite. *Eu posso contar a ele, mas não vou precisar contar... porque vou estar* DENTRO *dele... Eu vou* SER *ele!*

Atravessou correndo o quarto escuro, quase rindo de alívio, e empurrou a porta. E...

E era o seu banheiro. Era apenas o seu banheiro, com o pôster do Marvin Gaye emoldurado na parede e as formas das lâminas da persiana riscando os azulejos com barras de luz e sombra.

Ficou ali parado por muito tempo, tentando lidar com a decepção. Ela não sumia. E era amarga.

Amarga.

8

As três semanas entre o então e o agora estenderam-se como um terreno cruel e enevoado na memória de Jake — um deserto de pesadelo onde não havia paz, repouso, alívio da dor. Como um prisioneiro desamparado assistindo ao saque da cidade que um dia governou, ele vira sua mente ceder sob a crescente pressão das vozes e lembranças fantasmas. Esperara que as lembranças fossem parar quando ele chegasse ao ponto em que o tal Roland o deixara cair no abismo sob as montanhas, mas não pararam. Em vez disso, simplesmente haviam se reciclado e começado a passar de novo, como uma fita que se repete até quebrar ou aparecer alguém para desligá-la.

Sua percepção de sua vida mais ou menos real como um garoto em Nova York foi se tornando cada vez mais falha, à medida que esse terrível cisma se tornava mais profundo. Ele se lembrava que tinha ido à escola, e ao cinema no fim de semana, e saído para o brunch dominical com os pais uma semana atrás (ou seriam duas?), mas se lembrava dessas coisas como alguém que sofreu de malária se lembra da fase mais profunda, mais sombria da sua doença: as pessoas tornavam-se sombras, vozes pareciam ecoar e se sobrepor umas às outras, e até o simples ato de comer um sanduíche ou pegar uma Coca na máquina do ginásio virava uma luta. Jake havia atravessado esses dias numa fuga de vozes berrantes e lembranças duplicadas. Sua obsessão por portas — todos os tipos de portas — aprofundou-se; a esperança de que o mundo do pistoleiro estivesse atrás de uma jamais passou inteiramente. Isso também não era muito estranho, já que era a única esperança que tinha.

Mas agora o jogo havia acabado. De todo modo, ele nunca tivera uma chance de ganhar, não de verdade. Havia desistido. Estava matando aula. Jake andava indistintamente para o leste, pelas ruas, cabisbaixo, sem ideia de seu rumo ou do que faria quando lá chegasse.

9

Depois de andar durante algum tempo, começou a sair daquele atordoamento melancólico e tomar consciência do que o rodeava. Estava parado na esquina da avenida Lexington com a rua 44, sem lembrança alguma de como chegara até ali. Notou pela primeira vez que era uma manhã belíssima. Nove de maio, o dia em que aquela loucura havia começado, fora um dia bonito, mas esse era dez vezes melhor — o dia, talvez, em que a primavera olha em volta e vê o verão parado bem perto, forte, belo, e com um sorriso atrevido no rosto bronzeado. O sol batia com força nas paredes de vidro dos prédios do centro; a sombra de cada pedestre projetava-se escura e nítida. O céu era de um azul-claro imaculado, pontilhado aqui e ali por densas nuvens de mau tempo.

Mais embaixo na rua, dois executivos vestindo ternos caros, bem cortados, estavam parados junto ao tapume de madeira erguido em torno de uma obra. Riam e passavam algo de um para o outro. Jake caminhou na direção deles, curioso, e ao se aproximar viu que os homens estavam jogando jogo-da-velha no tapume usando uma caneta cara para traçar a grade e os Xs e Os. Jake achou aquilo demais. Quando chegou perto, um deles marcou um O no canto superior esquerdo da grade e riscou uma linha diagonal no meio.

— Perdi de novo! — disse o amigo.

Então esse homem, que parecia um executivo mandachuva, ou advogado, ou corretor da bolsa, pegou a caneta e traçou outra grade.

O primeiro executivo, o vencedor, olhou para o lado e viu Jake. Sorriu.

— Que dia bonito, hein, moleque?

— É mesmo — disse Jake, contente ao descobrir que estava sendo sincero.

— Bonito demais para estudar, hein?

Desta vez Jake riu de verdade. O Colégio Piper, onde se tinham Saídas em vez de recreio e onde às vezes se saía da sala, mas nunca para dar uma cagada, de repente pareceu distante e sem a menor importância.

— Sabe como é.

— Quer jogar? O Billy aqui não conseguia ganhar de mim quando estávamos no sexto ano, e não consegue até hoje.

— Deixe o menino em paz — disse o segundo executivo, estendendo a caneta. — Desta vez você já era. — Ele piscou para Jake, e Jake se espantou ao se pegar piscando de volta. Seguiu em frente, deixando os homens com o seu jogo. A sensação de que alguma coisa totalmente maravilhosa iria acontecer, talvez já houvesse *começado* a acontecer, continuava a aumentar, e seus pés pareciam quase não mais tocar a calçada.

Na esquina, o sinal ficou verde para pedestres, e ele começou a atravessar a avenida Lexington. Parou no meio da rua tão de repente que um mensageiro numa bicicleta de dez marchas quase o atropelou. Era um belo dia de primavera — certo. Mas não era por isso que ele se sentia tão bem, tão subitamente consciente de tudo que se passava em volta, tão seguro de que alguma coisa grande estava para acontecer.

As vozes haviam parado.

Não tinham ido embora de vez — de algum modo ele sabia disso, mas por enquanto haviam *parado*. Por quê?

Jake pensou de repente em dois homens discutindo numa sala. Estavam sentados um de frente para o outro diante de uma mesa, conversando com crescente irritação. Depois de algum tempo começaram a se curvar um na direção do outro, esticando os rostos para a frente agressivamente e banhando-se mutuamente com uma fina névoa de indignada saliva. Logo passariam às vias de fato. Mas antes que isso chegue a acontecer escutam um barulho constante de batidas — o som de um bumbo — e depois um vistoso floreio de metais. Os dois param de discutir e se entreolham, intrigados.

O que é isso?, pergunta um.

Sei lá, responde o outro. *Parece um desfile.*

Correm para a janela, e *é* um desfile — uma banda uniformizada marchando em passo de ganso, o sol faiscando nas trombetas, lindas garotas girando bastões e movimentando as pernas longas e bronzeadas, carros alegóricos cobertos de flores, repleto de celebridades acenando.

Os dois homens olham pela janela, a briga esquecida. Na certa vão voltar a ela, mas por enquanto estão juntos como melhores amigos, ombro a ombro, assistindo ao desfile passar...

10

Uma buzinada arrancou Jake dessa história, que era como um vívido e poderoso sonho. Percebeu que continuava parado no meio da Lexington, e o sinal mudara. Olhou em volta apavorado, esperando ver o Cadillac azul avançando para cima de si, mas o cara que havia buzinado dirigia um Mustang conversível amarelo e estava sorrindo. Era como se nesse dia todo mundo em Nova York tivesse tomado uma dose de gás do riso.

Jake acenou para o cara e correu para o outro lado da rua. O condutor do Mustang girou um dedo em torno da orelha, para indicar que Jake estava doido, depois retribuiu o aceno e foi embora.

Por um instante, Jake simplesmente ficou parado na outra esquina, com o rosto virado para o sol de maio, sorrindo, curtindo o dia. Pensou que os prisioneiros condenados a morrer na cadeira elétrica deviam se sentir dessa maneira quando descobriam que haviam conseguido uma suspensão temporária da sentença.

As vozes haviam se calado.

A questão era: o que era o desfile que havia temporariamente desviado a atenção delas? Seria apenas a beleza incomum daquela manhã de primavera? Jake achava que não era só isso. Achava isso porque a sensação de saber voltava a insinuar-se dentro dele e através dele, a mesma que havia se apoderado de seu corpo três semanas atrás quando se aproximava da esquina da Quinta com a 46. Mas no dia 9 de maio fora uma sensação de desastre iminente. Agora era uma sensação de radiação, de bondade e antecipação. Era como se... como se...

Branco. Foi a palavra que lhe veio, e ela soou em sua mente com nítida e inquestionável certeza.

— É o Branco! — exclamou ele em voz alta. — A vinda do Branco!

Desceu a 44 e, ao chegar à esquina da Segunda com a 54, passou mais uma vez debaixo do guarda-chuva de ka-tet.

11

Dobrou à direita, parou e refez os passos até a esquina. Precisava seguir pela Segunda Avenida agora, sim, isso era inquestionavelmente correto, mas estava novamente no lado errado. Quando o sinal mudou, ele atravessou correndo a rua e tornou a dobrar à direita. Aquela sensação, aquela noção de

(*Brancura*)

certeza, foi se tornando cada vez mais forte. Ele se sentia meio louco de alegria e alívio. Ele ficaria bem. Dessa vez não havia erro. Tinha certeza de que logo começaria a ver pessoas que reconheceria, como havia reconhecido a dama gorda e o vendedor de pretzels, e eles estariam fazendo as coisas que ele lembrava de antemão.

Em vez disso, chegou à livraria.

12

RESTAURANTE DA MENTE DE MANHATTAN, dizia o nome pintado na vitrine. Jake foi até a porta. Ali estava pendurada uma tabuleta escrita com giz, parecida com aquelas que se veem nas paredes de restaurantes e lanchonetes.

PRATOS DO DIA

Da Flórida! John D. MacDonald Grelhado na Hora
Capa dura 3 por $ 2,50
Brochura 9 por $ 5,00
Do Mississippi! William Faulkner Frito
Capa dura Preço de Mercado
Brochura edição especial $ 0,75 cada
Da Califórnia! Raymond Chandler Bem-Passado
Capa dura Preço de Mercado
Brochura 7 por $ 5,00

ALIMENTE SUA NECESSIDADE DE LEITURA

Jake entrou, ciente de que, pela primeira vez em três semanas, abrira uma porta sem esperar com avidez encontrar um mundo diferente do outro lado. Uma sineta tocou acima da porta. O cheiro agradável e fragrante de livros antigos invadiu suas narinas, e de alguma forma aquele cheiro era como voltar para casa.

O tema de restaurante continuava lá dentro. Embora as paredes estivessem cobertas de livros, um balcão de bar dividia o aposento. Do lado do balcão onde Jake estava havia várias mesinhas com cadeiras metálicas. Cada mesa havia sido arrumada para expor os especiais do dia: romances de Travis McGee escritos por John D. MacDonald, romances de Philip Marlowe por Raymond Chandler, romances de Snopes por William Faulkner. Um pequeno aviso na mesa de Faulkner dizia: *Algumas 1ªs edições raras — favor consultar*. Outro aviso, esse no balcão, dizia apenas: FOLHEIE! Dois fregueses faziam exatamente isso. Estavam sentados diante do balcão tomando café e lendo. Jake achou que aquela era sem dúvida a melhor livraria em que jamais estivera.

A questão era: por que estava ali? Seria sorte, ou parte daquela sensação suave e insistente de que estava seguindo uma pista — uma espécie de feixe de força — que fora deixada para ele descobrir?

Olhou o que estava exposto sobre uma mesinha à esquerda e soube a resposta.

13

Era uma seção de livros infantis. Não tinha muito espaço na mesa, portanto havia apenas uma dúzia de livros — *As aventuras de Alice no País das Maravilhas, O hobbit, Tom Sawyer*, coisas assim. Jake se sentiu atraído por um livro de histórias obviamente destinado a crianças muito novas. Na capa verde brilhante, uma locomotiva antropomórfica subia bufando uma colina. O limpa-trilhos (de um rosa vivo) tinha um sorriso feliz e o farol era um olho animado que parecia convidar Jake Chambers a entrar e ler tudo a respeito do trenzinho. *Charlie Chuu-Chuu*, proclamava o título, Texto e Ilustrações de Beryl Evans. Jake lembrou-se da sua redação final, com as fotos do trem da Amtrak na folha de rosto e as palavras *Chuu-Chuu* escritas repetidas vezes dentro.

Pegou o livro e segurou-o firme, como se ele pudesse sair voando caso permitisse. Ao olhar a capa, descobriu que não confiava no sorriso no rosto de Charlie Chuu-Chuu. *Você parece feliz, mas eu acho que isso é só uma máscara no seu rosto*, pensou. *Acho que você não é nada feliz. E também acho que Charlie não é seu nome verdadeiro.*

Eram pensamentos malucos, sem dúvida alguma malucos, mas não *pareciam* malucos. Pareciam sãos. Pareciam *verdade*.

Próximo ao lugar onde *Charlie Chuu-Chuu* estava antes havia um livro de brochura que já vira dias melhores. Tinha a capa muito rasgada e fora remendado com fita adesiva agora amarelada pelo tempo. A ilustração na capa mostrava um menino e uma menina de ar intrigado com vários pontos de interrogação acima das cabeças. O título do livro era *O que É o que É! Charadas e Adivinhações para Todos*! Não trazia crédito de autor.

Jake pôs *Charlie Chuu-Chuu* debaixo do braço e pegou o livro de adivinhações. Abriu-o ao acaso e viu o seguinte:

Quando uma porta não é uma porta?

— Quando é um umbral — murmurou Jake. Sentia o suor brotando da testa… nos braços… no corpo inteiro. — Quando é um *umbral*!

— Gostou de alguma coisa, filho? — perguntou uma voz suave.

Jake se virou e viu um sujeito gordo vestindo uma camisa branca de gola aberta parado no final do balcão. Tinha as mãos enfiadas nos bolsos da velha calça de gabardine e óculos de leitura acomodados na careca brilhante.

— Gostei — disse Jake, febril. — Destes dois. Estão à venda?

— Tudo o que você vê está à venda — disse o cara gordo. — Até o prédio estaria à venda, se fosse meu. Infelizmente, eu apenas alugo. — Estendeu a mão para pegar os livros, e por um instante Jake hesitou. Depois, com relutância, entregou-os. Parte dele esperava que o cara gordo fugisse com eles, e se o fizesse, se desse o menor indício de que tentaria algo, Jake pretendia agarrá-lo, arrancar os livros de suas mãos e sair correndo. Ele *precisava* daqueles livros.

— Tudo bem, vamos ver o que você escolheu — disse o cara gordo. — A propósito, eu me chamo Tower.* Calvin Tower. — Estendeu a mão.

Jake arregalou os olhos e deu um passo involuntário para trás.

* Torre em inglês. (N. T.)

— *O quê?*

O cara gordo olhou-o com algum interesse.

— Calvin Tower. Qual palavra é uma profanação na sua língua, ó Hiperbóreo Errante?

— Hã?

— Quero dizer apenas que você parece estar com medo de alguma coisa, garoto.

— Ah, desculpe. — Ele segurou a mão grande e macia do sr. Tower, esperando que o homem não continuasse. O nome lhe *dera* um susto, mas ele não sabia por quê.

— Eu me chamo Jake Chambers.

Calvin Tower apertou sua mão.

— Bom nome, parceiro. Parece o herói errante de um romance de faroeste, o sujeito que chega em Black Fork, no Arizona, limpa a cidade e depois segue em frente. Uma história de Wayne D. Overholser, talvez. Só que você não parece errante, Jake. Parece que decidiu que o dia estava um pouco bonito demais para ser passado na escola...

— Ah... não. Nossas aulas acabaram na sexta-feira passada.

Tower deu um sorriso.

— Aham. Sei. E você quer estes dois livros, hein? É meio engraçado, o que as pessoas precisam ter. Veja você, eu diria que você é um garoto tipo Robert Howard, que está procurando belas edições antigas de Donald M. Grant a um bom preço... aquelas ilustradas por Roy Krenkel. Espadas gotejando, grandes músculos, e Conan, o Bárbaro, abrindo caminho a golpes de sabre em meio a hordas estígias.

— Parece bom mesmo. Estes são para... hã, para o meu irmão mais novo. Ele faz aniversário na semana que vem.

Calvin Tower usou os polegares para descer os óculos até o nariz e deu uma olhada melhor em Jake.

— É mesmo? Pra mim você tem cara de filho único. Filho único, se é que algum dia eu vi um, desfrutando um dia de folga enquanto maio treme com sua roupagem verde, quase chegando ao luxuriante junho.

— O quê?

— Deixa pra lá. A primavera sempre me deixa num clima de William Cowper. As pessoas são esquisitas mas interessantes, Tex... não é mesmo?

— Acho que sim — disse Jake, cauteloso. Não conseguia decidir se gostava ou não daquele cara estranho.

Um dos leitores no balcão girou no tamborete. Segurava uma xícara de café numa das mãos e um muito usado exemplar de *A peste* na outra.

— Pare de pegar no pé do garoto e venda os livros a ele, Cal — disse o homem. — Ainda temos tempo de acabar aquela partida de xadrez antes do fim do mundo, se você se apressar.

— Pressa é antitético para a minha natureza — disse Cal, mas abriu *Charlie Chuu-Chuu* e olhou o preço escrito a lápis na folha de guarda. — Um livro bastante comum, mas este exemplar está em condições extraordinariamente boas. Crianças pequenas em geral estraçalham os livros de que gostam. Eu deveria cobrar doze dólares...

— Mas que ladrão — disse o homem que lia *A peste*, e o outro leitor riu. Calvin Tower não tomou conhecimento.

—... mas não tenho coragem de te cobrar tanto num dia como este. Sete pratas, e o livro é seu. Mais impostos, lógico. O livro de adivinhações você pode levar de graça. Considere um presente meu para um garoto com juízo suficiente para montar e cavalgar para os territórios no último verdadeiro dia de primavera.

Jake pegou a carteira e abriu-a ansioso, receando haver saído de casa com apenas três ou quatro dólares. Mas estava com sorte. Tinha uma nota de cinco e três de um. Entregou o dinheiro a Tower, que enfiou as cédulas num bolso de forma casual e tirou troco de outro.

— Não se apresse, Jake. Agora que está aqui, venha ao balcão tomar uma xícara de café. Vai ficar de olhos arregalados quando eu reduzir a frangalhos a velha Defesa de Kiev de Aaron Deepneau.

— Nos seus sonhos — disse o homem que lia *A peste*, provavelmente Aaron Deepneau.

— Eu gostaria, mas não posso. Eu... eu preciso ir a um lugar.

— Tudo bem. Desde que não seja voltar para o colégio.

Jake sorriu.

— Não, para o colégio, não. Para aqueles lados fica a loucura.

Tower riu alto e tornou a ajeitar os óculos na cabeça.

— Nada mau! Nada mau mesmo! Talvez a nova geração não esteja ferrada, afinal, Aaron... o que você acha?

— Ah, eles sem dúvida estão ferrados — disse Aaron. — Esse menino é só uma exceção à regra. Talvez.

— Não ligue para esse velho chato — disse Calvin Tower. — Pé na tábua, ó Hiperbóreo Errante. Eu queria ter dez ou onze anos de novo, com um dia bonito como este pela frente.

— Obrigado pelos livros — disse Jake.

— Sem problema. É pra isso que estamos aqui. Volte qualquer dia.

— Eu gostaria disso.

— Bem, você sabe onde estamos.

Sim, pensou Jake. *Mas se ao menos soubesse onde eu estou.*

14

Parou do lado de fora da livraria e tornou a abrir o livro de adivinhações, desta vez na primeira página, onde havia uma breve introdução não assinada.

"Os enigmas são talvez um dos mais antigos jogos ainda praticados hoje em dia", começava. "Os deuses e deusas da mitologia grega provocavam-se uns aos outros com enigmas, também utilizados como instrumentos de ensino na Roma antiga. A Bíblia contém vários bons enigmas. Um dos mais famosos foi proposto por Sansão no dia em que se casou com Dalila:

'Do comedor veio a carne
e do forte veio a doçura!'

"Ele propôs este enigma a vários rapazes que assistiram ao seu casamento, certo de que eles não conseguiriam adivinhar a resposta. Os rapazes, porém, chamaram Dalila a um lado e ela lhes sussurrou a resposta. Sansão ficou furioso e condenou os rapazes à morte por trapaça... na antiguidade, como se vê, os enigmas eram levados mais a sério do que hoje!

"A propósito, a resposta ao enigma de Sansão — e de todos os enigmas neste livro — encontra-se na última seção. Apenas pedimos que deem ao enigma uma boa chance antes de olhar!"

Jake foi até o fim do livro, de algum modo sabendo o que iria encontrar. Depois da página com a palavra RESPOSTAS havia apenas uns poucos fragmentos rasgados e a capa de trás. A parte fora arrancada.

Ele ficou ali parado um instante, pensando. Depois, num impulso que na verdade não parecia de modo algum um impulso, voltou a entrar no Restaurante da Mente de Manhattan.

Calvin Tower ergueu o olhar do tabuleiro de xadrez.

— Mudou de ideia sobre o café, ó Hiperbóreo Errante?

— Não. Eu queria perguntar se sabe a resposta de um enigma.

— Pode mandar — convidou Tower, e moveu um peão.

— Foi Sansão quem propôs. O cara fortão da Bíblia. É o seguinte…

— "Do comedor veio a carne" — disse Aaron Deepneau, tornando a se virar para encarar Jake — "e do forte veio a doçura." É este?

— É, sim — disse Jake. — Como você sabia…?

— Ah, eu tenho alguma experiência. Escute o seguinte. — Ele jogou a cabeça para trás e cantou com uma voz cheia e melodiosa:

"*Sansão e um leão se atracaram,*
E Sansão montou nas costas do leão.
Bem, vocês leram sobre leões matando homens com as patas,
Mas Sansão passou as mãos em torno dos maxilares do leão!
Cavalgou esse leão até que a fera caiu morta,
E as abelhas fizeram mel na caveira do leão."

Aaron piscou o olho e riu da expressão surpresa de Jake.

— Isso responde à sua pergunta, amigo?

Jake tinha os olhos arregalados.

— Nossa! Que música legal! Onde aprendeu?

— Ah, Aaron conhece todas elas — disse Tower. — Já andava pela rua Bleecker muito antes de Bob Dylan saber soprar mais do que um sol aberto em seu Hohner. Pelo menos segundo o que *ele* diz.

— É um gospel antigo — disse Aaron a Jake, e depois para Tower: — A propósito, gorducho, xeque.

— Não por muito tempo — disse Tower.

Ele moveu seu bispo. Aaron prontamente papou-o. Tower resmungou alguma coisa inaudível. Para Jake, pareceu suspeitamente com *filho da puta*.

— Quer dizer que a resposta é o leão — disse Jake.

Aaron balançou a cabeça.

— Só *metade* da resposta. O Enigma de Sansão é um *duplo*, meu amigo. A outra metade da resposta é mel. Sacou?

— Sim, acho que sim.

— Tudo bem, agora tente este.

Aaron fechou os olhos por um instante e recitou:

"*O que é o que é,*
que corre mas não anda,
tem boca mas não fala,
tem leito mas não dorme,
tem cabeça mas não chora?"

— Sabichão! — resmungou Tower para Aaron.

Jake pensou no enigma e balançou a cabeça. Poderia ter pensado mais — achava aquele negócio de enigmas fascinante e encantador —, mas tinha a forte sensação de que deveria estar indo embora dali, que tinha outros assuntos na Segunda Avenida nessa manhã.

— Desisto.

— Não, não desiste — disse Aaron. — Isso é o que a gente faz com enigmas *modernos*. Mas um enigma de *verdade* não é uma piada, garoto, é um quebra-cabeça. Pense nele. Se mesmo assim não conseguir, arranje uma desculpa para voltar outro dia. Se precisar de outra desculpa, o gorducho aqui realmente *faz* um café muito bom.

— Tudo bem — disse Jake. — Obrigado. Eu volto.

Mas ao sair, uma certeza insinuou-se nele: jamais voltaria a entrar no Restaurante da Mente de Manhattan.

15

Jake desceu devagar a Segunda Avenida, as novas compras na mão esquerda. A princípio tentou pensar no enigma — o que era que *tinha* leito mas não dormia? —, mas aos poucos a questão foi expulsa de sua mente por uma sensação crescente de antecipação. Os sentidos pareciam mais aguçados do que nunca em sua vida; ele via milhões de faíscas coruscantes na calçada, sentia mil aromas misturados com cada respiração, e parecia ouvir outros sons, secretos, em cada um dos sons que ouvia. Perguntava-se se era assim que os cachorros se sentiam antes das tempestades ou dos terremotos, e tinha quase certeza de que sim. Mas a sensação de que o fato iminente não era mau, e sim bom, de que equilibraria a coisa terrível que lhe acontecera três semanas antes continuava a aumentar.

E agora, ao aproximar-se do lugar onde o rumo seria determinado, esse conhecimento antecipado o invadia novamente.

Um mendigo vai me pedir uma esmola, e eu darei a ele o troco que o Sr. Tower me deu. E há uma loja de discos. A porta está aberta para deixar entrar o ar fresco e ouvirei uma música dos Stones tocando ao passar. E verei meu reflexo num monte de espelhos.

O trânsito na Segunda Avenida ainda estava leve. Táxis buzinavam e serpenteavam entre os vagarosos carros e caminhonetes. O sol da primavera faiscava nos para-brisas e nas brilhantes capotas amarelas. Enquanto esperava o sinal mudar, Jake viu o mendigo na outra esquina da Segunda com a 52. Estava sentado na mureta de tijolos de um pequeno restaurante, e quando Jake se aproximou dele, viu que o nome do restaurante era Chew Chew Mama's.

Chuu-Chuu, pensou. *E esta é a verdade.*

— Tem um trocado? — perguntou, cansado, o mendigo, e Jake jogou o troco da livraria em seu colo sem sequer olhar em volta. Agora ouvia os Rolling Stones, bem na hora:

Vejo uma porta vermelha e quero pintá-la de preto,
Não quero mais cores, quero que tudo fique preto...

Ao passar, ele viu — também sem se surpreender — que o nome da loja era Torre da Power Records.

Parecia que as torres estavam em abundância naquele dia.

Jake seguiu em frente, os cartazes de rua lampejando numa espécie de sonho atordoante. Entre a 49 e a 48, passou por uma loja chamada Reflexos de Você. Virou a cabeça e avistou uma dúzia de Jakes nos espelhos, e como sabia que veria — uma dúzia de meninos pequenos para a sua idade, uma dúzia de meninos em arrumados uniformes escolares: blazers azuis, camisas brancas, gravatas vermelho-escuras, calças cinzentas. O Colégio Piper não tinha uniforme oficial, mas aquele chegava o mais perto possível do não oficial.

O Piper já parecia muito longe e muito tempo atrás.

De repente, Jake percebeu aonde ia. Esse conhecimento brotou em sua mente como água doce e refrescante de uma nascente subterrânea. *É uma delicatéssen*, pensou ele. *Pelo menos é o que parece. Na verdade é outra coisa — uma entrada para outro mundo.* O *mundo.* O *mundo* dele. O *mundo* certo.

Começou a correr, olhando avidamente para a frente. O sinal da 47 estava fechado, mas ele o ignorou, saltando do meio-fio e correndo com agilidade entre as largas faixas brancas do asfalto com apenas um olhar perfunctório para a esquerda. Uma van de bombeiro-encanador parou de repente cantando os pneus quando ele passou como um raio à sua frente.

— Ei! O que tá fazendo? — gritou o motorista, mas Jake o ignorou.

Só mais uma quadra.

Ele corria a toda agora. A gravata flutuava atrás do ombro esquerdo; o cabelo soprado da testa; os tênis escolares martelando a calçada. Jake ignorou os olhares — alguns sorridentes, outros apenas curiosos — dos passantes, como ignorara o grito indignado do motorista.

Lá adiante — lá adiante na esquina. Junto à papelaria.

Ali vinha um homem da entregadora UPS, de macacão marrom, empurrando um carrinho cheio de embrulhos. Jake saltou por cima dele como um atleta de salto em distância, com os braços erguidos. A parte de trás de sua camisa branca soltou-se da calça e drapejou atrás dele como a bainha de uma anágua. Na descida, quase se chocou com um carrinho de bebê empurrado por uma jovem porto-riquenha. Jake contornou o carrinho como um meia que avista uma brecha na linha e parte para o gol.

— Onde é o incêndio, gatinho? — perguntou a moça, mas ele a ignorou também.

Passou correndo pela papelaria, com uma vitrine de canetas, cadernos e calculadoras.

A porta!, pensava, extasiado. *Eu vou vê-la! E eu vou parar? Nem pensar, cara! Vou atravessá-la direto, e se estiver trancada, eu a arrombo bem…*

Então viu o que havia na esquina da Segunda com a 46 e acabou parando — derrapando, na verdade, sobre os calcanhares dos tênis. Ficou ali parado no meio da calçada, punhos cerrados, a respiração chiando ao entrar e sair dos pulmões, o cabelo caindo na testa em mechas suadas.

— Não — quase choramingou. — *Não*!

Mas sua quase frenética negação não mudou o que via, que era absolutamente nada. Nada havia para ver, além de uma pequena cerca de tábuas e um terreno baldio coberto de lixo mais adiante.

O prédio que ali se erguia fora demolido.

16

Jake ficou diante da cerca sem se mover por quase dois minutos, examinando o terreno baldio com olhos sem vida. Um dos cantos de sua boca retorcia-se ao acaso. Ele sentia sua esperança, sua *absoluta certeza*, esvaindo-se. A sensação que a substituía era o mais profundo e amargo desespero que jamais conhecera.

Apenas outro alarme falso, pensou, quando o choque passou o suficiente para ele conseguir pensar em alguma coisa. *Mais um alarme falso, beco sem saída, poço seco. Agora as vozes vão recomeçar, e quando o fizerem, acho que vou começar a gritar. E está tudo bem. Porque estou cansado de lutar contra isso. Estou cansado de acompanhar a minha loucura. Se é assim que se fica louco, quero me apressar e chegar logo lá, para que alguém me leve pro hospital e me dê alguma coisa para me apagar. Eu desisto. É o fim da linha — chega.*

Mas as vozes não voltaram — pelo menos não por enquanto. E quando ele começou a pensar no que via, percebeu que o terreno baldio afinal não estava completamente vazio. No meio da terra coberta de lixo e mato havia uma placa.

A CONSTRUTORA MILLS E A IMOBILIÁRIA SOMBRA E ASSOCIADOS
CONTINUAM A REFAZER A CARA DE MANHATTAN!
EM BREVE NESTE LOCAL:
OS CONDOMÍNIOS DE LUXO BAÍA DA TARTARUGA!
LIGUE 555-6712 PARA INFORMAÇÕES!
VAI FICAR MUITO FELIZ POR TER LIGADO!

Em breve? Talvez... mas Jake duvidava. As letras na placa estavam desbotadas e meio frouxas. Pelo menos um grafiteiro, chamado BANGO SKANK, deixara sua marca em vívido aerossol azul sobre o desenho artístico dos Condomínios de Luxo Baía da Tartaruga. Jake se perguntou se o projeto havia sido adiado, ou talvez houvesse fracassado. Lembrara-se de ouvir o pai falando ao telefone com seu consultor comercial menos de duas semanas antes, berrando para que o homem mantivesse distância de quaisquer outros investimentos em condomínios.

— Eu estou me *lixando* para bons incentivos fiscais! — dissera quase aos berros (aquele era, até onde Jake sabia, o tom normal de voz do pai quando discutia questões de negócios — a cocaína na gaveta da escrivaninha talvez tivesse alguma coisa a ver com isso). — Quando oferecem a porra de uma TV apenas pra gente ir olhar *uma* planta, tem alguma coisa de errado!

A cerca de tábuas em torno do terreno chegava à altura do peito de Jake. Fora coberto de cartazes — Olivia Newton-John na Radio City, um grupo chamado G. Gordon Liddy and the Grots numa boate do East Village, um filme chamado *Guerra dos zumbis* que estreara e já saíra de cartaz naquela primavera. Cartazes de NÃO ULTRAPASSE também haviam sido pregados a intervalos ao longo da cerca, mas a maioria fora coberta pelos cartazes de espetáculos. Um pouco mais adiante, outra pichação havia sido pintada na cerca — dessa vez no que sem dúvida havia sido um vermelho vivo, mas desbotara-se no cor-de-rosa crepuscular das rosas de fim de verão. Jake sussurrou as palavras, os olhos arregalados e fascinados:

"Veja a TARTARUGA que encerra
Em seu casco descomunal toda a terra
Se você quiser brincar e se divertir
O FEIXE deve seguir."

Jake achou que a origem desse estranho poema (embora não o sentido) era bastante evidente. Afinal, aquela parte do East Side de Manhattan era conhecida como Turtle Bay, baía da tartaruga. Mas isso não explicava o arrepio que agora lhe corria pelas costas, ou sua nítida sensação de que havia encontrado outra placa de sinalização em alguma incrível estrada oculta.

Jake desabotoou a camisa e enfiou lá dentro os dois livros que havia acabado de comprar. Então olhou em volta, não viu ninguém prestando atenção nele, e agarrou a parte de cima da cerca. Suspendeu o próprio corpo, passou uma das pernas por cima da cerca e caiu do outro lado. Seu pé esquerdo aterrissou em cima de um monte de tijolos soltos que imediatamente se desfez. Seu tornozelo dobrou com o peso do corpo e uma dor aguda passou pela sua perna. Ele caiu com um baque e gritou numa mistura de agonia e surpresa quando outros tijolos bateram em sua caixa torácica como punhos grossos e rudes.

Ficou onde estava por um instante, imóvel, esperando recuperar o fôlego. Achava que não havia se machucado muito, mas torcera o tornozelo, que na certa iria inchar. Estaria mancando quando chegasse em casa. Mas teria que aguentar: certamente não tinha dinheiro para o táxi.

Você não está mesmo pensando em voltar para casa, está? Eles vão comê-lo vivo.

Bem, talvez comessem e talvez não. Até onde via, não tinha muita escolha na questão. E isso era para depois. No momento iria explorar o terreno baldio que o atraíra com tanta certeza quanto um ímã atrai aparas de aço. Percebeu que a sensação de poder ainda estava presente, e mais forte do que nunca. Achava que aquilo não era apenas um terreno baldio. Alguma coisa estava acontecendo ali, alguma coisa importante. Ele a sentia vibrando no ar, como volts soltos escapando da maior usina elétrica do mundo.

Quando se levantou, Jake percebeu que na verdade tivera sorte na queda. Viu ali perto um monte de vidro quebrado. Se houvesse caído sobre aquilo, poderia ter-se cortado seriamente.

Isso era uma vitrine, pensou Jake. *Quando a delicatéssen ainda estava aqui, dava para ficar na calçada e ver todas as carnes e queijos. Ficavam pendurados em barbantes.* Não sabia como sabia disso, mas sabia — sabia sem sombra de dúvida.

Olhou em volta, pensativo, e então entrou mais um pouco no terreno. Perto do centro, caída no chão e meio enterrada num luxuriante matagal de primavera, havia outra placa. Jake ajoelhou-se ao seu lado e a pôs de pé, raspando a poeira. As letras estavam desbotadas, mas ainda eram discerníveis:

DÉLI ARTESANAL DE TOM E JERRY

ESPECIALIDADE DA CASA: TÁBUAS PARA EVENTOS!

E abaixo, grafitado com o mesmo vermelho desbotado em rosa, a intrigante frase: ELE NOS TEM TODOS DENTRO DA MENTE.

É este o lugar, pensou Jake. *Ah, sim.*

Deixou cair a placa, levantou-se e entrou mais no terreno, andando devagar, olhando tudo. Enquanto andava, a sensação de poder aumentava. Tudo que via — o mato, o vidro quebrado, os montes de tijolos — parecia destacar-se com uma espécie de força intensa. Até os saquinhos de batata chips pareciam belos, e o sol havia transformado uma garrafa de cerveja num cilindro de fogo pardo.

Jake tinha bastante consciência da própria respiração, e do sol batendo em tudo como um peso de ouro. Compreendeu de repente que estava parado à beira de um grande mistério, e sentiu um arrepio percorrê-lo — meio terror, meio deslumbramento.

Está tudo aqui. Tudo. Tudo ainda está aqui.

O mato roçava em sua calça; carrapichos grudavam em suas meias. O vento soprou um papel de bombom à sua frente; o sol refletiu-se nele e por um momento o papel adquiriu um fulgor belo e terrível.

— Tudo ainda está aqui — repetiu ele para si mesmo, sem saber que seu rosto adquiria seu próprio fulgor interno. — *Tudo*.

Ouvia um ruído — vinha ouvindo-o desde que entrara no terreno baldio, na verdade. Era um maravilhoso zumbido, inexprimivelmente solitário e bonito. Poderia ter sido o barulho de um vento forte numa planície deserta, só que estava *vivo*. Ele achou que fosse o som de mil vozes cantando um grande acorde aberto. Baixou os olhos e compreendeu que havia rostos no matagal emaranhado, nos baixos arbustos e montes de tijolos. *Rostos*.

— O que são vocês? — sussurrou Jake. — *Quem* são vocês?

Não houve resposta, mas ele achou escutar, abaixo do coro, o barulho de batidas de cascos na terra poeirenta, e de armas de fogo, e de anjos cantando hosanas nas sombras. Os rostos nas ruínas pareciam se virar quando ele passava. Pareciam seguir seu avanço, mas sem qualquer má intenção. Ele via a rua 46, e a quina do prédio da ONU do outro lado da Primeira Avenida, mas os prédios não importavam — *Nova York* não importava. Havia se tornado pálida como vidraça.

O zumbido cresceu. Agora não eram mil vozes, mas um milhão, um funil aberto de vozes que subia do mais profundo poço do universo. Ele captava nomes nesse grupo de vozes, mas não teria conseguido identificá-los. Um poderia ter sido Marten. Outro poderia ter sido Cuthbert. Outro poderia ter sido Roland — Roland de Gilead.

Havia nomes; havia um turbilhão de conversas que poderia ter sido dez mil histórias entrelaçadas, mas acima de tudo havia o belo e crescente zumbido, uma vibração que queria encher sua cabeça de brilhante luz branca. Jake compreendeu, com uma alegria tão esmagadora que ameaçava acabar com ele, que aquilo era a voz de *Sim*; a voz de *Branco*; a voz de *Sempre*. Era o grande coro de afirmação, e cantava no terreno baldio. Cantava para ele.

Então, caída numa touceira de raquíticos carrapichos, Jake viu a chave… e mais adiante, a rosa.

17

Suas pernas o traíram e ele caiu de joelhos. Tinha uma vaga consciência de que estava chorando, e uma mais vaga ainda de que havia molhado um pouco a calça. Rastejou para a frente de joelhos e estendeu a mão para a chave caída na touceira de carrapichos. Parecia já ter visto a sua forma simples em sonho:

Pensou: *A pequena forma de s na ponta — era esse segredo.*

Ao fechar a mão sobre a chave, as vozes cresceram num harmônico grito de triunfo. O grito do próprio Jake perdeu-se na voz do coro. Ele viu a chave lampejar branca entre seus dedos, e sentiu um tremendo surto de poder subir pelo braço. Era como se houvesse agarrado um fio de alta-tensão, mas não sentiu dor.

Abriu *Charlie Chuu-Chuu* e guardou ali a chave. Depois tornou a fixar os olhos na rosa, e percebeu que ela era a verdadeira chave — a chave de tudo. Rastejou até ela, o rosto uma chamejante auréola de luz, os olhos de um fogo azul radiante.

A rosa brotava de uma touceira de mato estranho, roxo.

Quando Jake se aproximou da touceira, a rosa começou a se abrir diante de seus olhos. Revelou uma fornalha vermelho-escura, uma pétala secreta sobre a outra, cada uma ardendo com sua própria fúria secreta. Ele jamais vira nada tão intenso e absolutamente vivo em toda a sua vida.

Então, quando estendeu uma mão suja para aquela maravilha, as vozes começaram a cantar seu nome… e um medo mortal começou a se insinuar para o centro de seu coração. Era frio como gelo e pesado como pedra.

Havia alguma coisa errada. Ele sentia uma pulsante discórdia, como um profundo e desagradável arranhão numa inestimável obra de arte ou uma febre mortal ardendo sob a gélida pele da testa de um inválido.

Parecia um verme. Um verme invasor. E um vulto. Um vulto que espreita logo além da próxima curva da estrada.

Então o coração da rosa se abriu para ele, revelando um deslumbramento amarelo de luz, e todo pensamento sumiu numa onda de assombro. Jake pensou por um instante que o que estava vendo era apenas pólen investido do poder sobrenatural que vivia no coração de todo objeto naquela clareira deserta — pensou isso mesmo jamais tendo escutado sobre pólen dentro de rosas. Curvou-se mais perto e viu que o círculo concentrado de amarelo em chamas não era pólen, de forma alguma. *Era um sol*: uma imensa forja ardendo no centro da rosa que brotava do mato roxo.

O medo voltou, mas agora se tornara puro terror. *Está certo*, pensou ele. *Tudo aqui está certo, mas pode dar errado — já começou a dar errado, acho. Estão me permitindo sentir tanto de errado quanto consigo suportar... mas o que é? E o que posso fazer?*

Era algo como um verme.

Ele o sentia pulsando como um coração doente e sujo, em conflito com a serena beleza da rosa, gritando grosseiros palavrões contra o coro de vozes que tanto o havia aliviado e exaltado.

Curvou-se para mais perto da rosa e viu que o núcleo não era apenas um sol, mas muitos... talvez todos os sóis contidos dentro de uma feroz e frágil concha.

Mas está errado. Tudo está em perigo.

Sabendo que tocar aquele fulgente microcosmo quase certamente significaria sua morte, mas incapaz de se conter, Jake estendeu a mão. Não havia nesse gesto curiosidade nem terror, apenas uma grande e inarticulada necessidade de proteger a rosa.

18

Quando voltou a si, teve de início apenas consciência de que muito tempo havia passado e de que sua cabeça doía muito.

O que aconteceu? Fui assaltado?

Rolou de lado e sentou-se. Outra explosão de dor varou a sua cabeça. Ele levou a mão à têmpora esquerda, e os dedos saíram viscosos de sangue. Baixou os olhos e viu um tijolo projetando-se do matagal. A quina arredondada estava vermelha demais.

Se fosse pontuda, eu provavelmente estaria morto ou em coma.

Olhou o pulso e surpreendeu-se ao descobrir que ainda estava de relógio. Era um Seiko, não muito caro, mas naquela cidade não se tirava um cochilo num terreno baldio sem perder as suas coisas. Caro ou não, alguém ficaria mais do que contente em tomá-lo. Parecia que desta vez ele dera sorte.

Eram 16h15. Ele ficara caído ali, morto para o mundo, durante pelo menos cinco horas. O pai a essa altura provavelmente já estava com a polícia procurando por ele, mas isso não parecia importar muito. Jake tinha a sensação de ter deixado o Colégio Piper mil anos atrás.

Percorreu a meia distância até a cerca entre o terreno baldio e a calçada da Segunda Avenida, e parou.

O que exatamente *havia* acontecido com ele?

Aos poucos, as lembranças voltaram. Ele saltara a cerca. Escorregara e torcera o tornozelo. Baixara a mão, tocara o tornozelo e piscara os olhos. É — até aí acontecera, sem dúvida. E depois?

Uma coisa mágica.

Jake tateou em busca dessa coisa como um velho tateando o caminho num quarto escuro. Tudo estivera tomado de luz própria. *Tudo* — até os invólucros vazios e garrafas de cerveja velhas. Ele ouvira vozes — que cantavam e contavam milhares de histórias superpostas.

— E *rostos* — murmurou.

Esta lembrança o fez olhar em volta apreensivo. Não via rostos. Os montes de tijolos eram apenas montes de tijolos, e o matagal emaranhado apenas matagal emaranhado. Não havia rostos, mas...

... mas eles estavam ali. Não foi sua imaginação.

Ele acreditava nisso. Não conseguia captar a essência da lembrança, seu tom de beleza e transcendência, mas parecia absolutamente real. Apenas a lembrança daqueles momentos antes de desmaiar pareciam aquelas fotos feitas no melhor dia da vida da gente. A pessoa se lembra de como foi esse dia — pelo menos por alto —, mas as fotos são sem vida e quase impotentes.

Jake olhou o desolado terreno baldio à sua volta, agora tomado pelas sombras roxas do fim da tarde, e pensou: *Quero você de volta. Meu Deus, quero você de volta do jeito que você era.*

Então viu a rosa, brotando na touceira de mato roxo, muito perto do lugar onde ele caíra. Seu coração saltou para a garganta. Ele voltou às cegas para junto dela, sem ligar para as pulsações de dor que cada passo lhe enviava do tornozelo. Caiu de joelhos diante dela como um adorador num altar. Curvou-se para a frente, os olhos arregalados.

É só uma rosa. Só uma rosa, afinal. E o mato…

Ele via agora que afinal de contas o mato não era roxo. Havia *manchas* de roxo nas folhas, sim, mas a cor por baixo era normalmente verde. Ele olhou um pouco adiante e viu manchas de azul em outra touceira de mato. À direita, uma touceira de carrapichos tinha traços de vermelho e amarelo. E além dos carrapichos havia um monte de latas de tinta jogadas fora. Os rótulos diziam Glidden Spread Satin.

Era só isso. Apenas manchas de tinta. Só que na sua cabeça toda ferrada como estava você achou que estivesse vendo…

Aquilo era bobagem.

Ele sabia o que vira antes, e o que via naquele momento.

— Camuflagem — sussurrou. — Estava bem aqui. *Tudo* estava. E… ainda está.

Agora que sua cabeça clareava, ele sentia de novo o constante e harmônico poder que tinha aquele lugar. O coro continuava ali, a voz igualmente musical, embora agora abafada e distante. Ele olhou o monte de tijolos e velhos pedaços quebrados de alvenaria e viu um rosto oculto dentro deles que mal se podia distinguir. Era o rosto de uma mulher com uma cicatriz na testa.

— Allie? — murmurou Jake. — Você não se chama Allie?

Não houve resposta. O rosto desapareceu. Ele via de novo apenas um feio monte de tijolos e alvenaria.

Olhou novamente a rosa. Viu que não era o vermelho-escuro do coração de uma fornalha em chamas, mas um rosa empoeirado e salpicado. Era muito bonita, mas não perfeita. Algumas das pétalas haviam-se curvado para trás; estas tinham as bordas externas pardas e mortas. Não era o tipo de flor cultivada que Jake vira em floriculturas; ele achava que fosse uma rosa silvestre.

— Você é muito bonita — disse ele, e mais uma vez estendeu a mão para tocá-la.

Embora não estivesse ventando, a rosa se inclinou na direção dele. Por apenas um instante a ponta de seus dedos tocou a sua superfície lisa, aveludada e maravilhosamente viva, e em toda a sua volta as vozes do coro pareceram avolumar-se.

— Está doente, rosa?

Não houve resposta, lógico. Quando os dedos dele deixaram a desbotada concha da flor, ela voltou à sua posição original, brotando do matagal salpicado de tinta em seu calado e esquecido esplendor.

As rosas florescem nesta época do ano?, perguntou-se Jake. *Rosas silvestres? Aliás, por que uma rosa silvestre iria brotar num terreno baldio? E se há uma, por que não há outras?*

Ele continuou de quatro mais um pouco, depois percebeu que poderia continuar ali olhando a rosa pelo resto da tarde (ou talvez pelo resto da vida) e não chegar mais perto de solucionar seu mistério. Vira-a em seu esplendor por um momento, como vira tudo o mais naquele canto esquecido e coberto de lixo da cidade. Vira-a com sua máscara e camuflagem deixadas de lado. Queria vê-la assim de novo, mas querer não faria isso acontecer.

Era hora de ir para casa.

Viu os dois livros que havia comprado no Restaurante da Mente de Manhattan caídos ali perto. Quando os pegou, um brilhante objeto de prata escorregou das páginas de *Charlie Chuu-Chuu* e caiu numa raquítica touceira de mato. Jake curvou-se, tomando cuidado com o tornozelo torcido, e pegou-o. Ao fazê-lo, o coro pareceu suspirar e avolumar-se, depois voltando a recair em seu quase inaudível zumbido.

— Então essa parte também foi verdade — murmurou ele.

Passou a ponta do polegar pelas pontas rombudas da chave e nas primitivas fendas em V. Deslizou-a pela suave curva em *s* no final da terceira fenda. Depois enfiou-a no fundo do bolso direito da calça e pôs-se a mancar na direção da cerca.

Já a alcançara e se preparava para passar por cima, quando um terrível pensamento de repente passou pela sua mente.

A rosa! E se alguém vier aqui e colhê-la?

Um pequeno gemido de horror escapou de sua boca. Ele deu meia-volta e avistou-a depois de um instante, embora estivesse agora mergulhada fundo na sombra de um prédio vizinho — um minúsculo vulto cor-de-rosa na escuridão, vulnerável, belo e só.

Não posso deixá-la — tenho de protegê-la.

Mas uma voz falou em sua mente, certamente do homem que ele conhecera no posto de parada naquela estranha outra vida. *Ninguém vai colhê-la. Tampouco qualquer vândalo irá esmagá-la sob o calcanhar porque seus olhos desfocados não tolerarão a visão da sua beleza. Não é este o perigo. Ela pode se proteger dessas coisas.*

Uma sensação de profundo alívio percorreu Jake.

Posso voltar aqui e olhá-la?, perguntou ele à voz fantasma. *Quando estiver triste, ou se as vozes voltarem e recomeçarem a discutir? Posso voltar e olhá-la, e conseguir um pouco de paz?*

A voz não respondeu, e depois de escutar por alguns instantes Jake concluiu que ela se fora. Enfiou *Charlie Chuu-Chuu* e *O que É o que É* no cós da calça — que, ele viu, estava estriada de terra e pontilhada de carrapichos —, e agarrou a cerca de tábuas. Ergueu-se, passou por cima e voltou a cair na calçada da Segunda Avenida, tendo o cuidado de aterrissar sobre o pé bom.

O trânsito na avenida — de pedestres e veículos — estava muito mais intenso agora, com as pessoas voltando para casa. Alguns passantes olharam o menino sujo de blazer rasgado e camisa para fora da calça, esvoaçando quando ele saltou desajeitado da cerca, mas não muitos. Os nova-iorquinos estão acostumados a ver pessoas fazendo coisas estranhas. Ele ficou parado ali um instante, com uma sensação de perda e compreendendo também outra coisa — as vozes a discutir continuavam ausentes. Isso, pelo menos, já era alguma coisa.

Jake olhou a cerca de tábuas, e o verso pichado pareceu saltar sobre ele, talvez porque a tinta era da mesma cor da rosa.

— "Veja a TARTARUGA que encerra" — murmurou ele. — "Em seu casco descomunal toda a terra." — Sentiu um arrepio. — Que dia! Cara!

Virou-se e pôs-se a mancar devagar na direção de casa.

19

O porteiro devia ter interfonado assim que Jake entrou no saguão, porque seu pai estava parado do lado de fora quando o elevador se abriu no quinto andar. Elmer Chambers vestia jeans desbotados e botas de vaqueiro que aumentavam seu 1,77 metro para um imponente 1,82 metro. Os cabelos pretos, cortados à escovinha, estavam espetados na frente da cabeça; desde que Jake se lembrava, o pai parecia um homem que sofrera um choque tremendo, galvanizante. Assim que o filho saiu do elevador, Chambers agarrou-o pelo braço.

— Olhe só pra você! — Os olhos do pai subiram e desceram, vendo o rosto e as mãos sujos de Jake, o sangue ainda secando em sua face e têmpora, a calça empoeirada, o blazer rasgado e os carrapichos grudados na gravata como um tipo estranho de alfinete. — Entra agora! Onde diabos você andou? Sua mãe quase surtou, porra!

Sem dar nenhuma chance para resposta, arrastou-o pela porta do apartamento. Jake viu Greta Shaw parada sob o arco entre a sala de jantar e a cozinha. Ela lhe lançou um olhar de discreta simpatia e desapareceu antes que os olhos do "patrão" a avistassem.

A mãe de Jake estava sentada em sua cadeira de balanço. Levantou-se quando o viu, mas não *saltou* de pé; tampouco se lançou pelo saguão para cobri-lo de beijos e xingamentos. Quando ela se aproximou, Jake avaliou os seus olhos e calculou que ela tomara pelo menos três Valium desde o meio-dia. Talvez quatro. Seus pais acreditavam com fervor que a química proporcionava uma vida melhor.

— Você está *sangrando*! Por onde andou?

Ela fez as perguntas com sua melhor voz culta de Vassar. Era como se recebesse um conhecido que estivera envolvido num acidente de trânsito sem maiores consequências.

— Saí — disse ele.

O pai deu nele um forte safanão. Jake não estava preparado. Ele cambaleou e caiu sobre o tornozelo machucado. A dor tornou a subir, e ele se viu de repente furioso. Não achava que o pai estivesse puto porque ele sumira da escola, deixando atrás apenas a sua bizarra redação; ele estava puto porque ele tivera a temeridade de bagunçar o seu precioso planejamento.

Até essa altura de sua vida, Jake só conhecera três sentimentos em relação ao pai: perplexidade, medo, e uma espécie de amor débil e confuso. Agora surgiam um quarto e um quinto. Um era raiva; o outro, nojo. Misturados com esses desagradáveis sentimentos, havia o de saudade de casa. Era o sentimento que mais lhe assomava nesse momento, passando por tudo o mais como fumaça. Ele olhou as faces coradas e o corte de cabelo do pai e desejou estar de volta no terreno baldio, olhando a rosa e ouvindo o coro. *Meu lugar não é aqui*, pensou. *Tenho trabalho a fazer. Se ao menos eu soubesse qual é.*

— Me solte — disse.

— O *que* foi que você falou pra mim?

O pai arregalou os olhos azuis. Estavam muito vermelhos nessa noite. Jake deduziu que ele andara mergulhando forte no pó mágico, o que na certa fazia daquele um momento ruim para contrariá-lo, mas percebeu que pretendia contrariá-lo mesmo assim. Não seria sacudido como um camundongo nas presas de um gato sádico. Essa noite, não. Talvez nunca mais. De repente percebeu que grande parte de sua raiva vinha de um único fato: ele não podia *falar* com eles sobre o que havia acontecido — sobre o que *ainda* estava acontecendo. Eles haviam fechado todas as portas.

Mas eu tenho uma chave, pensou ele, e tocou a sua forma pelo tecido da calça. E ocorreu-lhe o restante daquele estranho verso: *Se você quiser correr e brincar, / Siga o Feixe hoje.*

— Eu disse me solte — repetiu. — Estou com o tornozelo torcido e você o está machucando.

— Eu vou machucar mais do que o seu tornozelo se você não…

Uma súbita força pareceu começar a fluir para dentro de Jake. Ele pegou a mão aferrada a seu braço pouco abaixo do ombro e empurrou-a com violência. O pai ficou de queixo caído.

— Eu não *trabalho* pra você — disse Jake. — Eu sou seu filho, lembra? Se esqueceu, verifique o retrato em sua escrivaninha.

O pai ergueu o lábio superior dos dentes perfeitamente encapados num rosnado que era duas partes surpresa e uma parte fúria.

— Não fale comigo desse jeito, menino… onde diabos está o seu respeito?

— Não sei. Talvez eu o tenha perdido a caminho de casa.

— Você passa a porra do dia inteiro matando aula e depois fica aí falando desse jeito desrespeitoso…

— Parem! Parem, vocês dois! — gritou a mãe de Jake. Ela parecia à beira das lágrimas, apesar dos tranquilizantes alojados em seu sistema.

O pai estendeu a mão para tornar a pegar o braço de Jake, mas mudou de ideia. A surpreendente força com que o filho afastara a sua mão um momento atrás talvez tivesse alguma coisa a ver com isso. Ou talvez fosse apenas a expressão nos olhos de Jake.

— Eu quero saber por onde você andou.

— Eu saí. Já disse isso a vocês. E é *tudo* o que vou dizer.

— Vai porra nenhuma! Seu diretor ligou, seu professor de francês chegou até a *vir aqui*, e os dois tinham *beaucoup* de perguntas para você! E eu também, e quero algumas *respostas*!

— Suas roupas estão imundas — observou a mãe, e depois acrescentou, timidamente: — Você foi assaltado, Johnny? Matou aula e foi assaltado?

— Óbvio que ele não foi assaltado — rosnou Elmer Chambers. — Ainda está com o relógio, não é?

— Mas tem sangue na cabeça dele.

— Está tudo bem, mãe. Eu bati a cabeça.

— Mas...

— Eu vou para a cama. Estou muito, muito cansado. Se quiserem conversar sobre isso amanhã de manhã, tudo bem. Talvez amanhã a gente consiga dizer coisa com coisa. Mas por enquanto eu não tenho nada a falar.

O pai deu um passo atrás dele, estendendo o braço.

— *Não, Elmer*! — A frase da mãe de Jake saiu quase como um grito.

Chambers a ignorou. Agarrou Jake pelas costas do blazer.

— Não vá saindo assim da minha frente... — começou ele, e Jake girou, arrancando o blazer da mão dele. A costura sob o braço direito, já esticada, rasgou-se com um som áspero.

O pai viu aqueles olhos em chamas e recuou. A raiva em seu rosto foi apagada por algo que parecia terror. As chamas não eram metafóricas: os olhos de Jake realmente pareciam arder. A mãe deu um gritinho sem força, levou uma das mãos à boca, deu dois grandes passos cambaleantes para trás e desabou em sua cadeira de balanço com um pequeno baque.

— *Me... deixe... em... paz* — disse Jake.

— O que *aconteceu* com você? — perguntou o pai, e agora seu tom era quase de queixa. — Que *diabos* aconteceu com você? Você foge da escola sem uma palavra a ninguém no primeiro dia de provas, volta imundo da cabeça aos pés... e age como se tivesse surtado.

Pronto — *age como se tivesse surtado*. O que ele temia desde que as vozes haviam começado três semanas atrás. A Terrível Acusação. Só que, agora que ela fora feita, Jake descobria que não o assustava tanto afinal, talvez porque ele houvesse finalmente lidado com a questão em sua mente. Sim, alguma coisa havia acontecido com ele. Ainda estava acontecendo. Mas não — ele *não* havia surtado. Pelo menos, ainda não.

— A gente conversa amanhã de manhã — repetiu.

Atravessou a sala, e desta vez o pai não tentou detê-lo. Já havia quase chegado ao corredor quando a voz da mãe, preocupada, o deteve:

— Johnny… você *está* bem?

O que ele deveria responder? Sim? Não? As duas respostas anteriores? Nenhuma das alternativas? Mas as vozes haviam parado, e isso já era alguma coisa. Na verdade, era muita coisa.

— Melhor — disse ele por fim.

Foi para o seu quarto e fechou a porta atrás de si com firmeza. O barulho da porta se fechando entre ele e o resto do mundo encheu-o de um tremendo alívio.

20

Ficou parado junto à porta por algum tempo, à escuta. A voz da mãe era apenas um murmúrio, a do pai um pouco mais alta.

A mãe falou alguma coisa sobre sangue, e um médico.

O pai disse que o moleque estava ótimo; o único problema de Jake era o lixo que saía da sua boca, e ele iria dar um jeito nisso.

A mãe falou alguma coisa sobre calma.

O pai disse que *estava* calmo.

A mãe falou…

Ele falou, ela falou, blá-blá-blá. Jake ainda os amava — pelo menos tinha quase certeza de que sim —, mas outras coisas haviam acontecido, e essas coisas haviam tornado necessário que mais outras ainda acontecessem.

Por quê? Porque havia algum problema com a rosa. E talvez porque ele quisesse correr e brincar… e tornar a ver os olhos *dele*, azuis como estivera o céu acima do posto de parada.

Jake caminhou devagar até a escrivaninha, retirando o blazer pelo caminho. Estava bastante estragado — uma das mangas quase completamente arrancada, o forro pendendo como uma vela frouxa. Pendurou-o no encosto da cadeira, sentou-se e colocou os livros sobre a mesa. Vinha dormindo muito mal na última semana e meia, mas achava que esta noite dormiria bem. Não se lembrava de algum dia ter se sentido tão cansado. Quando acordasse pela manhã, talvez soubesse o que fazer.

Bateram de leve na porta, e Jake voltou-se cauteloso em sua direção.

— É a sra. Shaw, John. Posso entrar um minuto?

Ele sorriu. A sra. Shaw — óbvio que era ela. Os pais a haviam recrutado como intermediária. Ou quem sabe tradutora fosse uma palavra melhor.

Vá vê-lo, teria dito a mãe. *Ele vai te dizer qual é o problema. Eu sou a mãe dele, e este homem de olhos injetados e nariz escorrendo é o pai, e você é só a empregada, mas ele lhe dirá o que não diria a nós. Porque você o vê mais do que qualquer um de nós, e talvez fale a língua dele.*

Ela estará com uma bandeja, pensou Jake, e quando abriu a porta, ele estava sorrindo.

A sra. Shaw de fato carregava uma bandeja. Com dois sanduíches, um pedaço de torta de maçã e um copo de leite achocolatado. Ela olhava para ele com branda ansiedade, como se temesse que ele fosse atacá-la e mordê--la. Jake espiou por cima dos ombros dela, mas não havia sinal dos pais. Imaginou-os sentados na sala de estar, escutando ansiosamente.

— Achei que você talvez pudesse querer comer alguma coisa — disse a sra. Shaw.

— Sim, obrigado.

Na verdade, estava morrendo de fome; não comera nada desde o café da manhã. Afastou-se para um lado e a sra. Shaw entrou (lançando-lhe outro olhar apreensivo ao passar) e colocou a bandeja sobre a mesa.

— Ah, veja só isso — disse ela, pegando *Charlie Chuu-Chuu*. — Eu tinha este quando era pequena. Comprou isso hoje, Johnny?

— Comprei. Meus pais lhe pediram para descobrir o que andei fazendo?

Ela assentiu. Nenhuma encenação, nenhum fingimento. Era apenas uma tarefa, como levar a bandeja. *Pode me contar se quiser*, dizia o rosto dela, *ou ficar calado. Eu gosto de você, Johnny, mas para mim não significa nada, de uma forma ou de outra. Eu apenas trabalho aqui, e já passou uma hora da minha hora de ir embora.*

Ele não se ofendeu com o que o rosto dela dizia; pelo contrário, isso o tranquilizou ainda mais. A sra. Shaw era outra conhecida que não era exatamente uma amiga... mas ele achava que ela talvez estivesse mais perto de uma amiga do que qualquer dos garotos da escola, e muito mais do que seu pai ou sua mãe. A sra. Shaw pelo menos era honesta. Não fingia. Tudo ia para a conta no fim do mês, e ela *sempre* tirava as cascas do pão de sanduíche.

Jake pegou o sanduíche e deu uma grande mordida. Salsichão e queijo, seu preferido. Era outra coisa a favor da sra. Shaw — ela conhecia todos os seus pratos preferidos. A mãe ainda tinha a impressão de que ele gostava de milho na espiga e detestava couve-de-bruxelas.

— Por favor, diga a eles que eu estou ótimo — pediu ele —, e diga ao meu pai que sinto muito por ter sido grosso com ele.

Jake não sentia muito, mas tudo o que seu pai queria ouvir era aquilo. Tão logo a Sra. shaw transmitisse o pedido, ele relaxaria e começaria a contar a si mesmo a velha mentira — fizera seu dever de pai e estava tudo bem, estava tudo bem, no melhor dos mundos possíveis.

— Andei estudando muito para as provas — disse ele, mastigando enquanto falava —, e cheguei ao meu limite hoje de manhã. Eu meio que congelei. Parecia que eu tinha de sair ou iria sufocar. — Tocou a crosta de sangue seco na testa. — Quanto a isto, por favor diga a minha mãe que na verdade não é nada. Não fui assaltado nem nada disso; foi só um acidente idiota. Um entregador vinha empurrando um carrinho e eu trombei com ele. O corte não é nada sério. Não estou com visão dupla nem algo parecido, e até a dor de cabeça já passou.

Ela assentiu.

— Eu entendo como deve ter sido... uma escola exigente dessas e tudo o mais. Você só ficou um pouco assustado. Não há do que se envergonhar, Johnny. Mas você realmente *não tem* sido você mesmo nas últimas duas semanas.

— Acho que vou ficar bem agora. Posso ter que refazer minha redação final de inglês, mas...

— Ah! — disse a sra. Shaw. Um ar de espanto cruzou o seu rosto. Ela colocou *Charlie Chuu-Chuu* de volta na mesa de Jake. — Eu quase ia me esquecendo! Seu professor de francês deixou uma coisa para você. Vou buscar.

Ela saiu do quarto. Jake esperava não haver preocupado o sr. Bissette, que era um cara legal, mas achava que sim, uma vez que o professor viera em pessoa. Achava que visitas pessoais eram muito raras para os professores do Colégio Piper. Imaginava o que Bissette deixara. Seu melhor palpite era um convite para conversar com o sr. Hotchkiss, o psicólogo da escola. Isso o teria assustado pela manhã, mas não mais.

Naquela noite só a rosa parecia importar.

Devorou o segundo sanduíche. A sra. Shaw havia deixado a porta aberta, e ele a ouvia conversando com seus pais. Os dois pareciam um pouco mais calmos agora. Jake tomou o leite e pegou o prato com a torta de maçã. Poucos instantes depois a sra. Shaw voltou. Trazia uma pasta azul bem familiar.

Jake descobriu que nem todos os seus medos o haviam abandonado afinal. Todos já saberiam àquela altura, lógico, alunos e professores, e era tarde demais para tomar qualquer atitude, mas isso não queria dizer que ele gostava que todos soubessem de seu surto. Que estivessem falando dele.

Um pequeno envelope fora preso com clipe na frente da pasta. Jake soltou-o e ergueu o olhar para a sra. Shaw ao abri-lo.

— Como estão meus pais agora? — perguntou ele.

Ela permitiu-se um pequeno sorriso.

— Seu pai queria que eu lhe perguntasse por que não simplesmente contou a ele que ficou mal por causa das provas. Disse que ele próprio sofreu com isso quando era menino.

Jake ficou surpreso com isso; o pai jamais fora o tipo de homem dado a reminiscências que começavam com: *Você sabe, quando eu era menino...* Tentou imaginar o pai menino com um sério caso de ficar mal por causa de provas e constatou que não conseguia — o melhor que conseguia era a desagradável imagem de um anão briguento com uma camiseta do Piper, um anão com umas botas de vaqueiro feitas sob encomenda, um anão de cabelos pretos curtos saltando da cabeça.

O bilhete era do sr. Bissette.

Caro John,

Bonnie Avery me contou que você saiu cedo. Ela está muito preocupada com você, e eu também, embora nós dois já tenhamos visto esse tipo de coisa antes, sobretudo durante a Semana de Provas. Por favor, me procure amanhã cedo, está bem? Qualquer problema que tenha pode ser solucionado. Se estiver se sentindo pressionado pelas provas — e quero ressaltar que isso acontece o tempo todo —, podemos ver sobre um adiamento. Nossa preocupação principal é o seu bem--estar. Ligue para mim hoje à noite, se quiser; pode me encontrar no 555-7661. Vou estar acordado até meia-noite.

Lembre-se de que todos gostamos muito de você, e estamos do seu lado.

À votre santé

Len Bissette

Jake sentiu vontade de chorar. A preocupação era explícita, e isso era maravilhoso, mas havia outras coisas, coisas implícitas, no bilhete que eram ainda mais maravilhosas — calor humano, cuidado, e um esforço (por mais mal concebido que fosse) para compreender e consolar.

O sr. Bissette traçara uma pequena seta no pé da nota. Jake virou-a e leu o seguinte:

Aliás, Bonnie me pediu que mandasse isto junto — parabéns!

Parabéns? Que diabos significava aquilo?

Abriu a pasta. Uma folha de papel fora presa à primeira página de sua redação final. Tinha como cabeçalho DO ESCRITÓRIO DE BONITA AVERY, e Jake leu as linhas pontudas, escritas à caneta-tinteiro, com crescente perplexidade.

John,

Leonard sem dúvida expressará a preocupação que todos sentimos — ele é muitíssimo bom nisso —, portanto vou limitar-me à sua redação final, à qual li e dei nota em meu período entre as aulas. É estonteantemente original, e superior a qualquer trabalho de aluno que li nos últimos anos. Seu uso da repetição incremental ("... e esta é a verdade") é inspirado, mas evidente que a repetição incremental é apenas um truque. O verdadeiro valor de sua redação está na qualidade simbólica, estabelecida primeiro pelas imagens do trem e da porta na página de rosto e mantida esplendidamente até o fim. Isso atinge sua conclusão lógica com a ilustração da "torre negra", que entendo como sua declaração de que as ambições convencionais são não apenas falsas, mas perigosas.

Não pretendo entender todo o simbolismo (p.e., "Dama das Sombras", "pistoleiro"), mas parece nítido que você próprio é o "Prisioneiro" (da escola, sociedade etc.), e que o sistema educacional é o "Demônio Falante". É possível que tanto "Roland" quanto o "pistoleiro" sejam a mesma figura de autoridade — seu pai, talvez? Eu fiquei tão intrigada com a possibilidade que procurei o nome dele em seus registros. Vejo que é Elmer, mas vejo ainda que a inicial do segundo nome é R.

Acho isso extremamente provocativo. Ou será esse nome um símbolo duplo, tirado tanto de seu pai quanto do poema de Robert Browning "Childe Roland à Torre Negra Chegou"? Não é uma pergunta que eu faria à maioria dos alunos, mas sei como você é um leitor voraz!

De qualquer maneira, estou extremamente impressionada. Os alunos mais jovens são muitas vezes atraídos para a chamada literatura de "fluxo de consciência", mas raramente conseguem controlá-la. Você fez um trabalho extraordinário fundindo o fluxo com a linguagem simbólica.

Parabéns!

Apareça assim que "estiver de volta ao batente" — quero discutir a possível publicação desta obra no primeiro número da revista literária estudantil do próximo ano.

B. Avery

P.S. Se você deixou a escola hoje por ter tido súbitas dúvidas sobre minha capacidade de entender uma redação final de tão inesperada riqueza, espero tê-las aliviado.

Jake arrancou a folha do clipe, revelando a página de rosto de sua redação final estonteantemente original e ricamente simbólica. Escrito dentro de um círculo com a tinta vermelha da caneta da sra. Avery estava o conceito máximo, 10. Abaixo ela havia escrito EXCELENTE TRABALHO!!!

Jake começou a gargalhar.

O dia inteiro — aquele longo, assustador, confuso, excitante, aterrorizante e misterioso dia — condensou-se em grandes e ruidosos soluços de risada. Ele desabou na cadeira, com a cabeça jogada para trás, agarrando a barriga com as mãos, as lágrimas escorrendo pelas faces. Riu até ficar rouco. Quando estava quase parando, uma linha da bem-intencionada crítica da sra. Avery atraía o seu olhar e ele desembestava de novo. Não viu o pai entrar pela porta, olhá-lo com olhos intrigados e cautelosos, e tornar a sair, balançando a cabeça.

Finalmente tomou consciência de que a sra. Shaw continuava sentada em sua cama, olhando-o com uma expressão de simpático distanciamento tingida por uma leve curiosidade. Tentou falar, mas as risadas disparavam de novo antes que conseguisse.

Preciso parar, pensou. *Preciso parar ou isso vai me matar. Vou ter um derrame ou um ataque cardíaco, ou algo do tipo.*

Depois pensou: Imagino o que ela entendeu do "*chuu-chuu, chuuchuu*", e recomeçou a rir loucamente.

Por fim os espasmos começaram a reduzir-se a risadinhas. Ele passou o braço pelos olhos molhados e disse:

— Desculpe, sra. Shaw… é só que… bem… Eu tirei um dez na minha redação final. Ela era muito… muito rica… e muito sim… sim…

Não conseguiu terminar. Dobrou-se de rir novamente, segurando a barriga.

A sra. Shaw se levantou, sorrindo.

— Isso é ótimo, John. Fico feliz que tudo tenha saído tão bem, e tenho certeza de que seus pais também vão ficar. Estou atrasadíssima… acho que vou pedir ao porteiro para chamar um táxi. Boa noite, e durma bem.

— Boa noite, sra. Shaw — disse Jake, controlando-se com esforço. — E obrigado.

Assim que ela saiu, ele recomeçou a gargalhar.

21

Na meia hora seguinte, ele recebeu visitas separadas dos dois pais. Eles de fato haviam se acalmado, e o dez da redação final do filho os acalmara mais ainda. Jake recebeu-os com o dever de francês aberto na escrivaninha à sua frente, mas na verdade não o olhara nem tivera essa intenção. Esperava apenas que eles saíssem para poder estudar os dois livros que havia comprado mais cedo. Tinha a impressão de que as *verdadeiras* provas finais ainda esperavam pouco além do horizonte, e queria desesperadamente passar.

O pai enfiou a cabeça no quarto de Jake por volta das 22h15, vinte minutos depois que a mãe concluíra sua curta e vaga visita. Elmer Chambers segurava um cigarro numa das mãos e um copo de uísque na outra. Parecia não apenas mais calmo, mas quase chapado. Jake pensou brevemente e com indiferença se o pai andara atacando o suprimento de Valium da mãe.

— Você está bem, moleque?

— Estou.

Era mais uma vez o menininho arrumado, sempre em total controle de si mesmo. Os olhos que voltou para o pai não eram ardentes, mas opacos.

— Eu quero me desculpar por mais cedo.

O pai não era homem de muitas desculpas, e era ruim nisso. Jake descobriu-se sentindo um pouco de pena dele.

— Está tudo bem.

— Dia difícil — disse o pai. Gesticulou com o copo vazio. — Por que a gente simplesmente não esquece o que aconteceu? — Falava como se esta grande e lógica ideia houvesse acabado de lhe ocorrer.

— Já esqueci.

— Ótimo. — O pai pareceu aliviado. — É hora de você dormir um pouco, não é? Precisa explicar algumas coisas e fazer provas amanhã.

— Acho que sim — disse Jake. — Mamãe está bem?

— Sim, sim. Eu vou para o escritório. Tenho de trabalhar num monte de papelada esta noite.

— Pai?

O pai olhou-o cauteloso.

— Qual é seu segundo nome?

Alguma coisa no rosto do pai disse a Jake que ele havia olhado a nota de sua redação final, mas não se dera ao trabalho em ler nem o próprio trabalho nem a resenha da sra. Avery.

— Eu não tenho — disse ele. — Só a inicial, como Harry S. Truman. Só que a minha é R. Por quê?

— Só por curiosidade — disse Jake.

Conseguiu manter a compostura até o pai ir embora... mas assim que a porta se fechou, correu para a cama e enterrou o rosto no travesseiro para abafar outro ataque de gargalhadas.

22

Quando teve certeza de que o último ataque havia acabado (embora uma risadinha ainda lhe subisse de vez em quando à garganta como um choque posterior) e de que o pai estava seguramente trancado no escritório com seus cigarros, seu uísque, seus papéis e seu vidrinho de pó branco, Jake voltou à escrivaninha, acendeu o abajur de estudo e abriu *Charlie Chuu-Chuu*. Deu uma olhada na página de créditos e viu que o livro havia sido publicado originalmente em 1942; o exemplar era da quarta edição. Olhou atrás, mas não havia informação alguma sobre Beryl Evans, o autor do livro.

Jake voltou ao início, olhou o desenho de um homem louro sorridente sentado na cabine de uma locomotiva a vapor, refletiu sobre o orgulhoso sorriso no rosto do homem e começou a ler.

> Bob Brooks era maquinista da Ferrovia Mundo Médio, no ramal de St. Louis a Topeka. O maquinista era o melhor ferroviário que a Ferrovia Mundo Médio já tivera, e Charlie o melhor trem!
>
> Charlie era uma Locomotiva a Vapor Big Boy 402, e o Maquinista Bob o único homem a quem fora permitido sentar-se no seu comando e puxar a corda do apito. Todo mundo conhecia o CHUUU-CHUUU do apito de Charlie, e sempre que as pessoas o ouviam ecoando pelos campos do Kansas, diziam:
>
> — Lá vão Charlie e o Maquinista Bob, a dupla mais rápida entre St. Louis e Topeka.
>
> Meninos e meninas corriam para seus quintais para ver Charlie e o Maquinista Bob passando. O Maquinista Bob sorria e acenava. As crianças sorriam e respondiam ao aceno.
>
> O Maquinista Bob tinha um segredo especial. Ele era o único que sabia. Charlie Chuu-Chuu era realmente, realmente um ser vivo. Um dia, quando faziam o percurso entre Topeka e St. Louis, o Maquinista Bob ouviu alguém cantando, muito suave e baixo.
>
> — Quem está na cabine comigo? — perguntou severamente o maquinista Bob.

— Está precisando de uma terapia, Maquinista Bob — murmurou Jake, e virou a página. Ali havia um desenho de Bob curvando-se para olhar embaixo da fornalha de Charlie Chuu-Chuu. Jake imaginou quem estava dirigindo o trem e ficando de olho nas vacas (para não falar dos meninos e meninas) nos trilhos enquanto Bob procurava clandestinos, e calculou que Beryl Evans não entendia muito sobre trens.

— Não se preocupe — disse uma vozinha áspera. — Sou apenas eu.

— Eu quem? — perguntou o Maquinista Bob. Falou com sua voz mais alta e severa, porque ainda achava que alguém estivesse fazendo uma brincadeira com ele.

— Charlie — disse a vozinha áspera.

— Rá-Rá — fez o Maquinista Bob. — Trens não falam! Posso não saber de muita coisa, mas sei disso! Se você é Charlie, acho que pode soprar o seu próprio apito!

— Claro! — disse a vozinha, e neste momento o apito fez o seu barulhão, rolando pelas planícies do Missouri: CHUUU-CHUUU!

— Deus do céu! — disse o Maquinista Bob. — É você mesmo!

— Eu falei — disse Charlie Chuu-Chuu.

— Por que eu nunca soube que você estava vivo antes? — perguntou o Maquinista Bob. — Por que você nunca falou comigo antes?

Então Charlie cantou esta musiquinha para o Maquinista Bob com sua vozinha áspera.

Não me faças perguntas tolas,
Eu sou apenas um trem Chuu-Chuu
Eu não faço brincadeiras bobas.
E nunca vou ser como tu.
Quero apenas por aí correr
E ser um feliz trem Chuu-Chuu.
Até o dia em que eu morrer
Sob o brilhante céu azul.

— Você vai falar mais comigo quando estivermos viajando? — perguntou o Maquinista Bob. — Eu gostaria disso.

— Eu também — disse Charlie. — Eu amo você, Maquinista Bob.

— Também amo você, Charlie Chuu-Chuu — disse o Maquinista Bob, e soprou ele mesmo o apito, só para mostrar como estava feliz.

CHUUU-CHUUU! Foi o mais alto e melhor apito que Charlie *jamais* dera, e todos que o ouviram saíram para ver.

O desenho que ilustrava isso era semelhante ao da capa do livro. Nos anteriores (eram desenhos toscos, que lembravam a Jake os de seu livro favorito no jardim de infância, *Mike Mulligan e sua pá de carvão*), a locomotiva parecia apenas uma locomotiva — alegre, sem dúvida interessante para os meninos da década de 1940 que haviam sido o público visado pelo livro, mas ainda assim uma máquina. Naquele, porém, tinha nitidamente feições humanas, e isso provocou em Jake um profundo arrepio, apesar do sorriso de Charlie e do aspecto fofinho meio desajeitado da história.

Ele não confiava naquele sorriso.

Voltou à sua redação final e examinou as linhas. *Tenho bastante certeza de que Blaine é perigoso*, leu, *e esta é a verdade*.

Fechou a pasta, tamborilou com os dedos sobre ela por alguns instantes, pensativo, e voltou a *Charlie Chuu-Chuu*.

> O Maquinista Bob e Charlie passaram muitos dias felizes juntos e conversaram sobre muitas coisas. O Maquinista Bob morava sozinho, e Charlie era o primeiro amigo de verdade desde que sua esposa morrera, muito tempo atrás, em Nova York.
>
> Então, um dia, quando Charlie e o Maquinista Bob voltavam à rotunda em St. Louis, encontraram uma nova locomotiva a óleo diesel na baía de Charlie. E que locomotiva diesel! Cinco mil cavalos de força! Engates de aço inoxidável! Motores de tração da Fábrica de Locomotivas Utica, em Utica, Nova York! E no topo, atrás do gerador, lá estavam três ventiladores amarelos vivos de refrigeração do radiador.
>
> — O que é isso? — perguntou o Maquinista Bob com uma voz preocupada, mas Charlie apenas cantou sua musiquinha na voz mais baixa e áspera de que era capaz:
>
> *Não me faças perguntas tolas,*
> *Eu sou apenas um trem Chuu-Chuu*
> *Eu não faço brincadeiras bobas.*
> *E nunca vou ser como tu.*
> *Quero apenas por aí correr*
> *E ser um feliz trem Chuu-Chuu.*
> *Até o dia em que eu morrer*
> *Sob o brilhante céu azul.*

O sr. Briggs, Administrador da Rotunda, aproximou-se.

— É uma bela locomotiva a diesel — disse o Maquinista Bob —, mas o senhor vai precisar tirá-la da baia de Charlie, sr. Briggs. Charlie precisa de uma lubrificada esta tarde mesmo.

— Charlie não vai precisar mais de lubrificadas, Maquinista Bob — disse o sr. Briggs com um ar triste. — Esta é a sua substituta: uma locomotiva a diesel Burlington Zephyr novinha em folha. Um dia Charlie foi a melhor locomotiva do mundo, mas agora está velho e com a caldeira vazando. Receio que tenha chegado a hora de Charlie se aposentar.

— Bobagem! — O Maquinista Bob estava furioso. — Charlie ainda está em ponto de bala! Eu vou telegrafar para o escritório da direção da Ferrovia Mundo Médio! Eu próprio vou telegrafar para o presidente, o sr. Raymond Martin! Eu o conheço, porque ele certa vez me deu um Prêmio por Bons Serviços, e depois Charlie e eu levamos a filhinha dele para um passeio. Eu a deixei puxar a corda, e Charlie deu seu mais alto apito para ela!

— Eu sinto muito, Bob — disse o Sr. Briggs —, mas foi o próprio sr. Martin quem encomendou a nova locomotiva a diesel.

Era verdade. E assim Charlie Chuu-Chuu foi posto num desvio no canto mais distante do pátio de manobra da Ferrovia Mundo Médio para enferrujar no matagal. Agora ouvia-se o RON! RON! da Burlington Zephyr no ramal de St. Louis a Topeka, e Charlie não apitava mais. Uma família de camundongos fez ninho no banco onde o Maquinista Bob um dia se sentara com tanto orgulho, vendo os campos passarem; uma família de andorinhas fez o seu na chaminé. Charlie ficou solitário e muito triste. Sentia saudades dos trilhos de aço, dos brilhantes céus azuis e dos vastos espaços abertos. Às vezes, tarde da noite, ele se lembrava dessas coisas e chorava lágrimas oleosas e escuras. Isso enferrujou seu ótimo farol Stratham, mas ele não se importou, porque agora o farol Stratham estava velho, e sempre apagado.

O sr. Martin, presidente da Ferrovia Mundo Médio, escreveu oferecendo pôr o Maquinista Bob no banco da nova Burlington Zephyr.

— É uma ótima locomotiva, Maquinista Bob — disse o sr. Martin. — Muito poderosa, e deveria ser o senhor a pilotá-la! De todos os maquinistas que trabalham para a Mundo Médio, o senhor é o melhor.

E minha filha Susannah jamais esqueceu que o senhor a deixou puxar a corda do apito do velho Charlie.

Mas o Maquinista Bob disse que, se não pudesse pilotar Charlie, seus dias como ferroviário estavam acabados.

— Eu nunca entenderia uma locomotiva a diesel tão ótima assim — disse o Maquinista Bob —, e ela não me entenderia.

Deram-lhe um serviço limpando as máquinas nos pátios de St. Louis, e o Maquinista Bob se tornou o Esfregador Bob. Às vezes os outros maquinistas que dirigiam as novas e ótimas máquinas a diesel riam dele.

— Olhem só o velho tolo! — diziam. — Não entende que o mundo seguiu adiante.

Às vezes, tarde da noite, o Maquinista Bob ia ao outro lado do pátio da ferrovia, onde Charlie Chuu-Chuu continuava nos trilhos enferrujados do solitário desvio que se tornara sua casa. O mato se enredara em suas rodas; o farol estava enferrujado e apagado. O Maquinista Bob sempre conversava com Charlie, mas Charlie respondia cada vez menos. Muitas noites, nem sequer falava.

Certa noite, uma ideia terrível brotou na cabeça do Maquinista Bob.

— Charlie, você está morrendo? — perguntou ele, e com sua voz mais baixa, mais áspera possível, Charlie respondeu:

Não me faças perguntas tolas,
Eu sou apenas um trem Chuu-Chuu
Eu não faço brincadeiras bobas.
E nunca vou ser como tu.
Agora que não posso mais por aí correr
Sob o brilhante céu azul.
Acho que apenas ficarei a ver.
Até o dia em que eu finalmente morrer

Jake olhou por longo tempo o desenho que acompanhava essa virada de fatos não muito inesperada. Podia ser um desenho tosco, mas ainda assim, decididamente, bastante triste. Charlie parecia velho, surrado e esquecido. O Maquinista Bob parecia haver perdido o último de seus amigos... e, segundo a história, perdera mesmo. Jake imaginava o berreiro das crianças em todos os Estados Unidos nesse ponto do livro, e ocorreu-lhe que havia *muitas* histórias para crianças com coisas daquele tipo, coisas que eram como jogar ácido sobre todas as nossas emoções. Joãozinho e Maria expulsos para a floresta, a mãe do Bambi sendo morta por um caçador, a morte do Old Yeller, em *O meu melhor companheiro*. Era fácil magoar as crianças pequenas, fazê-las chorar, e isso parecia trazer à tona uma veia estranhamente sádica em muitos contadores de histórias... incluindo, parecia, Beryl Evans.

Mas Jake descobriu que *ele* não ficara triste com o relegamento de Charlie às terras devastadas na periferia do pátio de trens da Mundo Médio em St. Louis. Muito pelo contrário. *Ótimo*, pensou. *É o lugar dele. É o seu lugar, porque ele é perigoso. Que apodreça lá, e não confie nas lágrimas em seus olhos — dizem que os crocodilos também choram.*

Leu rapidamente o resto. Tinha um final feliz, lógico, embora fosse sem dúvida aquele momento de desespero na periferia do pátio que as crianças lembravam muito depois de o final feliz haver sido varrido de suas mentes. O sr. Martin, presidente da Ferrovia Mundo Médio, vinha a St. Louis verificar a operação. Planejava viajar na Burlington Zephyr para Topeka, onde sua filha dava o primeiro recital de piano, naquela mesma tarde. Só que a Zephyr não queria pegar. Parecia que havia água no óleo diesel.

(*Foi você quem pôs água no diesel, Maquinista Bob?*, pensou Jake. *Aposto que foi, seu velho sonso!*)

Todos os outros trens estavam fora, em viagens! O que fazer?

> Alguém puxou o braço do sr. Martin. Era o Esfregador Bob, só que ele não parecia mais um esfregador de máquinas. Tirara a roupa suja de óleo e colocara um macacão limpo. Na cabeça, o velho boné de maquinista.
>
> — Charlie está bem ali, naquele desvio — disse ele. — Charlie fará a viagem até Topeka, sr. Martin. Charlie levará o senhor a tempo para o recital de piano da sua filha.
>
> — Aquela banheira velha? — desdenhou o Sr. Briggs. — Charlie ainda estaria a oitenta quilômetros de Topeka no pôr do sol.
>
> — Charlie consegue — insistiu o Maquinista Bob. — Sem trem para puxar, eu sei que pode! Eu andei limpando a máquina e a caldeira nas minhas horas de folga, sabe?
>
> — Vamos tentar — disse o sr. Martin. — Eu ficaria muito triste se perdesse o primeiro recital de Susannah.

Charlie estava pronto para partir; o Maquinista enchera seu tênder com carvão novo, e a fornalha estava tão quente que tinha as laterais rubras. Ele ajudou o sr. Martin a subir na cabine e tirou Charlie do desvio enferrujado e esquecido para os trilhos principais, pela primeira vez em muitos anos. Então, ao engatar a primeira marcha, puxou a corda, e Charlie deu seu velho grito de guerra: CHUUU-CHUUU.

Em toda St. Louis as crianças ouviram esse grito, e correram para os quintais para ver passar a antiga locomotiva enferrujada.

— Veja! — gritavam. — É Charlie! Charlie Chuu-Chuu voltou! Vivaaa!

Todas acenavam, e quando Charlie deixou a cidade, ganhando velocidade, lançou seu próprio grito, como fazia nos velhos tempos: CHUU-CHUUU!

Café-com-pão-manteiga-não, faziam as rodas de Charlie!

Pufe-Pufe, fazia a fumaça saindo da chaminé!

Tunc-tunc, fazia a correia transportando carvão para a fornalha!

E que velocidade! Charlie voava! Santo Deus, voava mesmo! Charlie jamais correra tão rápido antes! O campo passava zunindo num borrão! Passaram pelos carros na estrada 41 como se eles estivessem parados!

— Dá-lhe! — gritou o sr. Martin, sacudindo o chapéu no ar. — Isso é que é locomotiva, Bob! Eu não sei por que a aposentamos! Como você mantém a correia de carvão carregada nessa velocidade?

O Maquinista Bob apenas sorriu, porque sabia que Charlie estava se *alimentando sozinho*. E, por baixo *do café-com-pão-manteiga-não*, do *pufe-pufe* e do *tunc-tunc*, ouvia Charlie cantando a velha musiquinha com sua vozinha áspera:

Não me faças perguntas tolas,
Eu sou apenas um trem Chuu-Chuu
Eu não faço brincadeiras bobas.
E nunca vou ser como tu.
Quero apenas por aí correr
E ser um feliz trem Chuu-Chuu.
Até o dia em que eu morrer
Sob o brilhante céu azul.

Charlie levou o sr. Martin ao recital de piano da filha a tempo (lógico), e Susannah ficou toda animada de ver o velho amigo Charlie de novo (lógico), e todos voltaram para St. Louis juntos, com Susannah puxando para valer a corda do apito o caminho todo. O sr. Martin deu ao Maquinista Bob um emprego puxando crianças pela cidade no novíssimo Parque de Diversão Mundo Médio, na Califórnia, e

> você os encontrará lá até hoje, puxando crianças risonhas de um lado para outro naquele mundo de luzes e música e boa, saudável diversão. O Maquinista Bob tem os cabelos brancos, e Charlie não fala tanto quanto antes, mas os dois ainda têm muita bala na agulha, e de vez em quando as crianças ouvem Charlie cantando sua velha musiquinha com sua voz baixa e áspera.

FIM

— Não me faça perguntas tolas, eu não faço brincadeiras bobas — murmurou Jake, olhando para o último desenho. Este mostrava Charlie Chuu-Chuu puxando dois vagões de passageiros enfeitados com faixas, cheios de crianças felizes, da montanha-russa à roda-gigante. O Maquinista Bob estava sentado na cabine puxando a corda do apito e parecendo satisfeito como porco chafurdando em bosta. Jake achava que o sorriso do Maquinista Bob devia transmitir suprema felicidade, mas para ele parecia o sorriso de um lunático. Tanto Charlie quanto o Maquinista Bob pareciam lunáticos… e quanto mais Jake olhava as crianças, mais achava que suas expressões pareciam caretas de terror. *Deixem a gente sair deste trem*, pareciam dizer os rostos. *Por favor, deixem a gente sair vivo deste trem.*

E ser um feliz trem Chuu-Chuu até o dia em que eu morrer.

Jake fechou o livro e ficou o encarando, pensativo. Depois tornou a abri-lo e pôs-se a folhear as páginas, circulando algumas palavras e frases que pareciam atraí-lo.

Ferrovia Mundo Médio… Maquinista Bob… vozinha áspera… CHUUU-CHUUU… o primeiro amigo de verdade que tinha desde que a esposa morrera, muito tempo atrás, em Nova York… Sr. Martin... O mundo seguira adiante… Susannah…

Largou a caneta. *Por que* aquelas palavras e frases o atraíam? Aquela sobre Nova York parecia bastante óbvia, mas e as outras? Aliás, por que aquele *livro*? Que ele tinha de comprá-lo era certeza absoluta. Se não tivesse o dinheiro no bolso, não tinha dúvidas de que simplesmente o teria apanhado e corrido para fora da loja. Mas *por quê*? Sentia-se como uma agulha de bússola. A agulha nada sabe do norte magnético: sabe apenas que tem de apontar para uma certa direção, goste ou não.

A única coisa que Jake sabia ao certo era que estava muitíssimo cansado, e se não fosse logo para a cama adormeceria sobre a escrivaninha. Tirou a camisa e tornou a olhar a capa de *Charlie Chuu-Chuu*.

Aquele sorriso. Simplesmente não confiava naquele sorriso.

Nem um pouco.

23

O sono não veio tão rápido quanto Jake esperava. As vozes recomeçaram a discutir se ele estava vivo ou morto, e mantiveram-no acordado. Por fim, ele se sentou na cama de olhos fechados e punhos cerrados nas têmporas.

Desistam!, gritou para elas. *Apenas desistam! Vocês estiveram calados o dia todo, então vão embora agora!*

Eu iria se ele admitisse que eu estou morto, disse uma das vozes, mal-humorada.

Eu iria se ele desse uma olhada em volta, pelo amor de Deus, e admitisse que eu estou obviamente vivo, retrucou a outra.

Ele ia gritar bem alto. Não havia como conter o grito; sentia-o subindo pela garganta como vômito. Abriu os olhos, viu a calça sobre o assento da cadeira e teve uma ideia. Levantou-se da cama, foi até a cadeira e apalpou o bolso direito da frente.

A chave de prata continuava ali, e assim que seus dedos se fecharam em torno dela, as vozes cessaram.

Diga a ele, pensou, sem ideia alguma de a quem o pensamento se dirigia. *Diga a ele para pegar a chave. A chave faz as vozes irem embora.*

Voltou para a cama e, três minutos depois de deitar a cabeça no travesseiro, estava dormindo com a chave cerrada na mão.

3. A PORTA E O DEMÔNIO

1

Eddie já estava quase dormindo quando uma voz lhe falou nitidamente no ouvido: *Diga a ele para pegar a chave. A chave faz as vozes irem embora.*

Sentou-se num susto, olhando freneticamente ao seu redor. Susannah dormia profundamente a seu lado; a voz não fora dela.

Nem de ninguém mais, parecia. Fazia agora oito dias que eles atravessavam as matas, seguindo o caminho apontado pelo Feixe, e nesta noite haviam acampado na profunda fenda de um pequeno vale. Ali perto, à esquerda, uma caudalosa torrente passava rugindo, impetuosa, na mesma direção que a deles: sudeste. À direita, abetos se erguiam numa íngreme encosta de terra. Ali não havia intrusos; apenas Susannah dormindo e Roland acordado. Ele estava sentado enroscado debaixo de sua manta na margem do leito do rio, fitando a escuridão.

Diga a ele para pegar a chave. A chave faz as vozes irem embora.

Eddie hesitou apenas por um instante. A sanidade de Roland pendia numa balança agora, o equilíbrio tombando para o lado errado, e o pior era o seguinte: ninguém sabia melhor disso do que ele próprio. A essa altura, Eddie estava disposto a agarrar-se a qualquer coisa para salvá-lo.

Ele vinha usando um quadrado dobrado de couro de cervo como travesseiro. Enfiou a mão embaixo dele e retirou de lá uma trouxa envolta num pedaço de couro. Foi até Roland e ficou abalado ao ver que o pistoleiro só notou sua presença quando ele estava a quatro passos de suas costas desprotegidas. Houvera um tempo — e não muito atrás — em que Roland teria sabido que Eddie estava acordado antes mesmo de ele se sentar. Teria escutado a mudança na sua respiração.

Ele estava mais alerta do que isso na praia, quando estava semimorto por causa da mordida da lagostrosidade, pensou sombriamente.

Por fim, Roland virou a cabeça e olhou para ele. Tinha os olhos brilhantes de dor e cansaço, mas Eddie reconheceu estas coisas como não mais do que uma luminosidade superficial. Por baixo, percebeu uma crescente confusão que ia com quase toda a certeza se tornar loucura se continuasse a desenvolver-se ao léu. E sentiu um aperto no coração.

— Não consegue dormir? — perguntou Roland com a voz arrastada, parecendo chapado.

— Eu estava quase adormecendo, mas então acordei — disse Eddie. — Escute...

— Acho que estou me preparando para morrer. — Roland olhou para Eddie. O brilho luminoso deixou os seus olhos, e vê-los agora era como fixar a vista em dois poços escuros e profundos que pareciam não ter fim. Eddie estremeceu, mais por causa daquele olhar vazio do que pelo que Roland dissera. — E sabe o que espero encontrar na clareira quando o caminho terminar, Eddie?

— Roland...

— Silêncio — continuou o pistoleiro. Exalou um suspiro exausto. — Apenas silêncio. Isso basta. Um fim para... isto.

Comprimiu os punhos nas têmporas, e Eddie pensou: *Eu vi mais alguém fazendo isso, e não faz muito tempo. Mas quem? Onde?*

Era ridículo, óbvio; não via ninguém além de Roland e Susannah já fazia quase dois meses. Mas, ainda assim, *parecia* verdade.

— Roland, eu fiz uma coisa — disse Eddie.

Roland assentiu. Um esboço de sorriso tocou-lhe os lábios.

— Eu sei. O que é? Está finalmente pronto para contar?

— Acho que pode ter a ver com essa história de ka-tet.

O olhar vazio sumiu dos olhos de Roland. Ele fitou Eddie, pensativo, mas ainda em silêncio.

— Veja. — Eddie começou a desembrulhar o retalho de couro.

Isto não vai servir pra nada! A voz de Henry zurrou de repente. Tão alta que Eddie chegou a hesitar um pouco. *Não passa de um toco idiota de madeira talhada! Ele vai dar uma olhada e vai morrer de rir! Vai rir de você! Ah, olha só pra isso!, vai dizer. O veadinho talhou alguma coisa?*

— Cale a boca — resmungou Eddie.

O pistoleiro ergueu as sobrancelhas.

— Você, não.

Roland assentiu, sem demonstrar surpresa.

— Seu irmão entra em você com frequência, não é, Eddie?

Por um instante Eddie apenas manteve os olhos fixos nele, com o objeto talhado escondido no quadrado de couro. Então sorriu. Não foi um sorriso muito agradável.

— Não com tanta frequência quanto antes, Roland. Agradeço a Deus pelas pequenas coisas.

— Sim — disse Roland. — Vozes demais oprimem demais o coração de um homem... O que é isso, Eddie? Mostre-me, por favor.

Eddie ergueu o cepo de freixo. A chave, quase completa, emergia dele como a cabeça de uma mulher da proa de um barco singrando os mares... ou o punho de uma espada de um bloco de pedra. Eddie não sabia o quão perto havia chegado de reproduzir a forma de chave que vira no fogo (e nunca saberia, imaginou, a não ser que encontrasse a fechadura certa onde experimentá-la), mas achava que estava próximo. De uma coisa, tinha certeza: era o melhor entalhe que já fizera. De longe.

— Pelos deuses, Eddie, é linda! — exclamou Roland. A apatia havia desaparecido de sua voz; ele falava num tom de reverente surpresa que Eddie nunca ouvira antes. — Já está pronta? Não está, não é?

— Não... ainda não. — Correu o polegar sobre o terceiro corte, e depois sobre a forma de *s* na ponta do último corte. — Preciso trabalhar mais neste corte, e a curva da ponta ainda não está certa. Não sei como sei disso, mas sei.

— Esse é o seu segredo. — Não era uma pergunta.

— Sim. Mas se ao menos eu soubesse o que significa.

Roland olhou em volta. Eddie acompanhou seu olhar e viu Susannah. Ficou um pouco aliviado com o fato de que Roland a escutara primeiro.

— O que é que os meninos aí estão fazendo acordados até tão tarde? Batendo papo? — Ela viu a chave de madeira na mão de Eddie e aprovou com a cabeça. — Eu queria mesmo saber quando você ia resolver mostrar isso. Está muito boa. Não sei pra que serve, mas é bonita pra cacete.

— Você não tem a menor ideia de que porta ela pode abrir? — perguntou Roland a Eddie. — Isso não era parte de seu khef?

— Não... mas talvez sirva para alguma coisa, embora ainda não esteja terminada. — Entregou a chave a Roland. — Quero que a guarde pra mim.

Roland não se mexeu para pegá-la. Olhou Eddie atentamente.

— Por quê?

— Porque... bem... porque acho que alguém me disse que você devia fazer isso.

— Quem?

Seu garoto, pensou de repente Eddie, e tão logo este pensamento lhe ocorreu, ele soube que era verdade. *Foi aquele filho da mãe do seu garoto*. Mas não queria dizer. Não queria nem sequer mencionar o nome do garoto. Isso poderia fazer Roland piorar de novo.

— Eu não sei. Mas acho que você deveria tentar.

Roland estendeu devagar a mão para pegar a chave. Quando seus dedos a tocaram, uma luz trêmula e brilhante pareceu lampejar nela de cima a baixo, mas desapareceu tão rápido que Eddie não teve certeza de que a vira de verdade. Talvez tivesse sido apenas a luz de uma estrela.

Roland fechou a mão em volta da chave que se projetava do galho. Por um instante, nada transpareceu de seu semblante. Então ele franziu a testa e inclinou a cabeça.

— O que foi? — perguntou Susannah. — Está escutando...

— *Shh*! — A perplexidade na expressão de Roland foi aos poucos sendo substituída por admiração. Ele olhou para Eddie e em seguida para Susannah, e desviou o olhar mais uma vez para Eddie. Tinha os olhos cheios de uma grande emoção, como um jarro que se enche de água quando mergulhado numa fonte.

— Roland? — perguntou Eddie, preocupado. — Você está bem?

Roland sussurrou alguma coisa. Eddie não conseguiu ouvir o que foi. Susannah parecia assustada. Lançava olhares frenéticos para Eddie, como quem pergunta: *O que foi que você fez com ele?*

Eddie tomou uma das mãos dela dentro das suas.

— Acho que está tudo bem.

A mão de Roland agarrava com tanta força o cepo de madeira que Eddie receou por um momento que ele pudesse quebrá-lo em dois, mas a madeira era forte e Eddie havia talhado grosso. A garganta do pistoleiro inchou; seu pomo de adão despontava e baixava enquanto ele lutava para as palavras saírem. E de repente ele gritou para o céu numa voz cristalina e forte:

— ELAS FORAM EMBORA! AS VOZES FORAM EMBORA!

Ele tornou a olhar para os dois, e Eddie viu uma coisa que jamais esperara ver na vida — nem que a vida se estendesse por mil anos.

Roland de Gilead estava chorando.

2

Naquela noite, pela primeira vez em meses, o pistoleiro dormiu um sono profundo e sem sonhos, e adormeceu com a chave inacabada agarrada na mão.

3

Em outro mundo, mas à sombra do mesmo ka-tet, Jake Chambers estava tendo o sonho mais vívido de sua vida.

Percorria a pé os detritos de uma antiga floresta — uma zona morta de árvores tombadas e arbustos desordenados, pontudos, que lhe picavam os tornozelos e quase arrancavam os seus tênis. Chegou a um pequeno cinturão de árvores jovens (amieiros, pensou, ou talvez faias — ele era um garoto urbano, e a única coisa que sabia com certeza sobre árvores era que tinham folhas e algumas agulhas) e descobriu um atalho através delas. Seguiu por ele, movendo-se um pouco mais rápido. À frente se avistava um tipo de clareira.

Parou antes de alcançá-la, quando localizou uma espécie de marco de pedra à direita. Deixou o atalho para espiá-lo. Embora houvesse letras talhadas na pedra, estavam tão desfeitas pela erosão que não conseguiu decifrá-las. Por fim, fechou os olhos (nunca fizera isso num sonho antes) e deixou os dedos traçarem cada letra, como um menino cego lendo em braile. Cada uma delas se desenhou na escuridão atrás de suas pálpebras até formarem juntas uma frase que se destacou em um contorno de luz azul:

VIAJANTE, ADIANTE FICA O MUNDO MÉDIO.

Dormindo em sua cama, Jake encolheu os joelhos junto ao peito. A mão que segurava a chave estava debaixo do travesseiro, e agora seus dedos aumentaram a pressão.

Mundo Médio, pensou, claro. *St. Louis e Topeka e Oz e a Feira Mundial e Charlie Chuu-Chuu.*

Abriu os olhos, ainda sonhando, e prosseguiu. A clareira atrás das árvores estava pavimentada com asfalto velho, rachado. Um círculo amarelo desbotado havia sido pintado no meio. Jake percebeu que era uma quadra de basquete num campo de esportes mesmo antes de ver o garoto na outra extremidade, em pé na linha de fundo e lançando cestas com uma velha e empoeirada bola Wilson. Elas pipocavam ali dentro uma após a outra, passando à perfeição pelo buraco sem rede. A cesta projetava-se acima de uma coisa que parecia um quiosque que já encerrara pelo dia. A porta fechada tinha faixas diagonais pintadas de amarelo e preto. Na parte de trás — ou talvez embaixo — Jake ouvia o constante ronco de uma poderosa máquina. O barulho era de algum modo perturbador. Assustador.

Não pise nos robôs, disse sem se virar para trás o garoto que lançava as bolas na cesta. *Acho que estão todos mortos, mas eu não me arriscaria se fosse você.*

Jake olhou em volta e viu vários dispositivos mecânicos despedaçados espalhados pelo chão. Um deles se parecia com um rato ou camundongo, outro com um morcego. Uma cobra mecânica achava-se partida em dois pedaços enferrujados quase a seus pés.

VOCÊ é eu?, perguntou Jake, aproximando-se mais um passo do garoto na cesta, mas, mesmo antes de ele se virar, Jake viu que havia se enganado. O garoto era maior do que ele, e tinha pelo menos uns treze anos, os cabelos escuros, e quando o olhou, Jake notou que os olhos do estranho eram cor de avelã. Os seus eram azuis.

O que você acha?, perguntou o garoto estranho, e fez a bola quicar para Jake.

Não, claro que não, disse Jake. Falou se desculpando. *É só porque tenho andado dividido em dois faz umas duas ou três semanas.* Ele mergulhou para pegar a bola e lançou do meio da quadra. A bola desenhou um arco em alto e caiu silenciosamente pelo aro da cesta. Sentiu-se maravilhado… mas também descobriu que sentia um certo medo do que aquele garoto estranho tivesse para lhe dizer.

Eu sei, disse o garoto. *Tem sido uma merda para você, não é?* Ele usava um calção xadrez desbotado e uma camiseta com os dizeres NÃO HÁ UM SÓ INSTANTE CHATO NO MUNDO MÉDIO. Havia amarrado um lenço verde estampado na testa para manter o cabelo longe dos olhos. *E tudo vai piorar antes de melhorar.*

Que lugar é este?, perguntou Jake. *E quem é você?*

É o Portal do Urso… mas também é o Brooklyn.

Isso não parecia fazer sentido, mas de algum modo fazia. Jake disse a si mesmo que as coisas sempre eram assim nos sonhos, mas aquilo não *parecia* realmente ser um sonho.

Quanto a mim, não tenho muita importância, disse o garoto. Ele ergueu a bola na altura do pescoço. Esta se ergueu e atravessou facilmente o arco. *Eu devo guiar você, só isso. Vou levá-lo aonde precisa ir e te mostrar o que precisa ver, mas você tem de ser cuidadoso porque eu não vou conhecê-lo. E estranhos deixam Henry nervoso. Ele às vezes fica mau quando fica nervoso, e é maior que você.*

Quem é Henry?, perguntou Jake.

Não importa. Só não deixe que ele veja você. Tudo o que tem a fazer é ficar por perto e nos seguir. Depois, quando formos embora…

O garoto olhou para Jake. Havia pena e medo em seus olhos. Jake de repente percebeu que o garoto começava a *sumir*… Podia ver as listras amarelas e pretas na caixa através de sua camiseta amarela.

Como vou encontrar você? Jake de repente ficou apavorado, com medo de que o garoto desaparecesse completamente antes de poder dizer tudo que ele precisava saber.

Não tem problema, disse o garoto. Sua voz havia adquirido um eco esquisito, melodioso. *Basta pegar o metrô para Co-Op City. Você vai me encontrar.*

Não, não vou!, gritou Jake. *Co-Op City é imensa! Deve ter umas cem mil pessoas morando lá!*

Agora o garoto não passava de um contorno difuso. Só seus olhos cor de avelã continuavam inteiros ali, como o sorriso largo do gato em *Alice*. Olhavam para Jake com compaixão e ansiedade. *Não tem problema*, disse ele. *Você encontrou a chave e a rosa, não foi? Vai me encontrar do mesmo jeito. Hoje à tarde, Jake. Lá pelas três. Você precisa ser cuidadoso, e terá de ser rápido.* Fez uma pausa, um garoto fantasmagórico com uma velha bola de basquete junto a um pé transparente. *Preciso ir agora… mas foi bom conhecer você.*

Parece um garoto maneiro, e não admira que ele ame você. Mas lembre-se de que há perigo. Seja cuidadoso… e rápido.

Espere!, berrou Jake, e atravessou a toda a quadra de basquete em direção ao garoto que desaparecia. Golpeou com um dos pés o robô espatifado que parecia um trator de brinquedo infantil. Tropeçou e caiu de joelhos, rasgando as calças. Ignorou o leve ardor do ferimento. *Espere! Você precisa me dizer o que é tudo isso! Precisa me dizer por que essas coisas estão acontecendo comigo!*

Por causa do Feixe, respondeu o garoto que agora era apenas um par de olhos flutuante, *e por causa da Torre. No fim, tudo, até os Feixes, serve à Torre Negra. Você achou que podia ser diferente?*

Jake gesticulou no ar e se levantou aos tropeços. *Eu vou encontrar você? Vou encontrar o pistoleiro?*

Não sei, respondeu o garoto. Sua voz agora parecia vir de um milhão de quilômetros de distância. *Só sei que você precisa tentar. Nisso, não tem escolha.*

O garoto sumiu. A quadra de basquete nas matas ficou vazia. O único barulho era o fraco ronco de máquinas, e Jake não gostava do ruído. Havia alguma coisa errada naquele som, e ele imaginou que o que estivesse de errado com as máquinas era o que vinha afetando a rosa, ou vice-versa. Tudo estava de algum modo conectado.

Ele pegou a velha bola de basquete esfolada e lançou. A bola atravessou belamente o arco… e desapareceu.

Um rio, suspirou a voz do garoto desconhecido. Como um sopro de brisa, vindo de nenhum lugar e de toda parte. *A resposta é um rio.*

4

Jake acordou à primeira luz clara do amanhecer, olhando para o teto de seu quarto. Pensava no cara no Restaurante da Mente de Manhattan — Aaron Deepneau, que tempos atrás batera ponto na Bleecker Street quando Bob Dylan só sabia soprar a nota sol em seu Hohner. Aaron Deepneau havia proposto um enigma a Jake.

O que é o que é,
que corre mas não anda,

tem boca mas não fala,
tem leito mas não dorme
tem cabeça mas não chora?

Agora ele sabia a resposta. Um rio corria; um rio tinha boca; um rio tinha leito; um rio tinha cabeça. O garoto lhe dera a resposta. O garoto no sonho.

E de repente ele pensou em mais alguma coisa. Deepneau dissera: *Esta é apenas a metade da resposta. O enigma de Sansão é duplo, meu amigo.*

Jake conferiu as horas no relógio da mesa de cabeceira: eram 6h20 da manhã. Hora de se mexer se quisesse estar longe dali antes de os pais acordarem. Nada de colégio aquele dia; Jake pensou que talvez, no que lhe dizia respeito, o colégio havia sido suspenso para sempre.

Empurrou com os pés o colchão e, ao girá-los para o chão, viu que tinha arranhões nos dois joelhos. Recentes. Machucara o lado esquerdo do corpo na véspera ao escorregar nos tijolos e cair, e batera a cabeça ao desmaiar perto da rosa, mas nada acontecera com seus joelhos.

— Isso foi no sonho — sussurrou Jake, e viu que não estava nem um pouco surpreso. Começou a se vestir rapidamente.

5

No fundo do armário, debaixo de um amontoado de tênis velhos sem cadarço e de uma pilha de quadrinhos do Homem-Aranha, encontrou a mochila que usava no primário. Ninguém seria maluco de usar uma mochila dessas no Colégio Piper — que coisa mais pobre — e, ao pegá-la, Jake sentiu uma poderosa onda de nostalgia daqueles dias em que a vida parecia tão simples.

Enfiou lá dentro uma camisa limpa, uma calça jeans, roupas de baixo e meias, então acrescentou *O que É o que É!* e *Charlie Chuu-Chuu.* Havia colocado a chave em cima da escrivaninha antes de vasculhar o armário à procura de sua velha mochila, e as vozes voltaram na mesma hora, embora distantes e abafadas. Além disso, sentia-se confiante de que poderia fazê-las desaparecer segurando mais uma vez a chave, o que lhe tranquilizara.

Tudo bem, pensou, examinando o interior da mochila. Mesmo com os livros, ainda restava bastante espaço. *O que mais?*

Por um momento, achou que não havia mais nada… e então soube.

6

O escritório de seu pai cheirava a cigarro e ambição.

O cômodo era dominado por uma imensa escrivaninha de teca. Do outro lado, embutidos numa parede de resto revestida de livros, ficavam três monitores de televisão Mitsubishi. Cada um estava sintonizado em um dos canais rivais, e à noite, quando o pai estava ali, transmitiam a programação do horário nobre televisivo.

As cortinas estavam fechadas, e Jake precisou acender o abajur da escrivaninha para enxergar. Sentia-se nervoso só pelo fato de se encontrar ali, mesmo calçando tênis. Se o pai acordasse e entrasse (o que era possível; não importa o quão tarde houvesse ido para a cama ou o quanto houvesse bebido, Elmer Chambers tinha o sono leve e era madrugador), ficaria furioso. Isso no mínimo tornaria a fuga muito mais difícil. Quanto antes desse o fora dali melhor Jake se sentiria.

Embora a escrivaninha estivesse trancada, o pai nunca fizera segredo de onde guardava a chave. Jake deslizou os dedos embaixo do mata-borrão e pegou-a. Abriu a terceira gaveta, enfiou a mão além dos arquivos suspensos e tocou o metal gelado.

Uma tábua rangeu no corredor e ele se imobilizou. Passaram-se vários segundos. Como o rangido não se repetiu, Jake retirou a arma que o pai mantinha para "defesa do lar" — uma Ruger .44 automática. O pai havia mostrado a arma a Jake no dia em que a comprara — dois anos antes. Ignorara por completo as nervosas exigências da esposa para que a guardasse antes de alguém ser ferido.

Jake encontrou o botão lateral que soltava o pente de balas. Este caiu em sua mão com um ruído metálico... *snac!*... que ressoou muito alto no apartamento silencioso. Ele lançou mais uma vez um olhar nervoso em direção à porta e voltou a atenção para o pente. Inteiramente carregado. Começou a introduzir o pente de volta na arma, mas mudou de ideia e retirou-o de novo. Guardar uma arma carregada numa gaveta trancada era uma coisa; circular com uma por Nova York era outra muito diferente.

Acomodou a pistola no fundo da mochila e tornou a tatear atrás dos arquivos. Desta vez trouxe uma caixa de balas mais ou menos pela metade.

Lembrou-se de que o pai praticara um pouco de tiro ao alvo no estande da polícia na Primeira Avenida antes de perder o interesse.

A tábua rangeu mais uma vez. Jake precisava sair logo dali.

Retirou uma das camisas que pusera na mochila, estendeu-a sobre a mesa e enrolou nela o pente e a caixa de balas .44. Depois recolocou-a na mochila e usou as fivelas para fixar a aba. Já ia saindo quando deu com os olhos na pequena pilha de papéis de carta ao lado da bandeja de correspondência recebida e a ser enviada. Os óculos escuros espelhados Ray-Ban que o pai gostava de usar estavam dobrados em cima da papelada. Ele pegou uma folha de papel, e, depois de refletir por um instante, os óculos também. Enfiou-os no bolso do peito. Então retirou a fina caneta de ouro do suporte e escreveu *Queridos Papai e Mamãe* sob o timbre da carta.

Interrompeu-se, encarando a saudação. O que escreveria embaixo? O quê, exatamente, tinha a dizer? Que os amava? Isso era verdade, mas não o bastante — havia todos os outros tipos de verdade embutidas nesta verdade essencial, como agulhas de aço espetadas num novelo de lã. Que ia sentir saudades deles? Não sabia se isso era verdade ou não, o que não deixava de ser um pouco horrível. Que esperava que *eles* sentissem saudades *dele*?

De repente compreendeu qual era o problema. Se planejasse sumir por apenas aquele dia, teria condições de escrever alguma coisa. Mas pressentiu uma quase certeza de que *não era* apenas aquele dia, nem aquela semana, mês ou verão. Tinha uma impressão de que, quando saísse do apartamento, seria para sempre.

Quase amassou a folha de papel, e então mudou de ideia. Escreveu: *Por favor, cuidem-se bem. Com amor, J.* Muito capenga, mas pelo menos era alguma coisa.

Ótimo. Agora quer parar de abusar da sorte e dar o fora daqui?

Foi o que fez.

Um silêncio quase mortal reinava no apartamento. Ele atravessou a sala de estar na ponta dos pés, ouvindo apenas os ruídos da respiração dos pais: as leves e suaves ressonadas da mãe, e a respiração mais anasalada do pai, onde cada inspiração terminava num pequeno assobio agudo. A geladeira deu uma engrenada quando ele chegou ao saguão de entrada, paralisando-o por um instante, o coração martelando no peito. Então ele alcançou a porta.

Destrancou-a no maior silêncio possível, cruzou-a e fechou-a delicadamente atrás de si.

Uma pedra pareceu rolar do seu peito quando o trinco estalou, e um forte sentimento de antecipação se apoderou dele. Não sabia o que o aguardava dali em diante, e tinha razão para acreditar que seria perigoso, mas tinha onze anos — jovem demais para negar o exótico prazer que de repente o dominou. Uma rodovia se estendia à sua frente, levando para o coração de uma terra desconhecida. Os segredos se desvendariam por si mesmos se ele fosse inteligente... e se tivesse sorte. Deixara sua casa à luz do amanhecer, e o que tinha pela frente era uma esplêndida aventura.

Se eu resistir, se puder ser fiel, vou ver a rosa, pensou ao apertar o botão do elevador. *Eu sei disso... e vou* vê-lo, *também.*

Esta ideia encheu-o de um entusiasmo tão grande que beirava o êxtase.

Três minutos depois, ele saía sob o toldo que sombreava a entrada do prédio onde morara a vida toda. Parou por um instante, e então tomou a esquerda. A decisão não parecia aleatória, e não foi. Seguia para sudeste, pelo caminho do Feixe, retomando sua própria jornada interrompida pela Torre Negra.

7

Dois dias após Eddie dar a chave inacabada a Roland, os três viajantes — com calor, suados, cansados e desorientados — avançavam a muito custo por um emaranhado particularmente tenaz de arbustos e árvores secundárias, e descobriram o que pareceu à primeira vista serem dois caminhos indistintos, correndo um atrás do outro sob os galhos entrelaçados das velhas árvores amontoadas, que se comprimiam umas nas outras de cada lado. Depois de alguns instantes de observação, Eddie decidiu que não eram apenas caminhos, mas restos de uma estrada havia muito abandonada. Arbustos e árvores atrofiadas cresciam como penas desordenadas, em volta do que fora sua copa. As indentações cobertas de mato eram sulcos estriados, cada um largo o bastante para acomodar a cadeira de rodas de Susannah.

— Aleluia! — ele gritou. — Um brinde a isso!

Roland assentiu e soltou o cantil que trazia na cinta. Entregou-o primeiro a Susannah, que cavalgava em sua tipoia nas costas do pistoleiro. A chave de Eddie, agora pendurada no pescoço de Roland por uma tira de couro cru, deslocava-se em sua camisa a cada movimento. Ela tomou um gole e passou o cantil a Eddie. Ele bebeu e começou a desdobrar a cadeira de rodas. Eddie passara a odiar aquela geringonça volumosa e frustrante; era como uma âncora de ferro, sempre os atrasando. Fora um ou dois raios quebrados, continuava em ótimo estado. Em certos dias, Eddie imaginava que aquela porra iria durar mais que eles três juntos. Agora, porém, talvez fosse útil... pelo menos por algum tempo.

Ele ajudou Susannah a sair da tipoia e sentou-a na cadeira. Ela levou as mãos às costas, espreguiçou-se e fez uma careta de prazer. Eddie e Roland ouviram o pequeno estalo de sua coluna esticando-se.

Mais adiante e acima, surgiu das matas uma enorme criatura que parecia o cruzamento de um texugo com guaxinim caminhando sem pressa. Olhou-os com seus grandes olhos debruados de dourado, torceu o pontudo e barbudo focinho como quem diz: *Huum! Grande coisa!*, terminou de cruzar a estrada e tornou a desaparecer. Antes de fazê-lo, Eddie reparou em sua cauda — longa e enroscada, parecia uma mola de colchão coberta de pelos.

— Que bicho era aquele, Roland?

— Um billy-malhado.

— Não serve para comer?

Roland fez que não com a cabeça.

— Duro. Amargo. Eu preferiria comer cachorro.

— E já comeu? — perguntou Susannah. — Cachorro, quero dizer?

Roland confirmou com a cabeça, mas não ofereceu detalhes. Eddie se viu pensando numa fala de um antigo filme de Paul Newman: *Isso mesmo, dona... comi e vivi como um.*

Pássaros cantavam alegremente nas árvores. Uma suave brisa soprava ao longo da estrada. Eddie e Susannah ergueram os rostos para o céu, agradecidos, e então se entreolharam, sorrindo. Eddie ficou mais uma vez comovido por sua gratidão a ela... era assustador ter alguém para amar, mas também era bom pra cacete.

— Quem fez esta rodovia? — perguntou Eddie.

— Pessoas que se foram faz muito tempo — disse Roland.

— As mesmas que fizeram as canecas e os pratos que encontramos? — perguntou Susannah.

— Não... elas não. Esta era uma estrada de diligências, imagino, e se continua aqui, depois de todos esses anos de abandono, deve ter sido realmente enorme... talvez *a* Grande Estrada. Se escavarmos, suspeito que vamos encontrar saibro sob a superfície, e talvez o sistema de drenagem também. Já que estamos aqui, que tal comer alguma coisa?

— Comida! — gritou Eddie. — Pode trazer! Frango à fiorentina! Camarão à moda polinésia! Vitela levemente refogada com cogumelos e...

Susannah cutucou-lhe com o ombro.

— Deixa disso, branquelo.

— Não tenho culpa de minha imaginação ser tão vívida — gracejou Eddie com bom humor.

Roland retirou a bolsa do ombro, agachou-se e pôs-se a preparar um pequeno almoço feito com carne seca envolta em folhas cor de azeitona. Eddie e Susannah haviam descoberto que essas folhas tinham o gosto parecido com espinafre, só que muito mais forte.

Eddie empurrou a cadeira de Susannah até ele, e Roland entregou-lhe três do que Eddie chamava de "burritos do pistoleiro". Ela começou a comer.

Quando Eddie se virou, Roland estendia-lhe três dos pedaços de carne — e algo além também. Era o cepo de freixo com a chave que dele se originava. Roland soltara-a da tira de couro cru, que agora pendia de seu pescoço num arco aberto.

— Ei, você precisa dela, não? — perguntou Eddie.

— Quando tiro, as vozes retornam, mas estão muito distantes — disse Roland. — Posso lidar com elas. Na verdade, eu as ouço quando a estou usando... como as vozes de homens falando baixo do outro lado da colina seguinte. Acho que é porque a chave ainda está inacabada. Você não trabalhou nela desde que a entregou a mim.

— Bem, você estava usando, e eu não queria...

Roland nada disse, mas os desbotados olhos azuis fitavam Eddie com seu paciente olhar de professor.

— Tudo bem — disse Eddie —, estou com medo de estragá-la. Satisfeito?

— Segundo seu irmão, você estragava tudo... não é mesmo? — perguntou Susannah.

— Susannah Dean, psicóloga. Deixou escapar sua vocação, benzinho.

Susannah não se ofendeu com o sarcasmo. Ergueu o cantil com o cotovelo, como um caipira inclinando uma moringa, e bebeu com vontade.

— Mas mesmo assim é verdade, não é?

Eddie, que se dera conta de que também não terminara o estilingue — pelo menos ainda não —, deu de ombros.

— Você precisa terminá-la — disse Roland suavemente. — Eu acho que vai chegar a hora em que terá de usá-la.

Eddie fez menção de falar, e depois fechou a boca. Parecia fácil quando se dizia a coisa assim, em voz alta, mas nenhum dos dois realmente compreendia qual era realmente a questão. A questão era o seguinte: só setenta por cento, ou oitenta, ou até mesmo noventa e meio por cento não serviriam. Não dessa vez. E se ele a estragasse *mesmo*, não poderia simplesmente atirar a coisa para trás e ir embora. Primeiro, não vira outro freixo desde o dia em que cortara aquele pedaço específico de madeira. Mas a principal coisa que o estava atormentando era exatamente isso: tudo ou nada. Se a estragasse, mesmo que só um pedacinho, a chave não giraria quando eles precisassem que girasse. E ele vinha ficando cada vez mais nervoso a respeito daquele rabisquinho na ponta. Parecia simples, mas se as curvas não ficassem exatamente do jeito certo...

Mas não vai funcionar da maneira que está agora; disso você tem certeza.

Deu um suspiro, olhando a chave. Sim, disso ele tinha. Precisaria tentar terminá-la. Seu medo de fracassar tornaria isso ainda mais difícil do que talvez fosse, mas ele teria de encarar o medo e tentar mesmo assim. Talvez até conseguisse. Deus sabe que conseguira muita coisa nas semanas desde que Roland entrara em sua mente em um avião da Delta a caminho do aeroporto JFK. O fato de ele ainda estar vivo e são já era um feito por si só.

Eddie estendeu a chave de volta para Roland.

— Use-a por enquanto — disse ele. — Voltarei a trabalhar quando pararmos esta noite.

— Promete?

— Prometo.

Roland assentiu, pegou a chave e começou a reatar o nó da tira de couro cru. Trabalhava devagar, mas não escapou à observação de Eddie a destreza com que ele movia os dedos restantes da mão direita. O homem era realmente muito adaptável.

— *Vai* acontecer alguma coisa, não vai? — perguntou Susannah de repente.

Eddie olhou para ela.

— O que faz você dizer isso?

— Eu durmo com você, Eddie, e sei que você sonha toda noite agora. Às vezes também fala. Não parecem pesadelos, exatamente, mas é muito óbvio que *alguma coisa* está acontecendo dentro da sua cabeça.

— Sim. Alguma coisa. Eu só não sei o quê.

— Os sonhos são poderosos — observou Roland. — Não se lembra mesmo dos que tem tido?

Eddie hesitou.

— Um pouco, mas são confusos. Sei que sou criança de novo, disso eu sei. É depois da escola. Henry e eu estávamos jogando basquete no velho parquinho da Markey Avenue, onde hoje fica o prédio do Tribunal Juvenil. Quero que Henry me leve pra ver um lugar em Dutch Hill. Uma casa velha. A garotada a chamava de Mansão, e todo mundo falava que era mal-assombrada. Talvez fosse. Era assustadora. Disso eu sei, assustadora mesmo.

Eddie balançou a cabeça, lembrando-se.

— Pensei na Mansão pela primeira vez em anos quando estava na clareira do urso, e coloquei a cabeça junto daquela caixa misteriosa. Sei lá... talvez seja por isso que venho tendo o sonho.

— Mas você não acha que é esse o motivo — disse Susannah.

— Não. Eu acho que, seja lá o que estiver acontecendo, é muito mais complicado do que me lembrar de coisas assim.

— Você e seu irmão chegaram a ir nesse lugar? — perguntou Roland.

— Fomos, sim... eu o convenci a ir.

— E aconteceu alguma coisa?

— Não, mas era de dar medo mesmo. Ficamos ali olhando a casa durante algum tempo, e Henry me sacaneando... dizendo que iria me fazer entrar e pegar um suvenir, coisas assim... mas eu sabia que ele não falava sério. Estava tão apavorado com o lugar quanto eu.

— E é só isso? — perguntou Susannah. — Você apenas sonha com a ida a esse lugar? A Mansão?

— Tem um pouco mais que isso. Chega alguém... e fica simplesmente meio que andando por ali. Percebo ele no sonho, mas só um pouco... como pelo canto do olho, entendem? Só que eu sei que a gente precisa fingir que um não vê o outro.

— Esse alguém estava realmente lá naquele dia? — perguntou Roland. Ele fitava Eddie com intensidade. — Ou é só um personagem nesse sonho?

— Isso foi há muito tempo. Eu não devia ter mais do que treze anos. Como poderia me lembrar com certeza de uma coisa dessas?

Roland não disse nada.

— Está certo — acabou dizendo Eddie. — Sim. Acho que ele estava lá naquele dia. Um garoto carregando um saco de ginástica ou uma mochila nas costas, não lembro qual dos dois era. E óculos escuros, grandes demais para o rosto dele. De lentes espelhadas.

— Quem era essa pessoa? — perguntou Roland.

Eddie ficou calado por um longo tempo. Tinha um dos últimos burritos à la Roland numa das mãos, mas perdera o apetite.

— Acho que é o garoto que você conheceu no posto de parada — disse por fim. — Acho que seu velho amigo Jake andava rondando por lá, me vigiando, a mim e a Henry, naquela tarde em que fomos a Dutch Hill. Acho que ele nos seguiu. Porque ele ouve vozes, igualzinho a você, Roland. E porque está partilhando os meus sonhos, e eu os dele. Acho que aquilo de que me lembro é o que está acontecendo agora, no quando de Jake. O garoto está tentando voltar para cá. E se a chave não estiver pronta quando começar a agir… ou se for feita errado… ele provavelmente vai morrer.

Roland disse:

— Talvez ele tenha sua própria chave. Isso é possível?

— Sim, acho que é sim — disse Eddie —, mas isso não basta. — Ele suspirou e enfiou o último burrito no bolso para mais tarde. — *E não acho que ele saiba disso.*

8

Continuaram avançando, Roland e Eddie manobrando a cadeira de rodas de Susannah. Tomaram o sulco da esquerda. A cadeira batia e se inclinava, e de vez em quando os dois tinham de erguê-la acima das pedras que despontavam da terra aqui e ali como velhos dentes. Mas continuaram seguindo com mais rapidez e facilidade do que haviam feito em uma semana. O terreno começou a se elevar, e quando Eddie olhou para trás viu a floresta afastar-se em declive, no que parecia uma série de degraus suaves. Ao longe, a noroeste, viu uma faixa de água derramando-se sobre a face fraturada de uma rocha. Era, compreendeu ele maravilhado, o lugar que haviam apelidado de "galeria de tiro". Agora havia quase desaparecido atrás deles, na bruma daquela onírica tarde de verão.

— Olhe aí, cuidado, rapaz! — gritou Susannah. Eddie voltou novamente o olhar para a frente, a tempo de não atropelar Roland com a cadeira. O pistoleiro havia parado e examinava os arbustos emaranhados à esquerda da estrada.

— Se continuar assim, vou tirar sua carteira de motorista — disse Susannah rispidamente.

Eddie ignorou-a. Acompanhava o olhar de Roland.

— O que foi?

— Só uma maneira de descobrir. — Voltou-se, ergueu Susannah da cadeira e acomodou-a no quadril. — Vamos dar uma olhada.

— Me coloque no chão, mocinho... posso ir sozinha. Mais fácil do que vocês, rapazes, se querem realmente saber.

Enquanto Roland baixava-a delicadamente até o sulco da estrada coberto de grama, Eddie examinava a mata. A luz do entardecer lançava cruzes de sombra sobrepostas, mas achou ter visto o que atraíra o olhar de Roland. Era uma grande pedra cinza, quase completamente escondida numa mistura de plantas rasteiras e trepadeiras.

Susannah moveu-se para as matas pela beira da estrada com a sinuosidade de uma enguia. Roland e Eddie a seguiram.

— É um marco miliário, não é? — Apoiada nas mãos, ela examinava o bloco retangular de pedra. Outrora vertical, ele agora pendia tropegamente para a direita, como uma antiga lápide.

— Isso mesmo. Me dê a minha faca, Eddie.

Eddie estendeu-a, e em seguida agachou-se ao lado de Susannah enquanto o pistoleiro cortava os galhos. Quando estes caíram, ele viu letras gastas por erosão entalhadas na pedra, e soube o que estava escrito antes mesmo que Roland houvesse descoberto metade da inscrição.

VIAJANTE, ADIANTE FICA O MUNDO MÉDIO.

9

— O que isso quer dizer? — perguntou Susannah enfim. Sua voz era baixa e assombrada; seus olhos não paravam de avaliar a base da lápide.

— Quer dizer que estamos nos aproximando do fim do primeiro estágio. — Roland tinha uma expressão solene e pensativa ao devolver a faca a Eddie. — Acho que vamos continuar seguindo agora por esta velha estrada de diligências… ou melhor, ela vai continuar nos levando. Ela tomou o caminho do Feixe. A mata vai terminar em breve. Espero uma grande mudança.

— O que é o Mundo Médio? — perguntou Eddie.

— Um dos grandes reinos que dominavam a Terra nos tempos anteriores a estes. Um reino de esperança, conhecimento e luz… estas coisas às quais tentávamos nos agarrar em minha terra, antes das trevas também se apoderarem de nós. Um dia, se houver tempo, vou lhes contar as histórias antigas… as que eu conheço, pelo menos. Elas formam uma grande tapeçaria, bela, mas muito triste.

"Segundo os relatos antigos, outrora se erguia na periferia do Mundo Médio uma grande cidade… talvez tão grande quanto a sua Nova York. Estará em ruínas agora, se é que ainda existe. Mas é possível que haja pessoas… ou monstros… ou as duas coisas. Vamos precisar ficar atentos."

Estendeu a mão direita de dois dedos e tocou a inscrição.

— Mundo Médio — disse, em voz baixa e meditativa. — Quem poderia imaginar… — A voz se extinguiu.

— Bem, não tem jeito, tem? — perguntou Eddie.

O pistoleiro balançou a cabeça.

— Não tem jeito.

— Ka — disse Susannah de repente, e os dois olharam para ela.

10

Ainda restavam duas horas de luz do dia, e assim eles seguiram adiante. A estrada continuava para sudeste, ao longo do caminho do Feixe, e duas outras — menores — juntaram-se à primeira na qual seguiam. Por toda a beira da segunda viam-se os detritos tombados, cobertos de musgo, do que devia ter sido outrora um imenso paredão de pedra. Ali perto, instalados nas ruínas, uma dezena de gordos billy-malhados observava os peregrinos com seus estranhos olhos debruados de dourado. Para Eddie, pareciam um júri decidindo sobre enforcar alguém.

A estrada prosseguiu e em seguida ficou mais larga e claramente definida. Eles passaram duas vezes por carcaças de prédios há muito abandonados. Na segunda, disse Roland, talvez houvesse um moinho de vento. Susannah comentou que ela parecia mal-assombrada.

— Não me surpreenderia — respondeu o pistoleiro. Seu tom prosaico provocou calafrios nos dois.

Quando a escuridão fez com que parassem, as árvores estavam diminuindo e a brisa que os acompanhara o dia inteiro transformara-se num vento cálido, leve. Adiante, o terreno continuava subindo.

— Chegaremos ao topo da colina em um ou dois dias — disse Roland. — Então veremos.

— Veremos o quê? — perguntou Susannah, mas Roland apenas deu de ombros.

Naquela noite, Eddie recomeçou a talhar, mas sem nenhum verdadeiro sentimento de inspiração. A confiança e a felicidade que sentira quando a chave começara a tomar forma o haviam abandonado. Seus dedos pareciam desajeitados e obtusos. Pela primeira vez em meses, pensou com saudades sobre como seria bom ter um pouco de heroína. Não muita; achava que uma trouxinha e uma nota de dólar para cheirar o levariam até o fim do projeto de entalhe.

— Por que está sorrindo, Eddie? — perguntou Roland. Ele estava sentado do outro lado da fogueira do acampamento; as chamas baixas, mexidas pelo vento, tremeluziam caprichosamente entre os dois.

— Eu estava sorrindo?

— Estava.

— Eu só estava pensando em como algumas pessoas podem ser idiotas... podemos colocá-las numa sala com seis portas e mesmo assim elas continuam a trombar com as paredes. E depois têm a cara de pau de encher o saco sobre isso.

— Se você tiver medo do que poderia haver do outro lado das portas, trombar com as paredes talvez pareça mais seguro — comentou Susannah.

Eddie assentiu.

— É, talvez.

Ele trabalhava devagar, tentando ver as formas na madeira… em particular aquela pequena forma em *s*. Constatou que ela havia se tornado muito indistinta.

Por favor, meu Deus, me ajude a não fazer merda, pensou, mas sentia um terrível medo de que já havia começado a fazer exatamente isso. Por fim, desistiu, devolveu a chave (que mal havia alterado) ao pistoleiro, e enroscou-se debaixo de uma das peles. Cinco minutos depois, o sonho sobre o garoto e a velha pracinha da Markey Avenue já havia recomeçado.

11

Jake saiu do prédio de seu apartamento por volta de 7h15, o que lhe deixava com mais de oito horas para matar. Pensou na possibilidade de pegar imediatamente o trem para o Brooklyn, depois decidiu que era uma péssima ideia. Um garoto matando aula tinha mais chance de atrair atenção em um bairro residencial do que no centro de uma grande cidade, e se ele realmente precisava *procurar* o lugar e o garoto que devia encontrar lá, já estava ferrado.

Não tem problema, dissera o garoto de camiseta amarela e lenço verde estampado na testa para manter o cabelo longe dos olhos. *Você encontrou a chave e a rosa, não foi? Vai me encontrar do mesmo jeito.*

Só que Jake não conseguia mais se lembrar exatamente de como havia encontrado a chave e a rosa. Lembrava-se apenas da alegria e da sensação de segurança que haviam inundado seu coração e sua mente. Simplesmente teria que torcer para que acontecesse de novo. Enquanto isso, precisava continuar andando. Era a melhor maneira de evitar ser notado em Nova York.

Seguiu a pé a maior parte do caminho até a Primeira Avenida, depois refez o caminho inverso por onde viera, apenas se desviando aos poucos para o norte, enquanto acompanhava o padrão dos sinais verdes para pedestres (talvez sabendo, em algum nível profundo, que até mesmo eles serviam ao Feixe). Por volta das onze horas viu-se diante do Metropolitan Museum of Art na Quinta Avenida, com calor, exausto e deprimido.

Queria um refrigerante, mas achou que devia segurar o dinheirinho que levava pelo máximo de tempo possível. Tirara todas as moedas da caixa que guardava junto à cama, mas, tirando alguns cents, todas elas juntas somaram apenas oito dólares.

Um grupo de alunos de colégio fazia fila para uma excursão ao museu. Colégio público, Jake tinha quase certeza — pois todos estavam vestidos tão informalmente quanto ele. Sem blazers da Paul Stuart, sem gravatas nem pulôveres, e sem saias simples que custavam cento e vinte e cinco dólares em lojas como Miss So Pretty ou Tweenity. Aquela galera estava vestida de cima a baixo com roupas de lojas de departamentos. Num impulso, Jake foi para o fim da fila e seguiu-os museu adentro.

A visita levou uma hora e quinze minutos. Jake gostou. O museu era silencioso. Melhor ainda, tinha ar-condicionado. E achou os quadros muito legais. Ficou fascinado, sobretudo, por uma pequena série de pinturas sobre o Velho Oeste de Frederick Remington, e por um grande quadro de Thomas Hart Benton que mostrava uma locomotiva a vapor cruzando a toda as grandes planícies rumo a Chicago, enquanto fazendeiros corpulentos, de macacão e chapéu de palha, a viam passar em pé em seus campos. Só foi notado por um dos professores do grupo no último instante. Então uma mulher negra bonita vestindo um terninho azul austero bateu-lhe de leve no ombro e perguntou quem ele era.

Jake não a viu se aproximar, e por um instante ficou paralisado. Sem pensar no que estava fazendo, enfiou a mão no bolso e fechou-a em volta da chave de prata. Sua mente clareou imediatamente, e ele se sentiu mais uma vez calmo.

— Meu grupo está no segundo andar — disse ele sorrindo, culpado. — Deveríamos estar vendo uma série de pinturas modernas, mas eu gosto muito mais disto aqui, porque são imagens verdadeiras. Então eu meio que... a senhora sabe...

— Saiu de fininho? — sugeriu a professora. Os cantos de seus lábios se contraíram num sorriso reprimido.

— Bem, prefiro considerar isso uma saída à francesa. — As palavras simplesmente escaparam-lhe da boca.

Os alunos agora olhando Jake pareceram apenas intrigados, mas desta vez a professora desatou a rir.

— Ou você não sabe, ou se esqueceu — disse ela —, mas na Legião Estrangeira Francesa eles fuzilavam os desertores. Sugiro que vá se juntar logo à sua turma, rapazinho.

— Sim, senhora. Obrigado. Já devem estar quase acabando, em todo caso.

— Que escola é?

— Instituto Markey — respondeu Jake. Isso também saiu simplesmente sem pensar.

Ele subiu até o segundo andar, ouvindo o eco das pisadas e vozes baixas no grande espaço da rotunda, e perguntou-se por que dissera aquilo. Jamais ouvira falar de um lugar chamado Instituto Markey em toda a sua vida.

12

Esperou durante algum tempo no saguão do segundo andar e notou então um guarda olhando-o com crescente curiosidade, e decidiu que não seria uma boa ideia demorar mais — só lhe restava esperar que a turma à qual se juntara brevemente já houvesse ido embora.

Conferiu as horas no relógio, assumiu no rosto uma expressão que torcia para que parecesse: *Minha nossa, olha a hora!*, e voltou, descendo a escada. A turma — e a bonita professora negra que rira com a ideia da saída à francesa — não estava mais lá, e Jake decidiu que talvez fosse sensato ele ir embora também. Seguiria a pé um pouco mais — devagar, por causa do calor — e pegaria o metrô.

Parou num quiosque de cachorro-quente na esquina da Broadway com a 42, negociou alguns trocados de seu parco estoque de dinheiro por uma saborosa salsicha com molho picante. Sentou-se nos degraus do prédio de um banco para comer o lanche, o que se revelou ser um péssimo erro.

Um policial veio em sua direção, girando o cassetete numa complexa série de manobras. Parecia prestar atenção apenas nisso, mas quando ficou lado a lado com Jake pôs bruscamente o cassetete de volta na alça pendurada na cinta e virou-se para ele.

— E aí, garotão — disse. — Sem aula hoje?

Jake estava devorando a salsicha, mas a última mordida entalou de repente em sua garganta. Que falta de sorte... se é que era questão de sorte. Estavam em plena Times Square, capital nacional da decadência; havia traficantes, drogados, prostitutas e caçadores de otários por todos os lados… mas aquele policial ignorava todos *eles* em favor de *Jake*.

Ele engoliu com esforço e disse:

— É a semana das provas finais na minha escola. Eu só tive uma hoje. Depois fui dispensado. — Fez uma pausa, não gostando do olhar incisivo e brilhante nos olhos do policial. — Tive permissão — concluiu, nervoso.

— Hum-hum. Posso ver algum documento de identidade?

O coração de Jake afundou. Teriam a mãe e o pai chamado a polícia? Imaginou que, após a aventura da véspera, era bastante provável. Em circunstâncias normais, o departamento policial de Nova York não teria dado muita importância a mais um garoto desaparecido, ainda mais um que sumira por apenas metade de um dia, mas seu pai era um cara importante da televisão, e tinha orgulho dos pauzinhos que podia mexer. Jake duvidava de que aquele policial tivesse sua foto… mas poderia muito bem ter seu nome.

— Bem — disse Jake, relutante. — Tenho meu cartão de descontos estudantil do boliche Pistas do Mundo Médio, mas é só.

— Pistas do Mundo Médio? Nunca ouvi falar. Onde fica isso? No Queens?

— Pistas do *Centro*, eu quis dizer — disse Jake. Meu Deus, aquilo estava ficando cada vez pior … e rápido. — Não conhece? Na 32?

— Hum-hum. Vai servir. — O policial estendeu a mão.

Um homem negro de trancinhas rastafári espalhadas pelos ombros do terno amarelo-canário lançou-lhe um olhar.

— Dá duro, cana! — disse a aparição, rindo. — Tira daqui esse rabo burguês! Faz o seu dever, já!

— Cala essa boca e se manda você, Eli — disse o policial, sem desviar o olhar.

Eli riu, expondo vários dentes de ouro, e seguiu adiante.

— Por que não pede a *ele* para mostrar a identidade? — perguntou Jake.

— Porque neste exato momento estou pedindo a você. Vamos lá, filho.

Ou o policial sabia seu nome ou pressentira alguma coisa errada nele, o que não era tanto surpreendente, já que ele era a única pessoa branca na área que não estava obviamente à espreita. Nas duas hipóteses, dava no mesmo: sentar ali para comer o lanche fora burrice. Mas seus pés estavam doendo e ele estava faminto, droga... *faminto.*

Você não vai me deter, pensou Jake. *Não posso deixar você me deter. Preciso encontrar alguém esta tarde no Brooklyn... e vou estar lá.*

Em vez de pegar a carteira, ele enfiou a mão no bolso e retirou a chave. Entregou-a ao policial; o sol de quase meio-dia fazia saltarem pequenas réstias de luz refletida nas faces e na testa do sujeito. Ele arregalou os olhos.

— Ei! — bufou ele. — O que é isso que você tem aí, garoto?

Estendeu a mão para pegar a chave, e Jake a puxou um pouco mais para perto de si. Os círculos de luz refletida dançavam hipnoticamente sobre o rosto do policial.

— Não precisa pegar — disse Jake. — Pode ler meu nome sem fazer isso, não pode?

— Sim, claro.

A curiosidade deixara o semblante do policial. Ele apenas olhava para a chave. Tinha os olhos arregalados e fixos, mas não exatamente vazios. Jake leu ali ao mesmo tempo assombro e felicidade repentina. *Sou eu*, ele pensou, *espalhando alegria e contentamento aonde quer que vá. A questão é: o que faço agora?*

Uma jovem (provavelmente não uma bibliotecária, a julgar pelo short de seda verde e pela blusa transparente que usava) surgiu andando sugestivamente de um lado para o outro pela calçada, meio instável, montada em cima de um par de sapatos roxos com saltos de uns oito centímetros. Primeiro olhou para o policial, depois para Jake, para ver o que o policial encarava. Quando deu uma boa olhada, estacou. Ergueu uma das mãos ao acaso e tocou a garganta. Um homem trombou com ela e mandou-a olhar para a frente, porra. A jovem que provavelmente não era uma bibliotecária pareceu não notar nada. Agora Jake via que mais quatro ou cinco pessoas também haviam parado. Todas fitando a chave. Juntavam-se como fazem às vezes as pessoas em volta de um mágico com três cartas exercendo seu ofício na esquina de uma rua.

Você está se saindo muito bem quanto a ser discreto, pensou ele. *Com certeza.* Olhou por cima do ombro do policial e seus olhos deram com um letreiro luminoso do outro lado da rua. Farmácia Popular Denby, dizia.

— Meu nome é Tom Denby — disse ele ao policial. — Está escrito bem aí no cartão de desconto do boliche... certo?

— Certo, certo — murmurou o policial. Perdera todo o interesse por Jake; tinha interesse apenas pela chave. Os pingos de luz refletida saltavam e giravam em seu rosto.

— E o senhor não está procurando ninguém chamado Tom Denby, está?

— Não — disse o policial. — Nunca ouvi falar.

Agora pelo menos umas dez pessoas estavam reunidas em volta do policial, todas fitando maravilhadas a chave de prata na mão de Jake.

— Então posso ir, não é?

— Hã? Ah! Ah, lógico... vá, pelo bem de seu pai!

— Obrigado — disse Jake, mas por um momento não soube ao certo *como* sair. Encontrava-se cercado por um grupo silencioso de zumbis, e mais deles continuavam a se juntar. Eram só curiosos que vinham verificar o motivo do ajuntamento, Jake percebeu, mas os que viam a chave simplesmente paravam de chofre e a encaravam.

Ele se levantou e foi subindo lentamente de costas os largos degraus do banco, segurando a chave diante de si como um domador de leões com uma cadeira. Quando chegou à grande esplanada de concreto no alto, enfiou-a de volta no bolso da calça, virou-se e deu no pé.

Parou apenas uma vez no outro lado da praça, e olhou para trás. O pequeno grupo de pessoas em volta do lugar onde estivera voltava devagar à vida. Olhavam umas às outras em volta com expressões aturdidas e seguiam seu rumo. O policial lançou um olhar desfocado à esquerda e depois ergueu-o direto para o céu, como se tentasse se lembrar de como chegara ali e o que estivera pretendendo fazer. Jake vira o suficiente. Era hora de pegar o metrô e se mandar logo para o Brooklyn antes que acontecesse mais alguma coisa estranha.

13

À 13h45 daquela tarde, ele subiu devagar os degraus da estação do metrô e parou na esquina das avenidas Castle e Brooklyn, olhando as torres de arenito dos prédios da Co-Op City. Esperou por aquela sensação de certeza e direção — aquela sensação que era como lembrar adiantado no tempo — apoderar-se dele. Ela não veio. Ele era apenas um garoto parado numa esquina quente do Brooklyn, com sua curta sombra estendida aos seus pés como um cansado animal de estimação.

Bem, estou aqui… e agora o que faço?

Jake descobriu que não fazia a menor ideia.

14

O pequeno grupo de viajantes de Roland chegou à crista da comprida e suave colina que vinha subindo e parou de frente para o sudeste. Por um longo tempo nenhum deles falou. Susannah abriu a boca duas vezes e tornou a fechá-la. Pela primeira vez em sua vida, ficou completamente sem fala.

Diante deles, uma planície quase infinita descansava debaixo da extensa luz dourada de uma tarde de verão. A mata verde-esmeralda era viçosa e muito alta. Bosques de árvores com troncos longos, esguios, e copas espraiadas pontilhavam a planície. Susannah vira árvores assim uma vez, pensou, num documentário sobre a Austrália.

A estrada por onde vinham seguindo lançava-se pelo outro lado da colina abaixo e depois seguia reta como uma corda para o sudeste, uma luminosa pista branca varando a mata. Alguns quilômetros ao longe, a oeste, ela viu um rebanho de grandes animais pastando calmamente. Pareciam búfalos. A leste, o fim da floresta formava uma península curva penetrando no pasto. Essa incursão era uma forma escura, emaranhada, que parecia um antebraço com o punho erguido na ponta.

Aquela era a direção, percebeu, para a qual todas as enseadas e cursos de água que eles haviam encontrado vinham correndo. Eram tributários do imenso rio que emergia daquele braço de floresta e fluía, plácido e idílico sob o sol de verão, para a borda oriental do mundo. O rio era largo — talvez mais de três quilômetros de margem a margem.

E ela conseguia enxergar a cidade.

Esta se estendia à frente, uma enevoada coleção de pináculos e torres elevando-se acima da outra extremidade do horizonte. Aqueles etéreos baluartes poderiam estar a cem, duzentos ou quatrocentos quilômetros de distância. O ar daquele mundo parecia totalmente límpido, e isso tornava difícil avaliar as distâncias. Ela só sabia ao certo que a visão daquelas torres indistintas enchia-a de um espanto silencioso... e de uma profunda e dolorosa saudade de Nova York. Pensou: *Acho que faria qualquer coisa só para ver de novo a silhueta dos prédios na linha do horizonte de Manhattan da ponte Triborough.*

Então sorriu, porque esta não era a verdade. A verdade era que ela não trocaria o mundo de Roland por nada. Seu silencioso mistério e seus espaços vazios eram inebriantes. E o amor dela estava ali. Em Nova York — a Nova York de seu próprio tempo, pelo menos —, eles teriam sido objetos de desprezo e raiva, alvos de troça e das piadas cruéis de qualquer imbecil: uma negra de vinte e seis anos e seu amante branco burguês três anos mais jovem e com tendência a falar errado quando ficava empolgado. Seu amante branco burguês que apenas oito meses antes carregava um pesado macaco nas costas. Ali não havia ninguém para criticá-los nem para zombar deles. Ali ninguém apontava o dedo para eles. Ali eram só Roland, Eddie e ela. Os três últimos pistoleiros do mundo.

Ela segurou a mão de Eddie e sentiu-a se fechar sobre a sua, quente e reconfortante.

Roland apontou.

— Aquele deve ser o rio Send — disse ele em voz baixa. — Nunca pensei que um dia fosse vê-lo... não tinha nem certeza de que fosse verdadeiro, assim como os Guardiões.

— É tão lindo — murmurou Susannah. Não conseguia tirar os olhos da imensa paisagem à sua frente, sonhadoramente bela e embalada pelo ar de verão. Viu-se desenhando com os olhos as sombras das árvores, que trilhavam a planície pelo que pareciam quilômetros sem-fim, enquanto o sol mergulhava em direção ao horizonte. — Era assim que nossas Grandes Planícies deviam ser antes de serem colonizadas... antes até mesmo da chegada dos índios. — Ergueu a mão livre e apontou para o lugar onde a Grande Estrada se estreitava até tornar-se um ponto. — Aquela é a sua cidade — disse ela —, não é?

— Sim.

— Parece inteira — disse Eddie. — Será isso possível, Roland? Ela poderia continuar intacta? Os antigos colonos construíam tão bem assim?

— Tudo é possível nesses tempos — disse Roland, mas parecendo não ter certeza. — Mas você não deveria ter muitas esperanças, Eddie.

— Hã? Não.

Mas Eddie estava muito esperançoso. Aquela linha do horizonte fracamente esboçada despertara saudades de casa no coração de Susannah; no de Eddie, acendera uma repentina chama de suposição. Se a cidade continuava ali, e evidentemente continuava, quem sabe ainda seria habitada, e talvez não apenas pelas coisas subumanas que Roland havia encontrado no sopé das montanhas. Poderiam ter cidadãos

(*americanos*, sussurrou o subconsciente de Eddie)

inteligentes e úteis; poderiam, de fato, representar a diferença entre sucesso e fracasso para a busca dos peregrinos... ou até entre a vida e a morte. Na mente de Eddie, uma visão (parcialmente copiada de filmes como *O último guerreiro das estrelas* e *O cristal encantado*) tremeluziu brilhante: um conselho de Sábios da Cidade, encarquilhados mas dignos, que lhes serviriam uma extraordinária refeição das despensas intocadas da cidade (ou talvez de jardins especiais cultivados em bolhas ambientais), e que iriam, enquanto ele, Roland e Susannah comiam até não poderem mais, explicar exatamente o que os aguardava adiante e o que tudo significava. Seu presente de despedida para os viajantes seria um mapa turístico aprovado pelo órgão competente com a melhor rota para a Torre Negra realçada em vermelho.

Eddie não conhecia a expressão *deus ex machina*, mas sabia — amadurecera agora o suficiente para saber — que aquela gente sábia e bondosa vivia quase sempre em revistas em quadrinhos e filmes B. Mesmo assim, a ideia era sedutora: um encrave de civilização naquele mundo perigoso, quase vazio; sábios anciãos elfos que lhes diriam que porra se esperava que eles fizessem. E as fabulosas formas da cidade reveladas naquela enevoada silhueta na linha do horizonte faziam a ideia parecer ao menos possível. Mesmo que estivesse totalmente deserta, a população dizimada por alguma antiga peste ou epidemia de guerra química, a cidade talvez ainda lhes servisse como uma espécie de gigantesca caixa de ferramentas — um imenso depósito de roupas e equipamento militar onde poderiam se equipar para os tempos complicados que Eddie tinha certeza de que teriam pela frente. Além disso, ele era um garoto nascido e criado em cidade grande, e a visão daquelas torres naturalmente o fascinava.

— Tudo bem! — disse, quase rindo alto em sua animação. — *Hey-ho, let's go*! Vamos lá, sábios elfos!

Susannah olhou-o intrigada, mas sorrindo.

— Está delirando por que, branquelo?

— Por nada. Não importa. Só quero continuar seguindo em frente. O que acha, Roland? Quer...

Mas alguma coisa no rosto de Roland, ou logo atrás, alguma coisa onírica, perdida, o fez se calar e passar o braço em volta dos ombros de Susannah, como se para protegê-la.

15

Depois de uma espiada breve, desatenta, para a linha do horizonte da cidade, o olhar de Roland fora atraído para uma coisa muito mais próxima da atual posição deles, algo que o encheu de inquietação e pressentimento. Já vira essas coisas antes, e na última vez em que se deparara com uma, Jake estava com ele. Lembrava-se de como os dois haviam finalmente saído do deserto, o rastro do homem de preto levando-os pelos sopés e pela dura subida das montanhas. Havia sido difícil, mas pelo menos encontraram água outra vez. E relva.

Certa noite ele havia acordado e descoberto que Jake sumira. Ouvira gritos desesperados, estrangulados, vindos de um bosque de salgueiros perto de um estreito córrego. Depois de abrir caminho com grande dificuldade até a clareira no centro do bosque, os gritos do garoto haviam cessado. Roland o encontrara parado num lugar exatamente como o que se estendia abaixo e adiante. Um lugar de pedras; um lugar onde habitava um Oráculo... que falava quando era obrigado... e matava sempre que podia.

— Roland, o que foi? Qual é o problema? — perguntou Eddie.

— Está vendo aquilo? — indicou Roland. — É um círculo falante. As formas que você vê são pedras verticais.

Viu-se fitando Eddie, a quem havia conhecido no assustador mas maravilhoso transporte aéreo daquele outro mundo estranho, onde os pistoleiros vestiam uniformes azuis e onde havia um infindável suprimento de açúcar, papel e drogas maravilhosas como *asmina*. Uma expressão estranha

— alguma previsão — começou a surgir no semblante de Eddie. A alegre esperança que lhe iluminara os olhos enquanto ele observava a cidade se desfez, deixando-o com um olhar ao mesmo tempo melancólico e desolado. Era a expressão de um homem examinando o patíbulo onde logo seria enforcado.

Primeiro Jake, e agora Eddie, pensou o pistoleiro. *A roda que gira nossas vidas é implacável; sempre volta de novo ao mesmo lugar.*

— Ah, merda — desabafou Eddie, a voz seca e assustada. — Acho que é o lugar onde o garoto vai tentar passar.

O pistoleiro assentiu.

— É muito provável. São lugares pequenos, e também *atraentes*. Eu já o segui uma vez para um lugar como esse antes. O Oráculo de lá chegou muito perto de matá-lo.

— Como você *sabe* disso? — perguntou Susannah a Eddie. — Foi um sonho?

Ele apenas balançou a cabeça.

— Não sei. Mas no instante em que Roland apontou para aquele maldito lugar... — A voz se extinguiu, e ele olhou para o pistoleiro. — Temos de chegar lá, o mais rápido possível. — Eddie parecia ao mesmo tempo frenético e assustado.

— Vai ser hoje? — perguntou Roland. — Esta noite?

Eddie balançou novamente a cabeça.

— Também não sei isso. Não com certeza. Hoje à noite? Acho que não. O tempo... não é o mesmo aqui e onde o garoto está. O tempo passa mais devagar em seu onde e quando. Talvez amanhã. — Ele vinha combatendo o pânico, mas agora corria solto. Eddie se virou e agarrou a camisa de Roland com os dedos frios, cobertos de suor. — Mas eu preciso terminar a chave, e não terminei, e também preciso fazer mais alguma coisa, e não tenho a menor ideia do que seja. E se o garoto morrer, vai ser por *minha culpa*!

O pistoleiro fechou suas mãos por cima das de Eddie e desprendeu-as de sua camisa.

— Controle-se.

— Roland, você não entende que...

— Eu entendo que ficar se lamentando não vai resolver o seu problema. Entendo que você esqueceu o rosto de seu pai.

— Para com essa bobagem! Eu não ligo um *caralho* para o meu pai! — gritou Eddie histericamente, e Roland deu-lhe um tapa em cheio no rosto. A mão fez um ruído igual ao de um galho se partindo.

A cabeça de Eddie foi jogada para trás; os olhos se arregalaram de choque. Ele encarou o pistoleiro, e então ergueu uma das mãos para tocar a marca em sua bochecha que ia ficando vermelha.

— Seu *escroto* — sussurrou.

Baixou a mão até a coronha do revólver que ainda usava no quadril esquerdo. Susannah tentou cobri-la com as mãos; Eddie afastou-as com um empurrão.

E agora preciso mais uma vez ensinar, pensou Roland, *só que desta vez ensino por minha própria vida, acho, assim como pela dele.*

Em algum lugar distante, um corvo varou o silêncio com seu áspero grito de saudação, e Roland lembrou por um momento do seu falcão, David. Agora *Eddie* era o seu falcão… e, assim como David, não teria escrúpulos em arrancar-lhe um olho se ele desse a menor condição.

Ou a garganta.

— Vai atirar em mim? É assim que resolverá a situação, Eddie?

— Cara, eu já estou tão de saco cheio da porra desse seu papinho. — Tinha os olhos toldados de lágrimas e fúria.

— Você não terminou a chave, mas não porque tem medo de terminar. Tem medo, isso sim, de descobrir que não *consegue* terminar. Tem medo de ir até lá onde ficam as pedras, mas não por temer o que pode acontecer se entrar no círculo. Você tem medo do que pode *não* acontecer. Não tem medo do grande mundo, Eddie, mas do pequeno mundo dentro de si mesmo. Você não esqueceu o rosto de seu pai. Então vá em frente. Atire em mim, se ousar. Também estou cheio de vê-lo ficar chorando.

— Pare com isso! — Susannah gritou com ele. — Não está vendo que ele vai atirar mesmo? Não está vendo que você o está *obrigando* a isso?

Roland desviou os olhos para ela.

— Estou obrigando-o a decidir. — Tornou a encarar Eddie, o rosto cheio de marcas de expressão com uma expressão severa. — Você saiu da sombra da heroína e da sombra de seu irmão, meu amigo. Saia da sombra de si mesmo, se ousar. Saia já. Saia ou atire em mim e *acabe logo com isso.*

Por um instante, pensou que Eddie faria exatamente isso, e tudo terminaria bem ali, naquele penhasco alto, sob um céu de verão sem nuvens, com os pináculos da cidade tremeluzindo no horizonte como espectros azuis. Então a face de Eddie começou a se contrair. A firme linha dos lábios suavizou-se e começou a tremer. A mão soltou a coronha de sândalo da arma de Roland. O peito se ergueu uma... duas... três vezes. A boca se abriu e todo o seu desespero saiu num grito triste quando ele avançou para o pistoleiro.

— *Eu estou com* medo, *seu escroto insensível! Será que você não entende isso? Roland*, eu estou com medo!

Seus pés se embaralharam e ele caiu para a frente. Roland segurou-o e abraçou-o, sentindo o cheiro de suor e sujeira na pele de Eddie, o cheiro de lágrimas e terror.

O pistoleiro ficou assim, abraçado a ele por um momento, e depois se virou para Susannah. Eddie caiu de joelhos ao lado da cadeira, a cabeça pendendo, extenuada. Susannah colocou a mão em sua nuca, pressionando-lhe a cabeça junto à própria coxa, e disse a Roland, ressentida:

— Às vezes eu odeio você, seu branquelão.

Roland colocou as palmas das mãos na testa e apertou-as com força.

— Às vezes eu odeio a mim mesmo.

— Mas isso nunca te impede, não é?

Roland não respondeu. Olhou para Eddie, que estava com o rosto apoiado na coxa de Susannah e os olhos bem cerrados. Seu semblante era o retrato da infelicidade. Roland rechaçou a exaustão que o invadia e o fazia ter vontade de deixar o resto daquela divertida conversa para outro dia. Se Eddie estivesse certo, não *haveria* outro dia. Jake estava quase pronto para agir. Eddie havia sido escolhido como a parteira do garoto para entrar naquele mundo. Se ele não estivesse preparado para fazer isso, Jake morreria no ponto da entrada, com tanta certeza quanto um bebê é estrangulado se o cordão fica enrolado em volta de seu pescoço quando começam as contrações.

— Levante-se, Eddie.

Por um instante, achou que Eddie apenas continuaria agachado ali, com o rosto escondido na perna da esposa. Se fosse assim, tudo estaria perdido... e isso também era ka. Então, devagar, Eddie se levantou. Ficou ali parado com tudo — mãos, ombros, cabeça, cabelos — pendendo; não estava bem, mas estava de pé, e isso já era um começo.

— Olhe pra mim.

Susannah se mexeu, preocupada, mas desta vez ficou em silêncio.

Lentamente, Eddie ergueu a cabeça e afastou os cabelos dos olhos com a mão trêmula.

— Isto é pra você. Não deveria tê-la aceitado, não importa o quanto minha dor fosse profunda. — Roland enroscou a mão em volta da tira de couro cru e puxou-a, rebentando-a com um estalo. Entregou a chave a Eddie, que estendeu a mão como um homem num sonho, mas Roland não abriu logo a dele. — Vai tentar fazer o que precisa ser feito?

— Vou. — A voz saiu quase inaudível.

— Quer me dizer alguma coisa?

— Eu sinto muito por estar com medo.

Alguma coisa terrível se desprendeu da voz de Eddie que feriu o coração de Roland, e ele imaginou que sabia o que era: ali estava o final derradeiro da infância de Eddie, expirando dolorosamente entre os três viajantes. Não era possível vê-lo, mas Roland conseguia ouvir os seus gritos enfraquecendo--se. Tentou ignorar.

Mais uma coisa que fiz em nome da Torre. Minha contagem se torna mais longa, e o dia em que tudo isso terá de ser somado, como o fiado de um bêbado numa taberna, aproxima-se cada vez mais. Como poderei algum dia pagar?

— Não quero suas desculpas, menos ainda por estar com medo — disse Roland. — Sem medo, o que seríamos? Cães raivosos com espuma nos focinhos e bosta secando nas patas.

— O que você *quer*, então? — gritou Eddie. — Já tomou todo o resto... tudo o que eu tenho pra dar! Não, nem sequer isso, porque no fim eu dei pra você! *Então, o que mais quer de mim*?

Roland estendeu o punho em silêncio, com a chave que era a metade deles da salvação de Jake Chambers. Seus olhos encontraram os de Eddie, e o sol brilhou na verde imensidão da planície e na extensão cinza-azulado do rio Send, e em algum lugar ao longe o corvo novamente crocitou a sua saudação, sobrevoando as faixas douradas daquela tarde de verão que se extinguia.

Depois de algum tempo, a compreensão começou a surgir nos olhos de Eddie Dean.

Roland assentiu.

— Eu esqueci o rosto... — Eddie se interrompeu. Baixou a cabeça. Engoliu em seco. Tornou a erguer os olhos para o pistoleiro. A coisa que vinha morrendo entre eles já seguira adiante agora, Roland sabia. Aquela coisa se fora. Sem mais nem menos. Ali, naquele penhasco varrido pelo vento na borda de tudo, fora-se para sempre. — Eu esqueci o rosto do meu pai, pistoleiro... e rogo seu perdão.

Roland abriu a mão e devolveu o pequeno fardo da chave a ele, que o ka decretara que deveria carregá-la.

— Não fale assim, pistoleiro — disse ele, na Língua Superior. — Seu pai o vê muito bem... ama você muito bem... assim como eu.

Eddie fechou a mão sobre a chave e afastou-se com as lágrimas ainda secando no rosto.

— Vamos — disse ele, e os três se puseram a descer a longa colina rumo à planície que se estendia adiante.

16

Jake caminhava devagar pela avenida Castle, passando por pizzarias, bares e tabernas onde velhas com caras desconfiadas mexiam nas batatas e amassavam os tomates. As tiras de sua mochila haviam esfolado a pele debaixo dos braços, e seus pés doíam. Ele passou embaixo de um termômetro digital anunciando que a temperatura era de 29 graus centígrados. Parecia mais uns cinquenta.

Mais adiante, uma radiopatrulha virou na avenida. Jake de repente ficou extremamente interessado numa exposição de suprimentos de jardinagem na vitrine de uma loja de ferragens. Observou o azul e branco do carro passar pelo reflexo, e não se mexeu até ele desaparecer.

Ei, Jake, cara... para onde exatamente você está indo?

Ele não fazia a menor ideia. Sentia que o garoto que procurava — o garoto com a bandana verde e a camiseta amarela com os dizeres NÃO HÁ UM SÓ INSTANTE CHATO NO MUNDO MÉDIO — estava em algum lugar ali perto, mas e daí? Para Jake, ele continuava sendo apenas uma agulha no palheiro que era o Brooklyn.

Passou por uma alameda decorada com várias pichações com aerossol. A maioria era de nomes — EL TIANTE 91, SPEEDY GONZALES, MOTORVAN MIKE —, mas algumas frases e palavras de alerta haviam sido pichados aqui e ali, e os olhos de Jake se fixaram em dois deles.

UMA ROSA É UMA ROSA É UMA ROSA

fora escrito nos tijolos com tinta aerossol que havia sofrido as mesmas intempéries e ficado do mesmo tom de rosa-escuro da rosa que crescia no terreno baldio onde um dia fora a Déli Artesanal Tom e Jerry. Abaixo desse, alguém pichara a seguinte singularidade:

EU ROGO SEU PERDÃO

O que isso quer dizer?, perguntou-se Jake. Ele não sabia — quem sabe alguma coisa da Bíblia —, mas prendia a atenção como dizem que o olho de uma serpente captura um pássaro. Finalmente ele seguiu em frente, devagar e pensativo. Eram quase duas e meia da tarde, e sua sombra começava a se alongar.

Logo à frente, viu um velho andando pela rua, mantendo-se o máximo que conseguia na sombra e apoiado numa bengala nodosa. Por trás das grossas lentes dos óculos que usava, seus olhos castanhos nadavam como ovos gigantescos.

— Eu rogo seu perdão, senhor — disse Jake sem pensar nem sequer escutar a si mesmo de verdade.

O velho se virou para olhar para ele, piscando os olhos, surpreso e receoso.

— Me deixe em paz, moleque — disse ele. Ergueu a bengala e brandiu-a desajeitadamente na direção de Jake.

— Por acaso sabe se existe um lugar chamado Instituto Markey aqui perto, senhor? — Embora fosse em total desespero, foi a única coisa que conseguiu pensar em falar.

O velho baixou aos poucos a bengala — foi o *senhor* que levou a isso. Olhou para Jake com o interesse ligeiramente lunático de um velho quase senil.

— Por que não está na escola, moleque?

Jake sorriu, com o ar cansado. Essa estava ficando velha.

— Semana das provas finais. Eu vim aqui procurar um velho amigo meu que estuda no Instituto Markey, só isso. Desculpe por ter incomodado o senhor.

Ele contornou o velho (torcendo para que este não decidisse bater no seu traseiro com uma bengalada só para dar boa sorte) e já estava quase na esquina quando o velho gritou:

— Moleque! Moleeeeque!

Jake se virou.

— Não existe Instituto Markey nenhum aqui — disse o velho. — Faz vinte e dois anos que eu moro aqui, então eu saberia. *Avenida* Markey, sim, mas não Instituto Markey.

O estômago de Jake contraiu-se de súbita excitação. Ele deu um passo voltando para o velho, que imediatamente tornou a erguer a bengala em posição defensiva. Jake estacou, deixando uma zona de segurança de uns seis metros entre os dois.

— Onde fica a avenida Markey, senhor? Saberia me dizer?

— É claro — disse o velho. — Já não disse que moro aqui há vinte e dois anos? A dois quarteirões daqui. Vire à esquerda no Cinema Majestic. Mas posso lhe dizer desde já que não existe nenhum Instituto Markey.

— Obrigado, senhor! Obrigado!

Jake deu meia-volta e examinou a avenida Castle. Sim, via a forma inconfundível da marquise de um cinema projetando-se sobre a calçada, dois quarteirões adiante. Começou a correr para lá, e depois decidiu que isso poderia chamar a atenção e diminuiu a velocidade para um passo largo e apressado.

O velho observou-o indo embora.

— *Senhor*! — disse a si mesmo num tom de leve espanto. — *Senhor*, ainda!

Deu risinhos para si mesmo e prosseguiu.

17

O grupo de Roland parou ao cair da tarde. O pistoleiro cavou um buraco raso e acendeu uma fogueira. Não precisavam de fogo para fins culinários, mas mesmo assim precisavam. *Eddie* precisava. Se quisesse terminar seu entalhe, precisaria de luz para trabalhar.

O pistoleiro olhou em volta e viu Susannah, uma silhueta escura contra o céu cor de água-marinha a esmaecer-se, mas não viu Eddie.

— Cadê ele? — perguntou.

— Foi dar uma volta. Deixe-o sozinho, Roland… você já fez o bastante.

Roland assentiu, curvou-se sobre o buraco da fogueira, e bateu um pedaço de sílex com um bastão de pederneira gasta. Logo as aparas que ele havia juntado estavam ardendo. Ele acrescentou gravetos, um por um, e esperou Eddie voltar.

18

A mais de meio quilômetro para trás no caminho por onde haviam chegado, Eddie sentou-se de pernas cruzadas no meio da Grande Estrada com a chave inacabada numa das mãos, fitando o céu. Olhou a estrada abaixo, viu a faísca do fogo e soube exatamente o que Roland estava fazendo… e por quê.

Depois voltou novamente o olhar para o céu. Jamais se sentira tão sozinho ou com tanto medo.

O céu era *imenso* — não se lembrava de ter visto tanto espaço ininterrupto, um vazio tão absoluto como aquele. Ele o fazia se sentir muito pequeno, e Eddie pensou que não havia nada de errado nisso. Considerando tudo, ele *era* muito pequeno.

O garoto estava próximo agora. Ele achou que sabia onde Jake estava agora e o que ele faria em breve, e isso o encheu de um espanto silencioso. Susannah viera de 1963. Eddie de 1987. Entre eles… Jake. Tentando passar. Tentando nascer.

Eu o conheci, pensou Eddie. *Devo tê-lo conhecido, e acho que me lembro… mais ou menos. Foi um pouco antes de Henry entrar para o Exército, não é? Ele estava tendo aulas no Instituto Vocacional do Brooklyn, e só vestia preto — jeans pretos, botas de motociclista pretas com arremates de aço, camisetas pretas, com as mangas enroladas. O estilo James Dean de Henry. Elegância de Fumódromo. Costumava pensar isso, mas nunca falei em voz alta, porque não queria que ficasse irritado comigo.*

Ele compreendeu enquanto pensava o que estivera esperando que acontecesse: o Velho Astro surgira. Em quinze minutos, talvez menos, a ele se juntaria a toda uma galáxia de joias alienígenas, mas por ora ele brilhava sozinho na escuridão total.

Eddie ergueu devagar a chave até a luz do Velho Astro bater no seu largo corte central. Então recitou a velha fórmula de seu mundo, a que a mãe lhe ensinara ajoelhada ao seu lado na janela do quarto, os dois olhando lá fora a estrela vespertina que cavalgava a iminente escuridão acima das arestas dos telhados e das escadas de emergência do Brooklyn: "Estrela que reluz, estrela que brilha, primeira estrela a surgir no céu; ouça meu pedido, meu pedido escute, e realize o desejo que lhe peço".

O Velho Astro brilhou no corte da chave, um diamante captado em freixo.

— Ajude-me a encontrar um pouco de coragem — disse Eddie. — Este é o meu desejo. Ajude-me a encontrar um pouco de coragem para tentar acabar esta maldita coisa.

Ficou ali sentado mais alguns instantes, depois se levantou e voltou caminhando devagar para o acampamento. Sentou-se o mais perto do fogo que conseguiu chegar, pegou a faca do pistoleiro, sem dirigir uma palavra a ele nem a Susannah, e começou a trabalhar. Finas e encaracoladas lascas de madeira enroscavam-se acima da forma em *s* na ponta da chave. Eddie talhava rápido, girando a chave de um lado para o outro, de vez em quando cerrando os olhos e deixando o polegar deslizar pelas curvas suaves. Tentava não pensar no que poderia acontecer se a forma saísse errada — isso com certeza o deixaria paralisado.

Roland e Susannah estavam sentados atrás dele, observando calados. Por fim, Eddie colocou a faca de lado. Tinha o rosto coberto de suor.

— Esse seu garoto — disse ele. — Esse Jake. Ele deve ser um moleque corajoso.

— Ele foi valente no sopé das montanhas — disse Roland. — Estava com medo, mas nunca deixou que o impedisse em nada.

— Quem dera eu pudesse ser assim.

Roland deu de ombros.

— Na boate de Balazar você lutou bem, mesmo que eles tenham tirado as suas roupas. É muito difícil um homem lutar nu, mas você o fez.

Eddie tentou se lembrar do tiroteio na boate, mas não passava de uma memória difusa em sua mente — fumaça, barulho e luz emanando de uma parede em raios confusos, entrecruzados. Ele achava que aquela parede havia sido derrubada por armas de fogo automáticas, mas não se lembrava com certeza.

Ergueu a chave para que o contorno dos cortes ficasse bem destacado contra as chamas. Manteve-a assim suspensa por um longo tempo, fixando a vista sobretudo na forma de *s*. Embora parecesse idêntica à que se lembrava do sonho e da imagem momentânea vista na fogueira... não transmitia a *sensação* de estar exatamente certa. Quase, mas ainda não.

É apenas Henry, mais uma vez. Apenas todos aqueles anos em que você nunca foi bom o bastante. Você conseguiu, cara — só que o Henry aí dentro não quer admitir.

Ele largou a chave num quadrado de pele e dobrou as pontas com todo o cuidado em volta.

— Terminei. Não sei se está certa ou não, mas acho que está tão certa quanto eu sou capaz de fazê-la. — Sentia-se estranhamente vazio, agora que não tinha mais a chave na qual trabalhar, sem objetivo e sem direção.

— Quer comer alguma coisa, Eddie? — perguntou Susannah, baixinho.

Aí está o seu objetivo, pensou ele. *Aí está a sua direção. Sentada bem ali, com as mãos cruzadas no colo. Todo o objetivo e a direção que você jamais...*

Agora, no entanto, outra coisa surgia em sua mente — veio tudo de uma vez. Não um sonho... nem uma visão...

Não, nenhuma dessas duas coisas. É uma lembrança. Está acontecendo de novo — você está se lembrando do futuro.

— Preciso fazer uma coisa antes — disse ele, e levantou-se.

Do outro lado da fogueira, Roland havia empilhado uns montes de restos de madeira. Eddie remexeu neles e encontrou um cepo de cerca de sessenta centímetros de comprimento e uns dez de largura no meio. Retirou-o, voltando ao seu lugar junto ao fogo, e tornou a pegar a faca de Roland. Dessa vez trabalhou mais rápido, porque iria apenas afiar o cepo, transformando-o em alguma coisa que se parecesse com uma pequena estaca de barraca de camping.

— Podemos sair antes do amanhecer? — perguntou ao pistoleiro. — Acho que deveríamos chegar àquele círculo o quanto antes.

— Sim. O quanto antes, melhor. Não quero viajar no escuro, um círculo falante é um lugar inseguro para se estar à noite, mas se é necessário, faremos.

— Pela expressão em seu rosto, garotão, duvido que aqueles círculos de pedra sejam muito seguros a *qualquer* hora do dia — disse Susannah.

Eddie largou de novo a faca. A terra que Roland havia retirado do buraco raso que fizera para a fogueira estava empilhada junto ao pé direito de Eddie. Agora ele usava a ponta afiada do cepo para desenhar uma forma de ponto de interrogação na terra. A forma saiu definida e nítida.

— Certo — disse ele, desmanchando tudo com as mãos. — Tudo pronto.

— Então coma alguma coisa — disse Susannah.

Eddie tentou, mas não sentia muita fome. Quando finalmente foi dormir, e aconchegou-se junto ao calor de Susannah, seu descanso foi sem sonhos mas pouco. Até o pistoleiro sacudi-lo para despertá-lo às quatro da manhã, ele ficou ouvindo o vento correndo a toda pela planície abaixo, sem parar, e pareceu-lhe estar indo com ele, voando alto noite adentro, para longe daquelas preocupações, enquanto o Velho Astro e a Velha Mãe viajavam serenamente lá em cima, pintando-lhe as faces com geada.

19

— Está na hora — disse Roland.

Eddie sentou-se. Susannah fez o mesmo ao seu lado, esfregando as palmas das mãos no rosto. Enquanto a cabeça de Eddie se desanuviava, sua mente enchia-se de urgência.

— Sim. Vamos logo, e rápido.

— Ele está chegando perto, não?

— Muito perto. — Eddie levantou-se, ergueu Susannah pela cintura e acomodou-a na cadeira de rodas.

Ela o encarou ansiosa.

— Ainda temos tempo suficiente para você chegar lá?

Eddie assentiu.

— Quase.

Três minutos depois, rumavam mais uma vez para a Grande Estrada, que tremeluzia à frente como um espectro. E uma hora depois, quando a primeira luz do amanhecer começou a tocar o céu ao leste, passaram a ouvir um ruído ritmado bem mais à frente.

O som de tambores, pensou Roland.

Máquinas, pensou Eddie. *Alguma máquina imensa.*

É um coração, pensou Susannah. *Algum imenso e enfermo coração batendo... e está naquela cidade, aonde precisamos ir.*

Duas horas depois, o barulho cessou tão de repente quanto começara. Nuvens brancas e informes começavam a encher o céu acima deles, primeiro velando o sol que mal raiara, depois escondendo-o por completo. O círculo de pedras na vertical erguia-se agora oito quilômetros à frente, brilhando na luz sem sombras como os dentes de um monstro tombado.

20

SEMANA DE FAROESTE NO MAJESTIC!

anunciava a triste e decrépita marquise que se projetava acima da esquina das avenidas Brooklyn com Markey.

2 CLÁSSICOS DE SERGIO LEONE!

POR UM PUNHADO DE DÓLARES + TRÊS HOMENS EM CONFLITO!

TODAS AS SESSÕES A 99 cents

Sentada na bilheteria, uma jovem bonitinha mascando chiclete com os cabelos loiros cheios de bobes ouvia Led Zepelin em seu rádio e lia um dos tabloides daqueles de que a sra. Shaw tanto gostava. À esquerda, na vitrine de anúncios remanescente da sala de cinema, via-se um cartaz exibindo Clint Eastwood.

Jake sabia que devia se apressar — já eram quase três da tarde —, mas mesmo assim parou por algum tempo fitando o cartaz sob o vidro sujo e rachado. Eastwood usava um xale mexicano. Tinha um cigarro apertado entre os dentes. Havia jogado uma das pontas do xale por cima do ombro para deixar livre o acesso à arma. Seus olhos eram de um azul-claro, desfocado. Olhos de artilheiro.

Não é ele, pensou Jake, *mas é* quase *ele. São os olhos, principalmente... os olhos são quase os mesmos.*

— Você me deixou cair — disse ele ao homem no antigo cartaz, o homem que não era Roland. — Você me deixou morrer. O que acontece desta vez?

— Ei, garoto — chamou a loira na bilheteria, assustando Jake. — Vai entrar ou só vai ficar aí falando sozinho?

— Não vou — respondeu Jake. — Já vi os dois.

Recomeçou a andar, virando à esquerda na avenida Markey.

Mais uma vez esperou que a sensação de *lembrar-se adiantado* se apoderasse dele, mas ela não veio. Aquilo não passava de uma rua quente, ensolarada e ladeada de prédios, que pareciam a Jake blocos de cela de prisão. Algumas jovens mães andavam ali, empurrando carrinhos de bebê aos pares e batendo papo, mas exceto isso a rua estava deserta. Fazia um calor incomum para maio — quente demais para ficar passeando.

O que estou procurando? O quê?

Por trás dele veio uma explosão de gargalhadas masculinas, roucas. A ela se seguiu um estridente e indignado grito feminino:

— Você me *devolva* isto!

Jake se sobressaltou, achando que a dona da voz estava falando com ele.

— *Devolva*, Henry! Não estou brincando!

Jake se virou e viu dois garotos, um com pelo menos dezoito anos e o outro bem mais jovem... doze ou treze. À visão desse segundo garoto, o coração de Jake fez no peito algo similar a uma tripla acrobacia aérea. O garoto vestia calça de veludo cotelê verde e não o calção xadrez, mas a camiseta amarela era a mesma, e ele segurava uma surrada bola de basquete debaixo de um dos braços. Embora estivesse de costas para ele, Jake soube que havia encontrado o menino do sonho da noite anterior.

21

A garota era a jovem bonitinha que mascava chicletes na bilheteria. O mais velho dos garotos — que parecia ter idade suficiente para ser chamado de homem — tinha o jornal dela nas mãos. Ela tentou tomá-lo dele. O rapazinho do jornal — usando calças de brim e camiseta pretas com as mangas arregaçadas — levantou-o bem alto e abriu um sorriso.

— Pule pra pegar, Maryanne! Pule, garota, pule!

Ela o encarou com um olhar furioso, as bochechas coradas.

— Me dê isso aqui! — disse. — Para com essa palhaçada e me devolva isso! *Imbecil*!

— Ôôôô, escute só *isso*, Eddie! — disse o mais velho. — Tá zangadinha! Danadinha, danadinha!

Abanou o jornal pertinho do alcance da mão da bilheteira, ainda sorrindo, e Jake de repente entendeu. Os dois garotos estavam voltando do colégio juntos — embora provavelmente não frequentassem o mesmo, se ele estivesse certo quanto à diferença de idade entre eles — e o maior fora até a bilheteria do cinema, fingindo que tinha alguma coisa interessante para dizer à loira. Então enfiara a mão pela abertura de baixo e pegara o jornal.

O rosto do mais velho era um que Jake já vira antes; o rosto de um garoto que achava o auge da hilaridade empapar a cauda de um gato com fluido de isqueiro ou dar de comer a um cão faminto uma bola de pão com um anzol enfiado dentro. O tipo de garoto que sentava no fundo da sala e puxava o sutiã das meninas e depois falava: "Quem, eu?", com um grande olhar sonso na cara quando alguém finalmente reclamava. Não havia muitos alunos como ele no Piper, mas havia alguns. Jake desconfiava que houvesse alguns em toda escola. Vestiam-se melhor no Piper, mas o rosto era o mesmo. Imaginou que antigamente as pessoas talvez dissessem que era o rosto de um garoto que nasceu para ser enforcado.

Maryanne pulou para pegar o jornal, que o jovem de calça preta havia enrolado formando um tubo. Ele o afastou de seu alcance pouco antes que ela pudesse pegá-lo, e em seguida bateu-lhe com o tubo de jornal na cabeça, como se bateria num cachorro por fazer xixi no tapete. Ela começou a chorar — mais de humilhação, pensou Jake. Seu rosto estava tão vermelho que quase brilhava.

— Fique com ele então! — berrou ela. — Eu sei que você não sabe ler, mas pelo menos pode olhar as fotos!

Ela se virou para ir embora.

— Devolva o jornal, vamos — disse o garoto mais novo, o garoto de Jake, com delicadeza.

O mais velho estendeu o tubo de jornal. A garota arrancou-o dele, e mesmo de onde estava, a nove metros de distância, Jake o ouviu se rasgar.

— Você é um merda, Henry Dean! — gritou ela. — Um verdadeiro *merda*!

— Ei, pra que tudo isso? — Henry parecia sinceramente ofendido. — Foi só uma brincadeira. Além disso, só rasgou um pedaço, você ainda pode ler, pelo amor de Deus. Não precisa se estressar assim.

E isso também era previsível, pensou Jake. Sujeitos como Henry sempre levavam até a mais brincadeira sem graça um pouco longe demais... e depois pareciam magoados e sem entender quando alguém gritava com eles. E era sempre: *O que foi que houve?*, e *Não consegue aguentar uma brincadeira? Não precisa se estressar assim.*

Mas quando o mais jovem deu meia-volta e os dois começaram novamente a descer a rua, Jake soube. Embora as feições do mais velho fossem mais pesadas, e a pele estivesse bastante esburacada de acne, fora isso a semelhança era impressionante. Os dois garotos eram irmãos.

22

Jake deu meia-volta e começou a seguir sem pressa pela calçada na frente dos dois garotos. Enfiou a mão trêmula no bolso do peito, retirou os óculos escuros do pai e, tateando, conseguiu encaixá-los no rosto.

Vozes surgiam atrás dele, como se alguém estivesse aumentando aos poucos o volume de um rádio.

— Você não deveria ter sacaneado ela tanto assim, Henry. Foi maldade.

— Ela adora isso, Eddie. — A voz de Henry era complacente, conhecedora do mundo. — Quando você crescer um pouco mais, vai entender.

— Ela estava *chorando.*

— Deve estar de TPM — disse Henry num tom filosófico.

Eles estavam muito perto agora. Jake encolheu-se junto à lateral do prédio. Tinha a cabeça baixa, as mãos enfiadas no fundo dos bolsos do jeans. Não sabia por que lhe parecia tão crucial não ser notado, mas era. Henry não tinha importância, de um modo ou de outro, mas...

O mais jovem não deve se lembrar de mim, pensou ele. *Não sei por quê, exatamente, mas não deve.*

Os dois passaram por ele sem nem sequer um olhar, o que Henry havia chamado de Eddie andava na beira da calçada, quicando a bola de basquete ao longo da sarjeta.

— Você tem de admitir que ela estava engraçada — dizia Henry. — A velha Maryanne pulando pra lá e pra cá pra pegar o jornal. Au! Au!

Eddie ergueu os olhos para o irmão com uma expressão que pretendia ser reprovadora... depois desistiu e se dissolveu numa gargalhada. Jake viu o amor incondicional naquele rosto virado para cima e imaginou que Eddie perdoaria muita coisa ao irmão mais velho antes de abandoná-lo como um caso perdido.

— Então, a gente vai? — perguntava agora Eddie. — Você disse que a gente podia ir. Depois da aula.

— Eu disse *talvez*. Não sei se estou a fim de andar até lá. Mamãe também já vai ter chegado em casa a esta hora. Talvez seja melhor a gente esquecer. Subir e ver um pouco de televisão.

Eles agora estavam três metros na frente de Jake e afastando-se.

— Ah, poxa! Você *falou*!

Além do prédio por onde passavam os dois garotos nesse instante, Jake viu a pracinha com a qual sonhara na noite anterior — ou pelo menos uma versão dela. Não era cercada por árvores, e não havia nenhum quiosque de metrô aleatório com faixas diagonais amarelas e pretas na fachada, mas o concreto rachado era o mesmo. Assim como as desbotadas linhas amarelas na quadra.

— Bem... talvez. Não sei. — Jake percebeu que Henry estava zombando de novo. Mas Eddie, não; ele estava ansioso demais com o tal lugar aonde queria ir. — Vamos jogar um pouco enquanto eu decido.

Ele roubou a bola do irmão mais jovem, driblou-a desajeitadamente até o parque e ergueu-se para arremessar, mas a bola bateu na tabela e ricocheteou sem sequer tocar o aro do arco. Henry era bom em roubar jornais de adolescentes, pensou Jake, mas na quadra de basquete era ruim pra cacete.

Eddie seguiu-o, cruzou o portão, desabotoou a calça de veludo cotelê, e deixou-a deslizar até o chão. Por baixo, vestia o calção xadrez desbotado que usava no sonho de Jake.

— Ah, ele está usando o calçãozinho de ginástica? — provocou Henry. — Mas não é uma *gracinha*? — Esperou o irmão se equilibrar numa só perna para tirar a calça, e então atirou-lhe a bola. Eddie conseguiu rebatê-la, provavelmente se livrando de um nariz sangrando, mas perdeu o equilíbrio e caiu de mau jeito no cimento. Não se cortou, mas Jake viu que poderia ter se cortado; havia vários vidros quebrados brilhando sob o sol ao longo da cerca de corrente.

— Qual é, Henry, pare com isso — disse ele, mas sem muita convicção.

Jake deduziu que Henry o vinha tratando mal assim havia tanto tempo que Eddie só percebia quando o irmão mais velho fazia com outra pessoa — alguém como a bilheteira loira.

— Qual é, Henry, pare com isso.

Eddie levantou-se e avançou a passos largos para a quadra. A bola atingira a cerca de corrente e ricocheteara de volta para Henry, que agora tentava passar driblando pelo irmão caçula. Eddie estendeu a mão com a rapidez de um raio, mas também com delicadeza, e roubou a bola. Sem a menor dificuldade, abaixou-se sob o braço estendido e frenético de Henry e correu para a cesta. Henry perseguiu-o, carrancudo, mas não adiantou nada. Eddie saltou, joelhos flexionados, pés encolhidos à perfeição, e arremessou a bola pelo arco. Henry pegou-a e saiu driblando para fora da faixa.

Não deveria ter feito isso, Eddie, pensou Jake. Ele estava parado logo depois que a cerca terminava, observando os dois garotos. Parecia seguro o bastante, ao menos naquele momento. Usava os óculos escuros do pai, e os dois irmãos estavam tão envolvidos no que faziam que não teriam notado nem se o presidente Carter tivesse parado ali para assistir. Jake em todo caso duvidava de que Henry soubesse quem era o presidente Carter.

Esperava que Henry jogasse sujo com o irmão, talvez intensamente, em retaliação pelo roubo da bola, mas havia subestimado a malícia de Eddie. Henry fez uma finta que não teria enganado nem a mãe de Jake, mas Eddie pareceu cair como um patinho. Henry passou correndo por ele e dirigiu-se para a cesta, conduzindo alegremente a bola por quase todo o caminho. Jake tinha total certeza de que Eddie poderia tê-lo alcançado com facilidade e roubado novamente a bola, mas, em vez de fazer isso, o garoto ficou para trás. Henry lançou-a — desajeitadamente — e a bola bateu de novo no arco e quicou. Eddie agarrou-a... e deixou-a escorrer pelos dedos. Henry a agarrou, virou-se e passou-a pelo arco sem rede.

— Ponto — ofegou Henry. — Partida até doze?

— Vamos.

Jake já vira o bastante. Seria pau a pau, mas no fim Henry venceria. Eddie se certificaria disso. Isso faria mais do que salvá-lo de ficar cheio de galos; deixaria Henry de bom humor, tornando-o mais agradável para qualquer coisa que Eddie quisesse fazer.

Ei, cara, acho que o seu irmãozinho mais novo está te manipulando direitinho há muito tempo já, e você não faz a menor ideia, não é?

Ele recuou até o prédio de apartamentos que ficava na extremidade norte da quadra, impedindo-o de ver os irmãos Dean, e impedindo-os de vê-lo. Encostou-se na parede e ficou ouvindo as batidas da bola na quadra. Não demorou para Henry estar bufando como Charlie Chuu-Chuu subindo uma colina íngreme. Devia ser fumante, lógico; caras como Henry sempre fumavam.

O jogo levou quase dez minutos, e quando Henry reivindicou a vitória, a rua já havia se enchido com outros garotos voltando para casa do colégio. Alguns lançaram olhares curiosos para Jake ao passar por ele.

— Bom jogo, Henry — disse Eddie.

— Nada mau — ofegou Henry. — Você continua caindo no truque da finta.

Claro que está, pensou Jake. *Acho que vai continuar se deixando enganar por ela até ganhar uns quarenta quilos. Então talvez você tenha uma surpresa.*

— Acho que sim. Ei, Henry, podemos *por favor* ir ver o lugar?

— É, por que não? Vamos lá.

— *Legal*! — berrou Eddie. Ouviu-se o estalo de carne na carne; provavelmente Eddie batendo a mão na do irmão. — Isso aí!

— Suba lá no apartamento. Diga a mamãe que a gente vai chegar às quatro e meia, quinze pras cinco. Mas não diga nada sobre a Mansão. Ela teria um chilique daqueles. Ela também acha que a casa é mal-assombrada.

— Quer que eu diga que a gente vai à confeitaria?

Silêncio enquanto Henry avaliava isso.

— Não. Ela pode ligar para a sra. Bunkowski. Diz a ela... diz que a gente vai à lanchonete comer alguma coisa. Nisso ela vai acreditar. Pede a ela dois dólares também.

— Ela não vai me dar dinheiro. Não dois dias antes de receber.

— Bobagem. Você consegue. Agora vai.

— Tá bem. — Mas Jake não ouviu Eddie indo. — Henry?

— *O quê?* — Impaciente.

— Você acha que a Mansão é mesmo mal-assombrada?

Jake deslizou um pouco mais para perto da pracinha. Não queria ser visto, mas teve uma forte sensação de que precisava ouvir isso.

— Não. Casas mal-assombradas não existem de *verdade*, só nas porras dos filmes.

— Ah. — Havia na voz de Eddie um inconfundível alívio.

— Mas se *existisse* — recomeçou Henry (talvez não quisesse que o irmão se sentisse aliviado demais, pensou Jake) —, seria a Mansão. Eu soube que, dois anos atrás, dois garotos da rua Norwood entraram lá e a polícia os encontrou com as gargantas cortadas e todo o sangue esvaído dos corpos. Mas não tinha sangue nenhum em volta deles. Sacou? O sangue todo *sumiu*.

— Tá de sacanagem comigo?

— Não. Mas isso não foi o pior da história.

— O que foi?

— O cabelo deles ficou branquinho — disse Henry. A voz que chegou até Jake era solene. Ele teve a impressão de que desta vez Henry não estava sacaneando Eddie, de que dessa vez ele acreditava em cada palavra que dizia. (Também duvidou que Henry tivesse neurônios suficientes para inventar uma história dessas.) — Dos dois. E os olhos ficaram arregalados e fixos, como se tivessem visto a coisa mais apavorante do mundo.

— Ah, sem essa — disse Eddie, mas com a voz baixa, assombrada.

— Você ainda quer ir?

— Claro. Desde que a gente não... você sabe, não chegue perto demais.

— Então vai lá na mamãe. E tenta arrancar dois paus dela. Eu preciso de cigarro. Leve a merda dessa bola também.

Jake foi andando para trás e entrou no primeiro prédio de apartamentos, no exato momento em que Eddie saía pelo portão da pracinha.

Para seu horror, o garoto de camiseta amarela virou-se na direção dele. *Cacete!*, pensou, tenso. *E se for este o prédio?*

Era. Jake só teve tempo de dar meia-volta e começar a examinar os nomes ao lado da fileira de campainhas, antes de Eddie Dean roçar nele ao passar, tão perto que Jake sentiu o cheiro do suor produzido pelo esforço na quadra de basquete. Meio pressentiu, meio viu o olhar curioso que o garoto lançou em sua direção. E logo Eddie entrava no saguão e se encaminhava para os elevadores com a calça da escola embolada debaixo de um dos braços e a bola surrada de basquete debaixo do outro.

O coração de Jake martelava forte no peito. Seguir pessoas era muito mais difícil na vida real do que nos romances policiais que ele às vezes lia. Atravessou a rua e ficou entre dois prédios de apartamentos meio quarteirão adiante. Dali via ao mesmo tempo a entrada do apartamento dos irmãos Dean e a pracinha. Esta começava a se encher, sobretudo de crianças pequenas. Henry recostou-se na divisória de corrente, fumando um cigarro e tentando parecer tomado de angústia adolescente. De vez em quando, estendia um pé quando um dos meninos precipitava-se para ele em desabalada corrida, e antes de Eddie voltar conseguiu derrubar três deles. O último caiu de pernas e braços abertos, bateu de cara no cimento, e avançou chorando pela rua com a testa ensanguentada. Henry deu um piparote na guimba do cigarro depois do tombo do menino e gargalhou.

Um cara realmente gente fina, pensou Jake.

Depois dessa, as crianças ficaram mais atentas e começaram a passar longe dele. Henry deixou tranquilamente a pracinha e seguiu pela rua até o edifício onde Eddie entrara cinco minutos antes. Quando chegou lá, a porta se abriu e Eddie saiu. Havia trocado a roupa por uma calça jeans e uma camiseta limpa; também amarrara uma bandana verde estampada, a mesma que usara no sonho de Jake, em volta da testa. Acenava triunfante com duas notas de um dólar. Henry puxou-as e perguntou-lhe alguma coisa. Eddie fez que sim, e os dois partiram.

Mantendo uma distância de meio quarteirão, Jake os seguiu.

23

Eles estavam em pé em meio à relva alta à beira da Grande Estrada, observando o círculo falante.

Stonehenge, pensou Susannah, e estremeceu. *É com o que isso se parece. Stonehenge.*

Embora o mato espesso que cobria a planície crescesse em volta das bases dos altos monólitos cinza, o círculo que envolviam era feito de terra árida, salpicada aqui e ali de coisas brancas.

— O que é aquilo? — perguntou ela em voz baixa. — Lascas de pedra?

— Olhe de novo — disse Roland.

Ela olhou, e constatou que eram ossos. Ossos de animais pequenos, talvez. Ao menos torcia para que fossem.

Eddie passou o cepo pontudo para a mão esquerda, secou a palma da direita na camisa, e depois mudou de novo para a outra mão. Abriu a boca, mas nenhum som saiu da sua garganta seca. Ele pigarreou e tentou novamente.

— Acho que eu deveria desenhar alguma coisa no chão.

Roland assentiu.

— Agora?

— Em breve. — Encarou Roland. — Há alguma coisa aqui, não? Alguma coisa que não conseguimos ver.

— Não está aqui agora — disse Roland. — Pelo menos, *não acho* que esteja. Mas virá. Nosso khef... nossa força de vida... vai atraí-lo. E, lógico, terá ciúmes de seu lugar. Devolva minha arma, Eddie.

Eddie desafivelou o cinturão e entregou-lhe a arma. Voltou então para o círculo de pedras de seis metros de altura. Alguma coisa vivia ali, com certeza. Ele sentia seu cheiro, um fedor que o lembrava de reboco úmido, sofás mofados e colchões antigos apodrecendo sob camadas semilíquidas de bolor. Conhecia aquele cheiro.

A Mansão — eu senti esse cheiro lá. No dia em que convenci Henry a me levar para ver a Mansão na rua Rhinehold, em Dutch Hill.

Roland afivelou o cinturão, curvando-se para soltar a tira do coldre. Ergueu os olhos para Susannah ao fazê-lo.

— Talvez precisemos de Detta Walker — disse. — Ela está por aí?

— Aquela escrota está sempre por perto. — Susannah franziu o nariz.

— Ótimo. Um de nós vai ter que proteger Eddie enquanto ele faz o que precisa fazer. O outro não vai conseguir fazer nada. Este é um lugar de demônios. Demônios não são humanos, mas ainda assim são masculinos e femininos. O sexo é ao mesmo tempo sua arma e sua fraqueza. Não importa qual seja o sexo do demônio, ele irá atrás de Eddie. Para proteger o seu lugar. Para impedir que seja tomado por um forasteiro. Entendeu?

Susannah assentiu. Eddie parecia não estar ouvindo. Enfiara o quadrado de pele contendo a chave na camisa e agora fitava o círculo falante como se estivesse hipnotizado.

— Não há tempo de dizer isto de uma maneira gentil ou polida — disse Roland. — Um de nós terá de...

— Um de nós terá de trepar com ele para mantê-lo afastado de Eddie — interrompeu Susannah. — Este é o tipo de coisa que *jamais* consegue recusar uma trepadinha fácil. É aonde você está querendo chegar, não é?

Roland assentiu.

Os olhos dela brilhavam. Eram os olhos de Detta Walker agora, ao mesmo tempo sábios e cruéis, brilhando com um divertimento sombrio, e sua voz descambava cada vez mais para o sotaque fajuto de caipira sulista que era a marca registrada de Detta.

— Si fô um demônio minina, ocê fica com ele. Mas si fô um demônio minino é meu. É mais ou menos isso?

Roland concordou.

— E se ele curtir os dois lados? E *aí*, garotão?

Os lábios de Roland se contraíram na mais sutil sugestão de um sorriso.

— Aí enfrentamos juntos. Só se lembre...

Ao lado deles, numa voz fraca, distante, Eddie murmurou:

— Nem tudo é silêncio nos corredores dos mortos. O que dorme desperta. — Ele desviou os olhos assombrados, aterrorizados, para Roland. — Tem um monstro.

— O demônio...

— Não. Um *monstro*. Alguma coisa entre as portas... entre os *mundos*. Alguma coisa à espera. *E está abrindo os olhos*.

Susannah olhou assustada para Roland.

— Resista, Eddie — disse Roland. — Seja fiel.

Eddie respirou fundo.

— Vou resistir até isso me derrubar — disse. — Preciso entrar agora. Está começando.

— Vamos todos entrar — disse Susannah. Ela arqueou as costas e deslizou para fora da cadeira de rodas. — Quarqué demônio qui quisé fodê cumigo vai discobri que tá fodendo com a melhor de todas. Vô dá pra ele uma foda qui ele não vai sisquecê nunca.

Quando passaram entre duas das pedras altas e entraram no círculo falante, começou a chover.

24

Assim que viu o lugar, Jake entendeu duas coisas: primeiro, que já o vira antes, em pesadelos tão terríveis que sua mente consciente não o permitia se lembrar; segundo, que era um lugar de morte, assassinato e loucura. Estava parado na outra esquina da rua Rhinehold com a avenida Brooklyn, a quase sessenta metros de Henry e Eddie Dean, mas mesmo dali sentia a Mansão ignorando-os e estendendo suas mãos ávidas e invisíveis para agarrá-lo. Teve a sensação de ver garras nas pontas daquelas mãos. Afiadas.

Ela me quer, e não posso fugir. É morte entrar... mas é loucura não entrar. Porque em algum lugar dentro dessa casa há uma porta fechada. Eu tenho a chave que vai abri-la, e a única salvação possível está do outro lado.

Ele encarou a Mansão, uma casa que parecia quase gritar anormalidade. Ela se erguia como um tumor no centro de seu jardim revolto, cheio de ervas daninhas.

Os irmãos Dean haviam percorrido nove quarteirões do Brooklyn, caminhando devagar sob o sol quente da tarde de verão, e entrado numa zona da cidade que tinha de ser Dutch Hill, a julgar pelos nomes das lojas e dos armazéns. Agora estavam parados na metade do quarteirão, na frente da Mansão. Ela parecia estar abandonada havia anos, embora tivesse sido surpreendentemente pouco vandalizada. E um dia, pensou Jake, realmente *fora* uma mansão — talvez a casa de um abastado negociante e sua numerosa família. Naqueles dias há muito decorridos devia ter sido branca, mas agora era de um cinza sujo, descorado. Embora as janelas houvessem sido dilapidadas e a cerca de tábuas em volta descascada, pintada com tinta aerossol, a casa em si continuava intacta.

Ela afundava na luz intensa, um fantasma encimado de ardósia brotando de um jardim inclinado coberto de lixo, fazendo Jake pensar num cão que fingia dormir. O telhado íngreme pairava sobre a varanda da frente como uma testa de escaravelho. As ripas do portão estavam lascadas e empenadas. Venezianas que poderiam já ter sido verdes estendiam-se obliquamente ao lado das janelas sem vidros; antigas cortinas ainda pendiam de algumas delas, oscilando como tiras de pele morta. À esquerda, uma velha treliça curvava-se para fora do prédio, agora não mais presa por pregos, mas apenas por anônimos e meio sujos cachos de trepadeiras que rastejavam sobre ela.

Via-se uma plaqueta no jardim e outra na porta. De onde estava, Jake não conseguia ler nenhuma das duas.

A casa estava *viva*. Ele sabia disso, sentia sua consciência emanando das tábuas e do telhado inclinado, sentia-a fluindo em rios das cavidades escuras das janelas. A ideia de aproximar-se daquele lugar terrível enchia-o de desespero; a ideia de realmente entrar enchia-o de indizível horror. Mas precisava fazê-lo. Escutava um zumbido baixo, sonolento, nos ouvidos — o ruído de uma colmeia num dia quente de verão — e por um momento temeu que fosse desmaiar. Fechou os olhos... e a voz *dele* encheu sua cabeça.

Você precisa ir, Jake. Esse é o caminho do Feixe, o caminho da Torre Negra e o momento da sua Escolha. Seja fiel; resista; venha a mim.

O medo não passou, mas aquela tenebrosa sensação de perigo iminente, sim. Ele voltou a abrir os olhos e viu que não era o único a sentir o poder e a sensibilidade intensa do lugar. Eddie tentava afastar-se da cerca. Virou-se na direção de Jake, que viu seus olhos, arregalados e ansiosos sob a bandana verde. O irmão mais velho agarrou-o e empurrou-o para o portão enferrujado, mas o gesto foi sem força demais para chegar a ser uma provocação: por mais cabeça-dura que fosse, Henry gostava da Mansão tão pouco quanto Eddie.

Eles recuaram um pouco e ficaram olhando o lugar por algum tempo. Jake não conseguia ouvir o que diziam um ao outro, mas o tom das vozes era assombrado e nervoso. Jake de repente se lembrou de Eddie falando em seu sonho: *Mas lembre-se de que há perigo. Seja cuidadoso... e rápido.*

De repente, o verdadeiro Eddie, o do outro lado da rua, elevou a voz o suficiente para Jake entender as palavras.

— Podemos ir pra casa agora, Henry? Por favor? Não estou gostando disto. — O tom era de súplica.

— Lá vem a porra do veadinho — disse Henry, mas Jake pensou ter ouvido bastante alívio, além de indulgência, na voz do irmão mais velho. — Vamos.

Deram as costas à casa decrépita, que parecia agachada atrás da cerca, e aproximaram-se da rua. Jake recuou, depois se virou e olhou a vitrine da pequena e modesta loja chamada Eletrodomésticos Usados Dutch Hill. Viu os fracos e fantasmagóricos reflexos de Henry e Eddie, sobrepostos num antigo aspirador de pó Hoover, atravessarem a rua Rhinehold.

— Tem *certeza* de que ela não é mesmo mal-assombrada? — perguntou Eddie quando pisaram na calçada do lado de Jake.

— Bem, vou te dizer uma coisa — respondeu Henry. — Agora que vim aqui, já não tenho tanta certeza.

Passaram por Jake sem olhar para ele.

— Você entraria lá? — perguntou Eddie.

— Nem por um milhão de dólares — respondeu prontamente Henry.

Eles contornaram a esquina. Jake afastou-se da vitrine e ficou espreitando-os. Refaziam o caminho de volta por onde tinham vindo, juntos na calçada. Henry seguia desajeitado em seus coturnos de bico de aço, os ombros já caídos como os de um homem muito mais velho, e Eddie caminhava ao seu lado com uma graça pura e inconsciente. As sombras dos dois, compridas e agora arrastando-se pela rua, fundiam-se amistosamente.

Estão indo para casa, pensou Jake, e sentiu uma onda de solidão tão forte que achou que fosse esmagá-lo. *Vão jantar, fazer o dever de casa, discutir sobre qual programa de TV querem ver e depois dormir. Henry pode ser um babaquinha de merda, mas aqueles dois têm uma vida, uma vida que faz sentido… e vão voltar para ela. Eu gostaria de saber se eles fazem ideia do tamanho da sorte que têm. Imagino que Eddie talvez saiba.*

Jake se virou, ajustou as tiras da mochila e atravessou a rua Rhinehold.

25

Susannah pressentiu movimento no pasto vazio além do círculo de pedras verticais: uma investida murmurante, sussurrante.

— Alguma coisa está vindo — disse ela, tensa. — Está se aproximando rápido.

— Tome cuidado, mas a mantenha longe de mim. Entendeu? Mantenha ela longe de mim — disse Eddie.

— Pode deixar, Eddie. Apenas faça o que é preciso.

Eddie assentiu. Ajoelhou-se no centro do círculo falante, segurando o cepo afiado diante de si como se avaliasse sua ponta. Baixou-o em seguida e desenhou uma linha reta e escura no chão.

— Roland, cuide dela…

— Vou cuidar, Eddie, se puder.

— ... mas mantenha aquilo longe de mim. Jake está chegando. O filho da mãe realmente está chegando.

Susannah via agora as relvas bem ao norte do círculo falante dividindo-se numa longa linha escura, criando um sulco que entrava em cheio no círculo de pedras.

— Prepare-se — disse Roland. — Vai atacar Eddie. Um de nós terá de emboscar o demônio.

Susannah se empinou nos quadris como uma serpente despontando de uma cesta de faquir indiano. Suas mãos, fechadas em duros punhos negros, estavam ao lado do rosto. Seus olhos brilhavam.

— Estou pronta — disse ela, e então gritou: — *Venha, garotão! Venha já! Corra como se fosse seu aniversário!*

A chuva começou a cair com mais intensidade quando o demônio que morava ali tornou a entrar no círculo numa disparada estrondosa. Susannah só teve tempo de sentir uma grossa e impiedosa masculinidade — que chegou até ela como um cheiro forte de gim e zimbro —, e ele correu para o centro do círculo. Ela fechou os olhos e estendeu a mão para agarrá-lo, não com os braços nem com a mente, mas com toda a força feminina que vivia em seu âmago: *Ei, garotão! Onde é qu'ocê vai? A xoxota tá bem aqui!*

Ele se virou com rapidez. Ela sentiu sua surpresa... e depois sua fome bruta, tão intensa e urgente como uma artéria pulsante. Saltou para cima dela como um estuprador saltando da entrada de um beco.

Susannah uivou e se jogou para trás, os tendões saltando do pescoço. O vestido que usava primeiro colou-se nos seios e na barriga, e depois começou a rasgar-se em tiras. Ela ouvia um arquejo sem sentido, sem direção, como se o próprio ar houvesse decidido violentá-la.

— Suze! — gritou Eddie, e começou a se levantar.

— *Não!* — gritou Susannah de volta. — *Vá! Estou com esse filho da puta... bem onde eu o quero! Continue, Eddie! Traga o garoto! Traga...* — Um frio bateu-lhe na pele macia entre as coxas. Ela grunhiu, caiu para trás... depois se apoiou com uma das mãos e começou a bombear os quadris para frente e para cima, desafiadora. — *Traga-o para cá!*

Eddie olhou hesitante para Roland, que lhe acenou a cabeça afirmativamente. Olhou mais uma vez para Susannah, com os olhos cheios de uma dor sombria e de um medo ainda pior, e então deliberadamente deu as costas para os dois e voltou a ajoelhar-se. Esticou-se para frente com o cepo afiado que havia se transformado num lápis improvisado, ignorando a fria chuva que lhe caía nos braços e na nuca. O cepo começou a se movimentar, traçando linhas e ângulos, criando uma forma que Roland reconheceu na mesma hora.

Era uma porta.

26

Jake estendeu os braços, colocou as mãos no portão lascado e o empurrou. Ele se abriu devagar nas dobradiças rangentes, coalhadas de ferrugem. Na sua frente havia um caminho irregular de tijolos. Mais adiante, a varanda. Além da varanda, a porta, que havia sido fechada com tábuas pregadas e dispostas em cruz.

Ele andou devagar até a casa, com o coração aos pulos na garganta. Mato e ervas daninhas despontavam entre os tijolos. Ele os ouvia farfalhar contra sua calça jeans. Seus sentidos pareciam ter subido dois níveis. *Você não vai entrar mesmo aí, vai?*, perguntou uma voz apavorada em sua cabeça.

E a resposta que lhe ocorreu parecia ao mesmo tempo louca e perfeitamente razoável: *Tudo serve ao Feixe*. A tabuleta no gramado dizia:

ENTRADA ABSOLUTAMENTE PROIBIDA SOB PENA DA LEI!

O quadrado de papel manchado de ferrugem, amarelado e pregado numa das tábuas cruzadas, era mais elucidativo:

POR ORDEM DA AUTORIDADE PREDIAL DA CIDADE DE NOVA YORK
ESTA PROPRIEDADE FOI CONDENADA

Jake parou no pé da escada, erguendo os olhos para a porta. Ouvira vozes no terreno baldio e agora podia ouvi-las de novo… mas elas eram um coro de condenados, um balbucio de ameaças insanas e promessas igualmente enlouquecidas. No entanto, ele achou que todas formavam apenas uma voz. A voz da casa; a voz de algum monstruoso porteiro, despertado de seu longo sono atormentado.

Pensou brevemente na Ruger do pai, chegou a considerar tirá-la da mochila, mas de que serviria? Atrás dele, o tráfego passava de um lado para o outro na rua Rhinehold, e uma mulher berrava para a filha parar de ficar de mãos dadas com aquele garoto e trazer a roupa lavada, mas ali era outro mundo, um mundo governado por um ser sombrio sobre o qual as armas não tinham poder.

Seja fiel, Jake... resista.

— Tudo bem — disse ele com a voz baixa, trêmula. — Tudo bem, vou tentar. Mas é melhor você não me deixar cair de novo.

Devagar, começou a subir os degraus da frente.

27

As tábuas que vedavam a porta estavam velhas e apodrecidas, os pregos, enferrujados. Jake agarrou as duas tábuas de cima pela ponta onde se cruzavam uma na outra e puxou com força. Elas se despregaram com um rangido que ecoava o ruído do portão. Jogou-as sobre o corrimão da varanda, num canteiro de flores de onde brotavam apenas capim e corniso. Curvou-se, agarrou as tábuas inferiores... e parou por um instante.

Um ruído surdo e vazio atravessou a porta; o som de algum animal babando faminto no fundo de um cano de concreto. Jake sentiu uma nauseante camada de suor brotar-lhe das faces e da testa. Estava tão aterrorizado que sentia como se tivesse transcendido; parecia ter se transformado em um personagem do pesadelo de outra pessoa.

O coro maligno, aquela presença maligna, estava atrás daquela porta. Seu barulho escorria como melado.

Ele puxou com força as tábuas inferiores. Elas se soltaram com facilidade.

Lógico. A coisa quer que eu entre. Está faminto, e espera que eu seja o prato principal.

Um trecho de poesia ocorreu-lhe de repente, alguma coisa que a sra. Avery lera para a turma. Devia ser sobre a provação do homem moderno, que havia sido isolado de todas as suas raízes e tradições, mas para Jake de repente pareceu que o homem que havia escrito aquele poema devia ter visto aquela casa: *E eu te mostrarei uma coisa diferente/ Da tua sombra que pela manhã anda atrás de ti/ Ou de tua sombra que à tarde se ergue para te receber/Eu te mostrarei...*

— Eu te mostrarei o medo num punhado de pó — murmurou Jake, e colocou a mão na maçaneta.

E ao fazê-lo, aquela sensação nítida de alívio e segurança mais uma vez o inundou, a sensação de que era isso, desta vez a porta se abriria naquele outro mundo, ele veria um céu intocado por nevoeiro e fumaça industrial, e, no horizonte distante, não apenas as montanhas, mas os nebulosos pináculos azuis de uma magnífica cidade desconhecida.

Seus dedos se fecharam em volta da chave prateada no bolso, esperando que a porta estivesse trancada para ele poder usá-la. Não estava. As dobradiças gemeram e seus cilindros de lenta rotação soltaram lascas de ferrugem quando a porta se abriu. O cheiro de deterioração atingiu Jake como um golpe físico: madeira úmida, reboco esponjoso, ripas apodrecidas, estofados antigos. De baixo desses cheiros emanava outro — o do covil de alguma fera. À frente, via-se um corredor bolorento, soturno. À esquerda, uma escadaria subia e abria seu perigoso caminho sombras acima. O corrimão desabado estendia-se estilhaçado no piso do corredor, mas Jake não era tolo o bastante para achar que o que via eram *apenas* lascas de madeira. Havia também ossos naquele lixo — ossos de animais pequenos. Alguns não pareciam exatamente ossos de animais, e nesses ele não deteve o olhar; sabia que se o fizesse jamais reuniria coragem para seguir adiante. Parou no limiar, instigando a si mesmo a dar o primeiro passo. Ouviu um ruído fraco e abafado, muito duro e rápido, e compreendeu que eram seus próprios dentes batendo.

Por que alguém não me impede?, pensou, frenético. *Por que alguém passando na calçada não grita: "Ei, você! Não deveria estar aí... não sabe ler".*

Mas ele sabia o porquê. A maioria dos pedestres mantinha-se do outro lado daquela rua, e os que se aproximavam da casa não se demoravam.

Mesmo que alguém olhasse por acaso, não me veria, porque não estou realmente aqui. O que quer que aconteça agora, já deixei meu mundo para trás. Comecei a transpô-lo. O mundo dele fica em algum lugar à frente. Isto...

Aquilo era o inferno entre os dois.

Jake pisou no corredor, e embora tenha gritado quando a porta se fechou atrás dele com o barulho de uma porta de mausoléu sendo fechada, ele não se surpreendeu.

Bem lá no fundo, não se surpreendeu nem um pouco.

28

Era uma vez uma moça chamada Detta Walker, que gostava de frequentar espeluncas e restaurantes-pensões de beira de estrada ao longo da Ridgeline Road, nos arredores de Nutley, e na rodovia 88 seguindo os cabos de energia elétrica, na periferia de Amhigh. Naquela época tinha pernas, e, como dizia a música, sabia usá-las. Colocava um vestido barato e justo que parecia seda mas não era e dançava com os rapazes brancos enquanto a banda tocava aquelas canções de festa de branco como "Double Shot of My Baby's Love" e "The Hippy-Hippy Shake". Ela acabava escolhendo um branquelo do grupo e o deixava levá-la até o carro dele no estacionamento. Ali ela o beijava (Detta Walker tinha um dos melhores beijos do mundo, e também tinha bastante habilidade com os dedos) até ele quase enlouquecer... e então ela parava tudo. O que acontecia depois? Bem, era esta a questão, não era? Era este o jogo. Alguns deles lamentavam e imploravam — tudo bem, mas nada sensacional. Outros urravam e rugiam de raiva, o que era melhor.

E embora ela houvesse apanhado na cabeça, levado um soco no olho, embora tivessem cuspido nela, e uma vez chutado sua bunda com tanta força que ela ficara estirada de pernas e braços abertos no saibro do estacionamento do The Red Windmill, ela nunca havia sido estuprada. Todos voltavam para casa sem ter transado, todos aqueles malditos. O que significava, na cartilha de Detta, que ela era a campeã, a rainha invencível. Campeã de quê? *Deles*. De todos aqueles filhos da puta branquelos de cabelo escovinha, caretas, reprimidos e hipócritas.

Até agora.

Não havia meio algum de resistir ao demônio que vivia no círculo falante. Nada de maçanetas de portas para agarrar, carro do qual se jogar, prédio para onde voltar correndo, face para bater, cara para arranhar, saco para chutar se o branco filho da puta demorasse a entender o recado.

O demônio estava em cima dela... e então, num lampejo, aquilo — *ele* — estava dentro dela.

Sentia aquilo — *ele* — pressionando-a para trás, embora não o visse — *ele*. Não via suas mãos — *dele*, mas via seu trabalho quando rasgaram o vestido em vários lugares. Então, de repente, dor. Parecia que estava sendo rasgada lá embaixo, e em sua agonia e surpresa ela gritou. Eddie olhou em volta, os olhos se estreitando.

— Está tudo bem comigo! — gritou ela. — Continue, Eddie, me esqueça! Está tudo bem comigo.

Mas não estava. Pela primeira vez, desde que Detta havia adentrado o campo da sexualidade aos trezes anos, ela estava perdendo. Uma coisa horripilantemente fria e intumescida mergulhou dentro dela; era como ser fodida por um pingente de gelo.

Viu vagamente Eddie afastar-se e recomeçar a desenhar no chão, a expressão de carinhosa preocupação desfazendo-se na terrível e concentrada frieza que ela às vezes sentia nele e via em seu rosto. Bem, isso era o certo, não? Ela o mandara continuar, esquecê-la, fazer o que precisava ser feito para trazer o garoto. Aquela era a sua função no desenho de Jake, e ela não tinha o menor direito de odiar nenhum dos dois homens, que não haviam a forçado — nem feito qualquer outra coisa — para obrigá-la a fazer aquilo, mas quando aquela coisa fria a imobilizou e Eddie se afastou, ela odiou os dois; poderia, na verdade, ter arrancado fora aqueles sacos brancos.

Então Roland veio para junto dela, as mãos fortes em seus ombros, e embora ele não tenha falado, ela o ouviu: *Não lute. Você não pode vencer se lutar... só pode morrer. O sexo é a arma dele, Susannah, mas é também sua fraqueza.*

Sim. Era *sempre* a fraqueza deles. A única diferença desta vez é que ela teria de dar um pouco mais — mas talvez estivesse tudo bem. Talvez, no fim, ela conseguisse fazer esse demônio invisível *pagar* um pouco mais.

Esforçou-se para relaxar as coxas. Na mesma hora elas foram escancaradas, formando longas curvas em forma de leque na terra. Atirou a cabeça para trás na chuva que agora caía com força e sentiu a cara do demônio pairando logo acima da sua, os olhos ávidos sorvendo cada careta contorcida que passava pelo rosto dela.

Ela ergueu uma das mãos, como para dar um tapa... e em vez disso deslizou-a pela nuca de seu estuprador demoníaco. Foi como pegar com a mão em concha um punhado de fumaça sólida. E teria ela realmente sentido a cabeça dele se contorcer para trás, surpresa com a carícia? Ela ergueu bem os quadris, usando o apoio na nuca invisível como alavanca. Ao mesmo tempo abriu ainda mais as pernas, rasgando o que restava do vestido pelas costuras laterais. Meu Deus, aquilo era imenso!

— Vem — ela arquejou. — Tu num vai me estuprá. Tu num vai, não. Num qué me fudê? Eu que vô te fodê. Vô te dá uma foda que *nunca* teve! Te fodê até *matá*.

Ela sentiu o intumescimento dentro de seu corpo tremer; sentiu o demônio tentar, ao menos momentaneamente, recuar e mudar de estratégia.

— Ããh-ããh, benzinho — gemeu ela. Comprimiu as coxas uma na outra, prendendo-o. — A farra tá só *começando*. — Começou a levantar as nádegas, arqueando-se contra a presença invisível. Ergueu a mão livre, enlaçou todos os dez dedos, e deixou-se cair para trás com o quadril empinado, os braços distendidos parecendo segurar nada. Afastou os cabelos suados dos olhos balançando a cabeça; separou os lábios num largo sorriso de tubarão.

Me solte!, gritou uma voz em sua mente. Mas ao mesmo tempo ela sentia o dono da voz reagir contra a própria vontade.

— De jeito nenhum, docinho. Você quis... agora vai ter. — Lançou-se para cima, agarrando-se, concentrando-se furiosamente no frio que se congelava dentro dela. — Vou derreter esse pingente de gelo, docinho, e quando ele se desfizer, o que você vai fazer então? — Ela abria e fechava os lábios. Comprimia as coxas sem dó, enfiava as garras mais fundo no pescoço invisível e rezava para que Eddie fosse rápido.

Não sabia durante quanto tempo conseguiria fazer aquilo.

29

O problema, pensou Jake, era simples: em algum lugar daquela terrível casa úmida havia uma porta fechada. A porta *certa*. Ele só precisava encontrá-la. Mas isso era difícil, pois sentia que a presença na casa se concentrava.

O ruído daquelas vozes tagarelas, dissonantes, começava a fundir-se num único som — um sussurro baixo, áspero.

E estava se aproximando.

À direita havia uma porta aberta. Ao seu lado, preso com percevejos na parede, um daguerreótipo desbotado mostrava um homem enforcado pendendo como uma fruta podre de uma árvore morta. Depois dela via-se um cômodo que um dia fora uma cozinha. O fogão não estava mais lá, mas do outro lado do linóleo descorado, cheio de calombos, havia uma antiga geladeira — daquelas com a refrigeração circular em cima — com a porta escancarada. Uma substância escura e malcheirosa formava uma crosta lá dentro e tinha escorrido e formado no piso uma poça havia muito já endurecida. Os armários da cozinha estavam abertos. Num deles, Jake viu o que provavelmente era a mais antiga lata de mexilhões do mundo. Despontando de outra, a cabeça de um rato morto. Tinha os olhos brancos e aparentemente em movimento, e depois de um instante Jake percebeu que as cavidades vazias estavam repletas de larvas se contorcendo.

Alguma coisa caiu em seus cabelos com um baque estranho. Jake gritou, surpreendido, estendeu a mão e pegou uma coisa que parecia uma bola de borracha macia, coberta de pelos. Arrancou-a da cabeça e viu que era uma aranha, o corpo inchado da cor de um hematoma recente. Olhava-o com estúpida malevolência. Jake atirou-a contra a parede. Ela se abriu com a pancada e ficou ali esparramada, as patas se contorcendo debilmente.

Outra caiu no seu pescoço. Jake sentiu uma picada repentina e dolorosa abaixo da linha dos cabelos. Recuou apressado de costas para o corredor, tropeçou no corrimão desmoronado, caiu pesadamente de costas no chão e sentiu a aranha estourar. Suas entranhas, úmidas, febris e escorregadias, deslizaram pelas omoplatas de Jake como gema de ovo quente. Agora ele via outras aranhas no vão da porta da cozinha. Algumas pendiam quase invisíveis em sedosos fios, como obscenos pêndulos; outras simplesmente caíam no chão numa série de estalos úmidos e precipitavam-se avidamente para cumprimentá-lo.

Jake levantou-se aos safanões, ainda gritando. Sentiu alguma coisa em sua mente, alguma coisa que pareceu uma corda esgarçada, começando a desfazer-se. Achou que poderia ser a sua sanidade, e com essa percepção, sua considerável coragem finalmente desmoronou. Não podia mais aguentar aquilo, não importava o que estivesse em jogo. Saiu correndo, com a intenção de fugir enquanto ainda tinha tempo, e percebeu tarde demais que virara para o lado errado e avançava Mansão adentro, em vez de voltar para a varanda.

Chegou a um espaço grande demais para ser uma sala de estar. Parecia um salão de baile. Elfos com estranhos sorrisos maliciosos nos rostos saltitavam pelo papel de parede, observando Jake por baixo dos chapéus verdes pontudos. Um sofá mofado havia sido empurrado contra uma das paredes. No centro do chão de madeira estava um candelabro estilhaçado, com sua corrente enferrujada enroscada nas contas de vidro espalhadas e nos empoeirados pingentes em formato de lágrima, de cristal, espalhados e cobertos de poeira. Jake desviou-se dos destroços, lançando um olhar aterrorizado para trás. Não viu aranhas; não fosse pela desagradável sujeira que lhe escorria pelas costas, poderia achar que as tinha imaginado.

Tornou a olhar para a frente e parou de repente, derrapando. À sua frente, duas portas francesas erguiam-se semiabertas em seus trilhos recuados. Outro corredor estendia-se além delas. No fim desse segundo corredor havia uma porta fechada com uma maçaneta dourada. Escritas — ou talvez entalhadas — horizontalmente na porta, liam-se duas palavras:

O GAROTO

Abaixo da maçaneta havia uma placa de prata decorada com o buraco de uma fechadura.

Encontrei!, pensou Jake frenético. *Finalmente encontrei! É esta! É esta a porta!*

Atrás dele começou a se ouvir um ronco baixo, como se a casa estivesse começando a destruir a si mesma. Jake se virou e olhou o outro lado do salão de baile atrás dele. A parede no extremo oposto havia começado a inchar e abaular-se, empurrando o velho sofá para frente. O antigo papel de parede encolheu; os elfos se puseram a ondular-se e dançar. Em alguns lugares o papel simplesmente se desprendeu, enrolando-se em lonas espirais, como cortinas de rolo soltas de repente demais. O reboco se projetou para a frente numa curva acentuada. Vindo de baixo, Jake ouvia sons secos estalando, enquanto o lambri de madeira se partia, reorganizando-se em alguma forma nova, mas ainda indefinida. O barulho, porém, continuava aumentando. Só que não era mais exatamente um ronco; soava agora como um rosnado.

Ele fitava, hipnotizado, sem conseguir desgrudar os olhos.

O reboco não rachou nem foi vomitado parede afora em pedaços; ele parecia ter se transformado em plástico, e enquanto a parede continuava a abaular-se, criando uma forma de bolha branca da qual ainda pendiam tiras e restos úmidos de papel de parede, a superfície começou a moldar-se em colinas, curvas e vales. De repente, Jake percebeu que estava encarando um imenso rosto de plástico que se projetava com força para fora da parede. Era como ver alguém que houvesse batido de frente em um lençol molhado.

Ouviu-se um estalo alto quando um pedaço de madeira quebrada se soltou e varou a parede ondulante. Ele se tornou a fina pupila de um olho. Abaixo dela, a parede contorceu-se numa boca rosnando e cheia de dentes pontiagudos. Jake viu fragmentos de papel de parede grudados nos lábios e gengivas.

Uma mão de reboco libertou-se, rasgando a parede e arrastando um emaranhado bracelete de fios elétricos podres. Agarrou o sofá e atirou-o para o lado, deixando fantasmagóricas impressões digitais brancas na superfície escura. Mais ripas se romperam quando os dedos de reboco se flexionaram. Deles brotaram garras afiadas, dilacerantes. Agora o rosto saíra todo da parede e fitava Jake com seu olho único de madeira. Acima, no centro de sua testa, um elfo de papel de parede continuava dançando. Parecia uma tatuagem esquisita. Ouviu um barulho de arranco quando a coisa começou a deslizar para a frente. A moldura da porta do corredor foi arrancada e se transformou em um ombro corcunda. A única mão livre da coisa arranhou o piso, espalhando as gotas de cristal do candelabro tombado.

A paralisia de Jake se desfez. Ele se virou, lançou-se pelas portas francesas e saiu correndo pelo segundo corredor, com a mochila pulando nos ombros e a mão direita procurando dentro do bolso pela chave. Seu coração parecia uma máquina descontrolada no peito. Atrás dele, a coisa que estava surgindo da madeira da Mansão rugia para ele, e embora não houvesse palavras, Jake soube o que ela dizia; ela o estava mandando ficar imóvel, dizendo-lhe que correr era inútil, que ele não tinha escapatória. Toda a casa agora parecia viva; o ar ressoava com madeira despedaçada e vigas rangendo. O zumbido insano do guardião da porta estava por toda parte.

A mão de Jake fechou-se sobre a chave. Ao retirá-la, um dos cortes se prendeu no bolso. Os dedos, molhados de suor, escorregaram. A chave caiu no chão, quicou, atravessou uma fenda entre duas tábuas de madeira empenadas e desapareceu.

30

— Ele está com problemas! — Susannah ouviu Eddie gritar, mas sua voz era distante. Ela própria também estava com problemas sérios… mas achou que apesar disso talvez estivesse se saindo bem.

Vou derreter esse pingente de gelo, docinho, dissera ela ao demônio. *Vou derretê-lo e quando ele se desfizer, o que você vai fazer então?*

Não o havia exatamente derretido, mas o havia mudado. A coisa dentro dela certamente não estava lhe dando nenhum prazer, mas pelo menos a terrível dor havia passado e não sentia mais tanto frio. Ele estava encurralado, não conseguia se soltar. Mas ela não o estava segurando exatamente com seu corpo. Roland dissera que o sexo era a fraqueza e a arma daquela criatura, e, como sempre, estava certo. O demônio *a* possuíra, mas ela também *o* possuíra, e agora era como se cada um deles tivesse o dedo preso num daqueles diabólicos tubos chineses, onde puxar só fazia apertar ainda mais.

Ela se aferrava a uma ideia, que poderia salvar a sua vida: *precisava* fazer isso, porque todos os outros pensamentos conscientes haviam desaparecido. Precisava prender aquela coisa malévola, soluçante, assustada, na armadilha de sua própria incontrolável luxúria. Ele se remexia, arremetia e se convulsionava dentro dela, gritando para ser libertado ao mesmo tempo em que usava o corpo dela com desesperada intensidade e avidez, mas ela não o libertava.

E o que vai acontecer quando eu enfim libertá-lo?, perguntou-se ela, desesperada. *O que é que essa coisa vai fazer para se vingar?*

Ela não sabia.

31

A chuva caía com força, ameaçando transformar o círculo no interior das pedras num mar de lama.

— *Segure alguma coisa acima da porta!* — gritou Eddie. — *Não deixe a chuva desmanchá-la!*

Roland olhou rapidamente para Susannah e viu que ela continuava lutando com o demônio. Tinha os olhos semicerrados, a boca esticada para baixo numa careta rígida. Não conseguia ver nem ouvir o demônio, mas sentia-o se debater furioso, assustado.

Eddie virou o rosto pingando na direção do pistoleiro.

— *Não me ouviu?* — gritou ele. — *Ponha alguma coisa em cima da porra da porta, e faça isso JÁ!*

Roland arrancou uma das peles do saco e segurou uma ponta em cada mão. Depois abriu os braços e curvou-se sobre Eddie, criando uma tenda improvisada. A ponta do lápis artesanal de Eddie estava coberta de lama. Ele a limpou no braço, deixando na camisa uma mancha cor de chocolate escuro, e em seguida empunhou mais uma vez o lápis e curvou-se sobre o desenho. Não era exatamente do tamanho da porta do lado da barreira onde Jake estava — a proporção talvez fosse de 75:1 — mas seria grande o suficiente para que ele a atravessasse... se as chaves funcionassem.

Se é que ele tem *uma chave, não é isso que você quer dizer?*, perguntou a si mesmo. *E se ele a tiver deixado cair... ou se aquela casa o tiver* feito *deixá-la cair?*

Ele desenhou um espelho de fechadura abaixo do círculo que representava a maçaneta, hesitou, e então rabiscou nele a forma familiar de um buraco de fechadura:

Hesitou. Havia mais alguma coisa, mas o quê? Estava difícil raciocinar, pois parecia haver um tornado rugindo dentro de sua cabeça, um tornado dentro do qual, em vez de celeiros, casinhas e galinheiros arrancados do chão, giravam pensamentos aleatórios.

— Vamos lá, docinho! — gritou Susannah mais atrás de Eddie. — Tá amolecendo dentro de mim! O que é que há? Achei que você fosse um daqueles garotões quentes como o diabo?

Garoto. Era isso.

Com cuidado, escreveu com a ponta do cepo O GAROTO de lado a lado no painel superior da porta. No instante em que terminou o último O, o desenho mudou. O círculo de terra escurecida pela chuva que desenhara ficou de repente ainda mais escuro… e projetou-se acima do chão, tornando-se uma maçaneta escura e reluzente. E em vez de terra molhada, marrom, ele viu uma luz suave dentro da forma do buraco de fechadura.

Atrás de Eddie, Susannah deu mais um grito agudo para o demônio, mandando-o continuar, mas agora ela soava como se estivesse ficando cansada. Aquilo precisava acabar, e logo.

Eddie curvou-se para a frente pela cintura como um muçulmano saudando Alá e pôs o olho no buraco de fechadura que havia desenhado. Olhou através dele e viu o seu próprio mundo, viu o interior daquela casa que ele e Henry haviam ido ver em maio de 1977, ignorando (só que ele, Eddie, não havia ignorado; não totalmente, mesmo naquela época) que um garoto de outra parte da cidade os seguia.

Viu um corredor. De quatro, Jake puxava freneticamente uma ripa de madeira. Alguma coisa estava prestes a atacá-lo. Eddie a viu, mas ao mesmo tempo não viu — como se parte de seu cérebro se *recusasse* a vê-la, como se vê-la o levasse à compreensão e da compreensão à loucura.

— *Corra, Jake!* — gritou ele no buraco de fechadura. — *Pelo amor de Deus, corra!*

Acima do círculo falante, trovões rasgaram o céu como fogo de canhão, e a chuva se transformou em granizo.

32

Por um instante depois que a chave caiu, Jake simplesmente ficou onde estava, fitando a estreita fenda entre as tábuas.

Por incrível que pareça, estava com sono.

Isso não deveria ter acontecido, pensou. *Foi a gota de água. Não posso continuar nem mais um minuto, nem sequer mais um segundo. Em vez disso, vou me deitar enroscado junto àquela porta. Vou adormecer na mesma hora, de estalo, e quando a coisa me pegar e me empurrar para sua boca, nunca mais vou acordar.*

Então a coisa que saía da parede grunhiu e, quando Jake ergueu os olhos, sua urgência para desistir desapareceu num único golpe de terror. Agora ela havia saído toda da parede, uma gigantesca cabeça de reboco com um único olho de madeira quebrada e uma mão de reboco estendida. Pedaços de lambri projetavam-se acima do crânio em protuberâncias aleatórias, como cabelos desenhados por uma criança. A coisa viu Jake e abriu a boca, revelando dentes pontudos de madeira recortada. Grunhiu mais uma vez. Poeira de reboco amontoada desprendia-se de sua boca como fumaça de cigarro.

Jake ajoelhou-se e examinou a fenda. A chave era um pequeno brilho de luz prateada lá embaixo no escuro, mas a fenda era estreita demais para deixar passar seus dedos. Ele pegou uma das tábuas e puxou-a com toda a força. Os pregos que a prendiam rangeram... mas resistiram.

Um baque ressoou com estrondo estridente. Ele olhou o corredor e viu a mão, maior que todo o corpo de Jake, agarrar o candelabro tombado e atirá-lo para o lado. A corrente enferrujada que antes o mantivera suspenso ergueu-se como um chicote e depois caiu de novo no chão com violência. Uma lâmpada queimada na ponta de uma corrente enferrujada chacoalhou acima de Jake, vidro sujo contra metal velho.

A cabeça do guardião da porta, presa apenas a seu único ombro curvado e a seu braço estendido, avançou deslizando pelo piso. Atrás dela, o resto da parede desabou numa nuvem de pó. No instante seguinte, os fragmentos se ergueram e se transformaram nas costas ossudas e retorcidas da criatura.

O guardião viu Jake olhando e pareceu dar um sorriso. Ao fazê-lo, lascas de madeira despontaram de suas faces enrugadas. Ele avançava arrastando-se pelo salão de baile, com a boca abrindo e fechando. A mão imensa que tateava em meio às ruínas, à procura de pontos de apoio, arrancou uma das portas francesas de seu trilho no fim do corredor.

Jake gritou, ofegante, e recomeçou a puxar a tábua. Ela não vinha, mas a voz do pistoleiro, sim.

— *A outra, Jake! Tente a outra!*

Ele largou a tábua que puxava e agarrou a do outro lado da fenda. Quando fez isso, outra voz falou. Esta ele ouviu não na cabeça, mas com os ouvidos, e percebeu que vinha do outro lado da porta — a porta que andara procurando sem parar desde o dia em que não fora atropelado na rua.

— *Corra, Jake! Pelo amor de Deus, corra!*

Quando ele puxou com força essa outra tábua, ela se soltou com tanta facilidade que ele quase caiu para trás.

33

Duas mulheres estavam paradas na entrada da loja de eletrodomésticos usados do outro lado da rua, em frente à Mansão. A mais velha era a dona e a mais moça sua única cliente, quando começaram os barulhos das paredes desmoronando e das vigas se partindo. Agora, sem entender o porquê, passaram os braços pela cintura uma da outra e assim ficaram, tremendo como crianças que ouvem um barulho no escuro.

Mais adiante na rua, três meninos a caminho do campo da Liga Infantil de Beisebol de Dutch Hill pararam e ficaram olhando a casa boquiaberto, com o carrinho cheio de equipamento de jogo esquecido atrás. Um motorista de entrega embicou o furgão na curva e saltou para olhar. Os fregueses do mercadinho Henry's Corner e do Dutch Hill Pub chegaram alvoroçados pela rua, olhando em volta freneticamente.

Agora o chão começava a tremer, e finas rachaduras a se espalhar pela rua Rhinehold.

— É um terremoto? — gritou o motorista do furgão de entrega para as mulheres paradas na frente da loja de eletrodomésticos, mas em vez de esperar uma resposta ele saltou de volta para trás do volante de seu furgão e afastou-se rapidamente, entrando pela contramão da rua para ficar longe da casa em ruínas que era o epicentro daquela convulsão.

Toda a casa parecia estar vergando-se para dentro. Tábuas estilhaçadas projetavam-se das fachadas e choviam sobre o terreno. Cachoeiras de cacos de cerâmica despejavam-se dos beirais. Ouviu-se um estrondo de estourar os ouvidos e uma longa rachadura em zigue-zague varou a fachada da Mansão.

A porta desapareceu dentro dela e depois a casa inteira começou a engolir a si mesma de fora para dentro.

A mulher mais jovem desprendeu-se de repente dos braços da mais velha.

— Vou me mandar daqui — disse ela, e saiu correndo pela rua, sem olhar para trás.

34

Um vento quente, estranho, começou a passar pelo corredor, soprando os cabelos suados de Jake da testa, enquanto ele fechava os dedos sobre a chave prateada. Agora entendia até certo ponto o que era aquele lugar, e o que acontecia ali. O guardião não apenas estava *na* casa, ele *era* a casa: cada tábua, cada telha, cada peitoril de janela, cada beiral. E agora ele estava saindo de dentro dela, tornando-se uma representação tosca, improvisada de sua verdadeira forma. Ele queria agarrá-lo antes que Jake pudesse usar a chave. Além da gigantesca cabeça branca e do imenso ombro corcunda, Jake via tábuas, seixos, fios elétricos e cacos de vidro — até a porta da frente e o corrimão quebrado — a voarem pelo corredor principal em direção ao salão de baile, para juntar-se à forma que se avolumava ali, aumentando cada vez mais o deformado homem de reboco que naquele exato momento avançava para ele tateando o caminho com a aberração que era sua mão.

Jake puxou a própria mão do buraco no chão e viu que estava coberta de imensos besouros. Bateu-a contra a parede para derrubá-los, e gritou quando a parede primeiro se abriu e depois tentou fechar-se em volta de seu pulso. Puxou a mão no último segundo, se virou com agilidade e enfiou a chave na fechadura.

O homem de reboco grunhiu mais uma vez, mas sua voz foi momentaneamente afogada por um harmônico grito que Jake reconheceu: já o escutara no terreno baldio, mas daquela vez havia sido silencioso, talvez parte do sonho. Agora era um inequívoco grito de triunfo. Aquela sensação de segurança — esmagadora, indiscutível — tornou a inundá-lo, e dessa vez ele teve certeza de que não haveria decepção alguma. Ouviu toda a afirmação de que precisava naquela voz. Era a voz da rosa.

A luz fraca no corredor foi apagada quando a mão de reboco arrancou a outra porta francesa e meteu-se apertada por entre ela. A cara se espremeu na abertura acima da mão, olhando para Jake. Os dedos de reboco arrastavam-se para ele como as pernas de uma imensa aranha.

Jake girou a chave e sentiu uma súbita onda de poder subir pelo braço. Ouviu um estalo pesado, abafado, quando o ferrolho trancado recuou para dentro. A porta escancarou-se. Jake deu um grito de confusão e terror quando viu o que havia atrás.

A entrada estava bloqueada com terra, de cima a baixo e de lado a lado. Raízes despontavam para fora como ramos de arame. Vermes que pareciam tão confusos quanto o próprio Jake rastejavam de um lado para outro por toda a massa de terra em forma de porta. Alguns mergulhavam de volta nela; outros apenas continuavam rastejando, como se questionando onde fora parar a terra que estivera embaixo deles um momento atrás. Um deles caiu sobre o tênis de Jake.

A forma de buraco de fechadura permaneceu ali por um instante, lançando um ponto de nebulosa luz branca na camisa de Jake. Além dela — tão perto, tão fora de alcance —, ele ouviu chuva e um abafado trovejar num céu aberto. Então a forma de buraco de fechadura também se desfez, e gigantescos dedos de reboco enroscaram-se na canela de Jake.

35

Eddie não sentiu a pontada do granizo quando Roland largou a pele, levantou-se e correu até onde Susannah estava deitada.

O pistoleiro agarrou-a por baixo dos braços e arrastou-a — com o máximo de delicadeza e cuidado possível — para onde Eddie estava agachado.

— Solte-o quando eu mandar, Susannah! — gritou Roland. — Está entendendo? *Quando eu mandar!*

Eddie não viu nem ouviu nada disso. Ouvia apenas Jake, gritando debilmente do outro lado da porta.

Era chegada a hora de usar a chave.

Ele a puxou de dentro da camisa e enfiou-a no buraco da fechadura que desenhara. Tentou girá-la. A chave não se moveu. Nem um milímetro.

Eddie ergueu o rosto para o granizo que caía a cântaros, alheio às pedras de gelo que lhe golpeavam a testa, face e lábios, deixando arranhões e manchas vermelhas.

— *NÃO*! — uivou. — *AI, DEUS, POR FAVOR! NÃO!*

Mas não houve resposta de Deus: apenas outro trovejar e um raio no céu agora cheio de nuvens velozes.

36

Jake se esticou para cima, agarrou a corrente da lâmpada que pendia do teto, e libertou-se dos dedos do guardião. Jogou-se para trás, usou a massa compacta de terra para tomar impulso, e depois impulsionou-se de novo para a frente, como Tarzan num cipó. Ergueu as pernas e chutou os dedos de garras quando eles se aproximaram. O reboco explodiu em fragmentos, revelando por baixo um tosco esqueleto de madeira. O homem de reboco grunhiu, um som de fome e raiva misturados. Sob aquele grito Jake podia ouvir a casa inteira desabando, como a daquele conto de Edgar Allan Poe.

Oscilou de novo como um pêndulo na corrente, bateu no paredão de terra compacta que bloqueava a porta e se projetou novamente para a frente. A mão se estendeu para agarrá-lo e ele a chutou com violência, movimentando as pernas como uma tesoura. Sentiu uma pontada de dor no pé quando os dedos de madeira se fecharam. Quando tornou a recuar, calçava apenas um pé do tênis.

Tentou um ponto de sustentação mais alto na corrente, encontrou-o e pôs-se a subir para o teto usando as mãos e as pernas. Ouviu um rasgo surdo e trincado mais acima. Um fino pó de reboco começou a cair sobre seu rosto suado, virado para cima. O teto começara a ceder; a corrente da lâmpada se desprendia, um elo de cada vez. Ouviu um estrondo de algo sendo esmigalhado no fundo do corredor, e foi então que o homem de reboco finalmente passou seu rosto faminto pela abertura.

Jake se balançou desamparado em direção àquele rosto, gritando.

37

O terror e o pânico de Eddie de repente desapareceram. O manto de frieza caiu sobre ele — um manto que Roland de Gilead havia usado várias vezes. Era a única armadura que um verdadeiro pistoleiro possuía... a única necessária. No mesmo instante, uma voz falou em sua mente. Ele vinha sendo perseguido por vozes durante os últimos três meses: a de sua mãe, a de Roland e, lógico, a de Henry. Mas aquela, reconheceu com alívio, era a sua própria voz, e estava finalmente calma, racional e corajosa.

Você viu a forma da chave no fogo, viu-a mais uma vez na madeira, e viu-a perfeitamente nas duas vezes. Depois, você colocou uma venda de medo sobre os olhos. Tire-a. Tire-a e olhe mais uma vez. Talvez não seja tarde demais, mesmo agora.

Eddie tinha uma vaga consciência de que o pistoleiro o encarava implacavelmente; uma vaga consciência de que Susannah guinchava para o demônio numa voz enfraquecida, mas ainda desafiadora; uma vaga consciência de que, do outro lado da porta, Jake gritava de terror — ou seria agora de agonia?

Eddie ignorou tudo. Tirou a chave do buraco da fechadura que desenhara, da porta que agora era real, e olhou-a fixamente, tentando recapturar o inocente prazer que às vezes sentira na infância — o prazer de ver uma forma coerente oculta no inanimado. E ali estava ela, no lugar que ele talhara errado, tão nitidamente visível que não entendia como aquilo havia lhe escapado, para começar. *Eu devia estar* mesmo *usando uma venda*, pensou. Era a forma de *s* na ponta da chave, lógico. A segunda curva estava um pouquinho larga demais. Só um bocadinho.

— Faca — disse ele, e estendeu a mão como um cirurgião numa sala de operação. Roland depositou-a em sua palma sem uma palavra.

Eddie prendeu o topo da lâmina entre o polegar e o indicador da mão direita. Curvou-se sobre a chave, alheio ao granizo que lhe bombardeava o pescoço desprotegido, e a forma na madeira destacou-se mais nítida — destacou-se com sua bela e inegável realidade própria.

Ele raspou.

Uma vez.

Delicadamente.

Uma única lasca de freixo, tão fina que era quase transparente, saiu enroscada da barriga do *s* na ponta da chave.

Do outro lado da porta, Jake Chambers berrou mais uma vez.

38

A corrente soltou-se com estardalhaço e Jake caiu com força, aterrissando sobre os joelhos. O guardião rugiu de triunfo. A mão de reboco agarrou Jake pelo quadril e começou a arrastá-lo pelo corredor. Ele fincou as pernas na frente do corpo e plantou os pés, mas de nada adiantou. Sentiu farpas e unhas rombudas enferrujadas enterrando-se em suas pernas quando a mão se fechou com mais força e continuou a arrastá-lo para a frente.

O rosto parecia preso logo no início da entrada para o corredor, como uma rolha numa garrafa. A pressão que exercera para chegar até ali espremera as feições toscas numa nova forma, a de um monstruoso e malformado gigante mitológico. A boca escancarou-se para recebê-lo. Jake procurava a chave freneticamente, às cegas, querendo usá-la como um talismã de último recurso, mas lógico que a havia deixado na porta.

— *Seu filho da puta!* — gritou ele, e lançou-se para trás com toda a força, arqueando as costas como um mergulhador olímpico, alheio às tábuas quebradas que o espetavam como um cinto de pregos. Sentiu o jeans escorregar pelo quadril, e o aperto da mão deslizou por um instante. Jake se lançou para a frente outra vez. A mão o agarrou com brutalidade, mas o jeans de Jake escorregou até os joelhos e ele caiu de costas no chão, com a mochila amortecendo a queda. A mão afrouxou, talvez querendo um apoio mais firme em sua presa. Jake conseguiu arrastar os joelhos um pouco para cima e, quando a mão apertou de novo, ele jogou as pernas para frente. Ao mesmo tempo, a mão puxou com força para trás, e aconteceu o que Jake esperava que acontecesse: seu jeans (e o tênis que sobrava) foi arrancado de seu corpo, libertando-o de novo, pelo menos por ora. Ele viu a mão girar em seu pulso de ripas e reboco, desintegrando-se e enfiando a calça de brim na boca. Então voltou a rastejar de quatro para a porta bloqueada, ignorando os fragmentos de vidro da lâmpada caída, querendo apenas recuperar a chave.

Já tinha quase chegado à porta quando a mão se fechou sobre suas pernas nuas e começou a puxá-lo mais uma vez para trás.

39

A forma agora estava ali, finalmente estava toda ali.

Eddie colocou a chave de volta no buraco da fechadura e pressionou. Por um instante houve resistência... e então ela se mexeu sob sua mão. Ele ouviu o mecanismo da tranca girar, ouviu a lingueta recolher-se, sentiu a chave estalar duas vezes no momento em que cumpriu o seu propósito. Agarrou a maçaneta polida, escura, com as duas mãos e puxou. Teve uma sensação de um grande peso girando num pivô invisível. A sensação de que seu braço havia sido dotado de infinita força. E a nítida consciência de que dois mundos haviam de repente entrado em contato, e uma passagem fora aberta entre eles.

Sentiu um momento de tontura e desorientação e, ao olhar pela entrada da porta, compreendeu o motivo: embora estivesse olhando para baixo — verticalmente — via horizontalmente. Era como uma estranha ilusão de ótica criada com prismas e espelhos. Então viu Jake sendo puxado para trás pelo corredor coberto de reboco e vidro, os cotovelos se arrastando, as panturrilhas unidas por uma gigantesca mão. E viu a monstruosa boca que o aguardava, fumigando algum nevoeiro branco que poderia ser fumaça ou poeira.

— *Roland*! — gritou Eddie. — *Roland, ele foi*...

E então ele foi jogado para o lado.

40

Susannah tinha consciência de que estava sendo içada e girada. O mundo era uma mancha com várias imagens: pedras verticais, céu cinzento, terreno coberto de granizo... e um buraco retangular que parecia um alçapão no chão. Gritos saíam dali. Dentro dela, o demônio urrava e lutava, só querendo escapar, mas impotente para fazê-lo até que ela permitisse.

— *Agora*! — gritava Roland. — *Solte-o agora, Susannah! Pelo seu pai, deixe-o ir* JÁ!

E foi o que ela fez.

Havia construído em sua mente (com a ajuda de Detta) uma armadilha para o demônio, algo como uma rede de juncos, e agora a desfazia. Sentiu-o sair voando dela para trás no mesmo instante, e houve um momento de terrível depressão e vazio. Estes sentimentos foram na hora ofuscados pelo alívio e por uma sensação sombria de repugnância e sujeira.

Quando o peso invisível se desfez, ela o viu de relance — uma forma inumana, como uma arraia, com imensas asas ondulantes e algo que parecia um cruel gancho de içar saindo por baixo, curvado para fora e para cima. Ela viu/sentiu a coisa lampejar acima do buraco aberto no chão. Viu Eddie erguer a cabeça com os olhos arregalados. Viu Roland abrir os braços bem estendidos para pegar o demônio.

O pistoleiro cambaleou para trás e quase foi derrubado pelo peso invisível do demônio. Depois oscilou mais uma vez para frente com se abraçasse o nada.

Agarrando-o, ele saltou, transpondo o vão da porta, e desapareceu.

41

Uma súbita luz branca inundou o corredor da Mansão; pedras de granizo atingiam as paredes e ricocheteavam acima das ripas quebradas do assoalho. Jake ouviu gritos confusos e então viu surgir o pistoleiro. Ele pareceu transpor a porta saltando, como se houvesse vindo de cima. Tinha os braços bem juntos e estendidos para a frente, com as pontas dos dedos entrelaçadas.

Jake sentiu seus pés deslizarem da boca do guardião da porta.

— *Roland*! — berrou ele. — *Roland, me ajude!*

As mãos do pistoleiro se separaram e seus braços imediatamente se abriram. Ele cambaleou para trás. Jake sentiu dentes serrilhados tocando a sua pele, prontos para rasgar carne e triturar ossos, e então uma coisa imensa passou voando por sua cabeça como uma lufada de vento. Um instante depois os dentes haviam desaparecido. A mão que prendia suas pernas relaxou. Ele ouviu um berro sobrenatural, de dor e surpresa, começar a sair da garganta poeirenta do guardião, que depois foi abafado e ficou ali entalado.

Roland agarrou Jake e ergueu-o.

— Você veio! — gritou Jake. — Você realmente veio!

— Vim, sim. Pela graça dos deuses e pela coragem de meus amigos, eu vim.

Quando o guardião da casa tornou a rugir, Jake irrompeu em lágrimas de alívio e terror. Agora a casa parecia um navio afundando num mar tempestuoso. Pedaços de madeira e reboco caíam por toda parte. Roland tomou Jake nos braços e correu para a porta. A mão de reboco, tateando furiosamente às cegas, golpeou uma de suas botas e o lançou contra a parede. Roland se desvencilhou, virou-se e sacou a arma. Disparou duas vezes na mão que se debatia sem direção, vaporizando um dos toscos dedos de reboco. Atrás deles, o rosto do guardião passara de branco a um sujo preto-arroxeado, como se a criatura estivesse sufocando com algo — algo que havia chegado voando tão rápido que entrara na boca do monstro e entalara em sua goela antes de ele entender o que estava acontecendo.

Roland tornou a se virar e atravessou o vão da porta. Embora agora não houvesse nenhuma barreira visível, ele subitamente estacou, como se a malha de uma rede houvesse sido estendida de um lado a outro da passagem.

Então sentiu as mãos de Eddie em seus cabelos, puxando-o não para frente, mas para cima.

42

Eles saíram para o ar úmido e o granizo que amainava como bebês nascendo. Eddie foi a parteira, como o pistoleiro lhe dissera que precisaria ser. Estava deitado de bruços, com os braços fora da visão de quem vinha da porta, as mãos agarrando punhados de cabelos de Roland.

— Suze! Me ajude!

Ela se arrastou para a frente, enfiou o braço e apalpou com uma das mãos embaixo do queixo de Roland. Ele subiu até ela com a cabeça inclinada para trás e os lábios arreganhados numa careta de dor e esforço.

Eddie sentiu uma sensação de rasgão e uma de suas mãos se soltou com uma espessa mecha dos cabelos grisalhos do pistoleiro.

— Ele está escorregando!

— Esse filho da puta... não vai... a *lugar nenhum*! — Susannah arquejou e deu um tremendo puxão, como se pretendesse quebrar o pescoço de Roland.

Duas mãos pequenas se projetaram para fora do vão da porta, no centro do círculo, e agarraram um dos cantos. Livre do peso de Jake, Roland ergueu um cotovelo, e momentos depois se projetava para fora. Quando fez isso, Eddie agarrou Jake pelos pulsos e suspendeu-o.

Jake rolou de costas e ficou ali estendido, ofegando.

Eddie virou-se para Susannah, tomou-a nos braços e começou a beijá-la sem parar na testa, nas bochechas e no pescoço. Ria e chorava ao mesmo tempo... Ela se aconchegou nele, com a respiração difícil... mas havia um leve e satisfeito sorriso em seus lábios, e ela levou uma das mãos aos cabelos molhados de Eddie, fazendo afagos lentos e satisfeitos.

Então veio de baixo uma mistura de sons sombrios: guinchos, grunhidos, baques, estrondos.

Roland afastou-se rastejando do buraco, a cabeça abaixada. Seu cabelos erguiam-se eriçados e revoltos. Filetes de sangue escorriam pelo seu rosto.

— Feche! — arquejou ele para Eddie. — Feche a porta, em nome de seu pai!

Eddie moveu a porta, e aquelas grandes e invisíveis dobradiças fizeram o resto. Ela caiu com uma pancada gigantesca, atonal, cortando todo o barulho embaixo. Sob o olhar de Eddie, as linhas que haviam marcado seu contorno se apagaram, voltando a ser marcas borradas na terra. A maçaneta da porta perdeu a dimensão e tornou-se novamente apenas o círculo que ele desenhara com um cepo. Onde antes havia o buraco da fechadura via-se agora apenas uma forma tosca com um pedaço de madeira espetado para fora, como o punho de uma espada fincada numa pedra.

Susannah foi até Jake e trouxe-o delicadamente para uma posição sentada.

— Está tudo bem com você, meu bem?

Ele a olhou com um ar atordoado.

— Sim, acho que sim. Onde está ele? O pistoleiro? Tem uma coisa que preciso perguntar a ele.

— Estou aqui, Jake — respondeu Roland. Ele se levantou, encaminhou-se com passos trôpegos até Jake, e agachou ao seu lado. Tocou a bochecha sem marcas do menino quase sem acreditar.

— Você não vai me deixar cair desta vez?

— Não — disse Roland. — Nem desta vez, nem nunca mais. — Porém, nas trevas mais profundas de seu coração, pensou na Torre e se questionou.

43

O granizo mudou para uma chuva intensa, violenta, mas Eddie via lampejos de céu azul atrás das nuvens que se dissipavam ao norte. A tempestade terminaria em breve, mas nesse meio-tempo eles ficariam encharcados.

Descobriu que não se importava. Não se lembrava de ter se sentido tão calmo, tão em paz consigo mesmo, tão totalmente exausto. Aquela insana aventura ainda não havia terminado — desconfiava, na verdade, que mal começara —, mas eles tinham vencido uma grande batalha.

— Suze? — Retirou-lhe os cabelos do rosto e olhou-a no fundo dos olhos escuros. — Você está bem? Ele machucou você?

— Machucou um pouco, mas estou bem. Acho que aquela escrota da Detta Walker ainda é a invencível Campeã de Cabaré de Beira de Estrada, com demônio ou sem demônio.

— O que isso quer dizer?

Ela deu um sorriso brincalhão..

— Não muito, não mais... graças a Deus. E com você, Eddie? Tudo bem?

Eddie procurou pela voz de Henry, e não a ouviu. Achou que talvez a voz do irmão tivesse ido embora para sempre.

— Ainda melhor do que isso — disse ele, e, rindo, tornou a abraçá-la. Por cima do ombro dela, via o que restara da porta: apenas algumas linhas e ângulos apagados. Logo a chuva também os levaria embora.

44

— Qual é o seu nome? — perguntou Jake à mulher cujas pernas terminavam logo acima do joelho. Teve a súbita consciência de que havia perdido a calça na luta para escapar do guardião, e puxou a fralda da camisa sobre a cueca. Na verdade, também não havia sobrado muito do vestido dela.

— Susannah Dean — disse ela. — Eu já sei o seu nome.

— Susannah — repetiu Jake, pensativo. — O seu pai não seria por acaso dono de uma ferrovia, seria?

Ela pareceu espantada por um instante, então atirou a cabeça para trás e riu.

— Ora, não, docinho! Ele era um dentista que inventou algumas coisas e ficou rico. O que o faz perguntar uma coisa dessas?

Jake não respondeu. Desviara a atenção para Eddie. O terror já havia deixado o semblante de Jake, e seus olhos haviam recuperado aquele olhar frio, avaliador, de que Roland se lembrava tão bem do posto de parada.

— Oi, Jake — disse Eddie. — Que bom ver você, cara.

— Oi — disse Jake. — Eu o vi hoje mais cedo, mas você estava bem mais jovem.

— Eu estava bem mais jovem dez minutos atrás. Você está bem?

— Sim — disse Jake. — Alguns arranhões, mas só. — Olhou em volta. — Vocês ainda não encontraram o trem. — Não era uma pergunta.

Eddie e Susannah trocaram olhares intrigados, mas apenas Roland balançou a cabeça.

— Nada de trem.

— As suas vozes foram embora?

Roland assentiu.

— Todas. E as suas?

— Sumiram. Estou inteiro de novo. Nós dois estamos.

Entreolharam-se no mesmo instante, com o mesmo impulso. Quando Roland tomou Jake nos braços, o autodomínio do menino se quebrou e ele desatou a chorar — o pranto exausto, aliviado, de uma criança que ficara perdida durante tempo demais, sofrera muito e finalmente estava novamente em segurança. Quando os braços de Roland se fecharam em sua cintura, Jake passou os seus em volta do pescoço do pistoleiro e o agarrou como aros de aço.

— Eu nunca mais vou deixar você — disse Roland, e então vieram suas próprias lágrimas. — Juro a você pelos nomes de todos os meus pais: *eu nunca mais vou deixar você.*

Mas seu coração, aquele silencioso, vigilante e perpétuo prisioneiro do ka, recebeu as palavras dessa promessa não apenas com espanto, mas com dúvida.

LIVRO DOIS
LUD

UM MONTE DE IMAGENS QUEBRADAS

4. A CIDADE E O KA-TET

1

Quatro dias após Eddie tê-lo puxado com força pelo vão da porta entre mundos, sem seus jeans e tênis, mas ainda de posse de sua mochila e da sua vida, Jake acordou com uma coisa quente e úmida esfregando o focinho em seu rosto.

Se tivesse despertado com a mesma sensação em qualquer uma das três manhãs anteriores, sem a menor dúvida teria acordado os companheiros com seus gritos, pois estivera febril e seu sono fora assombrado por pesadelos com o homem de reboco. Nesses sonhos, a calça não se soltava, o guardião o mantinha preso, e o enfiava em sua boca, onde os dentes se fechavam como barras guardando a entrada de um castelo. Jake acordava desses sonhos tremendo e gemendo, impotente.

A febre fora causada pela mordida da aranha na nuca. Quando Roland a examinou no segundo dia e julgou ter piorado e não melhorado, conversara brevemente com Eddie e então dera a Jake uma pílula cor-de-rosa.

— Vai precisar tomar quatro destas todo dia por no mínimo uma semana.

Jake olhava a pílula em dúvida.

— Que é isto?

— *Cheflet* — dissera Roland, olhando então com um ar repugnado para Eddie. — Diga a ele. Eu *ainda* não consigo pronunciar direito.

— Keflex. Pode confiar, Jake. Veio de um laboratório aprovado pelo governo na boa e velha Nova York. Roland já tomou um monte dessas, e tem a saúde de um cavalo. Ele até se parece com um, como você pode notar.

Jake ficou perplexo.

— Como você conseguiu remédios em Nova York?

— Essa é uma longa história — disse o pistoleiro. — Nós ainda vamos contá-la para você, mas, por enquanto, apenas tome a pílula.

Jake tomou. O efeito foi imediato e satisfatório. O inchaço vermelho ao redor da picada começou a sumir em vinte e quatro horas, e a febre também passou.

A coisa quente se esfregou novamente e Jake sentou-se com um salto, os olhos se abrindo com o susto.

A criatura que vinha lambendo seu pescoço deu dois passos apressados para trás. Era um billy-malhado, mas Jake não sabia disso; ele nunca tinha visto um até então. Era mais franzino do que os que o grupo de Roland vira antes, e sua pelagem preta com listras cinza era sarnenta e sem brilho. Havia um coágulo de sangue seco e velho em um de seus flancos. Seus olhos, pretos com uma auréola dourada, olhavam para Jake ansiosamente; sua traseira oscilava para um lado e para o outro, cheia de esperança. Jake relaxou. Mesmo achando que havia exceções à regra, ele imaginava que algo que balançava o rabo — ou tentava fazê-lo — provavelmente não podia ser muito perigoso.

Havia acabado de amanhecer, eram provavelmente cerca de cinco e meia. Jake não tinha como saber com mais precisão, pois seu Seiko digital havia parado de funcionar... ou melhor, estava funcionando de uma maneira bastante excêntrica. Na primeira vez que o olhou depois de ter passado, o Seiko marcava 98:71:65, uma hora que — até onde Jake sabia — não existia. Um olhar mais atento revelou que o relógio estava andando para trás. Ele supôs que, se isso estivesse acontecendo a uma velocidade constante, ele ainda poderia ser de alguma utilidade, mas não estava. Os números corriam numa velocidade que parecia a certa por um instante (Jake verificou isto dizendo a palavra "Mississippi" no intervalo entre cada número), e então o mostrador parava por dez ou vinte segundos — fazendo-o achar que o relógio finalmente batera as botas — ou um monte de números aparecia de uma só vez num borrão.

Comentara este estranho comportamento com Roland e lhe mostrara o relógio, achando que ia surpreendê-lo, mas Roland examinara-o de perto apenas um ou dois segundos antes de balançar a cabeça e dizer a Jake que era um relógio interessante, mas via de regra nenhum marcador de tempo tinha muita valia naqueles dias. Portanto o Seiko era inútil, mas, apesar disso, Jake ainda não tivera coragem de jogá-lo fora... porque, imaginou, era um pedaço da sua antiga vida, e havia restado muito poucos deles.

Nesse exato momento, o Seiko marcava 40h62 da manhã de uma quarta, quinta e sábado, ao mesmo tempo de dezembro e março.

A manhã estava extremamente enevoada; além de um raio de quinze ou vinte metros, o mundo simplesmente desaparecia. Se aquele dia fosse como os três anteriores, o sol ia surgir como um fraco círculo branco dali a umas duas horas, e por volta das nove e meia o dia estaria claro e quente. Jake olhou em volta e viu os companheiros de viagem (não ousava chamá-los exatamente de amigos, pelo menos não ainda) dormindo sob seus cobertores de pele — Roland ali perto, Eddie e Susannah, figuras unidas um pouco maiores no outro lado da fogueira apagada do acampamento.

Voltou mais uma vez a atenção para o animal que o despertara. Para ele, parecia uma combinação de guaxinim e marmota, com um pouco de bassê adicionado para completar a mistura.

— Ahm... Oi? — perguntou em voz baixa.

— *Oi*! — respondeu no mesmo instante o billy-malhado, ainda olhando-o ansiosamente. Tinha a voz baixa e profunda, quase um latido; a voz de um jogador de futebol inglês com a garganta bastante inflamada.

Jake recuou, surpreso. O billy-malhado, assustado com o movimento repentino, deu mais vários passos para trás, parecendo prestes a fugir, e então ficou onde estava. Abanou mais uma vez o traseiro de um lado para o outro, e mais energicamente que nunca, os olhos pretos debruados de dourado continuando a fitar, nervosos, Jake. Os bigodes no focinho tremiam.

— Este se lembra dos homens — observou uma voz no ombro de Jake. Ele olhou em volta e viu Roland agachado logo atrás, com os antebraços apoiados nas coxas e as longas mãos balançando entre os joelhos. Olhava o animal com muito mais interesse do que demonstrara pelo relógio de Jake.

— Que bicho é esse? — perguntou baixinho Jake. Não queria afugentá-lo com um susto; estava encantado. — Os olhos dele são lindos!

— Um billy-malhado — disse Roland.

— *Alhado*! — exclamou a criatura, recuando mais um passo.

— Ele fala!

— Não exatamente. Os malhados apenas repetem o que ouvem… ou pelo menos repetiam. Não ouço um fazer isso há anos. Esse aí parece quase morto de fome. Provavelmente veio fuçar em busca de comida.

— Ele estava lambendo a minha cara. Posso lhe dar de comer?

— Jamais vamos nos livrar dele se você fizer isso — disse Roland, depois esboçou um sorriso e estalou os dedos. — Ei! Billy!

A criatura imitou de algum modo o ruído do estalo dos dedos; parecia haver entalado a língua no céu da boca.

— Ai! — chamou em sua voz áspera. — Ai, Illy! — Agora o traseiro açoitava positivamente de um lado para o outro.

— Vai em frente e lhe dê um pouco de comida. Conheço um velho cavalariço que dizia antigamente que um bom malhado traz boa sorte. E este aí parece ser dos bons.

— É — concordou Jake. — Parece, sim.

— Antigamente eles eram domesticados, e todo baronato tinha meia dúzia perambulando em volta do castelo ou solar. Não serviam para muito mais do que entreter as crianças e manter baixa a população de ratos. São muito leais… ou eram nos velhos tempos… embora eu nunca tenha ouvido falar de algum que permanecesse tão fiel quanto um bom cachorro. Os selvagens comem carniça. Não são perigosos, mas são um pé no saco.

— Aco! — gritou o trapalhão. Continuava a virar os olhos ansiosos de um lado para outro entre Jake e o pistoleiro.

Jake estendeu a mão para pegar a mochila, devagar, temendo assustar a criatura, e retirou o resto de um burrito do pistoleiro. Atirou-o para o billy-malhado, que recuou e depois se virou com um gritinho infantil, expondo a peluda cauda saca-rolha. Jake teve certeza de que o animal ia fugir, mas ele parou, olhando hesitante para trás.

— Venha — disse Jake. — Coma, garoto.

— Oto — murmurou o trapalhão, mas não se mexeu.

— Dê-lhe tempo — disse Roland. — Acho que ele virá.

O malhado esticou-se para a frente, revelando um longo e surpreendentemente gracioso pescoço. O fino focinho preto contraía-se enquanto farejava a comida. Acabou avançando a passos largos, e Jake reparou que mancava um pouco. O animal farejou o burrito, depois usou uma das patas para separar o naco de carne de veado da folha. Fez isso com uma delicadeza estranhamente solene. Assim que desprendeu a carne, o trapalhão devorou-a numa única mordida, erguendo em seguida os olhos para Jake.

— Oto! — disse, e quando Jake riu, afastou-se, encolhendo-se mais uma vez.

— Este é bem magricela — disse Eddie, sonolento, por trás deles. Ao som de sua voz, o malhado logo se virou e desapareceu no nevoeiro.

— Você o assustou! — acusou Jake.

— Ah, sinto muito — disse Eddie. Correu os dedos pelos cabelos embaraçados pelo sono. — Se eu soubesse que era um de seus amigos íntimos teria oferecido um maldito de um bolinho.

Roland apertou brevemente o ombro de Jake.

— Ele vai voltar.

— Tem certeza?

— Se alguma coisa não o matar, tenho. Nós lhe demos comida, não foi?

Antes que Jake pudesse responder, recomeçou o distante rufar de tambores. Era a terceira manhã que o ouviam, e duas vezes o som lhes chegara quando a tarde caía, aproximando-se do anoitecer: um som fraco e abafado vindo da direção da cidade. Tornou-se mais nítido essa manhã, embora ainda fosse incompreensível. Jake o detestava. Era como se, em algum lugar naquela densa e indefinida manta de nevoeiro matinal, batesse o coração de um grande animal.

— Ainda não faz ideia do que seja, Roland? — perguntou Susannah. Mudara de roupa, prendera o cabelo atrás e agora dobrava as mantas sob as quais dormira com Eddie.

— Não. Mas tenho certeza de que vamos descobrir.

— Muito tranquilizador — disse Eddie com azedume.

Roland levantou-se.

— Vamos lá. Não desperdicemos o dia.

2

O nevoeiro começou a dissipar depois de eles estarem a mais ou menos uma hora na estrada. Revezavam-se empurrando a cadeira de Susannah, que sacolejava com desânimo pelo caminho, pois a estrada era agora minada aqui e ali por grandes e ásperas pedras de calçamento. Por volta do meio da manhã, o dia ficou lindo, quente e sem nuvens; a silhueta da cidade destacava-se nitidamente no horizonte a sudeste. Para Jake, não parecia muito diferente de Nova York, embora achasse que aqueles prédios não deviam ser tão altos quanto os de sua cidade natal. Não era possível saber daquela distância se o lugar estava em ruínas, como, aparentemente, a maioria das coisas no mundo de Roland estava. Jake começara a alimentar, assim como Eddie, a esperança silenciosa de que talvez encontrassem ajuda lá... ou ao menos uma boa refeição quente.

À esquerda, uns quarenta ou cinquenta quilômetros ao longe, viam a larga imensidão do rio Send. Pássaros sobrevoavam acima dele em grandes revoadas. De vez em quando, um fechava as asas e mergulhava como uma pedra, provavelmente numa expedição de pesca. A estrada e o rio moviam-se devagar um em direção ao outro, embora ainda não fosse possível enxergar o ponto de junção.

Eles viam mais prédios adiante. A maioria parecia fazendas, e todos davam a impressão de estarem abandonados. Alguns haviam desabado, mas as ruínas pareciam mais trabalho do tempo do que da violência, aumentando as esperanças de Eddie e Jake do que poderiam encontrar na cidade — esperanças que cada um guardava estritamente dentro de si mesmo, temendo a zombaria dos demais. Pequenos rebanhos de animais peludos caminhavam a pastar pelas planícies. Aproximavam-se da estrada apenas para atravessá-la, o que faziam rápido, a galope, como bandos de crianças pequenas com medo do tráfego. Jake achava que eles pareciam bisões... até notar que vários tinham duas cabeças. Comentou isso com o pistoleiro e Roland assentiu.

— Mutantes.

— Como embaixo das montanhas? — Jake ouviu o medo na própria voz e viu que o pistoleiro também, mas era impossível não se assustar. Lembrava-se bem demais daquela infindável jornada de pesadelo no vagonete.

— Acho que é aqui que as raças mutantes estão sendo reproduzidas. As coisas que encontramos nas montanhas ainda continuavam piorando.

— E lá? — Jake apontou a cidade. — Haverá mutantes lá, ou... — Viu que era o mais próximo que podia chegar de exprimir sua esperança.

Roland deu de ombros.

— Não sei, Jake, eu contaria se soubesse.

Passavam por um prédio vazio — quase com certeza uma casa de fazenda — parcialmente incendiado. *Mas aquilo poderia ter sido um raio*, pensou Jake, e perguntou-se o que estava tentando fazer — achar uma explicação ou enganar a si mesmo.

Roland, talvez lendo a mente de Jake, passou o braço em volta de seus ombros.

— É inútil tentar adivinhar, Jake — disse. — Seja lá o que aconteceu aqui, foi há muito tempo. — Apontou. — Aquilo ali era provavelmente um curral. Agora não passa de alguns paus espetados na grama.

— O mundo seguiu adiante, não é?

Roland assentiu.

— E as pessoas? Você acha que elas foram para a cidade?

— Algumas talvez tenham ido — respondeu Roland. — Outras continuam por aí.

— O quê? — Susannah deu meia-volta, sobressaltada, para olhar o pistoleiro.

Roland fez que sim com a cabeça.

— Temos sido observados nos últimos dois dias. Não há muita gente abrigada nesses prédios, mas algumas, sim. Haverá mais quando chegarmos mais perto da civilização. — Fez uma pausa. — Ou o que *costumava* ser a civilização.

— Como você sabe que estão lá? — perguntou Jake.

— Senti o cheiro delas. Vi algumas hortas escondidas atrás de arbustos de mato selvagem deixadas de propósito para ocultar as lavouras. E pelo menos um moinho funcionando quando passamos há pouco por um bosque de árvores. Mas não passa de uma sensação... como a sombra em vez do sol no rosto da gente. Vocês três vão senti-la com o tempo, imagino.

— Acha que são perigosas? — perguntou Susannah. Aproximavam-se de um prédio grande, caindo aos pedaços, que poderia ter sido antes usado como depósito de grãos ou um mercado abandonado do campo, e ela o olhava, nervosa, a mão indo até a coronha da arma que trazia no peito.

— Um cão estranho morde? — perguntou Roland.

— O que significa isso? — perguntou Eddie. — Eu detesto quando você começa com essa merda zen-budista, Roland.

— Quer dizer que eu não sei — disse Roland. — Quem é este tal zen-budista? Ele é sábio como eu?

Eddie olhou para Roland por um longo, longo tempo, antes de decidir que o pistoleiro estava fazendo uma de suas raras piadas.

— Ah, vá pro inferno! — disse. Viu o canto da boca de Roland contrair-se antes de ele se afastar. Quando Eddie recomeçou a empurrar a cadeira de Susannah, outra coisa atraiu o seu olhar. — Ei, Jake! — chamou. — Eu acho que você ganhou um amigo!

Jake olhou em volta, e um enorme sorriso surgiu em seu rosto. A pouco mais de trinta metros na retaguarda, o descarnado malhado vinha mancando com esforço atrás deles, farejando as ervas que brotavam entre as pedras da Grande Estrada.

3

Algumas horas depois, Roland fez uma parada e disse-lhes que se preparassem.

— Pra quê? — perguntou Eddie.

Roland olhou-o.

— Qualquer coisa.

Eram talvez umas três da tarde. Estavam num ponto onde a Grande Estrada subia a crista de uma longa e ondulante aresta, formada por aluvião, que corria diagonalmente pela planície como uma prega na maior colcha do mundo. Abaixo e além, a estrada atravessava a primeira cidade de verdade pela qual passavam. Parecia deserta, mas Eddie não esquecera o que fora dito naquela manhã. A pergunta de Roland — *Um cão estranho morde?* — não parecia mais tão zen.

— Jake?

— Que foi?

Eddie apontou com a cabeça a coronha da Ruger, que despontava da cinta da calça jeans azul de Jake — o par extra que ele trouxera de casa na mochila.

— Quer que eu leve isto?

Jake lançou um olhar para Roland. O pistoleiro apenas deu de ombros, como se dissesse: *Você é quem sabe.*

— Tudo bem.

Jake entregou-a. Soltou a mochila dos ombros, remexeu dentro dela e retirou o pente carregado de balas. Lembrava-se de enfiar a mão atrás dos arquivos numa das gavetas da escrivaninha do pai para pegá-lo, mas tudo parecia ter acontecido havia muito, muito tempo. Naqueles últimos dias, pensar em sua vida em Nova York e seus dias como estudante na Piper era como olhar pelo lado errado de um telescópio.

Eddie pegou o pente, examinou-o, encaixou-o no lugar, verificou a trava de segurança e enfiou a Ruger no cinto.

— Escutem e prestem bem atenção no que vou dizer — disse Roland. — Se *houver* gente, é possível que sejam pessoas muito mais velhas e estejam muito mais assustadas conosco do que nós com elas. O pessoal mais jovem já se foi há muito tempo. É improvável que os que ficaram tenham armas de fogo, na verdade, as nossas talvez sejam as primeiras armas que vários deles vão ver na vida, a não ser numa ou duas ilustrações de livros antigos. Não façam gestos ameaçadores. E a regra da infância continua valendo: só falem quando falarem com vocês.

— E quanto a arcos e flechas? — perguntou Susannah.

— Sim, é possível que eles os tenham. Lanças e porretes, também.

— Não se esqueça das pedras — disse Eddie, desanimado, olhando o aglomerado de prédios de pedra embaixo. O lugar parecia uma cidade fantasma, mas como ter certeza? — E se estiverem em falta com pedras, sempre haverá as do calçamento da estrada para recorrerem.

— Sim, sempre há alguma coisa — concordou Roland. — *Mas não somos nós que vamos iniciar nenhuma confusão...* isto está bem dito?

Eles balançaram a cabeça afirmativamente.

— Talvez fosse mais fácil fazer um desvio — disse Susannah.

Roland assentiu, sem despregar sequer por um instante os olhos da geografia à frente. Outra estrada cruzava a Grande Estrada no centro da cidade, fazendo os prédios dilapidados parecerem um alvo centrado na visão telescópica de um fuzil de alto poder de fogo.

— Seria, mas não vamos. Desviar é um péssimo hábito, fácil de adquirir. É sempre melhor seguir em frente, a não ser que haja um bom motivo para o contrário. E se *houver* gente, bem, é possível que isto seja positivo. Poderíamos confabular um pouco.

Susannah concluiu que Roland parecia diferente agora, e não achava que era apenas porque as vozes em sua mente haviam cessado. *Era assim que ele era quando ainda tinha guerras a combater, homens a comandar e os velhos amigos em volta*, pensou. *Como era antes de o mundo seguir adiante e ele ir ao encalço do tal Walter. Assim é que ele era antes de o Grande Vazio introvertê-lo e torná-lo estranho.*

— Eles talvez saibam o que são aqueles sons de tambor — sugeriu Jake.

Roland assentiu novamente.

— *Qualquer coisa* que saibam, principalmente sobre a cidade, seria muito útil, mas não há a menor necessidade de ficar especulando sobre gente que talvez nem esteja lá.

— Quer saber de uma coisa? — disse Susannah — Eu não sairia de casa se visse a gente. Quatro pessoas, três delas armadas? A gente provavelmente parece um bando daqueles fora da lei dos velhos tempos de suas histórias, Roland... como é que você os chama, mesmo?

— Malfeitores. — Ele baixou a mão até o punho de sândalo do revólver restante e puxou-o um pouco para fora do coldre. — Mas nenhum malfeitor levava um destes, e se houver pessoas dos velhos tempos naquela aldeia, eles saberão. Vamos.

Jake deu uma olhada para trás e viu o malhado deitado na estrada com o focinho entre as curtas patas da frente, observando-os atentamente.

— Oi! — chamou Jake.

— Oi! — repetiu o malhado, erguendo-se nas patas imediatamente.

Iniciaram a descida pelo outeiro em direção à cidade, com Oi trotando atrás.

4

Dois prédios nas cercanias haviam sido incendiados; o resto da cidade parecia poeirento, mas intacto. Eles passaram por uma cocheira abandonada, uma construção que poderia ter sido um mercado à esquerda, e então chegaram à cidade propriamente dita — na verdade como fora algum dia. Havia talvez uma dúzia de prédios desconjuntados, erguidos nos dois lados da estrada.

Vielas os cortavam. A outra estrada, uma trilha de terra quase toda invadida por mato de planície, corria de nordeste a sudoeste.

Susannah olhou para o lado nordeste e pensou: *Outrora barcos flutuavam no rio, e em algum lugar ali naquela estrada havia um ancoradouro, e provavelmente outra cidadezinha caindo aos pedaços, sobretudo saloons e prostíbulos, construídos em volta. Devia ser o último ponto de comércio antes de as barcas irem àquele lugar e depois refazerem o caminho inverso. Há quanto tempo foi isso?*

Ela não sabia — mas muito tempo atrás, pelo aspecto do lugar.

Em algum lugar, uma dobradiça enferrujada rangia monotonamente. Em outro, uma persiana batia solitária de um lado para o outro sob os ventos da planície.

Viam-se balaustradas, a maioria quebrada, nas quais se amarravam animais diante dos prédios. Antigamente houvera passadiços largos, mas agora quase todas as tábuas haviam desaparecido e o mato brotava pelas cavidades onde se encaixavam. Algumas tabuletas dos prédios, embora desbotadas, ainda eram legíveis, escritas num inglês rústico que era, ela imaginava, o que Roland chamava de língua inferior. COMIDA E GRÃOS, dizia uma, e ela supôs que talvez quisesse dizer *forragem* e grãos. Na fachada falsa seguinte a essa, abaixo de um rudimentar desenho de um bisão deitado na grama, liam-se as palavras DESCANSAR COMER BEBER. Sob a tabuleta, portas de vaivém pendiam tortas, movendo-se um pouco ao vento.

— Aquilo ali é um saloon? — Ela não sabia exatamente por que sussurrava, só que não conseguia falar num tom normal de voz. Teria sido como tocar "Clinch Mountain Breakdown" no banjo num velório.

— Era — disse Roland.

Ela não sussurrava, mas sua voz era grave e pensativa. Jake seguia perto a seu lado, olhando em volta com nervosismo. Atrás deles, Oi reduzira sua distância a dez metros. Trotava ligeiro, a cabeça balançando de um lado para o outro como um pêndulo, enquanto examinava os prédios.

Então Susannah começou a senti-la: aquela sensação de ser observada. Exatamente como Roland dissera que seria, uma impressão de brilho de sol sendo substituída por sombra.

— *Tem* gente aqui, não tem? — sussurrou.

Roland assentiu.

Erguia-se na quina nordeste do cruzamento um prédio com outra tabuleta que ela reconheceu: ESTALAGEM, dizia, e CAMAS. A não ser por uma igreja com o campanário inclinado mais ao longe, era o prédio mais alto da cidade — três andares. Ela ergueu os olhos a tempo de ver um borrão branco, um rosto, retirar-se de uma das janelas sem vidro. De repente sentiu vontade de sair dali. Roland começava a marcar um passo lento, deliberado, contudo, e ela achou entender o motivo. Apressar-se poderia dar aos espreitadores a impressão de que estavam assustados... e que podiam ser subjugados. Ainda assim...

No cruzamento, as ruas que se entrecortavam alargavam-se, criando uma praça pública tomada pelo mato. No centro, erguia-se um marco miliário corroído por erosão. Acima, pendia uma caixa de metal de um pedaço frouxo de cabo enferrujado.

Roland, com Jake ao lado, encaminhou-se para o marco. Eddie seguiu-o empurrando a cadeira. O mato sussurrava nos raios das rodas da cadeira e uma mecha de cabelo impelida pelo vento fazia-lhe cócegas na face. Mais adiante na rua, a persiana bateu com um estrondo e a dobradiça guinchou alto. Ela se arrepiou e retirou o cabelo do rosto com a mão.

— Gostaria que ele apertasse o passo — disse Eddie em voz baixa. — Este lugar me dá calafrios.

Susannah assentiu. Olhou a praça ao redor e quase foi capaz de visualizar como ela devia ter sido num dia de feira — as calçadas apinhadas de gente, algumas senhoras da cidade com suas cestas sobre os braços, a maioria carroceiros e barqueiros vestidos de maneira rústica (ela não sabia por que tinha tanta certeza das barcas e dos barqueiros, mas tinha); as carroças passando pela praça pública, as da estrada de terra levantando sufocantes nuvens de poeira amarela quando os condutores açoitavam seus cavalos

(*bois, eram bois*)

pelo caminho. Via essas carroças, pedaços de lona amarrados embaixo sobre fardos de pano e algumas pirâmides de barris de alcatrão em outras; via os bois, de canga dupla e pacientes em seu esforço, abanando as orelhas com as moscas zumbindo em volta de suas imensas cabeças; ouvia vozes e risadas, e o piano no saloon martelando uma animada melodia como "Buffalo Gals" ou "Darlin' Katy".

É como se eu tivesse vivido aqui em outra vida, pensou.

O pistoleiro curvou-se sobre a inscrição no marco miliário.

— Grande Estrada — leu. — Lud, 160 rodas.

— Rodas? — perguntou Jake.

— Uma antiga forma de medida.

— Já ouviu falar de Lud? — perguntou Eddie.

— Talvez — respondeu o pistoleiro. — Quando eu era muito pequeno.

— Rima com rude — disse Eddie. — Não parece ser um sinal muito bom.

Jake examinava o lado direito da pedra.

— Estrada do Rio. Está escrito estranho, mas é o que diz.

Eddie leu o lado esquerdo do marco.

— Aqui diz Jimtown, 40 rodas. Não é o lugar de nascimento de Wayne Newton, Roland?

Roland olhou-o sem expressão.

— Cala-te boca — disse Eddie, e revirou os olhos.

Na esquina sudoeste da praça, ficava o único prédio de pedra da cidade — um cubo atarracado, de aspecto sujo, com barras enferrujadas nas janelas. Uma combinação de cadeia e tribunal municipais, pensou Susannah. Havia visto prédios semelhantes mais ao sul no seu mundo; é só acrescentar algumas vagas para estacionamento, e não vai ter como saber a diferença. Alguma coisa fora escrita toscamente na fachada do prédio amarelo desbotado. Ela leu, e embora não o entendesse, deixou-a mais ansiosa do que nunca para sair logo daquela cidade. MORRAM OS PUBES, dizia.

— Roland! — Quando teve sua atenção, ela apontou a pichação. — O que quer dizer aquilo?

Ele leu e balançou a cabeça.

— Não sei.

Ela olhou mais uma vez em volta. A praça agora parecia menor, e os prédios inclinando-se sobre eles.

— Podemos sair daqui?

— Num instante.

Roland curvou-se e pegou um pedaço de pedra do leito da estrada. Sacudiu-o pensativamente na mão esquerda quando ergueu os olhos para a caixa de metal acima do marco miliário. Arqueou o braço e Susannah percebeu, um instante tarde demais, o que ele pretendia fazer.

— Não, Roland! — gritou, encolhendo-se para trás com o som de sua própria voz horrorizada.

Ele a ignorou e atirou a pedra para cima. Sua pontaria foi tão certeira quanto sempre, e a pedra atingiu o centro exato da caixa com uma pancada oca, metálica. Ouviu-se de dentro um som de engrenagem de relógio, e um enferrujado sinal verde se desdobrou de uma ranhura no lado. Quando se encaixou no lugar, uma campainha soou brevemente. Escrita em grandes letras pretas, a palavra SIGA.

— Mas quem diria — disse Eddie. — É um sinal de trânsito. Se bater nele de novo, será que diz PARE?

— Temos companhia — disse baixinho Roland e apontou para o prédio que Susannah julgou ser o tribunal do município. Um homem e uma mulher haviam saído e desciam os degraus de pedra. *Você ganhou o prêmio da adivinhação, Roland*, pensou Susannah. *São mais velhos do que Deus, os dois.*

O homem usava macacão e um imenso sombreiro de palha. A mulher, de vestido de tecido simples e caseiro e um chapéu de aba como o do Exército da Salvação, caminhava com uma das mãos apoiada no ombro nu e queimado de sol do homem. Quando eles se aproximaram mais do marco, Susannah viu que ela era cega e o acidente que lhe tirara a visão devia ter sido incrivelmente horrível. No lugar onde ficavam os olhos, viam-se agora apenas duas cavidades rasas cheias de tecido cicatrizado. Ela parecia ao mesmo tempo apavorada e confusa.

— São malfeitores, Si? — gritou numa voz rachada, trêmula. — Não vão nos matar ainda, eu garanto!

— Fecha a matraca, Mercy — o homem respondeu. Como ela, falava com um sotaque fortíssimo, que Susannah mal conseguia entender. — Tem um Pube com eles, eu já te disse... e nunca vi malfeitor viajando com um Pube.

Cega ou não, ela tentou se afastar dele. Ele praguejou contra a mulher e pegou o seu braço.

— Pare com isto, Mercy! Pare já, estou mandando! Você vai cair e se machucar, maldição!

— Não temos más intenções — gritou Roland. Usou a Língua Superior, e ao som dela os olhos do homem se iluminaram de incredulidade. A mulher se virou, balançando o rosto cego na direção deles.

— Um pistoleiro! — gritou o homem. A voz estalou e tremeu de excitação. — Por Deus! Eu sabia que era! Eu sabia!

Pôs-se a correr pela praça ao encontro deles, puxando a mulher atrás. Ela tropeçava pelo caminho, impotente, e Susannah esperou o inevitável momento em que ia cair. Mas foi o homem quem caiu primeiro, batendo pesadamente com os joelhos no chão, e ela se estatelou dolorosamente ao lado dele nas pedras da Grande Estrada.

5

Jake sentiu uma coisa peluda roçar o seu tornozelo e baixou os olhos. Oi se acocorara a seu lado, parecendo mais ansioso do que nunca. Ele se abaixou e afagou-lhe, cauteloso, a cabeça, tanto para receber quanto para dar consolo. O pelo era sedoso e incrivelmente macio. Por um momento, achou que o malhado ia sair correndo, mas o animal apenas ergueu os olhos para ele, lambeu a sua mão e voltou a olhar para as duas pessoas novas. O homem tentava levantar a mulher e não se saía muito bem. A cabeça dela virava de um lado para o outro em ávida confusão.

O homem chamado Si cortara as palmas das mãos nas pedras, mas nem se deu conta. Desistiu de tentar ajudar a mulher, tirou o sombreiro e posicionou-o junto ao peito. Para Jake, o chapéu parecia do tamanho de uma cesta de feira.

— Oferecemos nossas boas-vindas, pistoleiro! — ele gritou. — Seja bem-vindo, de verdade! Achei que todos os da sua espécie haviam perecido na terra, achei mesmo!

— Eu lhe agradeço as boas-vindas — disse Roland na Língua Superior. Colocou as mãos gentilmente nos braços da cega. Ela se retraiu um pouco, relaxou em seguida e deixou-o ajudá-la a levantar-se. — Ponha seu chapéu, ancião. O sol está quente.

Ele pôs, depois ficou ali apreciando Roland com olhos brilhantes. Após um ou dois minutos, Jake percebeu o que era o brilho. Si chorava.

— Um pistoleiro! Eu te disse, Mercy. Eu vi a arma de fogo e te *disse*.

— Não são malfeitores? — ela perguntou, como se não pudesse acreditar. — Tem certeza de que não são malfeitores, Si?

Roland virou-se para Eddie.

— Verifique a trava de segurança e depois dê a ela a arma de Jake.

Eddie tirou a Ruger da cinta, checou a trava de segurança e pôs cautelosamente a arma nas mãos da mulher cega. Ela arquejou, quase a deixou cair, depois passou as mãos nela, maravilhada. Ergueu as cavidades vazias onde houvera olhos para o homem.

— Uma arma! — sussurrou. — Meu santificado chapéu!

— É, de certa forma — respondeu o velho, fazendo pouco, tirando-a dela e devolvendo-a a Eddie —, mas o pistoleiro tem uma de *verdade*, e uma mulher no grupo tem outra. Também tem a pele marrom, como meu pai dizia que tinham as pessoas de Garlan.

Oi deu seu latido estridente, assobiado. Jake virou-se e viu mais pessoas se aproximando rua acima — cinco ou seis ao todo. Como Si e Mercy, eram todas velhas, e uma delas, uma mulher coxeando apoiada numa bengala como uma feiticeira de história de fadas, parecia decididamente anciã. Quando se aproximaram, Jake viu que dois dos homens eram gêmeos idênticos. Longos cabelos brancos escorriam pelos ombros de suas camisas rústicas de retalhos. Sua pele era tão branca como linho, e os olhos cor-de-rosa. *Albinos*, ele concluiu.

A anciã parecia ser a líder deles. Coxeou em direção ao grupo de Roland apoiada na bengala, fitando-os com penetrantes olhos verdes como esmeraldas. A boca desdentada afundava-se profundamente sobre si mesma. A bainha do velho xale que usava adejava na brisa da pradaria. Ela fixou os olhos em Roland.

— Salve, pistoleiro! Saudações! — Também se exprimia na Língua Superior, e, como Eddie e Susannah, Jake entendeu as palavras perfeitamente, embora imaginasse que fosse uma linguagem incompreensível para ele em seu próprio mundo. — Bem-vindo a River Crossing!

O pistoleiro tirara o chapéu, e agora fazia uma mesura para ela, batendo rápido na garganta três vezes, com a mão direita estropiada.

— Obrigado-sai, Velha Mãe.

Ela riu alegremente com isso, e Eddie percebeu que Roland fizera ao mesmo tempo uma brincadeira e um elogio. O pensamento que já ocorrera a Susannah agora chegava a ele: *Assim é como ele era... e isto é o que fazia. Parte disto, pelo menos.*

— Você é um pistoleiro, não há dúvida, porém, sob suas vestes não passa de mais um tolo — ela disse, resvalando na língua inferior.

Roland fez outra mesura.

— A beleza sempre me fez tolo, Mãe.

Desta vez ela decididamente *grasnou* uma gargalhada. Oi encolheu-se junto à perna de Jake. Um dos gêmeos albinos adiantou-se apressado para escorar a anciã, quando ela oscilou para trás com seus sapatos empoeirados e rachados. Ela recuperou o equilíbrio sozinha, contudo, e fez um imperioso gesto de enxotar com uma das mãos. O albino recuou.

— Você está em missão, pistoleiro? — Os olhos verdes brilharam com perspicácia para ele; a bolsinha franzida da boca mexeu-se para fora e para dentro.

— Sim — disse Roland. — Seguimos em busca da Torre Negra.

Os outros apenas olharam intrigados, mas a velha recuou e fez com as mãos o sinal do mau-olhado... não para eles, percebeu Jake, mas para o sudeste, ao longo do caminho do Feixe.

— Lamento ouvir isto! — ela gritou. — Pois nenhum que já foi em busca daquele cão preto jamais voltou! Assim dizia meu avô, e o avô dele antes dele! Nem um único sequer!

— Ka — disse o pistoleiro, paciente, como se isto explicasse tudo... e, Jake começava a entender, para Roland de fato explicava.

— Sim — ela concordou —, cão preto ka! Bem, bem, que assim seja; você fará como foi ordenado, e viverá ao longo do seu caminho, e morrerá quando esse chegar à clareira nas árvores. Repartirá pão conosco antes de seguir, pistoleiro? Você e seu grupo de cavaleiros?

Roland fez mais uma mesura.

— Faz muito, muito tempo desde que repartimos pão em outra companhia que não a nossa própria, Velha Mãe. Não podemos ficar por muito tempo, mas, sim... comeremos sua comida com gratidão e prazer.

A velha virou-se para os demais. Falou com uma voz rachada e melodiosa... mas foram as palavras e não o tom que fizeram calafrios percorrerem as costas de Jake.

— Contemplem o retorno do Branco! Após caminhos maus e dias ruins, o Branco torna a chegar! Mostrem boa vontade e ergam as cabeças, pois vivemos para ver a roda do ka começar a girar mais uma vez!

6

A velha, cujo nome era Tia Talitha, levou-os pela praça da cidade até a igreja com o campanário inclinado — era a Igreja do Sangue Perpétuo, segundo a tabuleta desbotada no gramado, prestes a virar matagal. Escrita acima das palavras, em tinta verde reduzida a um espectro, via-se outra mensagem: MORTE AOS GRAYS.

Ela os conduziu pela igreja arruinada, coxeando com agilidade ao longo da nave central, passando pelos bancos lascados e derrubados, descendo um lance curto de degraus e entrando numa cozinha tão diferente da ruína acima, que Susannah piscou os olhos de surpresa. Tudo ali era impecável. O piso de madeira era muito velho, mas fora encerado com todo o esmero e emitia o brilho de sua própria e serena luz interior. O fogão preto ocupava um canto inteiro. Imaculado, a lenha empilhada na alcova de alvenaria junto a ele parecia ao mesmo tempo escolhida com cuidado e bem seca.

Ao grupo se juntaram mais habitantes idosos, duas mulheres e um homem, que mancava apoiado em uma muleta e uma perna de madeira. Duas das mulheres foram até os armários e começaram a pegar coisas; uma terceira abriu a porta do fogão e jogou um comprido fósforo de enxofre aceso na madeira já bem ordenada lá dentro; uma quarta abriu outra porta e desceu alguns degraus estreitos que davam no que parecia uma despensa gelada. Tia Talitha, enquanto isso, levou os demais a uma espaçosa entrada nos fundos do prédio da igreja. Acenou com a bengala para duas mesas de cavaletes que haviam sido guardadas ali sob uma toalha limpa, mas esfiapada, e os dois velhos albinos se aproximaram e começaram a tentar abrir com esforço uma delas.

— Venha, Jake — disse Eddie —, vamos dar uma mãozinha.

— Nã-nã-não! — disse Tia Talitha, rispidamente. — Podemos ser velhos, mas não precisamos que as visitas nos deem uma mão! Ainda não, jovenzinho!

— Deixe que façam isso sozinhos — disse Roland.

— Esses velhinhos cabeças-duras vão se rebentar — resmungou Eddie, mas acompanhou os outros, deixando os dois velhos com a mesa.

Susannah arquejou quando Eddie a ergueu da cadeira e atravessou com ela a porta dos fundos. Aquilo não era um gramado, era o sonho de todo jardineiro, com canteiros de flores resplandecendo como tochas na macia grama verde. Ela viu algumas que reconheceu — malmequeres, zínias e linho —, mas várias outras lhe eram estranhas. Enquanto apreciava, uma mutuca pousou numa pétala azul brilhante… que no mesmo momento se desdobrou sobre ela e enrolou-se compacta.

— Nossa! — exclamou Eddie, olhando em volta. — Busch Gardens!

Si disse:

— Este é o único lugar que conservamos do jeito que era nos velhos dias, antes de o mundo seguir adiante. E o mantemos escondido daqueles que passam a cavalo… Pubes, Grays, malfeitores. Eles o incendiariam se descobrissem… e nos matariam por manter um lugar desses. Odeiam tudo que é belo… todos eles. É a única coisa que aqueles desgraçados têm em comum.

A cega cutucou-lhe o braço para silenciá-lo.

— Não há mais viajantes a cavalo hoje em dia — disse o velho com a perna de pau. — Já há muito tempo. Ficam mais perto da cidade. Imagino que encontrem tudo de que precisam para ficar por lá.

Os gêmeos albinos cruzaram a porta às voltas com a mesa. Uma das velhas seguiu-os, exortando-os para que se apressassem e ficassem fora do caminho dela. Trazia um jarro de pedra em cada mão.

— Sente-se, pistoleiro! — gritou Tia Talitha, limpando a mão na grama. — Sentem-se todos vocês!

Susannah sentiu o cheiro de uma centena de perfumes conflitantes. Fizeram-na sentir-se atordoada e irreal, como se estivesse num sonho. Mal podia acreditar naquele estranho Éden em miniatura, cuidadosamente escondido atrás da fachada desmoronada da cidade morta.

Outra mulher saiu com uma bandeja de copos. Não combinavam, mas estavam impecáveis, brilhando ao sol como cristal fino. Estendeu a bandeja primeiro para Roland e depois para Tia Talitha, Eddie, Susannah e Jake por último. Quando todos pegaram um copo, a primeira mulher despejou um líquido dourado-escuro dentro.

Roland curvou-se para Jake, sentado perto de um canteiro oval de flores verde-claras, com Oi a seu lado. Murmurou:

— Beba apenas o suficiente para ser educado, Jake, senão vamos ter de carregá-lo para fora da cidade… isto é graf… uma forte cerveja de maçã.

Jake assentiu.

Talitha ergueu seu copo, e quando Roland fez o mesmo, Eddie, Susannah e Jake o acompanharam.

— E os outros? — sussurrou Eddie a Roland.

— Serão servidos depois do ofício. Agora fique calado.

— Não quer nos dirigir uma palavra, pistoleiro? — perguntou Tia Talitha.

O pistoleiro se levantou, o copo erguido na mão. Baixou a cabeça, como se em reflexão. Os poucos moradores restantes de River Crossing o olhavam respeitosamente e, Jake pensou, um pouco temerosos. Enfim ele tornou a erguer a cabeça.

— Vocês beberão à terra, e aos dias que se passaram nela? — perguntou. A voz saiu rouca, trêmula de emoção. — Beberão à plenitude que existia, e aos amigos que partiram? Beberão à boa companhia, bem-vinda? Seremos conduzidos por essas coisas, Velha Mãe?

Jake viu que ela chorava, mas seu rosto se abria ao mesmo tempo num sorriso de radiante felicidade... e por um momento era quase jovem. Jake a olhava com espanto e com uma felicidade repentina, apaziguante. Pela primeira vez desde que Eddie o içara através da porta, sentiu a sombra do guardião deixar verdadeiramente seu coração.

— Sim, pistoleiro! — ela disse. — Muito bem dito! Elas nos conduzirão, conduzirão, sim! — Inclinou o copo e bebeu de uma só vez. Quando o esvaziou, Roland esvaziou o seu. Eddie e Susannah também beberam, embora menos.

Jake provou a bebida, e surpreendeu-se ao ver que gostou... a cerveja não era amarga, como esperara, mas doce e ácida, como sidra. Sentiu os efeitos quase imediatos, contudo, e largou o copo com cuidado ao lado. Oi o farejou, recuou e acomodou o focinho no tornozelo de Jake.

Em volta deles, o pequeno grupo de idosos — os últimos residentes de River Crossing — aplaudia. A maioria, como Tia Talitha, chorava abertamente. E agora outros copos — não tão bonitos, mas em bom estado — eram passados a todos. A festa começou, e foi uma excelente festa naquela longa tarde de verão, sob o imenso céu da pradaria.

7

Eddie achou que a refeição que comeu nesse dia foi a melhor que já fizera desde os míticos banquetes de aniversário de sua infância, quando a mãe fazia questão de servir tudo o que ele gostava — bolo de carne com batata assada recheada, milho na espiga e o bolo de chocolate com sorvete de baunilha ao lado.

A variedade dos pratos postos diante deles — sobretudo após os meses que haviam passado comendo apenas lagosta, carne de veado e algumas folhas amargas que Roland garantia serem seguras — tinha sem a menor dúvida a ver com o prazer que sentia na comida, mas Eddie achava que não era o único motivo; reparou que o garoto enchia o prato (e dava um naco de alguma coisa ao malhado acocorado a seus pés a cada dois minutos), e Jake não estava com eles não fazia nem uma semana.

Havia tigelas de guisado (nacos de carne de búfalo flutuando num delicioso molho pardo cheio de legumes), travessas de biscoitos frescos, cumbucas com deliciosa manteiga e saladeiras cheias de folhas que pareciam espinafre, mas não eram… exatamente. Eddie nunca fora o maior fã de verduras, mas ao primeiro sabor daquelas folhas, alguma parte esquecida dele despertou e gritou por elas. Comeu bastante de tudo, mas sua necessidade de coisas verdes beirava a gula, e ele viu que Susannah também se serviu delas repetidas vezes. Entre os quatro, os viajantes esvaziaram três tigelas de folhas.

Os pratos da refeição foram retirados pelas velhas e pelos gêmeos albinos. Retornaram com fatias de bolo empilhadas bem alto em duas travessas grossas brancas e uma tigela de creme chantilly. O bolo desprendia uma doce fragrância que fez Eddie sentir-se como se tivesse morrido e ido para o céu.

— Só temos creme de leite de búfala — disse Tia Talitha, fazendo pouco caso. — Acabaram-se as vacas… a última deu seu último mugido há trinta anos. Creme de leite de búfala não é nenhuma maravilha, mas é melhor do que nada, por Deus!

O bolo era recheado de amoras. Eddie achou que batia de longe qualquer bolo que já comera. Traçou três fatias, recostou-se e arrotou sonoramente antes de poder levar a mão à boca. Olhou com ar culpado em volta.

Mercy, a cega, riu.

— Eu ouvi! Alguém deve estar agradecendo a cozinheira, Tia!

— É — disse Tia Talitha, também rindo. — Está, sim.

As duas mulheres que haviam servido a comida voltavam mais uma vez. Uma trazia um bule fumegante; a outra, várias canecas de cerâmica grossa balançando precariamente na bandeja.

Tia Talitha estava sentada na cabeceira, com Roland à direita. Ele agora se curvava e murmurava alguma coisa em seu ouvido. Ela ouviu, o sorriso desaparecendo um pouco, e então assentiu.

— Si, Bill e Till — disse. — Vocês três ficam. Nós vamos trocar algumas ideias com este pistoleiro e seus amigos, pois eles pretendem continuar viagem ainda esta tarde. Os demais tomem o café na cozinha e parem com a conversa fiada. Não se esqueçam das boas maneiras antes de sair!

Bill e Till, os gêmeos albinos, continuaram sentados ao pé da mesa. Os outros fizeram uma fila e passaram devagar pelos viajantes. Cada um apertou a mão de Eddie e Susannah e deu um beijo na bochecha de Jake. O garoto aceitou o gesto de bom grado, mas Eddie viu que ele ficou surpreso e sem graça.

Quando chegaram a Roland, ajoelharam-se diante dele e tocaram a coronha do revólver que despontava abaixo do coldre que ele usava na coxa esquerda. Ele colocava as mãos em seus ombros e beijava-lhes as testas envelhecidas. Mercy foi a última; enlaçou a cintura de Roland e batizou-lhe a sua bochecha com um beijo molhado e sonoro.

— Deus o abençoe e proteja! Se eu apenas pudesse vê-lo.

— Olhe a educação, Mercy! — disse Tia Talitha, rispidamente, mas Roland ignorou-a e curvou-se para a cega.

Tomou-lhe as mãos delicadamente, mas com firmeza, nas suas, e levou-as ao rosto.

— Me veja com elas, minha bela — disse, e fechou os olhos à medida que os dedos dela, enrugados e disformes de artrite, tateavam levemente a testa, as faces, os lábios e o queixo.

— Sim, pistoleiro! — ela suspirou, erguendo as cavidades oculares sem visão para os desfocados olhos azuis dele. — Vejo muito bem! É um belo rosto, mas cheio de tristeza e preocupação. Temo por você e pelos seus.

— Contudo, nos encontramos bem, não é? — ele perguntou, e deu um delicado beijo na pele macia, gasta, de sua testa.

— Sim... verdade. Verdade. Obrigada pelo seu beijo, pistoleiro. Do fundo do meu coração eu agradeço.

— Vá, Mercy — disse Tia Talitha com uma voz mais gentil. — Pegue seu café.

Mercy levantou-se. O velho da muleta e perna de pau levou a mão dela até a cinta da sua calça. Ela a segurou e, com uma saudação final a Roland e seu grupo, deixou que ele a guiasse.

Eddie enxugou os olhos, que estavam molhados.

— Quem a cegou? — perguntou, a voz embargada.

— Malfeitores — disse Tia Talitha. — Com um ferro em brasa. Disseram que era porque ela estava os olhando com ousadia. Vinte e cinco anos atrás, foi. Bebam seu café, agora, todos vocês! Já é horrível quente, e não passa de lama quando esfria.

Eddie ergueu a caneca e provou, hesitante. Não chegaria a chamá-lo de lama, mas também não era exatamente um café colombiano artesanal.

Susannah provou o seu e admirou-se.

— Ah, isto é chicória!

Talitha olhou para ela.

— Não sei o que isso seria. Silva é tudo que conheço, e café de silva é tudo que temos desde que fiquei moça... e isso já foi há muito, muito tempo.

— Que idade a senhora tem? — perguntou de repente Jake.

Tia Talitha olhou para ele, surpresa, depois riu.

— Sabe, garoto, que eu esqueci. Lembro de mim sentada aqui neste mesmo lugar e dando uma festa para comemorar meus oitenta anos, mas havia mais de cinquenta pessoas neste jardim naquele dia, e Mercy ainda tinha os seus olhos. — Os seus baixaram para o malhado deitado aos pés de Jake. Oi não retirou o focinho do tornozelo de Jake, mas ergueu os olhos debruados de dourado para olhá-la. — Mas é um billy-malhado, por Deus! Faz muito, muito tempo, desde a última vez que vi um malhado com gente... parece que eles perderam a memória dos dias em que andavam com homens.

Um dos albinos abaixou-se para afagar Oi. O malhado se afastou dele.

— Antigamente eles tomavam conta de rebanhos de ovelhas — disse Bill (ou talvez fosse Till) a Jake. — Sabia disto, jovem?

Jake fez que não com a cabeça.

— Ele fala? — perguntou o albino. — Alguns falavam, nos tempos antigos.

— Sim, ele fala. — Baixou os olhos para o malhado, que voltara a deitar a cabeça em seu tornozelo, assim que o estranho deixou seu território. — Diga seu nome, Oi.

Oi apenas ergueu os olhos para ele.

— Oi! — Jake exortou, mas Oi ficou calado. Jake olhou para Tia Talitha e para os gêmeos, meio envergonhado. — Bem, ele fala... mas acho que só quando quer.

— Este menino não parece ser daqui — disse Tia Talitha a Roland.

— Suas roupas são estranhas... e os *olhos* também.

— Ele não está há muito tempo aqui. — Roland sorriu para Jake, que lhe retribuiu, hesitante, o sorriso. — Daqui a um ou dois meses, ninguém será capaz de notar sua estranheza.

— É mesmo? Me admira, admira, sim. E de onde ele vem?

— De longe daqui — disse o pistoleiro. — Muito longe.

Ela assentiu.

— E quando ele vai voltar?

— Nunca — respondeu Jake. — Aqui é meu lar agora.

— Deus tenha piedade de você, então — ela disse —, pois o sol está se pondo no mundo. Está se pondo para sempre.

A isto, Susannah se agitou, nervosa; levou a mão à barriga, como se estivesse mal do estômago.

— Suze? — chamou Eddie. — Tudo bem?

Ela tentou sorrir, mas foi um esforço débil; sua confiança e seu autocontrole pareciam havê-la deixado temporariamente.

— Sim, claro. Alguém andou sobre a minha sepultura, só isso.

Tia Talitha lançou-lhe um olhar longo e avaliador que pareceu deixá-la sem graça... e sorriu.

— "Alguém andou sobre a minha sepultura"... Rá! Não ouço essa há muitos anos.

— Meu pai dizia isso o tempo todo. — Susannah sorriu para Eddie, um sorriso mais forte desta vez. — E de qualquer modo, o que for que tenha sido, já passou. Estou ótima.

— O que sabe sobre a cidade, e as terras entre aqui e lá? — perguntou Roland, erguendo a caneca de café e bebendo. — Tem malfeitores? E quem são esses outros? Os Grays e os Pubes?

Tia Talitha deu um longo suspiro.

8

— Ouvimos falar de muita coisa, pistoleiro, e só sabemos muito pouco. Uma coisa que eu sei é o seguinte: a cidade é um lugar mau, ainda mais para este menino. Qualquer menino. Não haveria alguma maneira de vocês contornarem a cidade enquanto seguem seu caminho?

Roland ergueu os olhos e observou a agora conhecida forma das nuvens correndo ao longo do caminho do Feixe. No céu daquelas imensas planícies, aquela forma, como um rio no céu, era impossível de não ver.

— Talvez — ele disse por fim, mas com a voz estranhamente relutante. — Imagino que possamos contornar Lud até o sudoeste e pegar o Feixe no outro lado.

— É o Feixe que seguem — ela disse. — É, foi o que pensei.

Eddie viu sua ideia da cidade iluminada pela esperança, que se fortalecia cada vez mais, de que quando chegassem lá iam encontrar ajuda — bens abandonados que os ajudariam em sua jornada, ou talvez até algumas pessoas que lhes pudessem dizer um pouco mais sobre a Torre Negra e o que deviam fazer quando chegassem lá. Os chamados Grays, por exemplo, pareciam ser aqueles elfos sábios e antigos que ele ficava visualizando.

Os tambores eram arrepiantes, verdade seja dita, fazendo-o lembrar-se de uma centena de épicos de selva de baixo orçamento (a maioria vista na TV, com Henry a seu lado e um balde cheio de pipoca entre os dois), onde as fabulosas cidades perdidas que os exploradores vinham procurando estavam em ruínas e os nativos haviam degenerado em tribos de canibais sedentos de sangue, mas Eddie achou impossível acreditar que uma coisa dessas pudesse ter acontecido numa cidade que parecia tanto, ao menos de uma certa distância, com Nova York. Se não houvesse elfos sábios e antigos nem tesouros abandonados, teria com certeza *livros*, no mínimo; ouvira Roland falar de como era raro o papel ali, mas toda cidade em que Eddie passara estava abarrotada de livros. Talvez encontrassem até algum transporte funcionando; o equivalente a um Land Rover seria de ótimo tamanho. Isto na certa era apenas um sonho tolo, mas quando se tem milhares de quilômetros de território desconhecido para cobrir, alguns sonhos tolos eram, sem a menor dúvida, admissíveis, ainda que apenas para manter o ânimo em alta. E essas coisas não eram pelo menos *possíveis*, poxa?

Ele abriu a boca para dizer algumas dessas coisas, mas Jake falou antes.

— Eu acho que não vamos poder contornar — disse, corando um pouco quando todos o olharam. Oi mudou de posição a seus pés.

— Não? — perguntou Tia Talitha. — E por que acha que não? Diga-nos, eu lhe rogo.

— Conhece alguma coisa sobre trens? — perguntou Jake.

Houve um longo silêncio. Bill e Till trocaram um olhar nervoso. Tia Talitha apenas olhava firme para Jake, que não desviou o olhar.

— Ouvi falar de um — ela disse. — Talvez até o tenha visto. Ali. — Apontou na direção do Send. — Faz muito tempo, quando eu não passava de uma criança e o mundo não seguira adiante... ou pelo menos não tanto quanto hoje. É de Blaine que você está falando, menino?

Os olhos de Jake lampejaram de repente, com surpresa e reconhecimento.

— Sim! Blaine! — Roland examinava Jake atentamente.

— E como você saberia do Mono Blaine? — perguntou Tia Talitha.

— Mono? — Jake olhou sem expressão.

— Sim, era como ele era chamado. Como saberia de uma coisa tão antiga, rapaz?

Jake olhou desamparado para Roland e depois de volta para Tia Talitha.

— Eu não sei *como* eu sei.

E isto é a verdade, pensou Eddie de repente, *mas não é* toda *a verdade. Ele sabe mais do que quer dizer aqui... e acho que está assustado.*

— Isso é um assunto nosso, creio — interferiu Roland com uma voz de mediador, seca e ríspida. — Precisa deixar que a gente o resolva sozinhos, Velha Mãe.

— Sim — ela logo concordou. — Seja reservado. Melhor que os nossos não saibam.

— E a cidade? — Roland perguntou. — O que você sabe de Lud?

— Pouco, agora, mas o que sabemos vocês ouvirão. — E ela se serviu de mais uma caneca de café.

9

Foram os gêmeos, na verdade, que fizeram a maior parte do relato, um retomando facilmente sempre do ponto em que o outro interrompia. De vez em quando Tia Talitha acrescentava ou corrigia alguma coisa, e os gêmeos esperavam respeitosamente até ter certeza de que ela concluíra. Si não abriu a boca — ficou apenas sentado ali, com seu café intocado diante dele, arrancando os pedaços de palha que se soltavam eriçados da larga aba do sombreiro.

Eles realmente sabiam pouco, Roland logo percebeu, até da história de sua própria cidade (nem isso o surpreendeu; naqueles últimos tempos, as lembranças se apagavam rapidamente, e apenas o passado mais recente parecia não ter sido esquecido), mas o que eles de fato sabiam era perturbador. Roland não se surpreendeu com isso também.

Nos dias de seus antepassados, River Crossing fora muito semelhante ao que Susannah imaginara: uma parada comercial na Grande Estrada, de modesta prosperidade, um lugar em que as mercadorias eram vendidas, mas com maior frequência trocadas. Fizera, ao menos no papel, parte do Baronato do Rio, embora mesmo essas coisas como Baronatos e Propriedades d'A Terra houvessem passado.

Havia caçadores de búfalos naquele tempo, embora o comércio estivesse se extinguindo; as manadas eram pequenas e passaram por terríveis mutações. A carne desses animais selvagens mutantes não era venenosa, mas se tornada fétida e amarga. River Crossing, porém — localizada num lugar que eles chamavam apenas de Ancoradouro e aldeia de Jimtown —, fora um lugar de certo destaque. Ficava na Grande Estrada e apenas seis dias de viagem da cidade por terra e três por barca.

— A não ser quando o rio baixava — disse um dos gêmeos. — Aí levava mais tempo, e meu avô dizia que houve uma época em que as barcas ficavam encalhadas por todo o percurso rio acima até o Gargalo de Tom.

Os velhos não sabiam nada sobre os residentes originais da cidade, lógico, nem das tecnologias que usavam para construir as torres e torreões;

esses foram os Grandes Anciãos, e sua história já se perdera nos idos mais distantes do passado mesmo quando o tataravô de Tia Talitha era um menino.

— Os prédios continuam em pé — disse Eddie. — Será que as máquinas que os Grandes Anciãos usavam para construí-los ainda funcionam?

— Talvez — disse um dos gêmeos. — Se assim for, jovem, não haverá qualquer homem ou mulher que more lá hoje que saiba como acioná-las... assim eu creio, eu creio, sim.

— Não — disse o irmão, contradizendo-o. — Duvido que os costumes dos antigos tenham desaparecido inteiramente para os Grays e os Pubes, mesmo hoje. — Olhou para Eddie. — Nosso pai dizia que outrora tinha até velas elétricas na cidade. Alguns dizem que talvez continuem se acendendo.

— Imagine uma coisa dessas — comentou Eddie, e Susannah beliscou--lhe a perna, com força, debaixo da mesa.

— Sim — disse o outro gêmeo. Falava sério, alheio ao sarcasmo de Eddie. — Você apertava um botão e elas se acendiam, brilhantes, velas sem calor, sem pavios nem reservatórios para querosene. E ouvi dizer que, uma vez, nos velhos tempos, Quick, o príncipe proscrito, chegou até a voar ao céu num pássaro mecânico. Mas uma das asas se partiu e ele morreu numa terrível queda, como Ícaro.

Susannah ficou boquiaberta.

— Você conhece a história de Ícaro?

— Sim, senhora — ele respondeu, evidentemente surpreso com o fato de ela achar estranho. — Aquele das asas de cera de abelha.

— Histórias para crianças, as duas — disse Tia Talitha, com desdém. — Sei que a história das luzes sem-fim é verdade porque as vi com meus próprios olhos quando ainda era bem jovem, e elas talvez ainda estejam brilhando de vez em quando, sim; e tem gente em que eu confio que diz que as viu em noites claras, embora faz muito tempo desde que eu mesma vi. Mas nenhum homem jamais voou, nem mesmo os Grandes Anciãos.

No entanto, *havia* máquinas estranhas na cidade, construídas para fazer coisas peculiares e às vezes perigosas. Várias delas talvez ainda funcionassem, mas os velhos gêmeos reconheciam que ninguém na cidade sabia como acioná-las, pois não ouviam falar delas há anos.

Talvez isso pudesse mudar, contudo, pensou Eddie, os olhos brilhando. *Se, vamos dizer, aparecesse um rapaz empreendedor, viajado, com algum co-*

nhecimento de maquinaria estranha e luzes eternas. Poderia ser apenas uma questão de encontrar os botões de LIGAR. *Quer dizer, poderia ser simples assim. Ou talvez fosse um caso apenas de um monte de fusíveis queimados... imaginem só, meus amigos! Basta substituir uma dúzia de troncos de 400-amp e acender a cidade toda como um sábado à noite em Las Vegas.*

Susannah deu-lhe uma cotovelada e perguntou, em voz baixa, o que era tão engraçado. Eddie balançou a cabeça e levou um dedo aos lábios, ganhando um irritado olhar do amor da sua vida. Os albinos, enquanto isso, continuavam seu relato, indo e voltando no tempo narrativo com a inconsciente facilidade que provavelmente apenas a condição de gêmeos de uma vida inteira pode proporcionar.

Quatro ou cinco gerações atrás, disseram, a cidade continuara tendo uma população muito grande e razoavelmente civilizada, embora os moradores dirigissem carroças e carros de boi ao longo dos bulevares largos que os Grandes Anciãos haviam construído para seus fabulosos veículos sem cavalos. Os habitantes da cidade eram artesãos e o que os gêmeos chamaram de "manufatores", e o comércio tanto no rio quanto além dele fora ativo.

— Além dele? — perguntou Roland.

— A ponte sobre o Send ainda está de pé — disse Tia Talitha — ou estava vinte anos atrás.

— Sim, o velho Bill Muffin e seu garoto a viram não faz dez anos — concordou Si, contribuindo pela primeira vez à conversa.

— Que tipo de ponte? — perguntou o pistoleiro.

— Uma coisa enorme, de cabos de aço — disse um dos gêmeos. — Fica no céu como a teia de uma enorme aranha. — Em seguida, acrescentou timidamente: — Eu gostaria, sim, de vê-la de novo antes de morrer.

— Provavelmente já caiu a esta altura — disse Tia Talitha, rejeitando a ideia — e já foi tarde. Trabalho do Diabo. — Virou-se para os gêmeos.

— Contem a eles o que aconteceu desde então, e por que a cidade está tão perigosa agora... além de quaisquer assombrações que talvez se escondam lá, isto, sim, e garanto que há um monte delas. Essa gente quer continuar viagem, e o sol está se deslocando para oeste.

10

O resto do relato era outra versão de uma história que Roland de Gilead ouvira muitas vezes, e que ele próprio, em certa medida, vivera. Era fragmentária e incompleta, sem a menor dúvida cheia de mito e desinformação, o avanço linear distorcido pelas estranhas mudanças — temporais e de rumo — que agora vinham ocorrendo no mundo, e poderia ser resumida numa única frase composta: *Era uma vez um mundo que conhecíamos, mas esse mundo seguiu adiante.*

Aqueles velhos de River Crossing sabiam tanto de Gilead quanto ele do Baronato do Rio, e o nome de John Farson, o homem que levara a ruína e a anarquia à terra de Roland, nada significava para eles, porém as histórias da passagem do mundo eram semelhantes… semelhantes demais, pensou Roland, para ser coincidência.

Uma grande guerra civil — talvez em Garlan, talvez numa terra mais distante chamada Porla — eclodira ali, talvez até quatrocentos anos atrás. Suas repercussões haviam se disseminado aos poucos, levando anarquia e problemas aonde chegavam. Poucos reinos, se algum houvera, haviam sido capazes de resistir a essas lentas ondas, e a anarquia chegara àquela parte do mundo tão certo quanto a noite vem em seguida do pôr do sol. A certa altura, exércitos inteiros haviam tomado as estradas, às vezes em avanço, outras em retirada, sempre confusos e sem objetivos a longo prazo. Com o passar do tempo, desmantelaram-se em grupos menores, que terminaram por se degenerar em bandos errantes de malfeitores. O comércio vacilara e depois se desfizera por completo. Viajar passara de inconveniência a risco. No fim, tornara-se quase impossível. A comunicação com a cidade reduzira-se em ritmo constante e cessara de todo cento e vinte anos antes.

Como uma centena de outras cidades pelas quais Roland cavalgara — primeiro com Cuthbert e os outros pistoleiros expulsos de Gilead, depois sozinho, ao encalço do homem de preto —, River Crossing fora isolada e abandonada à própria sorte.

Neste ponto, Si se agitou e sua voz arrebatou no mesmo instante os viajantes. Falava no tom rouco, cadenciado, de um contador de histórias — um daqueles visionários nascidos para fundir memória e quixotismo em sonhos tão magníficos e diáfanos quanto teias de aranha entremeadas com gotas de orvalho.

— A última vez que enviamos tributo ao castelo do Baronato foi na época do bisavô de meu pai — disse ele. — Vinte e seis homens partiram com uma carroça de peles… não havia mais moeda, lógico; e era o melhor que eles podiam fazer. Foi uma longa e perigosa viagem de quase 80 rodas, e seis morreram no caminho. Metade foi liquidada por malfeitores de partida para a guerra na cidade; a outra metade morreu de doença ou da erva do diabo.

“Quando finalmente chegaram, encontraram o castelo inteiramente abandonado, a não ser pelas gralhas e melros. As paredes haviam desmoronado; o mato invadira a Corte Oficial. Tinha havido uma grande chacina nos campos a oeste; que ficaram brancos com ossos e vermelhos de armaduras enferrujadas, assim contou o bisavô do meu pai, e vozes de demônios gritavam como o vento do leste nos maxilares daqueles que ali pereceram. A aldeia além do castelo fora incendiada até não restar nada e um milhão ou mais de caveiras foram pregadas ao longo dos muros que a cercavam. Nosso pessoal deixou sua doação de peles diante do portão desmantelado do barbacã, pois ninguém se aventuraria a entrar naquele lugar de fantasmas e lamentações, e recomeçou a viagem de volta. Mais dez caíram naquela jornada, de modo que dos vinte e seis que partiram apenas dez retornaram, meu tataravô entre eles… mas pegou uma doença de pele no pescoço e peito que permaneceu com ele até o dia de sua morte. Era a doença de radiação, ou assim diziam. Depois disso, pistoleiro, ninguém deixou a cidade. Ficamos por nossa conta.

Por fim, habituaram-se às depredações dos malfeitores, continuou Si com sua voz rouca mas melodiosa. Foram colocados guardas; quando se viam bandos de cavaleiros se aproximando… quase sempre seguindo para o sudeste ao longo da Grande Estrada e pelo caminho do Feixe, na direção da guerra sem fim que assolava Lud… o pessoal da cidade se escondendo num grande abrigo que fora cavado embaixo da igreja. Os estragos pontuais feitos à cidade não eram consertados, para não despertar a curiosidade daqueles bandos de malfeitores errantes. A maioria seguia sem curiosidade; apenas passavam a galope, os arcos ou machados de batalha a tiracolo, rumo às zonas de matança.

— De que guerra vocês estão falando? — Roland perguntou.

— Sim — disse Eddie —, e quanto àquele barulho de tambores?

Os gêmeos mais uma vez trocaram um olhar rápido, quase supersticioso.

— Não sabemos nada dos tambores-divinos — disse Si. — Nem de ouvir nem de ver. A guerra da cidade, bem…

A guerra fora originalmente de malfeitores e proscritos contra uma confederação independente de artesãos e "manufatores" que moravam na cidade. Os moradores haviam decidido lutar em vez de deixar os malfeitores os saquearem, incendiarem suas lojas e depois expulsarem os sobreviventes para o Grande Vazio, onde iriam com quase toda certeza morrer. E durante alguns anos haviam defendido com êxito Lud contra os grupos brutais mas mal organizados de atacantes que tentavam tomar de assalto a ponte ou invadir por navio e barco.

— O pessoal da cidade usava as armas antigas — disse um dos gêmeos —, e embora fossem em número menor, os malfeitores não tinham como resistir com seus arcos, suas maças e seus machados de batalha.

— Quer dizer que o pessoal da cidade usava armas de fogo? — perguntou Eddie.

Um dos albinos assentiu.

— Sim, armas, mas não *apenas* armas. Eram coisas que arremessavam os projéteis de fogo a um quilômetro ou mais de distância. Explosões como dinamite, só que mais poderosas. Os proscritos, que são agora os Grays, como devem saber, não tinha o que fazer além de montar um cerco além do rio, e foi o que fizeram.

Lud passou a ser, de fato, o último refúgio-fortaleza do mundo mais recente. Os mais brilhantes e capazes viajavam do campo vizinho para lá sozinhos e em pares. Quando se tratava de testes de inteligência, esgueirar-se furtivamente pelos acampamentos emaranhados e linhas de frente dos sitiantes era a prova final dos recém-chegados. A maioria chegava desarmada à terra de ninguém do outro lado da ponte, e os que conseguiam chegar até lá podiam entrar. Alguns eram considerados incapazes e mandados embora, lógico, mas os que tinham um ofício ou especialidade (ou cabeça o suficiente para aprendê-los) recebiam permissão para ficar. A experiência agrícola era, sobretudo, valorizada; segundo os relatos, todo parque grande em Lud havia se transformado numa horta. Com o campo isolado, era cultivar comida na cidade ou morrer de fome em meio a torres de vidro e vielas de metal. Os Grandes Anciãos se foram, suas máquinas eram um mistério, e as maravilhas silenciosas que ali permaneceram não eram comestíveis.

Aos poucos, o caráter da guerra começou a mudar. O equilíbrio de poder se transferira para os Grays sitiados — assim chamados porque eram, em média, muito mais velhos do que os habitantes da cidade. Estes também envelheciam, lógico. Embora ainda conhecidos como os Pubes, na maioria dos casos a puberdade havia muito ficado para trás. E eles acabaram se esquecendo como funcionavam as antigas armas ou haviam gastado todas elas.

— Provavelmente as duas coisas — grunhiu Roland.

Há mais ou menos noventa anos, quando Tia Talitha já era viva, surgira um último bando de proscritos, tão numeroso que os cavaleiros expulsos haviam atravessado River Crossing a galope ao amanhecer e os da rabeira só passaram quase ao cair do sol. Foi o último exército que se viu naquelas partes, comandado por um príncipe chamado David Quick, o veloz, o mesmo sujeito que supostamente morreu depois de uma queda do céu. Organizara os remanescentes maltrapilhos dos bandos de proscritos que ainda circulavam pela cidade, matando todos que se opusessem a seus planos. O exército de Grays de Quick não usou barco nem ponte para tentar entrar na cidade, mas construiu uma ponte flutuante vinte quilômetros abaixo dela e atacou o flanco.

— Desde então a guerra se extinguiu como fogo de palha — concluiu Tia Talitha. — Ouvimos notícias de vez em quando de alguém que conseguiu partir, é, sim, ouvimos, sim. Agora chegam com um pouco mais de frequência, pois a ponte, dizem, está sem defesas, e acho que o fogo já quase se apagou. Dentro da cidade, os Pubes e os Grays brigam pelos espólios, só que desconfio que os descendentes dos malfeitores que seguiram Quick pela ponte flutuante são os verdadeiros Pubes hoje, embora continuem sendo chamados de Grays. Os descendentes dos moradores originais da cidade já devem estar tão velhos quanto nós, apesar de ainda haver alguns mais jovens que partem para se juntar a eles, atraídos pelas histórias antigas e pela promessa de conhecimento que talvez ainda continue lá.

"Esses dois lados mantêm acesa a velha inimizade, pistoleiro, e ambos irão ficar de olho neste rapaz que você chama de Eddie. Se a mulher de pele negra for fértil, eles não vão matá-la embora lhe faltem pernas; poderiam mantê-la para ter filhos, pois há menos crianças agora, e embora as antigas doenças estejam passando, alguns ainda nascem estranhos."

Ao ouvir isto, Susannah estremeceu, pareceu prestes a dizer alguma coisa, e então apenas bebeu o último gole de café e voltou a se instalar em sua posição de ouvinte.

Jake curvou-se e começou a afagar mais uma vez o pelo de Oi. Roland viu sua expressão e soube no que ele pensava: era a passagem embaixo das montanhas mais uma vez, apenas uma nova versão dos Vagos Mutantes.

— Você, eles matarão — disse tia Talitha —, pois é pistoleiro, um homem fora de seu tempo e espaço, nem lá nem cá, sem nenhuma valia para qualquer dos lados. Mas um garoto pode ser levado, aproveitado, ensinado a lembrar-se de algumas coisas e esquecer-se de todas as demais. Todos eles já se esqueceram contra o que lutavam, para início de conversa; o mundo seguiu adiante desde então. Agora eles só lutam ao ruído de seus terríveis rufares de tambor, alguns poucos jovens, a maioria velha, como nós aqui, todos imbecis que só vivem para matar e matar para viver. — Fez uma pausa. — Agora que já ouviram nossas tolices até o fim, têm certeza de que não seria melhor continuar viagem e deixá-los cuidarem da própria vida?

Antes que Roland pudesse responder, Jake falou em voz clara, firme.

— Contem pra nós o que sabem sobre o Mono Blaine — disse. — Falem de Blaine e do Maquinista Bob.

11

— Maquinista *quem*? — perguntou Eddie, mas Jake continuou apenas olhando para as pessoas.

— O trilho fica lá do outro lado — Si respondeu por fim. Apontou para o rio. — Só um trilho, instalado numa coluna feita de pedra artificial, como os Anciãos faziam suas ruas e calçadas.

— Um monotrilho! — exclamou Susannah. — O Monotrilho Blaine!

— Blaine é um chato — resmungou Jake.

Roland lançou-lhe um olhar, mas nada disse.

— O trem ainda funciona? — Eddie perguntou a Si.

Si balançou a cabeça, devagar. Tinha a expressão perturbada e nervosa.

— Não, jovem senhor... mas no meu tempo de vida e no da Tia, funcionava. Quando estávamos na flor da idade e a guerra na cidade ainda estava à toda. A gente o ouvia antes de o ver... um zumbido baixo, um ronco como às vezes ouvimos quando uma forte tempestade de verão está a caminho... daquelas cheias de relâmpagos.

— Sim — disse Tia Talitha, com a expressão perdida e sonhadora.

— Então ele chegava... O Mono Blaine, brilhando no sol, com um bico igual a uma das balas do seu revólver, pistoleiro. Talvez duas rodas de comprimento. Eu sei que parece impossível, e talvez realmente seja, éramos jovens, precisa se lembrar disto, o que faz uma senhora diferença, mas mesmo assim acho que era, pois quando Blaine vinha, parecia percorrer todo o horizonte. Rápido, baixo, e desaparecia antes de podermos vê-lo direito!

"Às vezes, nos dias em que o tempo estava ruim e o ar denso, guinchava igual a uma harpia quando passava vindo do oeste. Às vezes chegava à noite, com uma brilhante luz branca projetada à frente, e esse guincho acordava todos nós. Era como a trombeta que dizem que vai despertar os mortos das sepulturas no fim do mundo, era, sim."

— Fale a eles do estrondo, Si! — Bill ou Till disse com a voz trêmula de assombro. — Fale do barulho estrondoso que sempre se seguia!

— Sim, eu já ia chegar nisso — respondeu Si com um toque de aborrecimento. — Depois que ele passava, tudo ficava quieto por alguns segundos... às vezes até um minuto, talvez... e então vinha uma explosão que chacoalhava os armários e derrubava xícaras das prateleiras e às vezes até quebrava o vidro das janelas. Era como uma explosão no mundo dos espíritos.

Eddie deu um tapinha no ombro de Susannah, e quando ela se virou, ele articulou sem som duas palavras: *estrondo sônico*. Era loucura — nenhum trem que ele conhecera viajava mais rápido do que a velocidade do som —, mas era a única coisa que fazia sentido.

Ela assentiu e virou-se de volta para Si.

— É a única das máquinas que os Grandes Anciãos fizeram que já vi correndo com meus próprios olhos — ele disse em voz baixa —, e se aquilo não fosse obra do demônio, então o demônio não existe. A última vez que a vi foi na primavera em que me casei com Mercy, e isto já deve ter sido há sessenta anos.

— Setenta — corrigiu Tia Talitha com autoridade.

— E esse trem entrava *na* cidade — disse Roland. — Fazia o caminho inverso ao que tomamos até aqui... desde o oeste... desde a floresta.

— Sim — disse uma nova voz inesperadamente —, mas havia outro... um que saía da cidade... e que talvez ainda funcione.

12

Eles se voltaram. Mercy estava perto de um canteiro de flores entre os fundos da igreja e a cadeira onde se sentavam. Caminhava devagar na direção do som de suas vozes, com as mãos estendidas à frente.

Si levantou-se desajeitado, correu para ela o melhor que pôde, e tomou-lhe a mão. Ela passou um braço em volta da cintura do marido e eles ficaram ali, parecendo o casal mais antigo do mundo.

— A Tia não disse pra você tomar o café lá dentro? — ele ralhou.

— Já terminei meu café há muito tempo — disse Mercy. — É amargo demais e eu o detesto. Além disso… eu queria ouvir a confabulação. — Ergueu um dedo trêmulo e apontou na direção de Roland. — Eu queria ouvir a voz dele. É bela e clara, sim, assim é.

— Rogo-lhe perdão, Tia — disse Si, olhando um pouco receoso para a anciã. — Ela sempre foi um pouco teimosa, e a idade apenas fez piorar.

Tia Talitha olhou para Roland. Ele assentiu, quase imperceptivelmente.

— Deixe que ela venha e se junte a nós.

Si conduziu-a até a mesa, ralhando com a mulher enquanto isso. Mercy apenas olhava atrás dele com os olhos sem visão, a boca desenhada numa linha estreita.

Depois que Si a sentou à mesa, Tia Talitha curvou-se para frente nos antebraços e disse:

— Pois bem, tem alguma coisa a dizer, velha irmã-sai, ou estava apenas mascando as gengivas?

— Eu escuto o que escuto. Meus ouvidos são tão afiados quanto sempre foram, Talitha… mais afiados ainda!

Roland levou a mão ao cinturão por um momento. Quando a retornou à mesa, segurava um cartucho nos dedos. Jogou-o para Susannah, que o pegou.

— São mesmo, sai? — perguntou ele.

— Afiados o bastante — disse, virando-se para ele — para saber que você jogou alguma coisa. Para sua mulher, acho… a de pele marrom. Uma coisa pequena. O que foi, pistoleiro? Um biscoito?

— Chegou bastante perto — ele respondeu, sorrindo. — Você escuta tão bem quanto diz. Agora explique o que quis falar.

— Há outro monotrilho — ela disse —, a não ser que seja o mesmo correndo num curso diferente. Seja o que for, um curso diferente era percorrido por *algum* mono... até sete ou oito anos atrás, de qualquer modo. Eu o ouvia deixando a cidade e indo para as terras devastadas distantes.

— Besteira! — exclamou um dos gêmeos. — Nada vai para as terras devastadas! Nada vive por lá.

Ela virou o rosto para ele.

— É um trem vivo, Till Tudbury? — ela perguntou. — Máquina por acaso adoece, vomita ou fica coberta de feridas?

Bem, pensou em dizer Eddie, *teve um urso*...

Refletiu um pouco mais e decidiu que talvez fosse melhor ficar calado.

— A gente teria ouvido — insistia o outro gêmeo. — Um barulho como o que Si nos fala sempre...

— Este não dava nenhum estouro — ela admitiu —, mas eu ouvia outro barulho, aquele zumbido que a gente escuta às vezes, depois que um raio cai em algum lugar perto. Quando o vento ficava forte, soprando para fora da cidade, eu ouvia. — Empinou o queixo e acrescentou: — Também *ouvi*, sim, o estouro uma vez. Ao longe, muito longe. Na noite em que o Grande Vento Charlie chegou e quase arrancou o campanário da igreja. Deve ter sido a 200 rodas daqui. Talvez 250.

— Titica de galinha! — gritou o gêmeo. — Você andou mascando a erva!

— Eu vou mascar é *você*, Till Tudbury, se não fechar essa matraca barulhenta. E também não pega nada bem um homem dizer titica de galinha para uma senhora. Ora essa...

— Pare, Mercy! — sibilou Si, mas Eddie mal escutou a discussão. O que a mulher cega dissera fazia sentido para ele. Lógico que não seria nenhum estrondo sônico, não de um trem que começava sua viagem em Lud; não lembrava exatamente qual era a velocidade do som, mas achava que devia ficar na casa de mil e duzentos quilômetros por hora. Um trem, arrancando de um ponto morto, levaria algum tempo para desenvolver essa velocidade, e quando a alcançasse, estaria fora do alcance do ouvido... a não ser que as condições da escuta houvessem sido exatamente as certas, como Mercy afirmava que foram na noite em que o Grande Vento Charlie — fosse lá o que fosse isso — chegara.

E isso configurava uma possibilidade. O Mono Blaine não era nenhum Land Rover, mas talvez... talvez...

— Você não ouve o barulho desse outro trem há sete ou oito anos, sai? — perguntou Roland à mulher cega. — Tem certeza de que não foi há muito mais tempo?

— Não pode ter sido — ela respondeu —, pois a última vez foi no ano em que Bill Muffin contraiu a doença do sangue. Pobre Bill!

— Isto foi há quase dez anos — disse Tia Talitha, e sua voz era estranhamente gentil.

— Por que nunca contou que ouviu uma coisa dessas? — perguntou Si. Olhou para o pistoleiro. — Não pode acreditar em tudo o que ela diz, lorde... sempre querendo estar no meio do palco, a minha Mercy.

— Ah, seu velho babão! — ela gritou, dando-lhe um tapa no braço. — Eu nunca disse porque não queria ofuscar a história de que você tem tanto orgulho, mas agora que o que eu ouvi é importante, sou obrigada a contar!

— Eu acredito em você, sai — disse Roland —, mas tem certeza de que não ouviu os ruídos do monotrilho desde então?

— Tenho, nunca mais. Imagino que ele tenha finalmente chegado ao fim de seu caminho.

— Eu gostaria de saber — disse Roland. — Na verdade, gostaria muito. — Baixou os olhos para a mesa, pensando, de repente muito distante de todos eles.

Chuu-Chuu, pensou Jake, e arrepiou-se.

13

Meia hora depois, estavam mais uma vez na praça da cidade, Susannah na cadeira de rodas, Jake ajustando as tiras da mochila, enquanto Oi se acomodava no seu tornozelo, observando-o atentamente. Parecia que apenas os anciãos da cidade haviam participado do almoço festivo no pequeno Jardim do Paraíso atrás da igreja do Sangue Perpétuo, pois quando retornaram à praça, uma dúzia de pessoas diferentes os aguardavam. Deram um olhar de relance a Susannah e detiveram-se um pouco mais em Jake (a juventude dele parecia mais interessante aos velhos que a pele escura dela), mas estava evidente que era a Roland que tinham vindo ver; seus olhos o admiravam, cheios de antigo assombro reverente.

Ele é um remanescente vivo de um passado que só conhecem de relatos, pensou Susannah. *Olham-no como pessoas religiosas olhariam um dos santos — Pedro, Paulo ou Mateus —, se um deles decidisse aparecer na ceia de feijão da noite de sábado e lhes contasse como foi flanar em volta do mar da Galileia com o Carpinteiro Jesus.*

O ritual que finalizara a refeição era agora repetido, só que desta vez com a participação de todos os demais sobreviventes de River Crossing. Eles avançaram em fila, apertando a mão de Eddie e Susannah, dando um beijo na bochecha ou testa de Jake, depois se ajoelhando diante de Roland para seu toque e bênção. Mercy passou os braços em volta dele e encostou o rosto cego em sua barriga. Roland retribuiu-lhe o abraço e agradeceu-lhe pelo que contara.

— Não passará a noite conosco, pistoleiro? O pôr do sol chega a passo acelerado, e faz muito tempo desde que você e os seus passaram a noite sob um teto, posso afirmar.

— Faz sim, mas é melhor seguirmos. Obrigado-sai.

— Você voltará, se puder, pistoleiro?

— Sim — disse Roland, mas Eddie não precisou ver a expressão do seu estranho amigo para saber que as chances eram pequenas. — Se pudermos.

— Sim. — Ela o abraçou uma última vez, depois continuou, apoiando a mão no ombro queimado de sol de Si. — Adeus a todos.

Tia Talitha chegou por último. Quando ela começou a ajoelhar-se, Roland ergueu-a pelos ombros.

— Não, sai. Não faça isso. — E diante dos olhos surpresos de Eddie, Roland ajoelhou-se diante dela na poeira da praça da cidade. — Pode me dar sua bênção, Velha Mãe? A todos nós que seguimos nosso rumo?

— Sim — ela disse, com uma voz sem surpresa, nem com lágrimas nos olhos, mas assim mesmo vibrando com profundo sentimento.

— Vejo que seu coração é fiel, pistoleiro, e que mantém os antigos costumes dos da sua linhagem; sim, você os mantém com honra. Eu abençoo você e a todos os seus, e rezarei para que não lhes suceda nenhum mal. — Levou a mão ao corpete de seu vestido desbotado e tocou uma cruz de prata na ponta de uma corrente de prata de elos finos. Retirou-a.

Então foi a vez de Roland ficar surpreso.

— Está certa disso? Eu não vim aqui para tirar o que lhe pertence e aos seus, Velha Mãe.

— Certeza absoluta. Usei-a dia e noite durante mais de uma centena de anos, pistoleiro. Agora é você que irá usá-la e colocá-la aos pés da Torre Negra, e dizer o nome de Talitha Unwin no outro lado da Terra. — Passou a corrente pela cabeça dele. A cruz caiu dentro da gola de sua camisa de pele de veado como se ali pertencesse. — Agora vá. Nós partilhamos o pão, confabulamos, recebemos sua bênção e você a nossa. Siga o seu caminho em segurança. Resista e seja fiel. — Sua voz tremeu e extinguiu-se na última palavra.

Roland levantou-se, curvou-se e bateu três vezes na garganta.

— Obrigado-sai.

Ela retribuiu a mesura, mas não falou. Agora lágrimas escorriam pelas suas faces.

— Prontos? — perguntou Roland.

Eddie assentiu. Não confiava em si para falar.

— Tudo bem — disse Roland. — Vamos.

Seguiram a pé pelo que restava da rua principal da cidade, Jake empurrando a cadeira de rodas de Susannah. Ao passarem pelo último prédio (COMÉRCIO E CÂMBIO, dizia a tabuleta desbotada), ele olhou para trás. Os velhos continuavam juntos perto do marco miliário, um desamparado punhado de humanidade no meio daquela planície imensa, vazia. Jake ergueu a mão. Até aquele momento, conseguira se controlar, mas quando vários dos idosos — Si, Bill e Till entre eles — ergueram as mãos em retribuição, ele rompeu em prantos.

Eddie passou um dos braços em volta de seus ombros.

— Continue andando, meu chapa — disse, com a voz embargada. — Não há outro jeito.

— Eles são tão velhos! — soluçou Jake. — Como podemos simplesmente deixá-los assim? Isto não é certo!

— É ka — disse Eddie, sem pensar.

— É? Bem, ka é uma... uma... bosta!

— Sim, pra cacete — concordou Eddie... mas continuou seguindo adiante, como Jake, e não olhou mais para trás. Temia que ainda estivessem lá, em pé no centro de sua cidade esquecida, acompanhando Roland e seus amigos até que saíssem do alcance da vista. E estaria certo.

14

Haviam percorrido pouco mais de dez quilômetros, quando o céu começou a escurecer e o sol se pondo coloriu o horizonte ocidental de laranja incandescente. Jake e Eddie viram um bosque de eucaliptos próximo e foram até lá remexer à procura de lenha.

— Não entendo por que nós não ficamos — disse Jake. — A senhora cega nos convidou, e de qualquer modo não avançamos muito. Eu estou tão empanturrado que já estou quase me arrastando.

Eddie sorriu.

— Eu também. E ainda digo mais: seu amigo Edward Cantor Dean não vê a hora de encontrar um cantinho espaçoso e tranquilo para descansar neste bosque de árvores assim que amanhecer. Você não ia acreditar em como não aguento mais comer carne de veado e aquela insuportável bosta de coelho. Se você me dissesse um ano atrás que um belo dum cagalhão ia ser o ponto alto do meu dia, eu teria rido na sua cara.

— Seu nome do meio é Cantor?

— Sim, mas eu ficaria muito grato se não espalhasse isso por aí.

— Pode deixar. *Por que* nós não ficamos lá, Eddie?

Eddie suspirou.

— Porque íamos descobrir que eles precisavam de lenha.

— Como?

— E depois que pegássemos a lenha, íamos descobrir que também precisavam de carne fresca, pois nos serviram a última que tinham. E seríamos uns babacas se não repuséssemos o que comemos, certo? Ainda mais se carregamos armas e o melhor que eles podem se virar é com um punhado de arcos e flechas de cem anos de idade. Portanto, teríamos ido caçar para eles. A essa altura já teria anoitecido de novo, e quando acordássemos no dia seguinte, Susannah ia dizer que devíamos ao menos fazer alguns consertos antes de seguirmos em frente... ah, não na *entrada* da cidade, isto seria perigoso demais, mas talvez no hotel ou seja lá onde eles moram. Só uns dias, e o que são alguns dias a mais, certo?

Roland se materializou da sombra. Movia-se tão silenciosamente como sempre, mas parecia cansado e preocupado.

— Achei que talvez os dois tivessem caído num fosso de areia movediça.

— Não. Eu só estava explicando a Jake os fatos como os vejo.

— E daí, o que teria de errado nisso? — perguntou Jake. — Essa tal de Torre Negra já está não sei onde há muito tempo, certo? Não vai a lugar algum, vai?

— Alguns dias, depois mais alguns, depois alguns mais. — Eddie olhou o galho que acabara de pegar e jogou-o fora com ar enojado. *Já estou começando a soar que nem ele*, pensou. E, no entanto, sabia que só estava falando a verdade. — Talvez a gente visse que a fonte deles está começando a ficar entupida de aluvião, e não seria educado ir embora sem antes desobstruí-la para eles. Mas por que parar aí se podemos levar mais duas semanas e construir uma roda hidráulica com um monjolo, não é? Eles são velhos e têm dificuldades para fazer as coisas. — Olhou para Roland, e sua voz tingiu-se de reprovação. — E sabe de uma coisa? Quando penso em Bill e Till lá a tocaiar uma manada de búfalos selvagens, sinto calafrios.

— Estão fazendo isso há muito tempo — disse Roland —, e imagino que possam nos ensinar uma ou duas coisinhas. Eles vão se virar. Enquanto isso, vamos pegar essa lenha... vai ser uma noite fria.

Mas Jake ainda não tinha dado por encerrada a questão. Encarava Eddie de modo intenso, quase severo.

— Está dizendo que tudo que fizéssemos por eles seria pouco, não é?

Eddie espichou o lábio inferior e soprou os cabelos de cima da testa.

— Não exatamente. Estou dizendo que nunca ficaria mais fácil partir. Muito mais duro, talvez, mas não mais fácil.

— Ainda não parece certo.

Chegaram ao lugar que se tornaria, assim que a fogueira fosse acesa, apenas mais um local de acampamento a caminho da Torre Negra. Susannah saíra sozinha da cadeira e se deitara de costas, com as mãos atrás da cabeça, olhando as estrelas. Agora se sentava e começava a arrumar a lenha do jeito que Roland lhe mostrara meses atrás.

— Certo, o problema é esse — disse Roland. — Mas se você olhar demais os pequenos certos, Jake... os bem perto da gente... é fácil perder a visão dos grandes, que estão muito mais distantes. Tudo está fora dos eixos, ficando cada vez mais errado e cada vez pior. Vemos tudo em volta de nós, mas as respostas ainda estão à frente. Enquanto ficássemos ajudando as vinte ou trinta pessoas deixadas em River Crossing, é possível que mais vinte ou trinta mil estejam sofrendo ou morrendo em outro lugar. E se há um lugar no universo onde essas coisas podem ser acertadas, é a Torre Negra.

— Por quê? Como? — perguntou Jake. — O que *é* esta Torre, afinal?

Roland agachou-se ao lado da fogueira que Susannah armara, tirou da sacola o sílex e o bastão de pederneira, e começou a atirar faíscas nas aparas de madeira. Logo pequenas chamas se propagavam em meio aos gravetos e punhados cheios de relva.

— Não posso responder a essas perguntas — ele disse. — Gostaria de poder.

Que resposta mais inteligente, pensou Eddie. Roland dissera: *Não posso responder*... mas isto não era a mesma coisa que: *Não sei*. Longe disso.

15

A ceia consistiu em água e folhas. Ainda se recuperavam da pesada refeição que haviam comido em River Crossing; até Oi recusou, após a primeira ou segunda, as migalhas que Jake lhe ofereceu.

— Por que não quis falar lá? — Jake ralhou com o malhado. — Me deixou com cara de idiota!

— Ió-ta! — disse Oi, colocando o focinho no tornozelo dele.

— Ele está falando cada vez melhor — observou Roland. — A voz está até começando a se parecer com a sua, Jake.

— Eique — concordou Oi, sem erguer o focinho. Jake estava fascinado pelos círculos dourados em volta dos olhos de Oi; na luz oscilante da fogueira, pareciam girar lentamente.

— Mas ele não falou com os velhos.

— Os malhados são muito exigentes com esse tipo de coisa — disse Roland. — São criaturas estranhas. Se tivesse de adivinhar, eu diria que este foi expulso pela própria matilha.

— Por que acha isso?

Roland apontou o flanco de Oi. Jake limpara o sangue (o bicho não gostara muito, mas tolerara), e a ferida estava sarando, embora o malhado ainda mancasse um pouco.

— Eu apostaria uma moeda de ouro que isto é mordida de outro malhado.

— Mas por que sua própria matilha...

— Talvez estivessem fartos da tagarelice dele... — disse Eddie, que se deitara ao lado de Susannah, a mão em volta de seus ombros.

— É possível — disse Roland —, ainda mais se Oi era o único deles que continuava tentando falar. Os outros poderiam ter decidido que era inteligente, ou arrogante, demais para o gosto deles. Os animais não sabem tanto de ciúme quanto as pessoas, mas também não são ignorantes a respeito.

O assunto da conversa fechou os olhos e pareceu ir dormir... mas Jake notou suas orelhas se contraírem quando a conversa recomeçou.

— Até que ponto eles *são* inteligentes? — perguntou Jake.

Roland deu de ombros.

— O velho cavalariço de quem lhes falei, o que dizia que um bom malhado traz boa sorte, jurou que tinha um na juventude que sabia somar. Disse que mostrava suas somas riscando no piso do estábulo ou juntando pedras com o focinho. — Deu um enorme sorriso, que lhe iluminou todo o rosto, afugentando as tristes sombras que se haviam instalado ali desde que deixaram River Crossing. — Lógico, cavalariços e pescadores nasceram pra mentir.

Um silêncio confortável caiu entre eles, e Jake sentia a sonolência invadindo-o. Achou que não demoraria a dormir logo, e para ele estava ótimo. Então recomeçaram os tambores, vindo do sudeste em batidas ritmadas, e ele voltou a sentar-se ereto. Os três prestaram atenção sem falar.

— É uma batida de rock and roll — disse de repente Eddie. — Sei que é. Tirem as guitarras que só sobra isso. Na verdade, parece muito Z. Z. Top.

— Z. Z. *quem*? — perguntou Susannah.

Eddie sorriu.

— Eles não existiam na sua época — disse. — Quer dizer, provavelmente, sim, mas em 1963 eram apenas um bando de garotos indo pra escola no Texas. — Ele ouviu com atenção. — Mas é sério que estou enganado ou isso é igual à batida de alguma coisa como "Sharp-Dressed Man" ou "Velcro Fly".

— "Velcro Fly"? Braguilha de Velcro? — disse Jake. — Que nome idiota pra uma música.

— Mas é bastante engraçado — disse Eddie. — Você a perdeu por uns dez anos, parceiro.

— É melhor a gente tentar descansar — disse Roland. — A manhã chega cedo.

— Não consigo dormir com essa merda rolando — reclamou Eddie. Hesitou, e então disse uma coisa que não lhe saía da mente desde a manhã em que haviam puxado Jake, pálido e gritando, pelo vão da porta para aquele mundo. — Você não acha que já era hora de trocarmos histórias, Roland? Talvez a gente descubra que sabe mais do que pensa.

— Sim, já está quase na hora para isso. Mas não no escuro. — Roland rolou para o lado, puxou uma manta e pareceu ir dormir.

— Meu Deus! — exclamou Eddie. — Assim, sem mais. — Deu um assobiozinho irritado entre os dentes.

— Ele tem razão — disse Susannah. — Vamos, Eddie… venha dormir.

Ele sorriu e deu um beijo na ponta do nariz dela.

— Sim, mamãe.

Cinco minutos depois, ele e Susannah estavam mortos para o mundo, com ou sem tambores. Jake, contudo, descobriu que sua própria sonolência o abandonara. Ficou ali deitado olhando as estrelas e ouvindo aquela vibração ritmada, constante, que vinha das trevas. Talvez sejam os Pubes, tocando furiosamente uma música chamada "Velcro Fly", enquanto se exercitavam num frenesi de matança sacrificial.

Pensou em Mono Blaine, um trem tão rápido que viajava através do imenso e mal-assombrado mundo arrastando um estrondo sônico em sua esteira, e isto o levou de forma lógica a lembrar-se da locomotiva Charlie Chuu-Chuu, que se aposentara num pátio de manobras esquecido quando chegou o novo trem da Burlington Zephyr, tornando-a obsoleta. Pensou na expressão na cara de Charlie, que devia ser alegre e agradável, mas de alguma maneira não era. Pensou na Empresa Ferrovia Mundo Médio, e as terras desertas do ramal entre St. Louis e Topeka. Pensou em como Charlie sempre estava pronto quando o sr. Martin precisava dele, e que apitava o próprio apito e alimentava a própria fornalha. Mais uma vez se perguntava se o Maquinista Bob sabotara o Burlington Zephyr, a fim de dar uma segunda chance a seu amado Charlie.

Por fim… e tão de repente como começara, o batuque ritmado parou, e Jake adormeceu.

16

Sonhou, mas não com o homem de reboco.

Sonhou em vez disso que estava parado numa faixa de rodovia asfaltada em algum lugar no Grande Vazio do oeste de Missouri. Oi o acompanhava. Sinais de alerta de ferrovia — formas em X brancas com luzes vermelhas nos centros — flanqueavam a estrada. As luzes piscavam e campainhas tiniam.

E então começava a elevar-se um zumbido do sudeste, que foi ficando cada vez mais alto. Soava como trovão numa garrafa.

Aí vem ele, dizia Jake a Oi.

Eli!, concordava Oi.

E de repente uma comprida forma cor-de-rosa entre duas rodas varava a planície em direção aos dois. Era baixa e tinha o formato de uma bala, e quando Jake a viu, um terrível medo encheu-lhe o coração. As duas grandes janelas faiscando ao sol na frente do trem pareciam olhos.

Não faça perguntas tolas para ele, disse Jake a Oi. *Ele não faz brincadeiras bobas. É apenas um terrível trem Chuu-Chuu, e seu nome é Blaine Chato.*

De repente Oi pulou para os trilhos e acocorou-se ali com as orelhas baixas coladas atrás. Os olhos dourados brilhavam. Mostrava os dentes num rosnado desesperado.

Não!, gritou Jake. *Não, Oi!*

Mas Oi não lhe deu a mínima atenção. A bala cor-de-rosa agora achatava a minúscula, desafiante forma do malhado, e aquele zumbido parecia arrastar-se por toda a carne de Jake, fazendo com que o seu nariz sangrasse e estilhaçando as obturações dos dentes. Ele saltou para agarrar Oi, o Mono Blaine (ou era Charlie Chuu-Chuu?) achatou-os, e Jake acordou de repente, tremendo e banhado em suor. A noite parecia oprimi-lo como um peso físico. Rolou para o lado e apalpou à procura de Oi. Durante um terrível momento, achou que ele se fora e então os dedos encontraram o pelo sedoso. Oi soltou um latido agudo e olhou-o com sonolenta curiosidade.

— Tá tudo bem — Jake sussurrou com a voz seca. — Não tem trem nenhum. Foi só um sonho. Volte a dormir, Oi.

— Oi — concordou o trapalhão e tornou a fechar os olhos.

Jake rolou de costas e ficou olhando as estrelas acima. *Blaine é mais do que um saco*, pensou. *Ele é perigoso.* Muito *perigoso.*

Sim, talvez.

Nada de talvez nisso!, insistia frenética sua mente.

Tudo bem, podemos admitir que Blaine era um saco... Mas sua redação final tivera mais alguma coisa para dizer sobre o tema de Blaine, não tivera?

Blaine é a verdade. Blaine é a verdade. Blaine é a verdade.

— Ah, meu Deus, que confusão — sussurrou Jake. Fechou os olhos e segundos depois pegara no sono de novo. Desta vez dormiu sem sonhos.

17

Por volta do meio-dia no dia seguinte, eles chegaram ao topo de outra colina e viram a ponte pela primeira vez. Cruzava o Send num ponto em que o rio se estreitava, fazia uma curva para o sul e passava em frente da cidade.

— Minha nossa — disse Eddie, baixinho. — Aquilo não parece familiar pra você, Suze?

— Sim.

— Jake?

— Sim... parece a ponte George Washington.

— Pode crer que parece — concordou Eddie.

— Mas o que a PGW está fazendo no Missouri? — perguntou Jake.

Eddie olhou-o.

— Como é que é, parceiro?

Jake pareceu confuso.

— Quer dizer, Mundo Médio. Você sabe.

Eddie olhava-o com mais intensidade do que nunca.

— Como é que *você* sabe que este é o Mundo Médio? Não estava com a gente quando chegamos àquele marco miliário.

Jake enfiou as mãos nos bolsos e desviou o olhar.

— Sonhei com isso — apressou-se a dizer. — Você não acha que eu reservei esta excursão com o agente de viagens do meu pai, acha?

Roland tocou o ombro de Eddie.

— Deixe-o em paz.

Eddie deu uma olhada rápida em Roland e assentiu.

Ficaram ali observando a ponte um pouco mais. Haviam tido tempo para se acostumar com a silhueta dos prédios na linha do horizonte, mas aquilo era outra história. Assomava ao longe, uma tênue forma esboçada contra o céu azul do meio da manhã. Roland distinguiu quatro grupos de torres de uma altura quase inacreditável — um grupo em cada ponta da ponte e dois no meio. Entre eles, cabos gigantescos cortavam o ar em longos arcos. Entre os arcos e a base da ponte, viam-se várias linhas verticais — ou mais cabos ou vigas de metal, não soube dizer qual dos dois. Mas ele também viu lacunas, e percebeu que após muito tempo que o nivelamento da ponte não era mais perfeito.

— Acho que aquela ponte ali não vai demorar a estar no rio — disse Roland.

— Bem, talvez — disse Eddie, relutante —, mas não me parece tão ruim assim.

Roland suspirou.

— Não tenha muita esperança, Eddie.

— O que isso quer dizer? — Eddie percebeu o tom defensivo em sua voz, mas era tarde demais para fazer algo a respeito.

— Quer dizer que quero que acredite em seus olhos, Eddie... só isso. Havia um ditado quando eu era jovem: "Só um tolo acredita que está sonhando antes de acordar". Entende?

Eddie sentiu uma resposta sarcástica na ponta da língua e reprimiu-a após um momento de esforço. Era só que Roland tinha um jeito — não era intencional, ele tinha certeza, mas isso não facilitava nada — de fazê-lo se sentir como uma *criança*.

— Acho que sim — disse por fim. — Tem o mesmo significado do ditado favorito de minha mãe.

— E qual era?

— Deseje o melhor e espere pelo pior — respondeu Eddie, com azedume.

O rosto de Roland iluminou-se num sorriso.

— Acho que eu gosto mais do ditado da sua mãe.

— Mas a ponte *ainda* está em pé! — explodiu Eddie. — Tudo bem que não esteja numa forma espetacular, provavelmente ninguém faz uma inspeção completa de manutenção nela há milhares de anos, mas ela ainda está lá. Toda a cidade está! É tão errado assim ter esperança de que talvez a gente encontre coisas que vão nos ajudar lá? Ou pessoas que vão nos dar de comer e conversar conosco, como aqueles velhos em River Crossing?! É tão errado assim ter esperança de que nossa sorte pode estar mudando?

No silêncio que se seguiu, Eddie percebeu com algum constrangimento que fizera um discurso.

— Não. — A voz de Roland desprendia bondade, aquela bondade que, quando chegava, sempre surpreendia Eddie. — Nunca é errado ter esperança. — Olhou Eddie e os outros em volta como alguém saindo de um profundo sonho. — Chega de viagem por hoje. Acho que é hora de confabularmos, e isso vai levar algum tempo.

O pistoleiro saiu da estrada e embrenhou-se no mato alto sem olhar para trás. Após um momento, os outros três o seguiram.

18

Até o encontro deles com os velhos em River Crossing, Susannah vira Roland estritamente em termos de programas de televisão aos quais quase nunca assistia: *Covil do Diabo*, *O fuzileiro* e, lógico, o arquétipo de todos eles, *A morte tem seu preço*. Este era um dos que ouvira às vezes com o pai no rádio antes da chegada da TV (pensou em como seria estranha a ideia de radioteatro para Eddie e Jake e sorriu — o mundo de Roland não fora o único que seguira adiante). Ainda se lembrava do que o locutor dizia no início de cada uma dessas peças de rádio: "Isso torna um homem alerta... e um pouco solitário".

Até River Crossing, isso resumira perfeitamente Roland para ela. Ele não tinha ombros largos como tivera Marshal Dillon, nem era de perto tão alto, e seu rosto lhe parecia mais o de um poeta cansado que o de um homem da lei do velho oeste, mas mesmo assim ela ainda o via como uma versão existencial daquele fictício policial do Kansas, cuja única missão na vida (além de uma ocasional bebida no The Longbranch com os amigos Doc e Kitty) fora expulsar os criminosos de Dodge City.

Agora ela compreendia que Roland fora outrora muito mais do que um homem da lei cavalgando numa desolada paisagem de Dali no fim do mundo. Fora um diplomata; um mediador; talvez até mesmo um professor. Acima de tudo, um soldado do que essas pessoas chamavam de "O Branco", com o que ela imaginava que queriam dizer as forças civilizadoras que impediram que se matassem uns aos outros durante tempo suficiente para permitir algum tipo de progresso. Em seu tempo, fora mais um cavaleiro errante desgarrado do que um caçador de recompensas. E em vários aspectos aquele ainda *era* seu tempo; as pessoas de River Crossing com certeza haviam visto dessa maneira. Por que mais se ajoelhariam na poeira para receber a sua bênção?

À luz dessa nova percepção, Susannah conseguia ver com que inteligência o pistoleiro os conduzira desde aquela terrível manhã no círculo falante. Toda vez que haviam começado uma linha de conversa que levaria à comparação de experiências — e o que seria mais natural, em vista da experiência do cataclísmico e inexplicável "aliciamento" que cada um deles tivera? —, Roland estivera presente, interferindo rápido e desviando a conversa, com tanta sutileza que nenhum deles (mesmo ela, que passara quase quatro anos envolvida até o pescoço no movimento de direitos civis) reparara no que ele fazia.

Susannah achava que entendia o motivo — ele fizera isso a fim de dar a Jake tempo de sarar. Mas entender os motivos dele não mudava os seus próprios sentimentos— espanto, diversão, tristeza — sobre a grande habilidade com que ele os conduzira. Lembrou-se de uma coisa que Andrew, seu motorista, dissera pouco antes de Roland atraí-la para aquele mundo. Algo sobre como o presidente Kennedy era o último pistoleiro do mundo ocidental. Ela zombara então, mas agora achava que compreendia. Havia muito mais de JFK do que Matt Dillon em Roland. Desconfiava que Roland possuía pouco da imaginação de Kennedy, mas quando se tratava de romance... dedicação... carisma...

E *astúcia*, ela pensou. *Não esqueça a astúcia.*

Surpreendeu-se ao desatar a rir de repente.

Roland se sentara de pernas cruzadas. Agora se virava para ela, erguendo as sobrancelhas.

— Alguma coisa engraçada?

— Muito. Me diga uma coisa... quantas línguas você fala?

O pistoleiro pensou por um momento.

— Cinco — disse, enfim. — Eu costumava falar os dialetos Sellian muito bem, mas acho que esqueci tudo exceto os xingamentos.

Susannah riu mais uma vez, uma risada alegre, prazerosa.

— Você é uma raposa, Roland — disse. — É, sim, verdade.

Jake pareceu interessado.

— Xingue em Strelleran — pediu.

— *Sellian* — corrigiu Roland. Pensou por um minuto, depois disse uma coisa muito rápida e pastosa, que para Eddie soou como se ele gargarejasse com algum líquido muito espesso. Café velho de uma semana, digamos. Roland sorriu quando ele disse isso.

Jake retribuiu o sorriso.

— O que quer dizer?

Roland passou um dos braços pelos ombros do garoto por um momento.

— Que temos muito para falar.

19

— Nós somos ka-tet — começou o pistoleiro —, o que significa um grupo de pessoas unidas pelo destino. Os filósofos da minha terra diziam que um ka-tet só podia ser rompido por morte ou traição. Meu grande professor, Cort, dizia que como a morte e a traição também são raios na roda de ka, uma união assim jamais pode ser quebrada. Com o passar dos anos e eu ficando mais sábio, tenho cada vez mais abraçado a maneira de Cort enxergar as coisas.

"Cada membro de um ka-tet é como uma peça de um quebra-cabeça. Vista sozinha, cada peça é um mistério, mas quando unidas formam uma imagem... ou parte de uma imagem. Talvez seja necessário um grande número de ka-tets para concluir a imagem. Não devem se surpreender se descobrirem que suas vidas se têm tocado de formas que ainda não notaram até agora. Por exemplo, cada um de vocês é capaz de saber os pensamentos uns dos outros..."

— Como? — exclamou Eddie.

— É verdade. Vocês partilham seus pensamentos tão naturalmente que nem percebem que isso está acontecendo, mas acontece. Ver isso é mais fácil para mim, sem dúvida, porque não sou um membro completo desse ka-tet... talvez porque não sou do mundo de vocês, e portanto não posso participar completamente da capacidade de partilhar pensamentos. Mas *posso* transmitir. Susannah... lembra-se de quando estávamos no círculo?

— Sim. Você me disse para soltar o demônio quando você mandasse. Mas não falou isso em voz alta.

— Eddie... se lembra de quando estávamos na clareira do urso, e aquela coisa mecânica veio para cima de você?

— Sim. Você me mandou ir pro chão.

— Ele nunca abriu a boca, Eddie — disse Susannah.

— Abriu, sim! Você *berrou*! Eu *ouvi* a sua voz, cara!

— Berrei, sim, mas fiz isso com a *mente*. — O pistoleiro virou-se para Jake. — Você se lembra? Na casa?

— Quando a tábua que eu puxava não se soltou, você me disse para puxar a outra. Mas se não pode ler minha mente, Roland, como soube que problema eu estava tendo?

— Eu vi. Não ouvi nada, mas vi... só um pouco, como se através de uma janela embaçada. — Examinou-o com os olhos. — Essa proximidade e partilha de mentes é chamada khef, uma palavra que quer dizer várias outras coisas na língua original do Mundo Antigo... água, pássaro e força vital são apenas três delas. Tenham consciência disso. Por ora, é só o que eu quero de vocês.

— Como posso ter consciência de uma coisa em que não acredito? — perguntou Eddie.

Roland sorriu.

— Apenas mantenha a mente aberta.

— Isso eu posso fazer.

— Roland? — Era Jake. — Acha que Oi poderia ser parte de nosso ka-tet?

Susannah sorriu. Roland, não.

— Não estou preparado para fazer uma suposição disso no momento, mas vou lhe dizer uma coisa, Jake... tenho pensado muito no seu amigo peludo. Ka não governa tudo, e coincidências ainda acontecem... mas o súbito surgimento de um malhado que ainda se lembra de pessoas não me parece uma simples coincidência.

Olhou para todos em volta.

— Eu vou começar. Eddie falará em seguida, continuando do lugar em que eu parei. Depois Susannah. Jake, você será o último a falar. Tudo bem?

Eles assentiram.

— Ótimo — disse Roland. — Somos ka-tet... um de vários. Que a confabulação se inicie.

20

Conversaram até o cair do sol, parando apenas o tempo suficiente para fazer uma refeição fria, e quando terminaram, Eddie se sentia como se tivesse lutado doze rounds com Sugar Ray Leonard. Não duvidava mais de que haviam "partilhado khef", como dissera Roland; ele e Jake na verdade pareciam estar vivendo a vida um do outro em seus sonhos, como se fossem duas metades de um mesmo todo.

Roland começou com o que acontecera sob as montanhas, onde terminara a primeira vida de Jake naquele mundo. Falou de sua própria confabulação com o homem de preto, e as palavras veladas de Walter sobre uma Fera e alguém a quem ele chamava de Estranho sem Idade. Falou do misterioso e assustador sonho que tivera, um sonho em que todo o universo fora engolido num feixe de fantástica luz branca. E que, no fim desse sonho, havia uma única folha de relva púrpura.

Eddie olhou de esguelha para Jake e ficou chocado com o conhecimento — o *reconhecimento* — nos olhos do garoto.

21

Roland balbuciara partes dessa história a Eddie na época de seu delírio, mas era inteiramente novidade para Susannah, que a ouvia com olhos arregalados. À medida que Roland repetia as coisas que Walter lhe dissera, ela captava vislumbres de seu próprio mundo, como reflexos num espelho quebrado: automóveis, câncer, foguetes à lua, inseminação artificial. Não tinha a menor ideia de como devia ser a Fera, mas reconheceu o nome Estranho sem Idade como uma variação do nome de Merlin, o mágico que supostamente fora o responsável pela carreira do rei Arthur. Cada vez mais intrigante.

Roland contou que despertara e encontrara Walter morto havia muito tempo — o tempo havia de algum modo avançado, talvez uns cem anos, talvez quinhentos. Jake ouviu em fascinado silêncio enquanto o pistoleiro falava da chegada à margem do mar Ocidental, de como perdera dois dedos da mão direita, e como escolhera Eddie e Susannah antes de encontrar Jack Mort, o terceiro sombrio.

O pistoleiro fez um gesto para Eddie, que continuou o relato com a chegada do grande urso.

— Shardik? — exclamou Jake. — Mas este é o nome de um *livro*! Um livro do nosso mundo! Foi escrito pelo homem que escreveu aquele livro famoso sobre os coelhos...

— Richard Adams! — gritou Eddie. — E o livro sobre os coelhinhos era *Em busca de Watership Down!* Eu *sabia* que conhecia esse nome! Mas como isso é possível, Roland? Como as pessoas no seu mundo sabem coisas do nosso?

— Existem as portas, não? — respondeu Roland. — Já não vimos quatro delas? Acham que elas nunca existiram antes, e nunca mais voltarão a existir?

— Mas...

— Todos nós vimos os restos do seu mundo no meu, e quando eu estava na sua cidade de Nova York, vi as marcas do meu mundo no de vocês. Vi *pistoleiros*. A maioria era desatenta e lenta, mas eram ainda assim pistoleiros, evidentemente membros de seu próprio antigo ka-tet.

— Roland, eles eram apenas policiais. Você acabou com eles.

— Não aquele último. Quando Jack Mort e eu estávamos na estação ferroviária subterrânea, ele quase me pegou. A não ser por pura sorte, a vara de pederneira de Mort, ele teria conseguido. Aquele... eu vi os olhos dele. Ele conhecia o rosto de seu pai. Acredito que conhecia muito bem. E depois... se lembra do nome da boate de Balazar?

— Claro — disse Eddie, pouco à vontade. — A Torre Inclinada. Mas isso pode ter sido uma coincidência; você mesmo disse que ka não governa tudo.

Roland assentiu.

— Você é parecido mesmo com Cuthbert... eu me lembro de uma coisa que ele disse quando éramos meninos. Estávamos planejando fazer uma travessura à meia-noite no cemitério, mas Alain não apareceu. Disse que tinha medo de ofender as sombras de seu pai e sua mãe. Cuthbert riu dele. Disse que não acreditava em fantasmas enquanto não agarrasse um com os dentes.

— Ótimo pra ele! — exclamou Eddie. — Bravo!

Roland sorriu.

— Achei que você gostaria dessa. De qualquer modo, vamos deixar esse fantasma por agora. Continue com a sua história.

Eddie falou da visão que tivera quando Roland jogou o maxilar na fogueira — a visão da chave e da rosa. Contou seu sonho em que cruzara a porta da Deli Artesanal Tom e Jerry para o campo de rosas dominado pela Torre alta e cor de fuligem. Descreveu a escuridão que saía de suas janelas, criando um vulto no céu acima, falando agora diretamente a Jake, pois o garoto ouvia com faminta concentração e crescente admiração. Tentava transmitir parte da sensação de exaltação e terror que permeara o sonho, e viu pelos olhos deles — sobretudo os de Jake — que estava fazendo um trabalho melhor do que esperara... ou eles haviam tido seus próprios sonhos.

Contou sobre quando refez a trilha de Shardik até o Portal do Urso, e ao encostar a cabeça nele viu-se lembrando do dia em que convencera o irmão a levá-lo a Dutch Hill, para que pudesse ver a Mansão. Falou da caneca e da agulha, que a agulha apontando se tornara desnecessária assim que eles compreenderam que viam o Feixe em ação, em tudo que tocava, até nos pássaros no céu.

Susannah assumiu o relato nesse ponto. Enquanto falava, contando que Eddie começara a esculpir sua própria versão da chave, Jake deitou-se de costas, entrelaçou as mãos atrás da cabeça, e ficou observando as nuvens avançarem devagar para a cidade em seu curso reto para o sudeste. A forma ordenada que criavam mostrava a presença do Feixe tão nitidamente quanto a fumaça que sai de uma chaminé mostra a direção do vento.

Ela concluiu com o relato de que haviam finalmente içado Jake para aquele mundo, fechando a trilha interrompida das lembranças dele e de Roland tão repentina e completamente quanto Eddie fechara a porta no círculo falante. O único fato que chegou a omitir não era na verdade sequer um fato, ainda não. Ela não sentira enjoo matinal algum, afinal, e o atraso de uma única menstruação não significava nada em si. Como o próprio Roland poderia ter dito, era uma história que era melhor deixar para outro dia.

Mas, quando terminou, viu-se desejando poder esquecer o que Tia Talitha dissera quando Jake falou que aquele era o seu lar agora: *Deus tenha piedade de você, então, pois o sol está se pondo no mundo. Está se pondo para sempre.*

— E agora é a sua vez, Jake.

Jake sentou-se e olhou na direção de Lud, onde as janelas das torres ocidentais refletiam a luz do fim da tarde em camadas douradas.

— É tudo muito louco — murmurou —, mas quase chega a fazer sentido. Como um sonho quando a gente acorda.

— Talvez possamos ajudá-lo a tirar sentido disso — disse Susannah.

— Talvez sim. Pelo menos podem me ajudar a pensar no trem. Estou de saco cheio de tentar entender Blaine sozinho. — Deu um suspiro. — Vocês sabem o que Roland passou, vivendo duas vidas ao mesmo tempo, então posso pular essa parte. Não sei bem se eu poderia explicar qual era a sensação, e nem quero. Era opressivo. Acho melhor começar com minha redação final, porque foi quando parei de pensar que a coisa toda poderia simplesmente ir embora. — Olhou-os em volta de modo sombrio. — Foi quando eu desisti.

22

Jake falou enquanto o sol se punha.

Contou-lhes tudo que conseguiu lembrar, começando com *Como Compreendo a Verdade*, e terminando com o monstruoso guardião que saíra literalmente do madeiramento interior da casa para atacá-lo. Os outros três ouviram sem interromper.

Quando ele terminou, Roland virou-se para Eddie, os olhos brilhando com uma mistura de emoções que Eddie tomou a princípio por admiração. Então percebeu que via uma poderosa excitação... e medo profundo. Ficou com a boca seca. Pois se *Roland* estava assustado...

— Você ainda tem dúvidas de que os nossos mundos se sobrepõem uns aos outros, Eddie?

Ele fez que não com a cabeça.

— Claro que não. Eu segui a pé pela mesma rua, *e com as roupas dele*! Mas... Jake, posso ver esse livro? *Charlie Chuu-Chuu?*

Jake estendeu a mão para pegar a mochila, mas Roland impediu-o.

— Ainda não — disse. — Volte ao terreno baldio, Jake. Conte mais uma vez essa parte. Tente se lembrar de tudo.

— Talvez você devesse me hipnotizar — disse Jake, hesitante. — Como fez antes, no posto de parada.

Roland balançou a cabeça.

— Não há necessidade. O que aconteceu a você naquele terreno baldio foi a coisa mais importante que já aconteceu na sua vida, Jake. Em todas as nossas vidas. Você consegue se lembrar de tudo.

Assim Jake contou tudo de novo. Ficou evidente para todos que sua experiência no terreno baldio onde ficara antes a delicatéssen Tom e Jerry era o coração secreto do ka-tet que partilhavam. No sonho de Eddie, a Deli Artesanal continuava em pé. Na realidade de Jake fora demolida, mas nos dois casos era um lugar de enorme e talismânico poder. Roland também não tinha dúvidas de que o terreno baldio com seus tijolos quebrados e vidros despedaçados era outra versão do que Susannah conhecia como o Estreito e o lugar que ele vira no fim de sua visão no lugar dos ossos.

Ao contar essa parte da história pela segunda vez, falando agora muito devagar, Jake constatou ser verdade o que o pistoleiro dissera: conseguia se lembrar de tudo. A lembrança foi se aprimorando até parecer que ele estava revivendo a experiência. Falou da placa anunciando que em breve se ergueria um conjunto de prédios chamado Condomínios de Luxo Baía da Tartaruga no lugar em que antes estivera a Tom e Jerry. Chegou a lembrar-se do poema curto que fora pintado com tinta de aerossol na cerca, e recitou-o para eles:

"Veja a TARTARUGA que encerra
Em seu casco descomunal toda a terra
Se você quer brincar e se divertir
O FEIXE deve seguir."

Susannah murmurou:

— Seu pensamento é lento, mas sempre gentil; ela nos tem a todos dentro de sua mente... não é assim que continuava, Roland?

— Como? — perguntou Jake. — Como continuava o quê?

— Um poema que aprendi na infância — respondeu Roland. — É outra ligação, que nos diz algo, embora eu não tenha certeza se é uma coisa que precisamos saber... mesmo assim, a gente nunca sabe quando um pequeno entendimento vem a calhar.

— Doze Portais ligados por seis Feixes — disse Eddie. — Começamos no Urso. Estamos nos dirigindo apenas até o meio... a Torre... mas, se continuássemos até o outro lado, chegaríamos ao Portal da Tartaruga, não?

Roland assentiu.

— Tenho certeza de que sim.

— Portal da Tartaruga — disse Jake, pensativo, sentindo as palavras na boca, parecendo apreciar o gosto delas.

Depois concluiu falando outra vez da deslumbrante voz do coro, sua compreensão de que havia rostos, relatos e histórias em toda parte, e a crença cada vez maior de que se deparara com alguma coisa muito semelhante ao âmago de toda a existência. Por último, repetiu o trecho em que encontrava a chave e via a rosa. Ao fim da sua lembrança, Jake desatou a chorar, embora parecesse alheio a isso.

— Quando ela se abriu — disse ele —, vi que o meio era o amarelo mais brilhante que vocês já viram na vida. A princípio pensei que era pólen e só parecia brilhar porque *tudo* naquele terreno baldio brilhava. Mesmo olhar aqueles papéis de bala e garrafas de cerveja era como estar diante das mais fantásticas pinturas do mundo. Só então percebi que era um sol. Sei que parece loucura, mas era mesmo. Só que mais de um. Era...

— Eram *todos* os sóis — murmurou Roland. — Era tudo *real*.

— Isso mesmo! E era *certo*... mas também era *errado*. Não sei explicar *como* era errado, mas era. Era como duas batidas de coração, uma dentro da outra, e a de dentro tinha uma doença. Ou uma infecção. E aí eu desmaiei.

23

— Você viu a mesma coisa no final do seu sonho, não foi, Roland? — perguntou Susannah, com a voz baixa de assombro. — A folha de relva que viu no final... achou que a folha era púrpura porque estava salpicada de tinta.

— Você não entende — disse Jake. — Era realmente púrpura. Quando eu a olhei da maneira como era mesmo, era *púrpura*. Como nenhuma relva que já vi antes. A pintura era só camuflagem. Da mesma forma que o guardião se camuflou para ficar igual a uma casa velha e abandonada.

O sol chegara ao horizonte. Roland pediu a Jake que lhes mostrasse *Charlie Chuu-Chuu* e depois o lesse para eles. Jake passou o livro de mão em mão. Eddie e Susannah olharam a capa por um longo tempo.

— Eu tinha este livro quando era pequeno — disse Eddie por fim. Falou num tom categórico de total certeza. — Depois nos mudamos do Queens para o Brooklyn, eu não tinha nem quatro anos, e o perdi. Mas me lembro da ilustração na capa. E sentia o mesmo que você, Jake. Não gostava dele. Não confiava nele.

Susannah ergueu os olhos para Eddie.

— Eu também tinha... como poderia esquecer a menininha com meu nome... embora, lógico, fosse o meu nome do meio naquela época. E sentia o mesmo que vocês em relação à locomotiva. Não gostava dela. Não confiava nela. — Bateu com o dedo na frente do livro antes de passá-lo a Roland. — Eu achava aquele sorriso falso demais.

Roland lançou-lhe apenas um olhar superficial antes de devolvê-lo a ela.

— Você também perdeu o seu?

— Sim.

— E eu aposto que sei quando — disse Eddie.

Susannah assentiu.

— Aposto que sabe mesmo. Foi depois que aquele homem jogou o tijolo na minha cabeça. Estava com o livro comigo quando fomos para o casamento de tia Blue. E no trem. Lembro bem, porque não parei de perguntar ao meu pai se Charlie Chuu-Chuu estava nos levando. Eu não *queria* que fosse Charlie, porque devíamos ir para Elizabeth, New Jersey, e achei que Charlie poderia nos levar a qualquer outro lugar. Ele não terminava levando as pessoas para dar voltas numa aldeia de brinquedo, ou coisa parecida, Jake?

— Um parque de diversões.

— Sim, é claro. No final, tem uma ilustração dele levando crianças para dar uma volta nesse lugar, não é? Estão todos sorrindo e rindo, só que sempre achei que eles estavam gritando para serem soltos.

— É! — gritou Jake. — Sim, isso mesmo! *Exatamente* isso!

— Achei que Charlie pudesse nos levar para o canto *dele*, seja lá onde morava, em vez de para o casamento da minha tia, e nunca mais nos deixasse voltar para casa.

— Você não pode mais voltar para casa — resmungou Eddie, e correu os dedos pelos cabelos, nervoso.

— O tempo todo naquele trem eu não largava o livro. Lembro que pensei: "Se ele tentar nos roubar, vou arrancar suas páginas até ele desistir da ideia". Mas claro que chegamos aonde devíamos chegar, e na hora certa, também. Papai até me levou para ver a locomotiva. Era a diesel, não a vapor, e lembro que isso me deixou feliz. Então, depois do casamento, aquele tal Mort jogou o tijolo na minha cabeça e eu fiquei em coma durante um longo tempo. Nunca mais vi *Charlie Chuu-Chuu* depois disso. Até agora. — Hesitou e acrescentou: — Este poderia ser o meu exemplar, pelo que sei... ou o de Eddie.

— Sim, e provavelmente é — disse Eddie, o rosto pálido e solene... e então sorriu como uma criança. — "Veja a TARTARUGA, ela não é batuta? Todos servem à porra do Feixe."

Roland olhou para oeste.

— O sol está se pondo. Leia a história antes de perdermos a luz, Jake.

Jake virou a primeira página, mostrando a eles a ilustração do Maquinista Bob na cabine de Charlie e começou:

— "Bob Brooks era maquinista da Ferrovia Mundo Médio, no ramal de St. Louis a Topeka..."

24

— "... e de vez em quando as crianças ouvem Charlie cantando sua velha musiquinha com sua voz baixa e áspera." — terminou Jake. Mostrou-lhes a última imagem, as crianças felizes que na verdade podiam estar gritando, e fechou o livro. O sol se punha; o céu estava púrpuro.

— Bem, as coisas não se encaixam *perfeitamente* — disse Eddie —, é mais como um sonho em que a água às vezes corre morro acima... mas se encaixam o suficiente para *me* assustar pra cacete. Aqui é o Mundo Médio, território de Charlie. Só que seu nome aqui não é Charlie. Por aqui ele se chama Mono Blaine.

Roland olhava para Jake.

— O que você acha? — ele perguntou. — Devemos contornar a cidade? Ficar longe desse trem?

Jake pensou por algum tempo, a cabeça abaixada, correndo as mãos distraídas no pelo macio e espesso de Oi.

— Eu gostaria — disse, enfim —, mas se entendi bem esse tal de ka, não acho que devemos.

Roland assentiu.

— Se isto é ka, questões sobre o que devíamos ou não fazer nem entram em cogitação; se tentássemos contornar, iríamos encontrar circunstâncias que nos obrigariam a voltar. Nesses casos, é melhor se render prontamente ao inevitável em vez de afastá-lo. O que você acha, Eddie?

Eddie pensou tão detidamente e com tanto cuidado quanto Jake. Não queria nada com um trem falante que corria sozinho, e fosse lá como se chamasse, Charlie Chuu-Chuu ou Mono Blaine, tudo que Jake lhes dissera e lera para eles sugeria que devia ser uma locomotiva bastante desagradável. Mas tinham uma tremenda distância a percorrer, e em algum lugar, no fim dela, estava a coisa que tinham vindo encontrar. E com esse pensamento, Eddie admirou-se ao descobrir que sabia exatamente o que pensava e o que queria. Ergueu a cabeça, e quase pela primeira vez desde que chegara àquele mundo, fixou os desfocados olhos azuis de Roland firmemente com os seus cor de avelã.

— Eu quero estar naquele campo de rosas, e quero ver a Torre que fica lá. Não sei o que vem em seguida. Podem abrir mão das flores no meu funeral, por favor, e provavelmente para todos nós. Mas não me importa. Quero ficar lá. Acho que não ligo se o Blaine for o Diabo e atravessasse o próprio inferno a caminho da Torre. Eu voto a favor de irmos.

Roland assentiu e virou-se para Susannah.

— Bem, eu nunca tive sonhos com a Torre Negra — ela disse —, portanto não sou capaz de tratar a questão neste nível... o nível do desejo, suponho que possa ser colocado dessa maneira. Mas passei a acreditar em ka, e não sou tão idiota a ponto de não poder senti-lo quando alguém começa a me tamborilar na cabeça com os nós dos dedos e dizer: "É por aí, idiota". E você, Roland, o que acha?

— Acho que já se falou o bastante por um dia, e é hora de deixar isso de lado até amanhã.

— E quanto ao livro *O que É o que É?* — perguntou Jake. — Não querem dar uma olhada nele?

— Haverá tempo suficiente para isso outro dia — disse Roland. — Vamos dormir um pouco.

25

Mas o pistoleiro permaneceu ali deitado um longo tempo acordado, e quando recomeçou mais uma vez a batida ritmada, levantou-se e retornou à estrada. Ficou ali olhando a ponte e a cidade. Ele era sem tirar nem pôr o diplomata de que desconfiara Susannah, e soubera que o trem era o passo seguinte na estrada que tinham de percorrer quase desde o momento que ouvira falar nele... mas julgara imprudente dizê-lo. Eddie, particularmente, detestava sentir-se pressionado; quando percebia que o estava sendo, simplesmente baixava a cabeça, fincava os pés, fazias suas piadas tolas e empacava como uma mula. Desta vez ele queria o mesmo que Roland, mas continuava propenso a dizer dia se o outro dissesse noite, e noite se o outro dissesse dia. Era mais seguro ir devagar, e mais certo perguntar em vez de revelar. Virou-

-se para retornar... e levou a mão à arma quando viu um vulto parado na beira da estrada, olhando-o. Não a sacou, mas esteve próximo de fazê-lo.

— Eu estava aqui imaginando se você ia conseguir dormir após aquela pequena performance — disse Eddie. — Parece que a resposta é não.

— Não ouvi você se aproximando, Eddie. Está aprendendo bem... só que desta vez quase levou uma bala como recompensa.

— Você não me ouviu chegar porque está com a cabeça cheia.

Eddie juntou-se a Roland, e mesmo à luz de estrelas, o pistoleiro viu que não o enganara nem um pouco. Seu respeito por ele continuava crescendo. Era de Cuthbert que Eddie o fazia lembrar-se, mas em muitos aspectos ele já superara Cuthbert.

Se eu o subestimar, pensou Roland, *é bem provável que saia com uma pata sangrando. E se o decepcionar, ou fizer qualquer coisa que lhe pareça traição, ele provavelmente vai tentar me matar.*

— Em que está pensando, Eddie?

— Em você. Em nós. Quero que saiba de uma coisa. Acho que até esta noite apenas achei que você já soubesse. Agora não tenho tanta certeza.

— Diga, então — disse Roland, e pensou mais uma vez: *Como ele é igual a Cuthbert!*

— Estamos aqui com você porque temos de estar... é este o seu maldito ka. Mas também estamos porque queremos estar. Falo por mim e por Susannah, e tenho quase certeza de que por Jake também. Você tem uma cabeça boa, meu velho companheiro-khef, mas acho que deve guardá-la num abrigo antiaéreo, porque às vezes é difícil pra caralho entender você. Eu quero vê-la, Roland. Dá pra sacar o que estou dizendo? Eu quero ver a Torre. — Examinou com atenção o rosto de Roland, aparentemente não viu o que esperara ver ali, e ergueu as mãos em exasperação. — O que quero dizer é que você pode largar minhas orelhas.

— Largar suas orelhas?

— Ééé. Porque você não precisa mais me arrastar. Estou indo por vontade própria. Estamos indo por vontade própria. Se você morresse dormindo durante a noite, a gente o enterraria e seguiria em frente. Provavelmente, não duraríamos muito, mas morreríamos no caminho do Feixe. Agora você entende?

— Sim. Agora entendo.

— Diz que me entende, e acho que sim... mas acredita em mim, também?

Claro, ele pensou. *Para onde mais você iria, Eddie, neste mundo que lhe é tão estranho? E o que mais poderia fazer? Você daria um péssimo camponês.*

Mas isso era mesquinho e injusto, e ele sabia. Diminuir o livre-arbítrio confundindo-o com ka era pior do que blasfêmia; era desgastante e idiota.

— Sim — ele disse. — Eu acredito em você. Pela minha alma, acredito.

— Então pare de agir como se fôssemos um bando de ovelhas e você o pastor nos tocando com um cajado para que a gente não desgarrasse nossos eus idiotas nos desviando da estrada e caindo num pântano de areia movediça. Abra sua mente para nós. Se vamos morrer na cidade ou naquele trem, eu quero morrer sabendo se fui mais do que um peão no seu tabuleiro de jogo.

Roland sentiu a raiva aquecer o seu rosto, mas nunca fora muito bom em enganar a si mesmo. Não ficara com raiva por Eddie estar errado, mas porque ele o vira por dentro. Roland observara-o avançar firmemente, deixando sua prisão cada vez mais para trás — e Susannah, também, pois ela também estivera aprisionada — e, no entanto, seu coração jamais aceitara muito o que lhe diziam seus sentidos. O seu coração aparentemente queria continuar vendo os dois amigos como seres diferentes, inferiores.

Roland inspirou fundo.

— Pistoleiro, eu lhe rogo perdão — disse.

Eddie assentiu.

— Estamos correndo ao encontro de uma quantidade enorme de problemas... Eu sinto isso e estou morrendo de medo. Mas isso não é o *seu* problema, é *nosso*. Certo?

— Sim.

— Acha que a coisa pode ficar muito ruim na cidade?

— Não sei. Só sei que precisamos tentar proteger Jake, porque a velha tia diz que os dois lados o desejariam. Parte do problema depende de quanto tempo vamos levar para encontrar esse trem. Muito mais depende do que acontecerá quando o encontrarmos. Se tivéssemos mais dois em nosso grupo, eu colocaria Jake numa carruagem e o cercaria de armas. Como não temos, vamos nos mover em colunas... eu na frente, Jake empurrando Susannah atrás de mim, e você indo atrás.

— Qual o nível de problema, Roland? Chute.

— Não posso.

— Acho que pode. Você não conhece a cidade, mas sabe como as pessoas em seu mundo têm se comportado desde que tudo começou a ruir. Qual o nível de problema?

Roland voltou-se para o constante rufar dos tambores e pensou um pouco.

— Talvez não tanto assim. Acho que os combatentes que continuam lá estão velhos e desmoralizados. É possível que você tenha acertado em sua visão, e alguns cheguem até a se oferecer para nos ajudar em nosso caminho, como fez o ka-tet de River Crossing. Pode acontecer que nem cheguemos a vê--los... eles vão *nos* avistar, ver que carregamos armas de fogo, e simplesmente abaixarão a cabeça e nos deixarão seguir nosso caminho. Se isso não ocorrer, tenho esperança de que se espalhem como ratos se dermos alguns tiros.

— E se decidirem lutar?

Roland sorriu com um ar sinistro.

— Então, Eddie, *todos* nós nos lembraremos dos rostos de nossos pais.

Os olhos de Eddie brilharam na escuridão, fazendo Roland se lembrar mais uma vez de Cuthbert — o Cuthbert que certa vez dissera que só acreditaria em fantasmas quando agarrasse um com os dentes. O Cuthbert com quem certa vez espalhara migalhas de pão sob o patíbulo do homem enforcado.

— Respondi a todas as suas perguntas?

— Não... mas acho que jogou limpo comigo desta vez.

— Então boa noite, Eddie.

— Boa noite.

Eddie virou-se e afastou-se. Roland observou-o indo embora. Agora escutava, podia ouvi-lo andando... mas... muito mal. Pôs-se ele mesmo a voltar, virou-se para as trevas onde ficava a cidade de Lud.

Ele é o que a velha chamou de Pube. Disse que os dois lados iam desejar tê-lo.

Você não vai me deixar cair desta vez?

Não. Nem desta vez, nem nunca mais.

Mas ele sabia de uma coisa ignorada por todos os outros. Talvez, após a conversa que tivera com Eddie, devesse lhes contar... no entanto, decidiu que ia manter o conhecimento em segredo por um pouco mais de tempo.

Na língua antiga que outrora fora a *língua franca* de seu mundo, a maioria das palavras, como khef e ka, tinha muitos significados. A palavra *char*, contudo... char como em Charlie Chuu-Chuu... tinha apenas um.

Char queria dizer morte.

5. A PONTE E A CIDADE

1

Chegaram ao avião derrubado três dias depois.

Jake apontou-o primeiro no meio da manhã — um clarão de luz a cerca de quinze quilômetros de distância, como um espelho no mato. Ao aproximarem-se, viram um grande objeto escuro ao lado da Grande Estrada.

— Parece um pássaro morto — disse Roland. — Dos grandes.

— Isso não é um pássaro — disse Eddie. — É um avião. Tenho certeza de que o brilho é o sol batendo no para-brisa.

Uma hora depois, estavam parados em silêncio na beira da estrada, olhando a ruína antiga. Três gordos corvos pousavam no estraçalhado revestimento da fuselagem, olhando com insolência os recém-chegados. Jake pegou uma pedra na beira da estrada e atirou-a neles. Os corvos revoaram, crocitando indignados.

Uma asa se partira na queda e jazia a cinquenta metros de distância, uma sombra parecendo um trampolim no mato alto. O resto do avião estava quase intacto. O para-brisa rachara em forma de estrela onde o piloto batera com a cabeça. Havia ali uma grande mancha cor de ferrugem.

Oi correu até onde três pás de hélices enferrujadas se erguiam do mato, farejou-as e voltou às pressas para junto de Jake.

O homem na cabine era uma múmia seca e empoeirada, com um colete de couro e um capacete de ponta em cima. Não tinha mais lábios, os dentes expostos numa careta derradeira desesperada. Dedos que antes eram do tamanho de linguiças e agora não passavam de ossos cobertos de pele agarravam o manche. O crânio afundara no ponto que batera no para-brisa, e Roland imaginou que as escamas cinza-esverdeado que cobriam o lado esquerdo das costas eram tudo o que restava do cérebro. O morto tinha a cabeça caída para trás, como se tivesse certeza, mesmo no momento da morte, de que poderia retornar aos céus. A asa restante do avião ainda se projetava do mato que invadira o aparelho. Nela, uma insígnia desbotada mostrava um punho segurando um raio.

— Parece que a Tia Talitha estava errada e o velho albino certo, afinal — disse Susannah com espanto na voz. — Este aí deve ser David Quick, o príncipe proscrito. Veja o tamanho dele, Roland... devem ter passado graxa nele para enfiá-lo na cabine.

Roland assentiu. O calor e os anos haviam reduzido o homem no pássaro mecânico a não mais do que um esqueleto envolto em couro seco, mas ele ainda via como haviam sido largos os ombros, e a cabeça deformada era enorme.

— Assim tombou Lorde Perth — disse —, e o campo tremeu com esse trovão.

Jake lançou-lhe um olhar interrogador.

— É de um antigo poema. Lorde Perth era um gigante que foi à guerra com mil homens, mas ainda estava em seu país quando um menino lhe jogou uma pedra e atingiu-lhe o joelho. Ele tropeçou, o peso da armadura o derrubou, e ele quebrou o pescoço na queda.

Jake disse:

— Como na nossa história de Davi e Golias.

— Não houve incêndio — disse Eddie. — Aposto que ele simplesmente ficou sem combustível e tentou um pouso de emergência na estrada. Pode ter sido um proscrito e bárbaro, mas tinha coragem pra cacete.

Roland assentiu e olhou para Jake.

— Você está bem com isso?

— Sim. Se o cara ainda estivesse, sabe, escorrendo, talvez eu não estivesse — disse Jake.

E então ele olhou do morto no avião para a cidade. Lud estava muito mais próxima e nítida agora, e embora eles vissem muitas janelas quebradas nas torres, ele, como Eddie, não perdera de todo a esperança de encontrar algum tipo de ajuda lá.

— Aposto que a cidade entrou em decadência depois da morte dele.

— Eu acho que você ganharia essa aposta — disse Roland.

— Quer saber de uma coisa? — Jake voltara a examinar o avião. — As pessoas que construíram aquela cidade podem ter feito seus próprios aviões, mas tenho toda a certeza de que este é um dos nossos. Fiz um trabalho escolar sobre combate aéreo quando estava no quinto ano, e acho que o reconheço. Roland, posso dar uma olhada mais de perto?

Roland fez que sim com a cabeça.

— Eu vou com você.

Encaminharam-se juntos para o avião, o mato alto roçando nas suas calças.

— Veja — disse Jake. — Está vendo as metralhadoras debaixo das asas? É um modelo alemão refrigerado a ar, e este é um Focke-Wulf de pouco antes da Segunda Guerra Mundial. Tenho certeza de que é. Então o que ele está fazendo aqui?

— Muitos aviões desaparecem — disse Eddie. — Veja o Triângulo das Bermudas, por exemplo. É um lugar acima de um dos nossos oceanos, Roland. Dizem que dá má sorte. Talvez seja uma grande porta entre nossos mundos, uma porta quase sempre aberta. — Eddie deu de ombros e tentou uma imitação fajuta de Rod Serling. — "Apertem os cintos e preparem-se para turbulência: vocês estão entrando na... Zona de Roland."

Jake e Roland, agora sob a asa restante do avião, ignoraram-no.

— Me levanta, Roland.

Roland fez que não com a cabeça.

— Esta asa parece sólida, mas não é... esta coisa está aqui há muito tempo, Jake. Você vai cair.

— Faz pezinho, então.

Eddie disse:

— Eu faço, Roland.

Roland examinou sua reduzida mão direita por um instante, deu de ombros e trançou as mãos.

— Eu consigo. Ele é leve.

Jake tirou os mocassins e subiu de leve no apoio que Roland fizera. Oi começou a dar agudos latidos, se eram de excitação ou medo, Roland não sabia.

Jake encostava o peito agora num dos flaps enferrujados do avião, e olhava o desenho do punho com o raio. Descascara-se um pouco da superfície da asa numa das bordas. Ele pegou o flap e puxou-o. A peça soltou-se da asa com tanta facilidade que ele teria caído de costas se Eddie, parado logo atrás, não o houvesse segurado, colocando a mão em seu traseiro.

— Eu *sabia* — disse Jake. Havia outro símbolo por baixo do punho com o raio, agora quase inteiramente revelado. Era uma suástica. — Eu só queria confirmar. Pode me colocar no chão.

Tornaram a partir, mas viam a cauda do avião toda vez que olhavam para trás naquela tarde, assomando no mato alto como o monumento fúnebre de Lorde Perth.

2

Era a vez de Jake fazer a fogueira naquela noite. Quando a disposição da lenha estava ao gosto do pistoleiro, ele entregou sua vara de pederneira a Jake.

— Vejamos como você faz.

Eddie e Susannah sentavam-se a um lado, braços passados pela cintura um do outro. Lá pelo fim do dia, ele encontrara uma flor amarela ao lado da estrada e colhera-a para ela. Nessa noite, ela usava-a no cabelo, e toda vez que olhava para Eddie curvava os lábios num sorriso e seus olhos enchiam-se de luz. Roland notara essas coisas, que lhe agradavam. O amor deles aprofundava-se, fortalecia-se. Isso era bom. Teria mesmo de ser profundo e forte para sobreviver aos meses e anos à frente.

Jake acendeu uma faísca, mas ela caiu vários centímetros longe dos gravetos.

— Aproxime mais a pedra — disse Roland — e segure-a firme. E não bata nela com o aço, Jake; risque-a.

Jake tentou de novo, e desta vez a faísca caiu diretamente nos gravetos. Surgiu um pequeno fiapo de fumaça, mas sem fogo.

— Acho que não sou muito bom nisso.

— Vai pegar o jeito. Enquanto isso, pense no seguinte. O que é o que é: se veste quando a noite cai e se despe quando rompe o dia?

— Hm?

Roland aproximou mais as mãos de Jake para a pequena pilha de gravetos.

— Acho que essa não está no seu livro.

— Ah, é uma adivinhação! — Jake riscou outra faísca. Desta vez uma pequena chama fulgiu no graveto e logo morreu. — Você também conhece algumas?

Roland assentiu.

— Não apenas algumas. Muitas. Quando menino, eu devia saber umas mil. Faziam parte dos meus estudos.

— É mesmo? Por que iria alguém estudar adivinhações?

— Vannay, meu tutor, dizia que um menino que sabia responder a uma adivinhação era um menino que sabia ver além do óbvio. Nós fazíamos torneios de adivinhações toda sexta-feira ao meio-dia, e o menino ou menina que ganhasse podia sair da escola cedo.

— Você saiu cedo muitas vezes, Roland? — perguntou Susannah.

Ele balançou a cabeça, sorrindo um pouco.

— Eu gostava de adivinhações, mas nunca fui muito bom nisso. Vannay dizia que era porque eu pensava demais. Meu pai dizia que era porque eu tinha muita pouca imaginação. Acho que os dois tinham razão... mas acho que meu pai estava um pouco mais perto da verdade. Eu sempre pude sacar uma arma mais rápido do que meus companheiros, e acertar mais vezes o alvo, mas nunca fui muito bom em pensar além do óbvio.

Susannah, que observara de perto a maneira como ele lidara com os velhos de River Crossing, achou que o pistoleiro se subestimava, mas manteve o silêncio.

— Às vezes, nas noites de inverno, havia competições de adivinhações no grande salão. Quando eram só os jovens, Alain sempre ganhava. Quando os adultos jogavam também, era sempre Cort. As adivinhações que ele esquecera já eram mais do que o resto de nós sabia, e após a Adivinhação do Dia de Feira sempre levava o ganso para casa. As adivinhações têm grande poder, e todo mundo conhece uma ou duas.

— Até eu — disse Eddie. — Por exemplo, por que o bebê morto atravessou a estrada?

— Essa é podre, Eddie — disse Susannah, mas sorria.

— Porque estava grudado na galinha! — gritou Eddie, e deu um sorrisinho quando Jake explodiu na risada, derrubando a pilha de gravetos.

— Rá-rá-rá, eu tenho um milhão delas, pessoal.

Roland, porém, não riu. Pareceu na verdade um pouco ofendido.

— Desculpe dizer isto, Eddie, mas essa *é* meio boba.

— Nossa, Roland, eu sinto muito — disse Eddie. Ainda sorria, mas pareceu ligeiramente aborrecido. — Eu vivo esquecendo que arrancaram seu senso de humor a tiros na Cruzada das Crianças, ou no que quer que tenha sido.

— É só que eu levo as adivinhações a sério. Fui ensinado que a capacidade de solucioná-las indica uma mente sadia e racional.

— Bem, jamais vão substituir as obras de Shakespeare nem a equação de segundo grau — disse Eddie. — Quer dizer, não vamos superestimar nada.

Jake olhava para Roland pensativo.

— Meu livro diz que as adivinhações são o jogo mais antigo que as pessoas ainda disputam. Quer dizer, no nosso mundo. E antes eram coisas muito sérias, e não uma brincadeira. As pessoas eram mortas por causa delas.

Roland fitava a crescente escuridão.

— Sim. Eu vi isso acontecer.

Lembrava a Adivinhação do Dia de Feira que terminara não com a entrega do ganso premiado, mas com um homem vesgo com boné de guizos morrendo no chão com uma adaga no peito. A adaga de Cort. O homem era um menestrel e acrobata errante que tentara trapacear Cort roubando a caderneta do juiz, em que se anotavam as respostas em pequenas tiras de casca de árvore.

— Bem, foi mal — disse Eddie.

Susannah olhava para Jake.

— Eu esqueci completamente o livro de adivinhações que você trouxe. Posso dar uma olhada agora?

— Claro. Está na minha mochila. Mas não tem as respostas. Talvez tenha sido por isso que o sr. Tower me deu ele de gra...

Sentiu alguém agarrar-lhe o ombro, com tanta força que doeu.

— *Como* era o nome do sujeito? — perguntou Roland.

— Sr. Tower — disse Jake. — Calvin Tower. Eu não mencionei isso?

— Não. — Roland relaxou aos poucos o aperto no ombro de Jake. — Mas agora que sei, acho que não estou surpreso.

Eddie abrira a mochila de Jake e pegara o livro de *O que É o que É*. Jogou-o para Susannah.

— Sabe — disse Eddie —, eu sempre achei muito boa essa piada do bebê morto. De mau gosto, talvez, mas muito boa.

— Eu pouco estou ligando para gosto — disse Roland. — Não tem sentido nem solução, e é isso que a torna tola. Uma boa adivinhação não tem nenhuma dessas duas falhas.

— Nossa! Vocês *levavam* esse troço a sério, não?

— Sim.

Jake, enquanto isso, estivera empilhando de novo os gravetos e refletindo sobre a adivinhação que dera início à discussão. Agora sorria de repente.

— Uma fogueira. É a resposta, certo? É feita à noite, desfeita de manhã. Se a gente troca "fazer" por "vestir", é simples.

— É isso.

Roland retribuiu o sorriso de Jake, mas tinha os olhos em Susannah, observando-a folhear o antigo livrinho. Pensava, observando o aplicado franzir de testa dela e a maneira ausente como reajustava a flor nos cabelos quando escorregava, que só ela sentia que o livro esfarrapado podia ser tão importante quanto *Charlie Chuu-Chuu*... talvez mais ainda. Olhou dela para Eddie e sentiu mais uma pontada de irritação com a tola adivinhação dele. O rapaz tinha outra semelhança com Cuthbert, esta um tanto infeliz: Roland às vezes tinha vontade de sacudi-lo até o nariz dele sangrar e os dentes caírem.

Calma, pistoleiro — calma! A voz de Cort, não exatamente a rir, falou em sua cabeça, e Roland afastou suas emoções. Era mais fácil fazer isso quando lembrava que Eddie não podia evitar suas ocasionais escorregadas na tolice; também o caráter era em parte formado pelo ka, e ele bem sabia que Eddie tinha mais coisas além de sua tolice. Sempre que começasse a cometer o erro de pensar que não era assim, devia lembrar da conversa deles à beira da estrada três noites atrás, quando Eddie o acusara de usá-los como peões em seu tabuleiro de jogo particular. Isso o enfurecera... mas também ficara bastante próximo da verdade para deixá-lo envergonhado.

Sem saber dessas preocupações, Eddie perguntava agora:

— O que é o que é: verde, pesa cem toneladas e vive no fundo do mar?

— Eu sei — disse Jake. — Moby Snot, a Grande Baleia Verde.

— Que idiotice — murmurou Roland.

— É... mas é aí que está a graça — disse Eddie. — *Piadas* são feitas para pensarmos além do óbvio. Você sabe... — Olhou para o rosto de Roland, riu e jogou as mãos para cima. — Deixa pra lá. Eu desisto. Você não ia entender mesmo. Nem em um milhão de anos. Vamos ver a porra do livro. Eu vou até tentar levá-lo a sério... quer dizer, se a gente puder comer alguma coisa primeiro.

— Observe — disse o pistoleiro, com um fiapo de sorriso.

— Hm?

— Isso quer dizer que eu topo.

Jake riscou o aço na pedra. Saltou uma faísca, e desta vez os gravetos pegaram fogo. Ele recuou satisfeito e viu as chamas se espalharem, com um braço em volta do pescoço de Oi. Sentia-se bem consigo mesmo. Fizera a fogueira noturna... e acertara a resposta da adivinhação de Roland.

3

— Eu tenho uma — disse Jake, enquanto comiam os burritos de jantar.

— É boba? — perguntou Roland.

— Nãão. Esta é pra valer.

— Então pode me testar.

— Tudo bem. O que é que corre mas não anda, tem boca mas não fala, tem leito mas não dorme, tem cabeça mas não chora?

— Essa é boa — disse Roland, bondoso —, mas velha. Um rio.

Jake ficou meio desanimado.

— Você é *mesmo* duro na queda.

Roland jogou o último pedaço de seu burrito para Oi, que o aceitou com avidez.

— Não sou. Eu sou o que Eddie chama de fraquilha. Você devia ter visto Alain. Ele colecionava adivinhações como uma dama coleciona leques.

— Fraquilha, não; fracote, cara — disse Eddie.

— Obrigado. Que tal esta: o que é o que é, se deita na cama, fica em pé no leito, primeiro branco, depois rubro? Quanto mais gordo fica, mais a velha gosta?

Eddie caiu na gargalhada.

— O pau! — berrou. — Escrota, Roland! Mas eu gosto. Eu *gooosto*!

Roland balançou a cabeça.

— Resposta errada. Uma boa adivinhação às vezes é um quebra-cabeça com palavras, como a de Jake sobre o rio, mas às vezes parece mais um truque de mágica, fazendo a gente olhar para um lado quando está indo para outro.

— Duplo sentido — disse Jake.

Explicou o que Aaron Deepneau dissera sobre o Enigma de Sansão. Roland assentiu.

— Um morango? — perguntou Susannah, depois respondeu à própria pergunta. — Óbvio que é. É como a adivinhação da fogueira. Tem uma metáfora oculta. Assim que a gente entende a metáfora, consegue solucionar a adivinhação.

— Eu fiz a metáfora do sexo, mas ela me deu um tapa na cara e foi embora quando eu perguntei — disse Eddie, com uma expressão triste.

Todos o ignoraram.

— Se a gente muda "gordo fica" por "cresce" — prosseguiu Susannah — é fácil. Primeiro branco, depois rubro. Quanto mais cresce, mais a velha gosta.

Parecia satisfeita consigo mesma. Roland assentiu.

— A resposta que eu sempre ouvi foi amora dos campos, mas tenho certeza de que as duas significam a mesma coisa.

Eddie pegou o livro *O que É o que É* e começou a folheá-lo.

— Que tal esta, Roland? Quando é que uma porta não é uma porta?

Roland franziu a testa.

— É outra das suas idiotices? Porque minha paciência...

— Não. Eu prometi levar a sério, não foi? Estou *tentando*, pelo menos. Está neste livro, e eu por acaso sei a resposta. Ouvi quando era pequeno.

Jake, que também sabia a resposta, piscou para Eddie, que piscou de volta, e divertiu-se ao ver Oi também tentando piscar. O malhado continuou fechando e abrindo os olhos, e terminou desistindo.

Roland e Susannah, enquanto isso, refletiam sobre o enigma.

— Deve ter alguma coisa a ver com o amor — disse Roland. — Uma porta. Quando uma porta não é uma porta... hmmm.

— Hmmm — repetiu Oi.

Sua imitação do tom pensativo de Roland foi perfeita. Eddie tornou a piscar para Jake, que cobriu a boca para esconder um sorriso.

— A resposta é falso amor? — perguntou Roland, por fim.

— Não.

— Janela — disse, de repente e decidida, Susannah. — Quando uma porta não é uma porta? Quando é uma janela.

— Não.

Eddie tinha um largo sorriso agora, mas Jake estava impressionado por ver como os dois tinham ficado longe da verdadeira resposta. Havia uma magia ali, pensou. Algo bem ordinário, em termos de magia, nada de tapetes voadores ou elefantes que desaparecem, mas magia ainda assim. De repente viu o que estavam fazendo — um simples jogo de adivinhações em torno de uma fogueira — sob uma luz inteiramente nova. Era como jogar cabra-cega, só que ali a venda era feita de palavras.

— Eu desisto — disse Susannah.

— Sim — disse Roland. — Diga você, se sabe.

— A resposta é quando ela é umbral. Uma porta não é uma porta quando é umbral. Sacou? — Eddie ficou olhando a compreensão surgir no rosto de Roland e perguntou, meio apreensivo: — Essa não é ruim, é? Tentei ser sério desta vez, Roland.

— Não é nada má. Pelo contrário, é muito boa. Cort a teria sacado, tenho certeza... provavelmente Alain também, mas ainda assim é muito bem bolada. Eu fiz o que sempre fazia na sala de aula: tornei-a mais complicada do que era e passei batido pela resposta.

— Ela realmente tem algo de diferente, não é? — disse Eddie.

Roland assentiu, mas Eddie não notou; olhava as profundezas do fogo, onde dezenas de rosas desabrochavam e morriam em brasas.

Roland disse:

— Mais uma, e a gente se recolhe. Só que a partir desta noite nós montaremos guarda. Você primeiro, Eddie, depois Susannah. Eu fico com o último turno.

— E eu? — perguntou Jake.

— Depois você pode pegar um turno. No momento é mais importante que você durma.

— Acha mesmo que é necessário ficar de guarda? — perguntou Susannah.

— Não sei. E este é o melhor motivo de todos. Jake, escolha uma adivinhação de seu livro.

Eddie entregou o livro de *O que É o que É* a Jake, que folheou as páginas e parou perto do fim.

— Opa! Essa é de matar.

— Manda — disse Eddie. — Se eu não adivinhar, Suze adivinha. Nós somos conhecidos nos Dias de Feira em toda a região como Eddie Dean e sua Rainha da Adivinhação.

— Estamos engraçadinhos esta noite, não estamos? — disse Susannah. — Vamos ver o quão engraçadinho vai estar depois de ficar sentado na beira da estrada até a meia-noite, doçura.

Jake leu:

— Uma coisa que não é nada, mas tem nome. Às vezes é alta e às vezes é baixa, junta nossas conversas, nossas diversões e está em todos os jogos.

Discutiram essa adivinhação durante quase quinze minutos, mas nenhum deles nem sequer chutou uma resposta.

— Talvez ocorra a um de nós quando estivermos dormindo — disse Jake. — Foi assim que eu consegui a resposta do rio.

— Livro barato, com as respostas arrancadas — disse Eddie. Levantou-se e colocou uma manta nos ombros, como um capote.

— Bem, *foi* barato. O sr. Tower me deu o livro de graça.

— Ao que devo ficar atento, Roland? — perguntou Eddie.

Roland deu de ombros ao deitar-se.

— Eu não sei, mas acho que você saberá se vir ou ouvir.

— Me acorde quando ficar com sono — disse Susannah.

— Pode deixar.

4

Uma vala cheia de mato corria ao lado da estrada, e Eddie sentou-se do outro lado com a manta nos ombros. Nuvens sopradas pelo vento haviam velado o céu da noite, diminuindo o espetáculo das estrelas. O vento norte soprava forte. Quando Eddie voltou o rosto para aquele lado, sentiu forte o cheiro do búfalo que dominava aquelas planícies — um cheiro que era um misto de pelo quente e esterco fresco. Era espantosa a clareza que retornara aos seus sentidos nos últimos meses... e, em momentos como aquele, um pouco assustadora, também.

Ouvia, muito fraco, o berro do novilho de um búfalo.

Voltou os olhos para o céu, e após algum tempo começou a achar que estava enxergando faíscas de luz ali — as velas elétricas da história dos gêmeos —, mas sabia muito bem que via apenas o que estava querendo ver.

Você está muito longe da rua 42, meu caro — a esperança é ótima, digam o que disserem, mas não espere tanto a ponto de perder de vista esta única certeza: você está muito longe da rua 42. Aquilo ali na frente não é Nova York, por mais que você deseje que seja. É Lud, e será o que quer que seja. E se você mantiver isso em mente, talvez tudo fique bem.

Ele passou seu tempo de vigia tentando pensar numa resposta para a última adivinhação. A repreensão que Roland lhe fizera sobre sua piada do bebê morto deixara-o descontente, e lhe agradaria poder começar a manhã com uma boa resposta. Lógico que não poderiam conferir resposta nenhuma com o fim do livro, mas ele tinha uma ideia de que nas boas adivinhações as respostas eram evidentes por si mesmas.

Às vezes alta e às vezes baixa. Achava que esta era a chave, e todo o resto servia apenas para despistar. O que é que *era* às vezes alto e às vezes baixo? Calças? Não. As calças eram às vezes curtas e às vezes compridas, mas nunca ouvira falar de calças altas. Histórias? Como as calças, a ideia só se encaixava bem num sentido. Os drinques às vezes eram altos e às vezes curtos.

— Pedido — murmurou, e pensou por um instante que podia ter topado com a solução, os dois adjetivos encaixavam-se no substantivo como uma luva. Um pedido alto era importante; um curto era o que gente fazia muito rapidinho num restaurante — um hambúrguer ou uma salada de atum. Só que pedidos altos e salada de atum não *juntam nossa conversa* nem *estão em todos os jogos*.

Sentiu uma onda de frustração e sorriu para si mesmo, ficando irritado por causa de um jogo de palavras num livro infantil. Ainda assim, achava um pouco mais fácil acreditar que as pessoas de fato se matavam umas às outras por adivinhações... se as apostas fossem altas o suficiente e houvesse trapaça envolvida.

Deixa pra lá — está fazendo exatamente o que Roland disse, passando batido pela resposta.

Contudo, o que mais tinha para pensar?

Então recomeçou o batuque na cidade, e agora ele com certeza tinha algo mais para pensar. Não houve crescendo nenhum; num momento, não havia batuque, e no seguinte lá estava com toda a força, como se houvessem ligado um botão. Eddie foi até a beira da estrada, voltou-se para a cidade e ficou à escuta. Após alguns instantes, olhou em volta para ver se os tambores haviam acordado os outros, mas continuava sozinho. Tornou a voltar-se para Lud e fez conchas com as mãos nas orelhas.

Bump... ba-bump... ba-bump-bumpbump-bump.

Bump... ba-bump... ba-bump-bumpbump-bump.

Eddie foi tendo cada vez mais certeza de que estivera certo sobre o que era, de que, ao menos, essa adivinhação ele solucionara.

Bump... ba-bump... ba-bump-bumpbump-bump.

A ideia de que estava parado ao lado de uma estrada deserta num mundo quase vazio, a mais de duzentos e setenta quilômetros de uma cidade construída por uma fabulosa civilização perdida e ouvindo tambores... isso era loucura, mas seria mais do que um sinal de trânsito que dava um tinido e deixava cair uma bandeira com a palavra SIGA? Mais loucura que encontrar os destroços de um avião alemão da década de 1930?

Eddie cantou baixinho a letra da música do Z .Z. Top:

"Você só precisa de um pouco daquela coisa grudenta
Pra prender a costura do seu ótimo blue-jeans
Eu digo yeah, yeah..."

Encaixava-se perfeitamente na batida. Era a percussão disco de "Velcro Fly". Eddie tinha certeza.

Pouco tempo depois, o som cessou tão de repente quanto começara, e ele ouvia apenas o vento e, mais fraco, o rio Send, que tinha leito, mas nunca dormia.

5

Os quatro dias seguintes não tiveram incidentes. Eles andaram; viram a cidade e a ponte irem ficando maiores e mais definidas; acamparam; comeram; fizeram adivinhações; se alternaram na vigia (Jake azucrinou-os para deixá-lo fazer um breve turno nas duas horas antes do amanhecer); dormiram. O único incidente digno de nota foram as abelhas.

Por volta do meio-dia do terceiro dia após a descoberta do avião derrubado, surgiu um zumbido, que foi ficando cada vez mais alto, até dominar tudo. Finalmente Roland parou.

— Ali — disse, apontando para um bosque de eucaliptos.

— Parecem abelhas — disse Susannah.

Os olhos azul-claros de Roland brilharam.

— Talvez a gente tenha sobremesa esta noite.

— Eu não sei como te dizer isso, Roland — disse Eddie —, mas eu tenho uma certa aversão a picadas.

— E não temos todos? — concordou Roland. — Mas o dia não tem vento. Acho que podemos fazê-las dormir com fumigação e roubar o mel sem colocar metade do mundo em chamas. Vamos dar uma olhada.

Carregou Susannah, tão ávida pela aventura quanto o próprio pistoleiro, para o bosque. Eddie e Jake ficaram para trás, e Oi, aparentemente após decidir que a discrição era a melhor solução, ficou sentado na beira da Grande Estrada, arquejando e olhando-os com cautela.

Roland parou na borda do bosque.

— Fiquem onde estão — disse a Eddie e Jake, falando baixo. — Nós vamos dar uma olhada. Eu dou o sinal para vocês virem se tudo correr bem.

Entrou com Susannah nas sombras malhadas dos eucaliptos, enquanto Eddie e Jake permaneciam no sol, observando-os.

Estava mais fresco na sombra. O zumbido das abelhas era um ruído constante, hipnótico.

— São muitas — murmurou Roland. — É fim de verão; elas deviam estar trabalhando fora da colmeia. Eu não…

Avistou a colmeia, estufando-se como um tumor do oco de uma árvore no centro da clareira, e parou.

— Qual é o problema com elas? — perguntou Susannah numa voz baixa, horrorizada. — Roland, o que há de errado com elas?

Uma abelha, gorda e lenta como uma mosca em outubro, passou zumbindo pela cabeça dela. Susannah esquivou-se.

Roland fez sinal para os outros juntarem-se a eles. Eles o fizeram, e ficaram olhando a colmeia em silêncio. Os favos não eram hexágonos ordenados, mas buracos aleatórios de todas as formas e tamanhos; a própria colmeia parecia estranhamente derretida, como se alguém lhe houvesse aplicado um maçarico. As abelhas que rastejavam com lentidão por ela eram brancas como a neve.

— Nada de mel esta noite — disse Roland. — O que tirarmos daquela colmeia pode ser doce, mas nos envenenaria com tanta certeza quanto a noite segue o dia.

Uma das grotescas abelhas brancas passou zumbindo pesadona pela cabeça de Jake. Ele abaixou-se com uma expressão de nojo.

— O que aconteceu? — perguntou Eddie. — O que fez isso com elas, Roland?

— A mesma coisa que esvaziou toda esta terra; a coisa que ainda está fazendo muitos búfalos nascerem como monstrengos estéreis. Já ouvi chamarem de Velha Guerra, Grande Incêndio, Cataclismo e Grande Envenenamento. Seja o que for, foi o começo de todos os nossos problemas, e aconteceu há muito tempo, mil anos antes do nascimento dos antepassados da gente de River Crossing. Os efeitos físicos... os búfalos de duas cabeças, as abelhas brancas e tudo o mais... diminuíram com a passagem do tempo. Eu vi com meus próprios olhos. As outras mudanças são maiores, embora mais difíceis de ver, e ainda continuam.

Observaram as abelhas brancas rastejarem, ofuscadas e quase inteiramente desamparadas, pela colmeia. Algumas pareciam tentar trabalhar; a maioria apenas voava a esmo, se batendo e passando umas por cima das outras. Eddie descobriu-se lembrando de um telejornal que vira. Mostrava uma multidão de sobreviventes deixando a área onde uma tubulação de gás explodira, arrasando quase toda uma quadra numa cidade da Califórnia. Aquelas abelhas lembravam os sobreviventes atordoados pela explosão.

— Vocês tiveram uma guerra nuclear, não foi? — perguntou, quase acusando. — Aqueles Grandes de que você fala... mandaram os próprios rabos velhos direto para o inferno. Não foi?

— Eu não *sei* o que aconteceu. Ninguém sabe. Os registros daqueles tempos se perderam, e as poucas histórias são confusas e conflitantes.

— Vamos meter o pé daqui — disse Jake, com a voz trêmula. — Olhar essas coisas me deixa nauseado.

— Então somos dois, querido — disse Susannah.

Assim, deixaram as abelhas em sua vida sem sentido, destroçada, no bosque de árvores antigas, e não houve mel naquela noite.

6

— Quando você vai nos contar o que sabe? — perguntou Eddie na manhã seguinte.

O dia estava luminoso e azul, mas havia uma sensação no ar; o primeiro outono deles naquele mundo estava quase chegando.

Roland olhou para ele.

— O que você quer dizer?

— Eu gostaria de ouvir sua história toda, do princípio ao fim, começando com Gilead. Como você foi criado e o que aconteceu para acabar com tudo. Quero saber como você descobriu sobre a Torre Negra, e por que começou a procurá-la, pra início de conversa. Também quero saber sobre seu primeiro grupo de amigos.

Roland tirou o chapéu, limpou o suor da testa e tornou a colocá-lo.

— Imagino que vocês têm o direito de saber todas essas coisas, e vou contar… mas não agora. É uma história muito longa. Nunca imaginei que iria contá-la a alguém, e só a contarei uma vez.

— Quando? — insistiu Eddie.

— Na hora certa — disse Roland, e eles tiveram de contentar-se com isso.

7

Roland despertou antes mesmo de Jake começar a sacudi-lo. Sentou-se e olhou em volta, mas Eddie e Susannah continuavam ferrados no sono, e à primeira luz da manhã ele não viu nada de errado.

— O que foi? — perguntou a Jake em voz baixa.

— Eu não sei. Luta, talvez. Venha ouvir.

Roland afastou o cobertor e seguiu-o até a estrada. Calculavam que faltavam agora apenas três dias de caminhada até o ponto onde o Send passava pela cidade, e a ponte — construída direto no caminho do Feixe — dominava o horizonte. Sua pronunciada inclinação era mais nitidamente visível do que nunca, e ele enxergava pelo menos doze falhas onde cabos demasiado esticados haviam se partido como as cordas de uma lira.

Naquela noite o vento soprava diretamente em seus rostos quando olharam para os lados da cidade, e os barulhos que trazia eram fracos, mas nítidos.

— É uma luta? — perguntou Jake.

Roland fez que sim com a cabeça e levou o dedo aos lábios.

Houve gritos fracos, um estrondo que parecia a queda de um enorme objeto, e — lógico — os tambores. Veio em seguida outro estrondo, este mais musical: o barulho de vidro se quebrando.

— Nossa — sussurrou Jake, e chegou para mais perto do pistoleiro.

Então vieram os ruídos que Roland torcera para não ouvir: um barulho rápido e arenoso de pequenas armas de fogo, seguido por uma alta explosão oca — visivelmente algum tipo de bomba. O barulho rolou pelas planícies como uma invisível bola de boliche. Depois, os gritos, baques e ruídos de coisas se quebrando afundou abaixo do nível dos tambores, e quando estes cessaram alguns minutos depois, de súbito como sempre, a cidade ficou de novo em silêncio. Mas esse silêncio tinha um tom de expectativa.

Roland passou um braço pelos ombros de Jake.

— Ainda não é tarde demais para contornarmos — disse.

Jake ergueu o olhar para ele.

— Não podemos.

— Por causa do trem?

Jake fez que sim e cantarolou:

— Blaine não é do bem, mas *temos* de tomar o trem. E a cidade é o único lugar aonde podemos chegar até ele.

Roland olhou-o, pensativo.

— Por que você diz que nós *temos*? É ka? Porque, Jake, você precisa entender que ainda não sabe muito sobre ka: é o tipo de coisa que as pessoas passam a vida inteira estudando.

— Eu não sei se é ka ou não, mas sei que não podemos ir para as terras devastadas sem proteção, e isso significa Blaine. Sem ele, vamos morrer, como aquelas abelhas que vimos vão morrer quando chegar o inverno. Precisamos estar protegidos. Porque as terras devastadas são venenosas.

— Como você sabe dessas coisas?

— Eu não *sei* como! — disse Jake, quase com raiva. — Apenas *sei*.

— Tudo bem — disse Roland, delicadamente. Tornou a olhar para Lud. — Mas temos de ter um cuidado extremo. É um azar que eles ainda tenham pólvora. Se a têm, podem ter coisas ainda mais poderosas. Duvido que saibam como usá-las, mas isso só aumenta o perigo. Podem ficar excitados e nos mandar a todos para o inferno.

— Ferno — disse uma voz grave atrás deles.

Voltaram-se e viram Oi sentado na beira da estrada, olhando-os.

8

Mais tarde nesse dia eles chegaram a uma estrada nova que vinha do oeste em sua direção e juntava-se ao seu próprio caminho. Além daquele ponto, a Grande Estrada — agora muito mais larga e cortada no meio por um divisor de pedra escura polida — começava a descer, e as encostas de concreto desmoronadas davam aos viajantes uma claustrofóbica sensação de aprisionamento. Eles pararam num ponto onde um desses diques de concreto se rachara, proporcionando uma reconfortante brecha de visão do campo aberto adiante, e fizeram uma refeição leve e insatisfatória.

— Por que acha que eles rebaixaram a estrada desse jeito, Eddie? — perguntou Jake. — Quer dizer, alguém *fez* isso de propósito, não foi?

Eddie olhou pela rachadura no concreto, onde as planícies estendiam-se suavemente como sempre, e assentiu.

— Então, por quê?

— Sei lá, cara — disse Eddie, mas achou que sabia.

Olhou para Roland e achou que ele sabia também. A estrada afundada que levava à ponte fora uma medida defensiva. Tropas colocadas em cima das encostas de concreto controlavam dois redutos cuidadosamente construídos. Se os defensores não fossem com a cara da aparência das pessoas que se aproximavam de Lud pela Grande Estrada, podiam acabar com eles.

— Tem certeza de que não sabe? — perguntou Jake.

Eddie sorriu e tentou parar de imaginar que algum maluco lá em cima se preparava para rolar uma grande bomba enferrujada por uma daquelas arruinadas rampas de concreto.

— Não faço a menor ideia — disse.

Susannah assobiou enojada entre os dentes.

— Esta estrada está nas últimas, Roland. Eu esperava que tivéssemos nos livrado daquela porra de arreio, mas é melhor você pegá-lo de novo.

Ele concordou com a cabeça e começou a procurá-lo em sua mochila sem uma palavra.

As condições da Grande Estrada deterioravam-se à medida que outras estradas menores se juntavam a ela como afluentes a um grande rio. Quando se aproximaram da ponte, os seixos eram substituídos por uma superfície que Roland julgava ser de metal e os outros de asfalto ou macadame. Não era tão firme quanto os seixos. O tempo fizera alguns estragos; a passagem de incontáveis cavalos e carroças desde os últimos consertos fizera mais outros. A superfície fora corroída e transformada num traiçoeiro mar de entulhos. A viagem a pé seria difícil, e a noção de empurrar a cadeira de rodas de Susannah por aquela superfície esburacada era ridícula.

As margens de cada lado iam ficando cada vez mais íngremes, e agora, no alto, eles viam formas esguias e pontudas assomando contra o céu. Roland pensou em pontas de flechas — imensas, armas feitas por uma tribo de gigantes. Para seus companheiros, pareciam foguetes ou mísseis teleguiados. Susannah pensou nos Redstones lançados de cabo Canaveral. Eddie nos mísseis balísticos superfície-ar (SAM), alguns feitos para serem disparados da carroceria de caminhões, armazenados por toda a Europa; Jake pensou nos mísseis balísticos intercontinentais (ICBM) escondidos em silos de concreto reforçado sob as planícies do Kansas e nas despovoadas montanhas de Nevada, programados para retaliar contra a China ou a União Soviética em caso de um Armagedom nuclear. Todos sentiam como se houvessem entrado numa deprimente e desgraçada zona de sombra, ou num campo rural vivendo sob uma maldição antiga, mas ainda poderosa.

Algumas horas depois de terem entrado nessa área — Jake a chamou de Manopla —, os diques de concreto acabaram num lugar onde meia dúzia de estradas de acesso se juntava, como os fios de uma teia de aranha, e ali a terra tornava a abrir-se... algo que aliviou a todos, embora nenhum o dissesse em voz alta. Outro sinal de trânsito balançava sobre o entroncamento. Este era mais familiar a Eddie, Susannah e Jake; tivera outrora lentes nas quatro faces, embora estivessem quebradas havia muito tempo.

— Aposto que essa estrada foi um dia a oitava maravilha do mundo — disse Susannah —, e vejam como está agora. Virou um campo minado.

— As velhas estradas às vezes são as melhores — concordou Roland.

Eddie apontava para oeste.

— Vejam.

Agora que as altas barreiras de concreto haviam desaparecido, viam exatamente o que o velho Si lhes descrevera entre taças de café amargo em River Crossing. "Só um trilho", tinha dito ele, "instalado numa coluna feita de pedra artificial, como os Anciãos faziam suas ruas e calçadas." O trilho corria do oeste na direção deles numa linha fina e reta, depois atravessava o Send e entrava na cidade por um viaduto dourado. Era uma construção simples e elegante — e a única que tinham visto até agora sem nenhuma ferrugem —, mas ainda assim seriamente danificada. Lá pela metade, um grande pedaço do viaduto caíra no rio embaixo. Restavam duas pontas compridas, projetadas, que apontavam uma para a outra como dedos acusadores. Saindo da água abaixo desse buraco via-se um tubo de metal aerodinâmico. Fora um dia azul vivo, mas agora a cor se desbotara com as escamas de ferrugem que se espalhavam. Parecia muito pequeno daquela distância.

— Lá se vai o Blaine — disse Eddie. — Não me espanta terem parado de escutar o trem. Os suportes finalmente cederam quando ele cruzava o rio e caiu na água. Devia estar desacelerando quando aconteceu, ou teria sido levado pelo impulso até o outro lado, e tudo que teria restado seria um grande buraco parecido a uma cratera de granada na margem oposta. Bem, foi uma boa ideia enquanto durou.

— Mercy disse que havia outro — lembrou Susannah.

— Sim. Ela também disse que não o ouvia há sete ou oito anos, e Tia Talitha disse que estava mais para dez. O que acha, Jake... Jake? Terra chamando Jake, Terra chamando Jake, vamos lá, cara.

Jake, que estivera fitando atentamente os restos do trem no rio, apenas deu de ombros.

— Sempre muito prestativo, Jake — disse Eddie. — Uma valiosa contribuição... é por isso que eu amo você. Que *todos* nós amamos você.

Jake não deu atenção. Sabia o que estava vendo, e não era Blaine. Os restos do trem que se projetavam do rio eram azuis. No seu sonho, Blaine era daquele rosa empoeirado e açucarado do chiclete que vinha com as figurinhas de beisebol.

Roland, enquanto isso, apertara no peito as correias do arreio de carregar Susannah.

— Eddie, coloque a sua dama nessa engenhoca. É hora de seguirmos em frente e vermos por nós mesmos.

Jake mudou então o olhar, fitando nervoso a ponte que se assomava. Ouvia ao longe um zumbido alto e espectral — o barulho do vento nos decadentes sustentáculos da ponte que ligavam os cabos acima ao convés de concreto embaixo.

— Acha que é seguro atravessar? — perguntou.

— Vamos descobrir amanhã — respondeu Roland.

9

Na manhã seguinte, o grupo de viajantes de Roland estava parado na ponta da longa e enferrujada ponte, olhando Lud do outro lado. O sonho de Eddie, de sábios elfos velhos que haviam preservado uma tecnologia funcional que os viajantes poderiam usar, estava murchando. Agora que haviam chegado perto, ele via os buracos na paisagem da cidade onde quadras inteiras de prédios pareciam ter sido ou queimadas ou explodidas. A linha do horizonte lembrava a ele um maxilar doente que perdera quase todos os dentes.

Era verdade que a maioria dos prédios ainda permanecia de pé, mas tinham uma aparência terrível, abandonada, que enchia Eddie de atípica tristeza, e a ponte entre os viajantes e aquele fechado labirinto de aço e concreto parecia tudo, menos sólida e eterna. Os sustentáculos verticais da esquerda balançavam frouxos; os que restavam na direita quase gritavam de tensão. O convés fora construído de caixas ocas de concreto em formas de trapézio. Algumas destas haviam-se entortado para cima, expondo escuros interiores vazios; outras haviam escorregado para o lado. Muitas destas últimas haviam simplesmente se rachado, mas outras estavam seriamente quebradas, deixando fendas de tamanho suficiente para que caminhões — caminhões *grandes* — caíssem dentro delas. Nos lugares onde o fundo e as tampas das caixas haviam se despedaçado, eles viam o lodoso leito do rio e a água verde do Send. Eddie calculava a distância entre o convés e a água em uns mil metros no centro da ponte. E esta era provavelmente uma estimativa conservadora.

Eddie espiou dentro dos enormes caixões de concreto nos quais se ancoravam os cabos principais e achou que o do lado direito da ponte parecia em parte ter sido arrancado do chão. Decidiu que era melhor não mencionar isso aos outros; já era ruim o bastante que a ponte oscilasse devagar, mas visivelmente de um lado para o outro. Só olhar já o deixava enjoado.

— Então? — perguntou a Roland. — O que você acha?

Roland apontou o lado direito da ponte. Havia ali um passadiço inclinado de cerca de um metro e meio de largura. Fora construído em cima de uma série de caixas menores de concreto, e era na verdade um convés separado. Esse convés segmentado parecia sustentado por um cabo subjacente — ou talvez fosse uma densa viga de aço —, ancorado nos cabos de suporte principais por imensos grampos curvos. Eddie examinou o mais próximo com o ávido interesse de alguém que pode em breve estar confiando sua vida ao objeto sendo examinado. O grampo curvo parecia enferrujado, mas ainda sólido. As palavras FUNDIÇÃO LAMERK haviam sido gravadas no metal. Eddie ficou fascinado ao perceber que não sabia mais se as palavras eram na Língua Superior ou em inglês.

— Acho que podemos usar isso — disse Roland. — Só tem um lugar ruim. Está vendo?

A ponte, que tinha de ter pelo menos um quilômetro de comprimento, podia não ter recebido manutenção adequada por mais de mil anos, mas Roland calculava que a verdadeira destruição deveria estar ocorrendo nos últimos cinquenta, mais ou menos. Quando os sustentáculos da direita se partiram, a ponte fora se inclinando cada vez mais para a esquerda. A maior torção se dera no centro, entre as duas torres de cabos, de cento e vinte metros. No lugar onde fora maior a pressão da torção, um buraco escancarado em formato de um olho cruzava o convés. A brecha no passadiço era mais estreita, mas mesmo assim pelo menos duas caixas de concreto vizinhas haviam caído no Send, deixando uma brecha de pelo menos seis a oito metros de largura. Onde haviam estado essas caixas, eles viam nitidamente a viga ou o cabo de aço que sustentava o passadiço. Iam precisar usá-lo para transpor a brecha.

— Acho que conseguimos atravessar — disse Roland, apontando calmamente. — A brecha é uma inconveniência, mas o corrimão lateral ainda está lá, então teremos algo em que nos agarrar.

Eddie assentiu, mas sentia o coração batendo forte. O sustentáculo exposto do passadiço parecia um grande cano feito de juntas de aço, e provavelmente tinha pouco mais de um metro em cima. Ele viu mentalmente como teriam de atravessar de lado, os pés nas costas largas e ligeiramente curvas do sustentáculo, as mãos agarrando o corrimão, com a ponte balançando devagar como um navio ondulando suavemente.

— Meu Deus — disse. Tentou cuspir, mas nada saiu. A boca estava seca demais. — Tem certeza, Roland?

— Até onde posso ver, é o único caminho.

Roland apontou o rio abaixo e Eddie viu uma segunda ponte. Essa caíra no Send havia muito tempo. Os restos espetavam-se para fora da água num enferrujado emaranhado de aço antigo.

— E você, Jake? — perguntou Susannah.

— Ah, sem grilo — respondeu logo Jake. Até sorria.

— Eu odeio você, moleque — disse Eddie.

Roland olhava para Eddie com certa preocupação.

— Se acha que não consegue, diga agora. Não vá empacar na metade.

Eddie olhou por um longo tempo a contorcida superfície da ponte, depois balançou a cabeça.

— Acho que consigo dar um jeito. Nunca fui o maior fã de alturas, mas eu dou um jeito.

— Ótimo. — Roland examinou os outros. — Quanto mais cedo começarmos, mais cedo acabaremos. Eu vou primeiro, com Susannah. Depois Jake, e depois Eddie. Acha que consegue com a cadeira de rodas?

— Ah, sem grilo — disse Eddie meio tonto.

— Vamos então.

10

Assim que pisou no passadiço, o medo invadiu como água fria os espaços vazios de Eddie, e ele começou a perguntar-se se não cometera um erro muito perigoso. Da terra firme, a ponte parecia oscilar apenas um pouco, mas assim que se viu de fato nela, parecia que estava em pé no pêndulo do maior relógio de parede do mundo. O movimento era muito lento, mas regular, e a extensão do balanço era muito maior do que previra. A superfície do passadiço estava seriamente rachada e se inclinava pelo menos dez graus para a esquerda. Seus pés rangiam em montes soltos de pó de concreto, e o ruído baixo das caixas roçando uma na outra era constante. Além da ponte, a linha do horizonte da cidade se inclinava devagar de um lado para o outro, como o horizonte artificial do video game mais lento do mundo.

Acima, o vento zumbia constantemente nos suspensores esticados. Abaixo, o chão despencava para a lamacenta margem noroeste do rio. Ele estava quinze metros acima... depois dezoito... depois trinta e três. Logo estaria sobre a água. A cadeira de rodas batia em sua perna esquerda a cada passo.

Uma coisa peluda roçou entre seus pés e ele agarrou desesperado o enferrujado corrimão com a mão direita, mal reprimindo um grito. Oi passou correndo com uma breve olhada para cima, como se dizendo: *Com licença — só dando uma passadinha.*

— Caralho de animal burro — disse Eddie por entre dentes cerrados. Descobriu que, embora não gostasse de olhar para baixo, gostava ainda menos de olhar os suspensores que ainda conseguiam manter juntos o convés e os cabos acima. Estavam cobertos de ferrugem e Eddie via pontas de fios de metal projetando-se da maioria — pareciam flocos metálicos de algodão. Sabia por seu tio Reg, que trabalhara como pintor nas pontes George Washington e Triborough, que os suspensores e cabos acima eram "cabeados" com milhares de fios de aço. Naquela ponte, a fiação finalmente se desfazia. Os suspensores literalmente se desfiavam, e os fios se partiam, um de cada vez, no processo.

Aguentou esse tempo todo, vai aguentar mais um pouco. Acha que esta coisa vai cair no rio só porque você a está atravessando? Não pense tanto de si mesmo.

Não se sentiu reconfortado, porém. Até onde sabia, eles podiam ser as primeiras pessoas que tentavam cruzar a ponte em *décadas*. E a construção, afinal, teria que desabar *um dia*, e ao que parecia esse dia não estava longe. O peso combinado deles podia ser a última gota de água.

Seu mocassim bateu numa lasca de concreto e ele olhou, nauseado, mas sem poder desviar a vista, a lasca cair durante uma eternidade, revirando-se na queda. Ouviu um pequeno — *bem pequeno* — splash quando ela bateu no rio. O vento fresco ganhou força e grudou sua camisa na pele suada. A ponte gemia e oscilava. Eddie tentou tirar as mãos do corrimão, mas elas pareciam coladas no metal esburacado numa firmeza mortal.

Ele fechou os olhos por um instante. *Você não vai ficar paralisado. Não vai, não... Eu o proíbo. Se precisa olhar para alguma coisa, que seja alta e feia.* Eddie tornou a abrir os olhos, fixou-os no pistoleiro, forçou suas mãos a se abrirem e voltou a avançar.

11

Roland chegou à brecha e olhou para trás. Jake vinha um metro e meio atrás, com Oi nos calcanhares. O animal agachava-se com o pescoço esticado para frente. O vento era muito mais forte sobre o leito do rio, e Roland via-o despenteando o pelo sedoso de Oi. Eddie achava-se uns oito metros atrás de Jake. Tinha o rosto crispado, mas ainda se arrastava com a cadeira de rodas dobrada de Susannah na mão esquerda. A direita agarrava o corrimão como uma morte sombria.

— Susannah?

— Sim? — ela respondeu de imediato. — Ótima.

— Jake?

Jake ergueu o olhar. Ainda sorria, e o pistoleiro viu que ali não haveria problema. O menino estava se divertindo a valer. O vento soprava os cabelos da elegante testa dele, em ondas, e os olhos faiscavam. Ele ergueu um polegar. Roland sorriu e retribuiu o gesto.

— Eddie?

— Não se preocupe comigo.

Eddie parecia estar olhando para Roland, mas o pistoleiro decidiu que na verdade olhava além dele, para os prédios de tijolos sem janelas que se amontoavam na margem do rio no outro extremo da ponte. Não tinha problema nisso: em vista do óbvio medo dele de alturas, provavelmente era o melhor que podia fazer para manter a cabeça.

— Tudo bem, não vou me preocupar — murmurou Roland. — Vamos cruzar a brecha agora, Susannah. Relaxe. Nada de movimentos bruscos. Entendeu?

— Sim.

— Se quer ajustar sua posição, faça agora.

— Estou ótima, Roland — ela disse, calma. — Só espero que Eddie esteja bem.

— Eddie é um pistoleiro agora. Vai se comportar como um.

Roland virou-se para a direita, de frente para onde o rio corria. Agarrou o corrimão. Depois começou a atravessar de lado a brecha, arrastando as botas no cabo enferrujado.

12

Jake esperou até Roland e Susannah chegarem à metade da brecha e partiu. O vento soprava e a ponte oscilava de um lado para outro, mas ele não sentia medo algum. Estava, na verdade, absolutamente empolgado. Ao contrário de Eddie, jamais tivera medo de altura; gostava de estar ali em cima, onde podia ver o rio estender-se como uma fita de aço sob um céu que começava a cobrir-se de nuvens.

Na metade da brecha (Roland e Susannah haviam alcançado o lugar onde recomeçava o passadiço desigual e olhavam os outros), Jake olhou para trás e sentiu o coração se apertar. Haviam esquecido um membro do grupo enquanto discutiam sobre como atravessar. Oi agachava-se, paralisado e visivelmente aterrorizado, no outro lado da brecha no passadiço. Farejava o lugar onde o concreto acabava e começava o suporte enferrujado e curvo.

— Venha, Oi! — gritou Jake.

— Oi! — gritou de volta o malhado, e o tremor em sua voz era quase humano. Ele esticou o longo pescoço para frente, para Jake, mas não se mexeu. Os olhos rodeados de dourado estavam imensos e consternados.

Outra rajada de vento bateu na ponte, fazendo-a oscilar e ranger. Alguma coisa tiniu ao lado da cabeça de Jake — o som de uma corda de violão apertada até partir-se. Um fio de aço saltara com um estalo do suspensor vertical mais próximo, quase arranhando sua face. A três metros, Oi agachava-se com os olhos fixos em Jake.

— Venha! — gritou Roland. — O vento está esfriando. Venha, Jake!

— Sem Oi, não!

Jake começou a arrastar-se de volta de onde viera. Antes que desse mais de dois passos, Oi pisou com cuidado na viga de suporte. As garras nas pontas das patas tensas arranharam a metálica superfície redonda. Eddie estava agora atrás dele, parecendo desamparado e apavorado.

— É isso aí, Oi! — encorajou Jake. — Venha comigo.

— Oi-Oi! Igo-igo! — gritou o malhado, e correu rápido pela viga.

Já quase alcançara Jake quando o vento traiçoeiro soprou de novo. A ponte balançou. As patas de Oi arranharam freneticamente a viga de suporte, para firmar-se, mas óbvio que não conseguiram. Os quartos traseiros do animal escorregaram da borda para o espaço. Ele tentou segurar-se com as patas dianteiras, mas não havia nada a que se agarrar. As traseiras debatiam-se loucamente em pleno ar.

Jake soltou o corrimão e mergulhou atrás dele, sem ver nada além dos olhos de Oi, rodeados de dourado.

— *Não, Jake*! — berraram juntos Roland e Eddie, cada um do seu lado da brecha, cada um longe demais para fazer alguma coisa além de olhar.

Jake bateu no cabo com o peito e a barriga. A mochila saltou entre os ombros e ele ouviu os dentes cerrarem-se com o barulho de uma bola de boliche batendo numa fila de pinos. O vento tornou a soprar. Ele foi junto, passando a mão direita em torno da viga e estendendo a outra para Oi, oscilando no espaço. O malhado começou a cair, enfiando a mandíbula na mão de Jake ao fazê-lo. A dor foi imediata e excruciante. Jake gritou, mas aguentou firme, de cabeça para baixo, o braço direito em torno da viga, os joelhos comprimidos contra a lisa superfície. Oi pendia da mão esquerda como um acrobata de circo, olhando para cima com os olhos rodeados de dourado, e Jake agora via seu próprio sangue escorrendo em finos fios pelos lados da cabeça do malhado.

Então o vento soprou de novo e Jake começou a escorregar.

13

O medo de Eddie abandonou-o. Em seu lugar, veio aquela frieza estranha, mas bem-vinda. Ele largou a cadeira de rodas de Susannah no cimento rachado e correu com cuidado pela viga de suporte, nem se dando ao trabalho de segurar o corrimão. Jake pendia de cabeça para baixo na brecha com Oi pendurado na ponta da mão esquerda como um peludo pêndulo. E a mão direita do garoto estava escorregando.

Eddie abriu as pernas e sentou-se. Seus colhões desprotegidos foram dolorosamente esmagados, mas no momento até mesmo essa dor intensa era como uma notícia de um país distante. Ele agarrou Jake pelos cabelos com uma das mãos e uma correia da mochila com a outra. Sentiu-se começando a pender para frente, e por um momento aterrorizante achou que os três iam cair em cadeia.

Soltou os cabelos de Jake e firmou a mão na correia da mochila, rezando para que o menino não a houvesse comprado numa loja de produtos baratos. Estendeu a mão livre para o corrimão acima. Após um interminável momento em que continuaram deslizando para fora, encontrou-o e agarrou-o.

— *ROLAND*! — berrou. — *EU PRECISO DE UMA AJUDINHA AQUI!*

Mas Roland já estava ali, com Susannah empoleirada nas costas. Quando ele se curvou, ela trançou os braços no pescoço dele para não cair do arreio. O pistoleiro passou um braço pelo peito de Jake e puxou-o para cima. Ao pisar de novo na viga de suporte, Jake passou o braço direito em torno do trêmulo corpo de Oi. A mão direita era uma agonia de fogo e gelo.

— Solte, Oi — arquejou. — Pode soltar agora que estamos... a salvo.

Por um terrível instante, achou que o malhado não ia soltar. Então, devagar, as garras de Oi afrouxaram e Jake pôde soltar a mão. Estava coberta de sangue e pontilhada por um círculo de buracos escuros.

— Oi — disse debilmente o malhado, e Eddie viu com espanto que o animal tinha os estranhos olhos cheios de lágrimas.

Oi esticou o pescoço e lambeu o rosto de Jake com a língua ensanguentada.

— Está tudo bem — disse Jake, apertando o rosto no pelo quente. Ele próprio chorava, o rosto tomado por choque e dor. — Não se preocupe, está tudo bem. Você não podia evitar e eu não me importo.

Eddie levantava-se devagar. Tinha o rosto pálido, e sentia-se como se alguém houvesse enfiado uma bola de boliche em suas tripas. Levou disfarçadamente a mão esquerda às virilhas e investigou o dano ali.

— Taí uma porra duma vasectomia barata — disse com voz rouca.

— Vai desmaiar, Eddie? — perguntou Roland.

Uma nova rajada de vento levou o chapéu de sua cabeça para o rosto de Susannah. Ela agarrou-o e enterrou-o até as orelhas dele, fazendo Roland ficar com a aparência de um caipira meio maluco.

— Não — disse Eddie. — Quem me dera poder, mas...

— Fique de olho em Jake — disse Susannah. — Ele está sangrando pra valer.

— Estou ótimo — disse Jake, tentando esconder a mão.

Roland tomou-a delicadamente nas suas antes que ele pudesse fazê-lo. Jake sofrera pelo menos uma dúzia de perfurações nas costas da mão, na palma e nos dedos. A maioria era profunda. Não tinha como dizer se ossos se haviam quebrado ou os tendões partido enquanto ele não tentasse flexionar a mão, e aquela não era a hora nem o lugar para esse tipo de exame.

Roland olhou para Oi. O malhado retribuiu o olhar, os expressivos olhos tristes e assustados. Não tentava lamber o sangue de Jake do próprio rosto, embora teria sido a coisa mais natural do mundo para ele fazer.

— Deixe-o em paz — disse Jake, e apertou com mais força o braço em torno do corpo de Oi. — Não foi culpa dele. Foi culpa minha por esquecê-lo. O vento o soprou para fora.

— Eu não vou machucá-lo — disse Roland.

Tinha certeza de que o malhado não estava com raiva, mas ainda assim não queria que Oi provasse mais o sangue de Jake do que já o fizera. Quanto a quaisquer outras doenças que Oi pudesse trazer no sangue... bem, isso ka decidiria, como sempre fazia no fim. Roland puxou o lenço e limpou os beiços e o focinho do malhado.

— Pronto — disse. — Bom companheiro. Bom menino.

— Oi — disse debilmente o malhado, e Susannah, que olhava por cima do ombro de Roland, podia jurar ter escutado gratidão na voz dele.

Outra rajada de vento bateu neles. O tempo estava ficando feio, e rápido.

— Eddie, nós precisamos sair desta ponte. Você pode andar?

— Não, amo; só me arrastar.

A dor nas virilhas e na boca do estômago ainda era forte, mas não tanto quanto um minuto atrás.

— Tudo bem. Vamos nos mexer. O mais rápido que pudermos.

Roland se virou, começou a dar um passo e parou. Um homem achava-se agora parado no outro lado da brecha, olhando-os sem expressão.

O recém-chegado aproximara-se enquanto eles tinham a atenção voltada para Jake e Oi. Tinha um arco atravessado nas costas. Usava um lenço amarelo vivo na cabeça; as pontas estavam desfraldadas como galhardetes no vento frio. Argolas de ouro com cruzes no centro pendiam de suas orelhas. Tinha um olho coberto com um curativo de seda branca, e o rosto marcado por feridas roxas, algumas abertas e inflamadas. Ele poderia ter trinta, quarenta ou sessenta anos. Mantinha uma das mãos acima da cabeça. Nela havia alguma coisa que Roland não conseguia distinguir, a não ser que a forma era regular demais para ser uma pedra.

Atrás dessa aparição assomava-se a cidade com uma espécie de fantástica nitidez contra o céu que escurecia. Quando Eddie olhou para os prédios de tijolos amontoados na outra margem — armazéns há muito esvaziados por saqueadores, não tinha dúvida — e para os sombrios desfiladeiros e labirintos de pedra, percebeu pela primeira vez como seus sonhos de esperança e socorro haviam sido terrivelmente equivocados e tolos. Agora via as fachadas destroçadas e telhados quebrados; os desgrenhados ninhos de pássaros nas cornijas e janelas sem vidraça, escancaradas; agora se permitia de fato sentir o cheiro da cidade, e esse cheiro não era de especiarias fabulosas e comidas saborosas, daquelas que sua mãe às vezes trazia para casa do Zabar's, mas sim o fedor de um colchão incendiado, fumegando por algum tempo, e depois jogado na água suja. De repente compreendeu Lud, compreendeu-a por completo. O pirata sorridente que aparecera quando eles estavam concentrados em outra coisa era provavelmente o mais próximo de um velho elfo que aquele lugar arruinado, agonizante, podia oferecer.

Roland sacou o revólver.

— Guarde isso, meu caro — disse o homem de lenço amarelo, com um sotaque tão forte que o sentido das palavras quase se perdia. — Guarde isso, meu querido. Você é um homem feroz, é, isso está óbvio, mas desta vez está em desvantagem.

14

O recém-chegado tinha remendos de veludo verde na calça, e ali parado na beira da brecha parecia um bucaneiro nos seus dias derradeiros de pilhagem: doente, maltrapilho e ainda perigoso.

— E se eu preferir não? — perguntou Roland. — E se eu preferir simplesmente meter uma bala na sua cabeça escrofulosa?

— Então eu irei pro inferno logo à sua frente para segurar a porta pra você — disse o homem de lenço amarelo, com uma risadinha. Mexeu a mão que mantinha erguida. — Pra mim dá no mesmo, de um jeito ou de outro.

Roland calculou que era verdade. O homem parecia ter mais um ano de vida, no máximo... e os últimos meses desse ano provavelmente seriam bastante desagradáveis. As feridas supurantes no rosto nada tinham a ver com radiação; a menos que Roland estivesse muito enganado, aquele homem se achava nos últimos estágios do que os médicos chamavam mandrus e todos os demais de flores de puta. Enfrentar um homem perigoso era sempre algo ruim, mas pelo menos se podia calcular as possibilidades num tal encontro. Quando se enfrentavam os mortos, porém, a situação mudava por completo.

— Vocês sabem o que eu tenho aqui, meus queridos? — perguntou o pirata. — Vocês sabem no que o velho amigo Gasher acaba de pôr as mãos? É um grenado, uma coisa fofa que os Anciãos deixaram para trás, e eu já tirei o chapéu dela... pois usar chapéu antes de se apresentar seria muita falta de educação, isso seria, sim.

Deu uma alegre risadinha por um instante, e depois seu rosto ficou imóvel e sério de novo. Todo o humor abandonou-o, como se um botão houvesse sido ligado em algum ponto do seu cérebro em decomposição.

— Meu dedo é tudo que segura o pino agora, queridinho. Se você atirar em mim, vai haver uma explosão muito grande. Você e a puta-macaca nas suas costas vão ser vaporizados. O pirralho também, eu calculo. O garotão parado atrás de você e apontando aquela pistola de brinquedo pra minha cara pode sobreviver, mas só até bater na água... e ele bateria, porque esta ponte vem pendendo por um fio nos últimos quarenta anos, e pra acabar com ela só é preciso de um empurrãozinho. Portanto, quer guardar o ferro, ou vamos todos engatinhar para o inferno no mesmo carrinho de mão?

Roland cogitou por um breve instante em arrancar da mão dele a tiro o objeto que Gasher chamava de grenado, mas viu que o homem o segurava firme e guardou o revólver no coldre.

— Ah, bom! — gritou Gasher, mais uma vez sorrindo. — Eu sabia que você ia amarelar, só de olhar pra você. Ah, sim! Sabia, sim!

— O que você quer? — perguntou Roland, embora achasse que já sabia disso também.

Gasher ergueu a mão livre e apontou um dedo sujo para Jake.

— O pirralho. Me dê o pirralho e o resto pode ir em liberdade.

— Vai se foder! — disse Susannah.

— Por que não? — cacarejou o pirata. — Me deem um caco de vidro que eu corto ele fora e enfio atrás até o talo. E por que não? Já não me serve para nada! Eu não posso nem dar uma mijada sem sentir ele me queimando até a goela!

Os olhos, que tinham um matiz de cinza estranhamente calmo, não deixaram por nenhum momento o rosto de Roland.

— O que *você* diz, meu caro amigo?

— O que acontece com o resto de nós se entregarmos o menino?

— Ora, vocês seguem o seu caminho sem serem incomodados pela gente! — respondeu prontamente o homem de lenço amarelo. — Tem a palavra do Tique-taque. Sai dos meus lábios para seus ouvidos, sai mesmo, e Tique-taque é sujeito firme, também, e não quebra a palavra uma vez dada. Não posso falar por nenhum Pubezinho que vocês possam encontrar, mas não terão nenhum problema com os Grays do Tique-taque.

— Mas que porra é essa que você está *dizendo*, Roland? — rugiu Eddie. — Você não está mesmo cogitando fazer isso, está?

Roland não baixou os olhos para Jake, e não moveu os lábios quando murmurou:

— Eu vou manter a minha promessa.

— Sim... eu sei que vai.

Então Jake ergueu a voz e disse:

— Guarde a arma, Eddie. Eu decido.

— Jake, você perdeu o *juízo*!

O pirata respondeu animado.

— De jeito nenhum, parceiro! Foi *você* quem perdeu o juízo se não acredita em mim. No mínimo, ele estará seguro contra os tambores com a gente, não estará? E pense só: se eu não falasse sério, a primeira coisa que faria era mandar vocês jogarem as armas pela amurada. A coisa mais fácil no mundo. Mas mandei? Não!

Susannah ouvira o diálogo entre Jake e Roland. Também tivera uma chance de perceber como eram ruins as suas opções no momento.

— Guarde a arma, Eddie.

— Como vamos saber que você não vai jogar a granada na gente assim que pegar o garoto? — gritou Eddie.

— Eu a estouro no ar se ele tentar — disse Roland. — Posso fazer isso, e ele *sabe* que eu posso.

— Talvez eu saiba. Você tem um ar interessante, na verdade tem, sim.

— Ele está falando a verdade — prosseguiu Roland. — Ele se queimaria mesmo que eu errasse seu brinquedinho, porque a ponte desabaria e todos iríamos junto.

— Muito esperto, meu bom e velho companheiro! — disse Gasher. — Você *é* um cara interessante. — Deu uma risada cacarejada, depois ficou sério e com um ar de confidências. — Acabou o papo, parceiro. Vai me entregar o garoto, ou seguimos juntos até o fim do caminho?

Antes que Roland pudesse dizer uma palavra, Jake passou por ele na viga de suporte. Ainda segurava Oi enroscado sob o braço direito. Estendia a mão ensanguentada rigidamente à frente.

— Jake, *não*! — gritou Eddie, desesperado.

— Eu vou buscar você — disse Roland, na mesma voz baixa.

— Eu sei — repetiu Jake.

O vento soprou de novo. A ponte balançou e gemeu. O Send estava agora pontilhado de cristas brancas, e a água borbulhava em torno das ruínas do monomotor azul que despontavam do rio no lado montante.

— É, meu queridinho — cantarolou Gasher. Arreganhou os lábios, revelando uns poucos restos de dentes que se projetavam das gengivas brancas como lápides tumulares em decomposição. — É, meu belo jovem pirralho! Continue vindo.

— Roland, ele pode estar blefando! — gritou Eddie. — Aquela coisa pode ser falsa.

O pistoleiro não respondeu.

Quando Jake se aproximou do outro lado da brecha no passadiço, Oi mostrou os dentes e começou a rosnar para Gasher.

— Jogue esse saco de tripas falante pela amurada — disse Gasher.

— Vai se foder — respondeu Jake com a mesma voz calma.

O pirata pareceu surpreso por um instante, depois balançou a cabeça.

— Gosta dele, hã? Muito bem. — Deu dois passos para trás. — Coloque ele no chão assim que chegar ao concreto, então. E se ele me atacar, prometo que vou estourar os miolos dele pelo rabo.

— Rabo — disse Oi por entre os dentes à mostra.

— Quieto, Oi — murmurou Jake.

Chegou ao concreto exatamente quando a mais forte rajada de vento bateu na ponte. Desta vez, o tinido de fios de cabo partidos pareceu vir de todos os lados. Jake olhou para trás e viu Roland e Eddie agarrados ao corrimão. Susannah observava-o por cima do ombro de Roland, os cachos ondulando e tremendo no vento. Jake ergueu a mão para eles. Roland ergueu o braço em retribuição.

Você não vai me deixar cair desta vez?, ele perguntara. *Não — nem nunca mais*, respondera Roland. Jake acreditara nele... mas tinha muito medo do que poderia acontecer antes de o pistoleiro chegar. Colocou Oi no chão. Gasher correu para frente assim que ele o fez, chutando o animalzinho. Oi esquivou-se para o lado, evitando a bota.

— Corra! — gritou Jake.

Oi obedeceu, passando disparado por eles e dobrando para a ponta de Lud da ponte com a cabeça baixa, serpenteando para evitar os buracos e saltando sobre as fendas no pavimento. Não olhou para trás. Um momento depois, Gasher passara o braço pelo pescoço de Jake. Cheirava a sujeira e a carne em decomposição, os dois odores combinando-se para formar um fedor único, incrustado e denso. Fez Jake ter engulhos.

Ele encostou a virilha nas nádegas de Jake.

— Talvez eu não esteja tão ruim quanto pensava. Não dizem que a juventude é o vinho que embriaga os velhos? Nós vamos nos divertir, não vamos, meu doce pirralhinho? É, vamos nos divertir tanto que os anjos vão cantar.

Ah, Deus, pensou Jake. Gasher tornou a erguer a voz.

— Agora vamos embora, meu amiguinho difícil... temos muito a fazer e muitas pessoas a ver, temos, sim, mas eu mantenho a palavra. Quanto a vocês, vão ficar bem aí onde estão por uns bons quinze minutos, se sabem o que é bom pra vocês. Se eu os vir começarem a se mexer, vamos todos pro espaço. Estão me entendendo?

— Sim — disse Roland.

— Acredita em mim quando digo que não tenho nada a perder?

— Acredito.

— Ótimo, então. Ande, menino! Vamos!

Gasher apertou a mão na garganta de Jake até ele mal conseguir respirar. Ao mesmo tempo, puxou-o para trás. Retiraram-se assim, de frente para a brecha onde Roland estava parado com Susannah nas costas e Eddie logo atrás, ainda segurando a Ruger que Gasher chamara de pistola de brinquedo. Jake sentia o bafo de Gasher na orelha em curtas ondas quentes. Pior, sentia o cheiro.

— Não tente nada — disse Gasher — ou eu rasgo seus bagos e os enfio na sua bunda. E seria uma pena perdê-los antes de você ao menos ter uma chance de usá-los, não seria? Uma pena mesmo.

Chegaram ao fim da ponte. Jake ficou tenso, achando que Gasher ia jogar a granada de qualquer modo, mas ele não jogou... pelo menos não imediatamente. Empurrou Jake de costas por um estreito beco entre dois cubículos que provavelmente haviam servido como depósitos de ferramentas, outrora. Além deles, os armazéns de tijolos assomavam como blocos de celas de prisão.

— Agora, queridinho, eu vou soltar seu pescoço, senão como você vai ter fôlego para correr? Mas vou ficar segurando o seu braço, e se você não correr como o vento, eu te prometo que o arranco fora e o uso como porrete pra te dar uma surra. Está me entendendo?

Jake fez que sim com a cabeça, e de repente a terrível e sufocante pressão desaparecera de sua garganta. Assim que desapareceu, ele tomou de novo consciência de sua mão — estava quente e inchada, ardendo. Então Gasher agarrou o seu bíceps com dedos que pareciam aros de ferro, e ele esqueceu inteiramente a mão.

— Ô-lá-lá! — gritou Gasher num falseto grotescamente alegre. Acenou com a granada para os outros. — Adeusinho, queridinhos! — E rosnou para Jake. — Agora *corra*, seu pirralho escroto! *Corra*!

Jake foi primeiro girado e depois puxado numa corrida. Os dois saíram voando por uma rampa curva até o nível da rua. O primeiro pensamento confuso de Jake foi que aquilo era como pareceria o viaduto do East River duzentos ou trezentos anos após uma bizarra peste cerebral ter matado todas as pessoas sadias do mundo.

As carrocerias antigas, enferrujadas, do que certamente haviam sido um dia automóveis achavam-se estacionadas em intervalos ao longo dos dois meios-fios. A maioria era de veículos de passeio em forma de bolhas, que não pareciam com nenhum carro que Jake jamais vira (a não ser, talvez, os que as personagens de luvas brancas de Walt Disney dirigiam nas histórias em quadrinhos), mas entre eles viu um velho fusca, um carro que poderia ter sido um Chevrolet Corvair, e uma coisa que acreditava ser um Ford bigode. Nenhuma das carrocerias vazias tinha pneus, que ou haviam sido roubados ou apodrecido e reduzidos a pó há muito tempo. E todos os vidros estavam quebrados, como se os cidadãos restantes da cidade detestassem qualquer coisa que mostrasse os seus reflexos, mesmo acidentalmente.

Embaixo e entre os carros abandonados, as sarjetas estavam cheias de restos de metal não identificáveis e faiscantes cacos de vidro. Três haviam sido dispostos a intervalos ao longo das calçadas num tempo passado, mais feliz, mas estavam agora tão absolutamente mortos que pareciam esculturas de metal contra o céu nublado. Alguns dos armazéns tinham ou sido bombardeados ou desmoronado por si mesmos, e além dos montes de tijolos que eram tudo que restava deles, Jake via o rio e as escoras enferrujadas e frouxas da ponte do Send. O cheiro úmido de decomposição — um cheiro que quase parecia bater no nariz — era mais forte que tudo.

A rua seguia para leste, desviando-se do caminho do Feixe, e Jake a via cada vez mais entulhada de lixo. Seis ou sete quadras adiante, ela parecia estar inteiramente esburacada, mas era nessa direção que Gasher o empurrava. A princípio ele aguentara o ritmo, mas Gasher forçava o passo implacavelmente. Jake começou a arquejar e ficou um passo atrás. Gasher quase o ergueu dos pés ao arrastá-lo para a barreira de lixo, concreto e raios de aço enferrujados à frente. O plugue — que parecia a Jake uma construção deliberada — ficava entre dois prédios com largas fachadas de mármore empoeiradas. Na frente do da esquerda havia uma estátua que Jake reconheceu de cara: era a mulher chamada Justiça Cega, e isso quase certamente fazia do prédio que ela guardava um tribunal. Mas ele teve apenas um momento para olhar; Gasher arrastava-o a toda para a barricada, sem reduzir o passo.

Ele vai nos matar se tentar nos fazer passar por ali!, pensou Jake, mas Gasher — que corria como o vento, apesar da doença que se anunciava em seu rosto — simplesmente enterrou mais fundo os dedos no antebraço dele e puxou-o. E agora Jake via um estreito beco que parecia menos aleatório no monte de concreto, móveis quebrados, encanamentos enferrujados e pedaços de caminhões e automóveis. De repente, compreendeu. Aquele labirinto ia deter Roland durante horas... mas era o quintal de Gasher, e ele sabia *exatamente* aonde estava indo.

A pequena abertura escura para o beco ficava no lado esquerdo da instável pilha de lixo. Quando a alcançaram, Gasher jogou seu objeto verde para trás por cima do ombro.

— Melhor se abaixar, queridinho! — gritou, e deu uma série de risinhos agudos, histéricos.

Um momento depois, uma imensa explosão sacudiu a rua. Um dos carros em forma de bolha saltou seis metros no ar e caiu de cabeça para baixo. Uma saraivada de tijolos passou assobiando acima da cabeça de Jake, e uma coisa bateu com força em seu ombro esquerdo. Ele cambaleou e teria caído se Gasher não o puxasse para cima e o empurrasse para a estreita abertura no lixo. Assim que estavam no corredor à frente, sombras terríveis baixaram e os envolveram.

Quando tinham sumido, uma forma pequena e peluda arrastou-se detrás de uma laje de concreto. Era Oi. Ele ficou na boca do corredor por um momento, o pescoço esticado para frente, olhos brilhando. Depois veio atrás, o focinho perto do chão, farejando com cuidado.

15

— Vamos — disse Roland, assim que Gasher dera as costas.

— Como você pôde fazer isso? — perguntou Eddie. — Como pôde deixar aquele monstro ficar com ele?

— Eu não tive escolha. Traga a cadeira de rodas. Vamos precisar dela.

Já haviam alcançado o concreto no outro lado da brecha quando uma explosão abalou a ponte, espalhando lixo pelo céu que escurecia.

— Minha nossa! — disse Eddie, virando o rosto pálido e consternado para Roland.

— Não se preocupe ainda — disse Roland, calmo. — Sujeitos como Gasher raramente se descuidam com seus brinquedos de alto poder explosivo.

Chegaram às cabines de pedágio no fim da ponte. Roland parou no topo da rampa curva.

— Você sabia que o cara não estava blefando, não sabia? — perguntou Eddie. — Quer dizer, não estava adivinhando: você *sabia*.

— Ele é um cadáver ambulante, e homens assim não precisam blefar. — Roland tinha a voz bastante calma, mas havia nela uma profunda nota de amargura e dor. — Eu sabia que uma coisa dessas podia acontecer, e se tivéssemos visto o sujeito antes, quando ainda estávamos longe de seu ovo explosivo, poderíamos tê-lo mantido à distância. Mas aí Jake caiu e ele chegou perto demais. Imagino que ele acha que o motivo de termos trazido um menino foi um tipo de salvo-conduto para atravessar a cidade. Merda! Que merda a nossa sorte!

Roland esmurrou a perna com o punho.

— Bem, vamos buscá-lo.

Roland balançou a cabeça.

— Aqui é onde nos separamos. Não podemos levar Susannah para onde o escroto foi, e não podemos deixá-la só.

— Mas…

— Escute e não discuta… se querem salvar Jake. Quanto mais ficarmos aqui, mais a pista esfria. É difícil seguir pistas frias. Vocês têm seu trabalho a fazer. Se há outro Blaine, e eu tenho certeza de que Jake acredita que há, você e Susannah precisam encontrá-lo. Deve haver uma estação, ou o que outrora se chamava um berço nas terras distantes. Estão entendendo?

Uma vez na vida, por ventura, Eddie não discutiu.

— Sim. Vamos encontrar. E depois?

— Dê um tiro a cada meia hora, mais ou menos. Quando pegar Jake, eu volto.

— Os tiros podem também atrair outras pessoas — disse Susannah. Eddie ajudara-a a sair do arreio, e ela estava de novo sentada na cadeira. Roland examinou-os friamente.

— Lide com elas.

— Tudo bem. — Eddie estendeu a mão e Roland pegou-a um breve instante. — Encontre-o, Roland.

— Ah, eu vou encontrá-lo. Apenas rezem a seus deuses para que o encontre logo. E lembrem-se dos rostos de seus pais, os dois.

Susannah assentiu.

— Vamos tentar.

Roland virou-se e desceu correndo com passos leves a rampa. Quando desapareceu, Eddie olhou para Susannah e não se surpreendeu ao ver que ela chorava. Ele mesmo sentiu vontade de chorar. Meia hora atrás, eles eram um pequeno e unido grupo de amigos. A confortável camaradagem fora despedaçada no espaço de apenas alguns minutos — Jake sequestrado, Roland indo atrás dele. Até Oi fugira. Eddie jamais se sentira tão solitário na vida.

— Eu tenho a sensação de que nunca mais vamos ver nenhum dos dois de novo — disse Susannah.

— Claro que vamos! — exclamou Eddie, mas sabia o que ela queria dizer, porque se sentia da mesma forma. A premonição de que sua missão acabara antes de começar direito pesava-lhe no coração. — Numa luta com Átila, o Huno, eu daria uma vantagem de três a um em Roland, o Bárbaro. Vamos, Suze, precisamos pegar um trem.

— Mas onde? — ela perguntou, desamparada.

— Não sei. Talvez devamos procurar o mais próximo velho elfo sábio e perguntar a ele, hein?

— Do que é que você está falando, Edward Dean?

— Nada — ele disse, e como isso era a mais pura verdade, ele achou que poderia cair em prantos, e então agarrou os braços da cadeira de rodas dela e começou a empurrá-la pela rampa rachada e coberta de cacos de vidro que levava à cidade de Lud.

16

Jake desceu rápido a um mundo enevoado onde os únicos pontos de referência eram a dor: a mão latejante, o lugar no antebraço onde os dedos de Gasher se haviam enterrado como aço, os pulmões ardendo. Antes de irem longe, essas dores foram primeiro alcançadas e depois superadas por uma fisgada funda e ardente no lado esquerdo. Imaginava se Roland já os estava seguindo. E também se Oi poderia sobreviver naquele mundo tão diferente das planícies e florestas que eram tudo que ele conhecia até agora. Então Gasher deu um tapa na cara de Jake, fazendo sangrar o seu nariz, e o pensamento se perdeu numa onda vermelha de dor.

— Vamos, seu merdinha! Mexa este seu corpinho bonito.

— Estou correndo… o mas rápido que posso — arquejou Jake, e por pouco evitou um grosso caco de vidro que se projetava como um longo dente transparente da parede de lixo ao lado.

— É melhor correr, senão eu derrubo você e arrasto pelos cabelos! *Rápido*, seu merdinha!

Jake de algum modo forçou-se a correr mais rápido. Entrara no beco com a ideia de que logo tornariam a sair na avenida, mas agora compreendia relutante que isso não ia acontecer. Aquilo era mais do que um beco; era uma estrada camuflada e fortificada que levava ainda mais fundo no território dos Grays. As paredes altas e instáveis que os apertavam haviam sido construídas com um exótico conjunto de materiais: carros completa ou parcialmente achatados pelas lajes de granito e aço colocados em cima deles; colunas de mármore; desconhecidas máquinas de fábricas que a ferrugem pintara de um vermelho baço nos lugares onde não estavam ainda negras de graxa; um peixe de cromo e cristal do tamanho de um avião particular com uma palavra em código da Língua Superior — PRAZER — cuidadosamente gravada no escamado lado brilhante; correntes entrecruzadas, cada elo do tamanho da cabeça de Jake, passadas em torno de amontoados bizarros de móveis que pareciam se equilibrar acima delas tão precariamente quanto elefantes de circo em suas minúsculas plataformas de aço.

Chegaram a um lugar onde o lunático caminho se bifurcava, e Gasher tomou a esquerda sem hesitar. Um pouco adiante, outros três becos, tão estreitos que eram quase túneis, levavam para vários lados. Desta vez Gasher escolheu o ramo da direita. O novo caminho, que parecia formado por margens de caixas podres e blocos de papel velho — que podiam um dia ter sido livros ou revistas — era estreito demais para os dois passarem lado a lado. Gasher empurrou Jake na frente e começou a bater implacavelmente nas suas costas para fazê-lo ir mais rápido. *É assim que um boi deve se sentir quando é tocado rampa abaixo para o curral do matadouro*, pensou Jake, e jurou que se saísse vivo daquilo jamais voltaria a comer bife.

— Corra, meu putinho! *Corra*!

Jake logo perdeu a conta de todas as voltas e reviravoltas que faziam, e à medida que Gasher o empurrava cada vez mais fundo no amontoado de aço rasgado, móveis quebrados e máquinas jogadas fora, começou a desistir da esperança de resgate. Se o pistoleiro tentasse, ia se perder e vagar pelos caminhos sufocantes daquele mundo de pesadelo até a morte.

Agora desciam, e as paredes de papel compactado davam lugar a muralhas de arquivos de aço, montes de máquinas de calcular e pilhas de peças de computador. Era como correr por uma versão de pesadelo do depósito da Rádio Shack. Durante quase um minuto inteiro, a parede que passava à esquerda de Jake parecia construída apenas de aparelhos de TV ou displays de vídeo empilhados de qualquer jeito. Olhavam para ele como olhos vidrados de mortos. E à medida que o chão sob seus pés continuava a descer, Jake compreendeu que *estavam* num túnel. A faixa de céu acima se estreitava numa tira, a tira se estreitava numa fita e a fita se tornava um fio. Achavam-se num sombrio mundo subterrâneo, correndo como ratos num gigantesco monturo.

E se tudo isto desabar em cima da gente?, pensou Jake, mas em seu atual estado de exaustão esta possibilidade não o assustava muito. Se o teto cedesse, ao menos poderia descansar.

Gasher tocava-o como um camponês faria com uma mula, batendo no seu ombro esquerdo para indicar uma volta à esquerda e no direito para uma volta à direita. Quando o rumo era reto, ele batia na nuca de Jake. O menino tentou evitar um cano projetado e não conseguiu muito bem. O cano bateu num de seus quadris e o jogou através da estreita passagem contra um amontoado de cacos de vidro e tábuas pontudas. Gasher agarrou-o e empurrou-o para a frente de novo.

— Corra, seu pirralho desajeitado! Não sabe correr? Se não fosse pelo Tique-taque eu o enrabava aqui mesmo e cortava a sua garganta enquanto o enrabava, cortaria, sim!

Jake corria num atordoamento em que havia apenas dor e o frequente baque dos punhos de Gasher descendo sobre seus ombros ou sua nuca. Finalmente, quando tinha certeza de que não podia correr mais, Gasher agarrou-o pelo pescoço e puxou-o para que parasse de um modo tão brutal que Jake colidiu com ele com um ruído estrangulado.

— *Este* pedacinho é traiçoeiro! — Gasher arquejou jovialmente. — Olhe direto em frente e verá dois fios que se cruzam como um X perto do chão. Está vendo?

A princípio Jake não viu. Estava escuro demais ali; montes de imensas chaleiras de cobre empilhavam-se à esquerda, e à direita havia pilhas de tanques de ferro que pareciam equipamentos de mergulho. Jake pensou que podia provocar uma avalanche se desse um sopro forte neles. Enxugou os olhos com o antebraço, levando tufos de cabelo, e tentou não pensar que aparência teria com cerca de dezesseis toneladas daqueles tanques em cima dele. Estreitou os olhos na direção em que Gasher apontava. Sim, distinguia — mal e mal — duas finas linhas prateadas que pareciam cordas de violão ou banjo. Desciam de lados opostos do corredor e se cruzavam a cerca de dois palmos do chão.

— Se arraste por baixo, queridinho. E tenha muito cuidado, pois se tocar um daqueles fios, metade do aço e do cimento da cidade cairão sobre sua bela cabecinha. Sobre a minha também, embora eu duvide que isto o incomode muito, não é? Agora se arraste!

Jake tirou a mochila das costas, deitou-se e empurrou-a pela brecha à frente. E enquanto passava sob os fios finos e esticados, descobriu que queria viver um pouco mais, afinal. Parecia que podia sentir todas aquelas toneladas de lixo cuidadosamente equilibrado à espera para desabar sobre ele. *Estes fios provavelmente seguram duas pedras angulares cuidadosamente escolhidas*, pensou. *Se um deles se partir... acabou-se, estamos mortos.* Suas costas roçaram um dos fios, e muito acima alguma coisa rangeu.

— Cuidado, idiota! — quase gemeu Gasher. — Tenha todo o cuidado!

Jake empurrava-se por baixo dos arames entrecruzados, usando os pés e os cotovelos. Os cabelos fedorentos, empapados de suor, tornavam a cair sobre os olhos, mas ele não ousava afastá-los.

— Passou — grunhiu Gasher afinal, e deslizou por baixo dos fios ele próprio, com a facilidade da longa prática.

Levantou-se e pegou a mochila de Jake antes que ele pudesse repô-la nos ombros.

— O que é que tem aqui dentro, queridinho? — perguntou, abrindo as correias e olhando o interior. — Algum presentinho pro seu companheiro? O Gasher adora presentinhos, adora, sim!

— Não tem nada aí dentro além...

A mão de Gasher voou e mandou a cabeça de Jake para trás com um duro tapa que fez jorrar um borrifo de sangue do nariz do menino.

— Por que fez isso? — gritou Jake, machucado e indignado.

— Por me dizer o que a porra dos meus próprios olhos podem ver! — berrou Gasher, e jogou para o lado a mochila de Jake. Expôs os dentes restantes ao menino num riso perigoso, terrível. — E por quase trazer abaixo todo o caralho da fábrica em cima da gente! — Parou, e depois acrescentou numa voz mais baixa: — E porque me deu vontade, devo admitir. Sua cara de merda de carneiro me deixa num clima de dar uns tapas, ah isso deixa. — O riso alargou-se, revelando as gengivas supurantes, uma visão que Jake podia passar sem. — Se o seu amigo durão nos seguir até aqui, terá uma bela surpresa quando tropeçar nesses fios, não é? — Ergueu o olhar, ainda rindo. — Tem um ônibus equilibrado em algum lugar lá em cima, pelo que me lembro.

Jake começou a chorar — lágrimas de cansaço, de desamparo, cortavam a sujeira em seu rosto em estreitos canais.

Gasher ergueu a mão aberta, ameaçadora.

— Vamos andando, queridinho, antes que eu mesmo comece a chorar... pois seu velho companheiro é um cara muito sentimental, é mesmo, e quando ele começa a chorar um tapinha é a única coisa que devolve o sorriso de novo pra cara dele. *Corra*!

Correram. Gasher escolhia caminhos que levavam mais fundo no labirinto fedorento e rangente aparentemente ao acaso, indicando suas escolhas com duras pancadas nos ombros de Jake. Num determinado ponto o barulho dos tambores recomeçou. Parecia vir de toda parte e de parte nenhuma. Jake perdeu a esperança e os pensamentos, e deixou-se mergulhar por completo no pesadelo.

17

Roland parou diante da barricada que fechava a rua de lado a lado e de cima a baixo. Ao contrário de Jake, não tinha esperança de sair na abertura do outro lado. Os prédios a leste daquele ponto seriam ilhas ocupadas por sentinelas num mar interior de lixo, ferramentas, artefatos... e armadilhas, não tinha dúvida. Algumas dessas coisas continuavam onde haviam caído quinhentos, setecentos, ou mil anos atrás, mas ele achava que a maioria fora arrastada para ali pelos Grays, um por um. A parte leste de Lud se tornara o castelo dos Grays, e Roland achava-se agora diante da sua muralha.

Ele se adiantou devagar e viu a entrada de uma passagem meio oculta por trás de um bloco de cimento. Havia pegadas no chão empoeirado — dois conjuntos, um grande, um pequeno. Roland começou a subir, tornou a olhar e agachou-se mais uma vez. Não eram dois conjuntos, mas três, o terceiro sendo as patas de um animal pequeno.

— Oi? — chamou baixo.

Por um instante não houve resposta, e depois um latido solitário veio das sombras. Roland entrou no corredor e viu olhos rodeados de dourado espiando-o por trás da primeira esquina torta. Correu até o malhado. Oi, que ainda não gostava de chegar perto de ninguém além de Jake, recuou um passo e então ficou firme, olhando ansiosamente para o pistoleiro.

— Você quer me ajudar? — perguntou Roland.

Sentia a seca cortina vermelha que era a febre de combate no limiar da consciência, mas não era hora disso. A hora ia chegar, mas por enquanto ele devia não se entregar para aquele inexprimível alívio.

— Me ajuda a encontrar Jake?

— Eique! — latiu Oi, ainda olhando para Roland com olhos ansiosos.

— Vá então. Encontre-o.

Oi virou-se e correu rápido pelo beco, o focinho perto do chão. Roland seguiu-o, apenas de vez em quando erguendo os olhos para ver Oi. Mantinha-os, sobretudo, no antigo pavimento, em busca de sinais.

18

— Nossa — disse Eddie. — Que espécie de gente *são* esses caras?

Haviam seguido a avenida até a base da rampa por duas quadras, visto a barricada (mas não a entrada de Roland na parcialmente oculta passagem menos de um minuto antes) em frente, e virado para uma larga via ao norte que lembrava a Eddie a Quinta Avenida. Ele não ousou dizer isso a Susannah; ainda estava decepcionado com aquela ruína fedorenta e suja de cidade para dizer qualquer coisa esperançosa.

A "Quinta Avenida" levou-os a uma área de grandes prédios de pedra branca que lembrava a Eddie a Roma dos filmes de gladiadores que assistira na TV quando era pequeno. Eram austeros e, na maior parte, ainda em boa forma. Tinha toda certeza de que haviam sido algum tipo de prédios públicos — galerias, bibliotecas, talvez museus. Um, com um grande teto em cúpula que rachara como um ovo de granito, poderia ter sido um observatório, embora Eddie tivesse lido em algum lugar que os astrônomos gostavam de ficar *longe* das grandes cidades, porque as luzes elétricas confundiam a observação dos astros.

Havia áreas abertas entre os imponentes edifícios, e embora a grama e as flores que um dia brotaram ali tenham sido sufocadas pelo mato e pelos arbustos selvagens, a área ainda dava uma sensação de pompa, e Eddie imaginava se fora outrora o centro da vida cultural de Lud. Esses dias há muito haviam passado, óbvios; ele duvidava que Gasher e seus amigos tivessem muito interesse em balé e música de câmara.

Ele e Susannah haviam chegado a um grande cruzamento, do qual se irradiavam outras quatro largas avenidas como raios de uma roda. No eixo da roda havia uma grande praça pavimentada. Em torno, viam-se alto-falantes em postes de aço de doze metros. No centro da praça, erguia-se um pedestal com os restos de uma estátua — um poderoso cavalo de cobre, verde de azinhavre, com as patas dianteiras no ar. O guerreiro que um dia o cavalgara jazia ao lado sobre um ombro corroído, brandindo o que parecia ser uma metralhadora numa das mãos e uma espada na outra. As pernas ainda se arqueavam na forma do cavalo antes cavalgado, mas as botas continuavam grudadas nos flancos da montaria metálica. MORTE AOS GRAYS! estava escrito de um lado a outro do pedestal em letras laranja desbotadas.

Olhando ao longo das ruas que partiam dali Eddie enxergou mais alto-falantes. Uns poucos haviam caído, mas a maioria permanecia no lugar, e cada um fora enfeitado com uma sangrenta guirlanda de cadáveres. Como resultado, a praça em que desembocava a "Quinta Avenida" e as ruas que desembocavam dela eram guardadas por um pequeno exército dos mortos.

— Que tipo de gente *é* essa? — tornou a perguntar Eddie.

Não esperava resposta, nem Susannah ofereceu alguma... mas podia ter dado. Ela tivera insights do passado de Roland antes, mas nunca tão evidentes e certos como aquele. Todos os insights anteriores, como os que lhe tinham vindo em River Crossing, tinham um assombroso tom visionário, como sonhos, mas o de agora chegava num lampejo único, e era como ver a face distorcida de um maníaco iluminada por um relâmpago.

Os alto-falantes... os corpos pendurados... os tambores. Ela compreendeu de repente como tudo aquilo se juntava, tão nitidamente quanto compreendera que as carroças sobrecarregadas na travessia de River Crossing a caminho de Jimtown eram puxadas por bois e não por mulas ou cavalos.

— Não se preocupe com esse lixo — disse ela, e sua voz tremia apenas um pouco. — É o trem que queremos... para que lado acha que fica?

Eddie ergueu o olhar para o céu que escurecia e distinguiu facilmente o caminho do Feixe nas nuvens. Tornou a olhar para baixo e não se surpreendeu ao ver que a entrada da rua que mais de perto correspondia ao caminho do Feixe era guardada por uma grande tartaruga de pedra. A cabeça de réptil espiava por baixo da borda de granito do casco; os olhos fundos pareciam fitá-los com curiosidade. Eddie indicou-a com a cabeça e conseguiu dar um sorrisinho seco. — Está vendo a tartaruga de casco descomunal?

Susannah lançou-lhe uma breve olhada e assentiu. Ele a empurrou pela praça da cidade para a rua da Tartaruga. Os cadáveres que a ladeavam exalavam um cheiro seco de canela que fez seu estômago contrair-se... não porque fosse ruim, mas porque na verdade era até agradável — o aroma doce e picante de alguma coisa que um menino gostaria de passar de manhã na sua torrada.

A rua da Tartaruga era misericordiosamente larga, e a maioria dos cadáveres pendurados dos postes de alto-falantes era pouco mais do que múmias, mas Susannah viu alguns relativamente frescos, com moscas ainda se arrastando avidamente pela pele escurecida dos rostos inchados, e vermes ainda se contorcendo nos olhos em decomposição.

E embaixo de cada alto-falante havia um punhado de ossos.

— Devem ter milhares — disse Eddie. — Homens, mulheres e crianças.

— Sim. — A calma voz de Susannah soou distante e estranha aos seus próprios ouvidos. — Tiveram muito tempo para matar. E o usaram para matar uns aos outros.

— Que venham esses sábios elfos de merda! — disse Eddie, e a risada que soltou pareceu suspeitamente com um soluço.

Ele achava que afinal começava a compreender o que aquela inócua frase — *o mundo seguiu adiante* — significava de fato. Que amplitude de ignorância e maldade ela cobria.

E que profundeza.

Os alto-falantes eram uma medida para tempos de guerra, pensou Susannah. *Lógico que eram. Só Deus sabe que guerra, ou há quanto tempo, mas deve ter sido colossal. Os governantes de Lud usavam os alto-falantes para fazer anúncios para toda a cidade, a partir de um local central, à prova de bombas — um bunker como aquele para onde Hitler e seu alto-comando se retiraram no fim da Segunda Guerra Mundial.*

E ouvia a voz da autoridade que rolara daqueles alto-falantes — ouvia-a nitidamente como ouvira o ranger das carroças atravessando River Crossing, tão nitidamente quanto ouvira o estalar dos chicotes acima do lombo dos bois.

Os centros de racionamento A e D estarão fechados hoje; por favor, sigam para os centros B, C, E e F com os cupons adequados.

Esquadrões das milícias Nove, Dez e Doze apresentem-se a Sendside.

Provável bombardeio aéreo entre as oito e dez horas. Todos os residentes não combatentes devem se apresentar aos abrigos designados. Tragam as máscaras contra gás. Repetindo: tragam as máscaras contra gás.

Anúncios, sim... e alguma versão distorcida das notícias — uma versão panfletária, militante, que George Orwell teria chamado de duplafala. E entre as notícias e os anúncios, berraria hinos militares e faria exortações de respeito aos mortos enquanto mandava mais homens e mulheres para serem abatidos.

E então a guerra terminara e o silêncio caíra... por um tempo. Mas, em algum momento, os alto-falantes voltaram a transmitir. Quanto tempo atrás? Cem anos? Cinquenta? E isso fazia diferença? Susannah achava que não. O que importava era que, quando os alto-falantes foram reativados, a única coisa que irradiavam era um único trecho de uma fita cassete agarrada... o trecho dos tambores. E os descendentes dos moradores originais da cidade haviam-na tomado por... o quê? A Voz da Tartaruga? A Vontade do Feixe?

Susannah viu-se lembrando da vez em que perguntara ao pai, um homem caladão, mas profundamente cético, se ele acreditava que havia um Deus no céu que guiava o rumo dos acontecimentos humanos. *Bem*, ele dissera, *eu acho que é meio a meio, Odetta. Tenho certeza de que existe um Deus, mas não creio que Ele tenha muito a ver conosco hoje em dia; acho que, depois que matamos o filho d'Ele, finalmente enfiou na cabeça que não havia nada que pudesse fazer com os filhos de Adão e as filhas de Eva, e lavou as mãos da gente. Cara esperto.*

Ela respondera a isso (algo que já esperara escutar; tinha onze anos na época e já conhecia muito bem a cabeça do pai) mostrando-lhe uma nota na página das igrejas Comunitárias no jornal local. Dizia que o reverendo Murdock, da Igreja Metodista da Graça, ia elucidar naquele domingo o tópico "Deus Fala a Nós Todos os Dias" — com um texto de Coríntios I. O pai rira tanto disso que lágrimas lhe haviam escorrido dos cantos dos olhos. *Bem, eu acho que cada um de nós ouve* alguém *falando*, disse por fim, *e você pode apostar todo o seu dinheiro numa coisa, querida: cada um de nós — incluindo esse reverendo Murdock aí — ouve essa voz dizer exatamente o que quer ouvir. É tudo muito conveniente.*

O que *aquelas* pessoas aparentemente queriam ouvir no batuque gravado era um convite a praticarem assassinato ritual. E agora, quando os tambores começavam a pulsar por aquelas centenas de milhares de alto-falantes — um bate-estaca que era apenas a percussão de uma música do Z. Z. Top chamada "Velcro Fly" caso Eddie estivesse certo —, isso se tornava o sinal para desocuparem as forcas e pendurarem algumas pessoas nos postes de alto-falantes mais próximos.

Quantos?, ela se perguntava, enquanto Eddie a empurrava na cadeira de rodas, os pneus picados e denteados estalando sobre cacos de vidro e sussurrando entre revoadas de papel jogado fora. *Quantos foram assassinados no correr dos anos porque um circuito eletrônico sob a cidade dera tilt? Teria começado porque eles reconheciam o caráter alienígena essencial da música, que vinha de algum modo — como nós, e o avião, e alguns dos carros ao longo das ruas — de outro mundo?*

Ela não sabia, mas sabia que chegara ao cínico ponto de vista do pai na questão de Deus e dos papos que Ele tinha ou não tinha com os filhos de Adão e as filhas de Eva. Aquelas pessoas estavam à procura de um motivo para matarem umas às outras, nada mais, e os tambores haviam sido um motivo tão bom quanto qualquer outro.

Começou a pensar na colmeia que haviam encontrado — a colmeia deformada de abelhas brancas cujo mel os teria envenenado se cometessem a tolice de comê-lo. Ali, naquele lado do Send, estava outra colmeia agonizante, mais mutante do que as abelhas brancas cujo ferrão não era menos mortal por causa de sua confusão, perda e perplexidade.

E quantos mais terão de morrer antes que a fita cassete finalmente se parta?

Como se seus pensamentos os houvessem provocado, os alto-falantes de repente passaram a transmitir o implacável e repetido batibum-bum--bum dos tambores. Eddie deu um berro de surpresa, e Susannah gritou e levou as mãos aos ouvidos — mas antes ouviu debilmente o resto da música: a pista ou pistas que haviam sido silenciadas décadas atrás quando alguém (provavelmente por acidente) esbarrou no equalizador e o rodou até o fim, enterrando as guitarras e o vocal.

Eddie continuou a empurrar a cadeira de rodas pela rua da Tartaruga e o Caminho do Feixe, tentando olhar para todos os lados ao mesmo tempo e se esforçando para não sentir o cheiro de putrefação. *Graças a Deus pelo vento*, pensou.

Começou a empurrar a cadeira mais rápido, vasculhando os terrenos baldios cobertos de mato entre os grandes prédios brancos em busca do gracioso arco de um monotrilho acima. Queria sair daquele interminável beco dos mortos. Ao inspirar mais um profundo hausto daquele doce cheiro de canela, pareceu-lhe que jamais quisera tanto uma coisa em toda a sua vida.

19

O atordoamento de Jake foi interrompido de repente quando Gasher o agarrou pela gola e puxou com toda a cruel força de um cavaleiro freando o galope de um cavalo. O pirata esticou ao mesmo tempo uma perna e Jake desabou de costas sobre ela. Bateu com a cabeça no pavimento, e por um instante todas as luzes se apagaram. Gasher, que não era nenhum caridoso, o levantou logo agarrando-lhe o lábio inferior e puxando-o para cima e para fora.

Jake gritou e se sentou, batendo indistintamente com os punhos. Gasher evitou com facilidade os golpes, enfiou a outra mão sob a axila do menino e o colocou de pé. Jake ficou ali parado, oscilando como um bêbado de um lado para outro. Já estava além do protesto; quase além da compreensão. Sabia apenas que cada músculo do seu corpo parecia estar fora do lugar e a mão ferida uivava como um animal preso numa armadilha.

Gasher aparentemente precisava de uma respirada, e desta vez demorou mais para recuperar o fôlego. Ficou curvado com as mãos plantadas nos joelhos da calça verde, arquejando em pequenos e rápidos assobios. O lenço amarelo estava torto na cabeça. O olho bom brilhava como um diamante falso. O pacho de seda branca enrugara-se, e coalhos de muco amarelo de horrível aparência escorriam pela face por baixo dele.

— Dê uma olhada para cima, queridinho, e vai ver por que eu o detive. Dê uma boa olhada.

Jake curvou a cabeça para trás, e nas profundezas do choque não ficou nada surpreso ao ver uma fonte de mármore do tamanho de um trailer pendurada uns vinte e cinco metros acima deles. Os dois achavam-se quase embaixo dela. A fonte era mantida suspensa por dois cabos enferrujados quase ocultos entre imensas e instáveis pilhas de genuflexórios. Mesmo em seu estado não muito perceptivo, Jake via que os cabos se achavam muito mais seriamente desgastados do que os suspensores restantes da ponte lá atrás.

— Está vendo? — perguntou Gasher, sorrindo. Levou a mão esquerda ao olho coberto, tirou um bolo de material purulento dele e jogou-o com indiferença para o lado. — Uma beleza, não? Ah, o Tique-taque é um cara esperto, sim, senhor, não tem dúvida. Onde estão as porras dos tambores? Já deviam ter começado. Se Cabeça de Cobre os esqueceu, eu vou enfiar um pau tão fundo no rabo dele que ele vai sentir o gosto da madeira na boca. Agora olhe em frente, meu delicioso pirralhinho.

Jake olhou, e Gasher na mesma hora deu-lhe um tapa tão forte que ele cambaleou para trás e quase caiu.

— Não *adiante*, menino idiota! Para *baixo*! Está vendo aquelas duas pedras de calçamento escuras?

Após um instante, Jake olhou. Fez que sim com a cabeça, apaticamente.

— Não pise nelas, porque isso vai fazer cair a fábrica inteira em cima de você, queridinho, e qualquer um que o queira depois disso terá que pegá-lo com um mata-borrão. Entendeu?

Jake tornou a assentir.

— Ótimo. — Gasher deu uma inspirada final e bateu no ombro dele. — Vá em frente, então, que está esperando? *Rápido*!

Jake passou por cima da primeira pedra descorada e viu que não era uma pedra de fato, mas uma placa de metal arredondada para parecer uma pedra. A segunda vinha logo à frente, ardilosamente posta para que, se por acaso o incauto intruso não pisasse na primeira, certamente pisaria na segunda.

Vá em frente e pise, então, pensou Jake. *Por que não? O pistoleiro nunca vai encontrar você neste labirinto, por isso vá em frente e coloque tudo abaixo. Vai ser melhor do que o que Gasher e seus amigos planejaram para você. E mais rápido, também.*

Seu empoeirado mocassim pairou no ar acima da armadilha.

Gasher deu-lhe um soco no meio das costas, mas não com força.

— Pensando em pegar uma carona para o além, hein, meu queridinho? — perguntou. A risonha crueldade em sua voz fora substituída por simples curiosidade. Se havia ali qualquer outra emoção, não era medo, e sim diversão. — Bem, vá em frente, se é o que quer fazer, pois eu já estou com o meu bilhete. Só ande rápido, e que o diabo o carregue!

O pé de Jake desceu adiante do disparador da armadilha. Sua decisão de viver mais um pouco não se baseava em nenhuma esperança de que Roland o encontrasse; era apenas que era isso o que Roland faria — seguir em frente até que alguém o fizesse parar, e depois mais alguns metros, se pudesse.

Se o fizesse agora, poderia levar Gasher consigo, mas Gasher apenas não era o suficiente — bastava um olhar para deixar evidente que ele falava a verdade quando dizia que já estava morrendo. Se seguisse em frente, poderia ter uma chance de pegar alguns dos amigos dele também — talvez até quem ele chamava de Tique-taque.

Se eu for pegar o que ele chama de carona para o além, pensou Jake, *prefiro levar comigo bastante companhia.*

Roland entenderia isso.

20

Jake estava errado em sua avaliação da capacidade do pistoleiro de seguir a pista deles no meio do labirinto. Sua mochila era apenas o sinal mais óbvio que haviam deixado para trás, mas Roland logo percebeu que não precisava parar em busca de sinais. Precisava apenas seguir Oi.

Parou em vários cruzamentos de corredores ainda assim, para se certificar, e toda vez que o fazia, Oi olhava para trás e dava um impaciente latido que parecia dizer: *Depressa! Você quer perdê-los?* Depois que os sinais que vira — uma pegada, um fio da camisa de Jake, um fiapo do pano amarelo do lenço de Gasher — por três vezes confirmaram as escolhas do malhado, Roland simplesmente o seguiu. Não desistiu de buscar pistas, mas deixou de parar para procurá-las. Então os tambores recomeçaram, e foram eles — mais a curiosidade de Gasher sobre o que Jake estaria levando na mochila — que salvaram a vida de Roland naquela tarde.

Ele parou derrapando nas botas empoeiradas, e já tinha o revólver na mão antes de perceber o que era o barulho. Quando percebeu, guardou a arma de volta no coldre com um grunhido de impaciência. E estava para prosseguir quando bateu os olhos primeiro na mochila de Jake... e depois em dois raios brilhantes em pleno ar pouco à esquerda dela. Roland estreitou os olhos e distinguiu dois fios finos que se entrecruzavam à altura dos joelhos a menos de três palmos à frente. Oi, que era baixo, passara tranquilamente por entre o V invertido formado pelos fios, mas não fossem os tambores e a visão da mochila no chão Roland teria batido direto neles. Ao erguer os olhos, acompanhando a pilha nada aleatória de lixo equilibrada em cada lado do corredor naquele ponto, ele franziu a boca. Aquela fora por pouco, e apenas o ka o salvara.

Oi latiu impaciente.

Roland ficou de bruços no chão e rastejou por baixo dos fios, avançando devagar e com cautela — era maior do que Jake e Gasher, e percebeu que um homem realmente grande não conseguiria passar ali por baixo sem pôr em curso a avalanche cuidadosamente preparada. Os tambores batucavam em seus ouvidos. *Imagino se todos eles não enlouqueceram*, ele pensou. *Se tivesse que escutar isso todo dia, acho que eu teria.*

Chegou ao outro lado dos fios, pegou a mochila e olhou dentro. Os livros e poucas peças de vestuário de Jake ainda estavam ali, e também os tesouros que ele pegara no caminho — uma pedra que brilhava com pontos amarelos que pareciam ouro, mas não eram; uma ponta de flecha, provavelmente resto dos antigos habitantes da floresta, que Jake encontrara numa touceira de árvores no dia seguinte àquele em que fora escolhido; algumas moedas do mundo dele; os óculos escuros do pai; algumas coisas que apenas um menino que ainda não entrara na adolescência podia realmente amar e entender. Coisas que ele ia querer de volta… quer dizer, se Roland o alcançasse antes que Gasher e seus amigos pudessem mudá-lo, machucá-lo de forma que o fizesse perder o interesse pelas missões e pelas curiosidades inocentes da pré-adolescência.

A cara sorridente de Gasher surgiu na mente de Roland como a de um demônio ou um gênio de lâmpada: os dentes quebrados, os olhos vazios, as linhas de infecção rastejando pelas faces e espalhando-se por baixo dos tocos de pelos das linhas do queixo. *Se você o machucar*… pensou, e depois forçou-se a afastar o pensamento, porque essa linha era um beco sem saída. Se Gasher machucasse o menino (*Jake*!, insistiu sua mente, com toda a ferocidade. *Não o menino, mas Jake! Jake*!), Roland ia matá-lo, sim. Mas o ato não significaria nada, pois Gasher já era um homem morto.

O pistoleiro encompridou as correias da mochila, maravilhando-se com as inteligentes fivelas que possibilitavam isso, colocou-a nas costas e tornou a levantar-se. Oi virou-se para partir, mas Roland o chamou e o malhado olhou para trás.

— Aqui, Oi.

Roland não sabia se o malhado o entendia (ou se obedeceria se entendesse), mas seria melhor — mais seguro — se ficasse por perto. Onde havia uma armadilha devia haver outras. Da próxima vez, Oi talvez não desse tanta sorte.

— Eique! — ladrou Oi, sem se mexer. O latido agudo era assertivo, mas Roland julgou ver mais verdade sobre como Oi se sentia em seus olhos: estavam turvos de medo.

— Sim, mas é perigoso — disse Roland. — Perto, Oi.

De trás, de onde tinham vindo, veio o baque de uma coisa pesada caindo, provavelmente deslocada pela punitiva vibração dos tambores. Roland via agora os postes de alto-falantes aqui e ali, despontando das ruínas como estranhos animais pescoçudos.

Oi voltou para junto dele e ergueu o olhar, arquejando.

— Fique perto.

— Eique! Eique-Eique!

— Sim. Jake.

Recomeçou a correr, Oi ao lado, mais grudado nele tão bem quanto qualquer cachorro que Roland já vira.

21

Para Eddie, era tudo, como dissera uma vez um sábio, mais um déjà-vu: ele corria com a cadeira de rodas, hora de correr. A praia fora substituída pela rua da Tartaruga, mas de alguma maneira era tudo a mesma coisa novamente. Ah, havia uma diferença importante: agora era uma estação ferroviária (ou um cavalete) que ele buscava, não uma porta solitária.

Susannah sentava-se ereta, os cabelos voando atrás e o revólver de Roland na mão direita, o cano voltado para o céu nublado, de tormenta. Os tambores rufavam e martelavam, esmurrando-os com o barulho. Um objeto gigantesco, em forma de disco, jazia na rua logo à frente, e a mente supertensa de Eddie, talvez influenciada pelos prédios clássicos de cada lado, produziu uma imagem de Júpiter e Thor jogando frisbee. Júpiter joga longe demais e Thor deixa-o cair através das nuvens — que diabos, é Tempo de Farra no Olimpo.

Frisbees dos deuses, pensou, manobrando Susannah por entre dois carros caindo aos pedaços, enferrujados, *que ideia*.

Fez a cadeira subir na calçada para contornar o artefato, que parecia um disco de telecomunicações agora que chegara perto. Ele baixava a cadeira do meio-fio para a rua de novo — a calçada estava abarrotada de tanto lixo que era impossível avançar — quando os tambores cessaram de repente. Os ecos rolaram no novo silêncio, só que não era realmente silêncio, percebeu Eddie. À frente, a entrada em arco de um prédio de mármore erguia-se no cruzamento da rua da Tartaruga com outra avenida. Esse prédio fora tomado por cipós e uma coisa estranhamente verde que parecia barbas de ciprestes, mas ainda era magnífico e mantinha de certa forma sua dignidade. Além dele, depois da curva, uma multidão discutia excitada.

— Não pare — ordenou Susannah. — Nós não temos tempo pra...

Um grito histérico varou a conversa. Foi acompanhado de berros de aprovação, e, incrivelmente, com aplausos como os que Eddie ouvira em hotéis-cassinos de Atlantic City após algum show no palco. O grito foi abafado num longo e agonizante gorgolejo que pareceu o canto de uma cigarra. Eddie sentiu os cabelos da nuca ficarem em posição de sentido. Olhou os corpos pendurados do poste de alto-falante mais próximo e compreendeu que os Pubes farristas de Lud faziam mais uma execução pública.

Maravilha, pensou. *Agora, se tivessem Tony Orlando e Dawn para cantar "Knock Three Times", poderia todos morrer felizes.*

Eddie olhou com curiosidade para a construção de pedra na esquina. Dali de perto, os cipós que a cobriam tinham um forte cheiro de erva. Era forte a ponto de fazer os olhos lacrimejarem mas ele ainda o preferia que o odor adocicado de canela dos cadáveres mumificados. As barbas verdes que brotavam dos cipós caíam em feixes esfrangalhados, criando cascatas de vegetação onde outrora houvera uma série de arcadas. Uma figura saiu de repente aos tropeços de uma dessas cascatas e correu para eles. Era um menino, percebeu Eddie, e mal saído das fraldas, a julgar pelo tamanho. Usava um esquisito traje de Lorde Fauntleroy,* com a camisa branca de gola de rufos e a calça curta de veludo. Tinha fitas nos cabelos. Eddie sentiu uma súbita vontade insana de agitar as mãos acima da cabeça e gritar alguma expressão da época.

— Venham! — gritou o menino, numa voz aguda. Vários fios da coisa verde haviam se embaraçado em seus cabelos; ele os tirava de forma meio distraída com a mão esquerda enquanto corria. — Vão pegar Spankers. Chegou a hora de Spankers ir pra terra dos tambores. Venham, senão vão perder toda a falsificação, malditos sejam!

Susannah estava igualmente espantada com o aparecimento do menino, mas quando ele chegou perto, pareceu-lhe que tinha alguma coisa extremamente estranha e desajeitada no modo como limpava os farelos e

* Personagem de *O pequeno lorde*, novela infantojuvenil de F. H. Burnett tão popular nos séculos XIX e XX que criou a moda do traje fauntleroy para meninos. (N. T.)

galhos de mato presos nos cabelos cheios de fitas: usava apenas uma das mãos. Tinha a outra atrás das costas enquanto corria em meio à cascata verde, e ali ficou.

Que incômodo deve ser isso!, ela pensou, e então uma fita tocou em sua mente e ela ouviu Roland falando no fim da ponte. *Eu sabia que uma coisa dessas podia acontecer... se tivéssemos visto o sujeito antes, quando ainda estávamos longe de seu ovo explosivo... Merda de sorte a nossa!*

Ela mirou o revólver de Roland na criança, que saltara do meio-fio e corria direto para eles.

— Pare aí! — gritou. — Não se mova, você aí!

— Suze, o que está fazendo? — berrou Eddie.

Susannah ignorou-o. De uma maneira bastante real, Susannah Dean nem mais estava ali; era Detta Walker que agora ocupava a cadeira, e os olhos brilhando com febril desconfiança.

— Pare, senão eu atiro!

Era como se o pequeno Fauntleroy fosse surdo, pelo efeito que tivera a advertência dela.

— Vamos logo! — gritou, jubiloso. — Vocês vão perder todo o espetáculo! Spanker vai...

Começou finalmente a trazer a mão direita detrás das costas. Quando o fazia, Eddie percebeu que não olhavam para um menino, mas para um anão deformado cuja infância já passara há muito tempo. A expressão que ele tomara a princípio por alegria infantil era na verdade uma arrepiante mistura de ódio e raiva. O anão tinha as faces e a testa cobertas com as manchas purulentas e descoradas que Roland chamava de flores de puta.

Susannah não chegou a ver o rosto dele. Tinha a atenção fixada na mão direita que surgia, e na esfera verde opaca que segurava. Era tudo o que precisava ver. O revólver de Roland disparou. O anão foi jogado para trás. Um grito agudo de dor e raiva saiu de sua boca quando caiu na calçada. A granada saltou de sua mão e rolou para o arco atrás, do qual ele saíra.

Detta se foi como um sonho, e Susannah olhava do revólver fumegante para a figura minúscula esparramada na calçada, com surpresa, horror e consternação.

— Ah, meu Deus! Eu atirei nele! Eddie, eu atirei nele!

— *Morte*... aos Grays!

O pequeno Fauntleroy tentou gritar desafiadoramente estas palavras, mas elas saíram num gorgolejante arroubo do sangue que encharcava os poucos trechos brancos de sua camisa de rufos. Ouviu-se uma explosão abafada dentro da praça tomada pelo mato do prédio da esquina, e os esfrangalhados tapetes de coisa verde diante dos arcos enfunaram-se como bandeiras num vento forte. Com eles vieram as nuvens de fumaça sufocante, acre. Eddie lançou-se sobre Susannah para protegê-la, e sentiu uma chuva de fragmentos de concreto — todos pequenos, por sorte — bater em suas costas, seu pescoço e no alto da cabeça. Ouviu uma série de estalos à esquerda. Abriu os olhos um pouco, olhou para aquele lado, e viu a cabeça do pequeno Fauntleroy parando de rolar na sarjeta. O anão ainda tinha os olhos abertos, a boca ainda presa no rosnado final.

Agora surgiam outras vozes, algumas gritando, algumas berrando, todas furiosas. Eddie empurrou a cadeira de Susannah — que rolou sobre uma só roda antes de decidir firmar-se nas duas — e olhou na direção em que viera o anão. Uma multidão esfarrapada de cerca de vinte homens e mulheres aparecera, alguns vindos de depois da esquina, outros saindo dos tapetes de folhagem que tapavam os arcos do prédio, materializando-se dos fumos da granada do anão como espíritos malignos. A maioria usava lenços de cabeça azuis, e todos traziam armas — uma variada (e de alguma forma miserável) coleção delas, que incluíam espadas enferrujadas, facas cegas e porretes com espinhos. Eddie viu um homem brandir desafiadoramente um martelo. *Pubes*, pensou. *Nós interrompemos a festa chique deles, e eles estão putos da vida com isso.*

Uma mistura de gritos — *Morte aos Grays! Morte aos dois! Eles mataram Luster, Deus mate os olhos deles!* — ergueu-se desse grupo encantador quando avistaram Susannah na cadeira de rodas e Eddie, agora com um joelho no chão na frente dela. O homem na frente usava um saiote tipo escocês e levava uma cimitarra. Brandiu-a como um louco (teria decapitado a atarracada mulher atrás, se ela não houvesse se abaixado), e atacou. Os outros seguiram, berrando com empolgação.

O revólver de Roland soltou seu fulgente trovão no dia ventoso e nublado, e o alto da cabeça do Pube de saiote voou. A pele descorada da mulher que quase fora decapitada por sua cimitarra foi subitamente salpicada por uma chuva rubra e ela emitiu um ruído de consternação. Os outros passaram por ela e pelo morto, desembestados e com olhos alucinados.

— Eddie! — gritou Susannah, e tornou a atirar. Um homem de capa forrada de seda e botas à altura dos joelhos caiu na rua.

Eddie tateou em busca da Ruger e teve um momento de pânico quando achou tê-la perdido. O cabo da arma escorregara para baixo do cós da calça. Ele pegou-o e puxou com força. A porra da coisa não queria sair. A mira na ponta do cano enganchara-se na cueca.

Susannah disparou três tiros seguidos. Cada um encontrou um alvo, mas os Pubes não reduziram o avanço.

— *Eddie, me ajude!*

Ele rasgou a calça, sentindo-se uma versão fajuta do Super-Homem, e finalmente conseguiu liberar a Ruger. Soltou a trava com a parte de trás da palma da mão esquerda, apoiou o cotovelo na perna pouco acima do joelho e começou a atirar. Não era preciso pensar — nem sequer mirar. Roland dissera a eles que no combate as mãos de um pistoleiro trabalhavam sozinhas, e Eddie agora descobria que era verdade. De qualquer modo, seria difícil até para um cego errar àquela distância. Susannah reduzira o número dos Pubes que atacavam a não mais do que quinze. Eddie cuidou do resto como um vento de tempestade num campo de trigo, derrubando quatro em menos de dois segundos.

Agora a face única da multidão, aquele olhar de vidrada e inconsciente avidez, começava a desmontar-se. O homem do martelo de repente jogou-o fora e correu, capengando nas pernas retorcidas pela artrite. Foi seguido por outros dois. O resto espalhou-se para todos os lados na rua.

— Vamos, seus maricas! — rosnou um homem relativamente jovem. Usava um lenço azul no pescoço, como um corredor de rally. Era careca, a não ser por dois tufos de cabelos ruivos crespos, um de cada lado da cabeça. Para Susannah, o sujeito parecia o palhaço Clarabell; para Eddie, Ronald McDonald; para os dois, representava encrenca. O homem arremessou uma lança de fabricação caseira que podia muito bem ter começado a vida como uma perna de mesa. Caiu inofensiva na rua à direita de Eddie e Susannah.

— Vamos, estou dizendo! A gente pode pegar eles se ficarmos todos jun...

— Foi mal, cara — murmurou Eddie, e deu-lhe um tiro no peito. Clarabell/Ronald cambaleou para trás, levando a mão à camisa. Olhava para Eddie com olhos imensos, que contavam sua história com comovente clareza:

aquilo não deveria acontecer. A mão caiu pesada ao lado do homem. Um único filete de sangue, incrivelmente brilhante no dia cinzento, escorreu do canto de sua boca. Os poucos Pubes restantes fitaram-no em silêncio quando ele deslizou para o chão, e um deles se virou para correr.

— Nem pensar — disse Eddie. — Fique aí meu, meu parceiro, ou vai dar uma boa olhada na clareira onde termina o seu caminho. — Ergueu a voz. — Larguem as armas, meninos e meninas! Todos! Já!

— Você... — murmurou o agonizante. — Você... pistoleiro?

— Isso mesmo — disse Eddie. Os olhos examinavam ferozmente os Pubes restantes.

— Peço o seu... perdão — arquejou o homem de cabelos ruivos crespos, e desabou de cara no chão.

— *Pistoleiros*? — perguntou um dos outros. O tom era de emergente horror e compreensão.

— Bem, você pode ser idiota, mas não é surdo — disse Susannah —, e isso já é alguma coisa.

Gesticulou com o cano do revólver, que Eddie tinha certeza de que estava descarregado. Aliás, quantos tiros podiam restar ainda na Ruger? Ele percebeu que não tinha ideia de quantas balas tinha um pente, e xingou a si mesmo por ser tão idiota... mas acreditara mesmo que a coisa podia chegar àquele ponto? Achava que não.

— Vocês o ouviram, seus babacas. Larguem as armas. Acabou o recreio.

Um por um, eles obedeceram. A mulher com mais ou menos meio litro do sangue do sr. Espada e Saiote na cara disse:

— Não devia ter matado Winston, dona... era o aniversário dele, era mesmo.

— Bem, então eu acho que ele devia ter ficado em casa e comido mais um pouco de bolo — disse Eddie.

Em vista da condição geral da situação, não achava de forma alguma surreal o comentário da mulher nem a sua resposta.

Havia outra mulher entre os Pubes restantes, uma coisinha magrela cujos longos cabelos loiros se soltavam em grandes tufos, como se ela tivesse sarna. Eddie viu-a aproximar-se de mansinho do anão morto — e da potencial proteção dos arcos cobertos de mato atrás — e meteu uma bala no cimento rachado junto ao pé dela. Não tinha ideia do que queria com ela, mas o que não queria era um deles colocando ideias na cabeça dos outros. Para começar, tinha medo do que suas mãos fariam se as pessoas doentias e mal-encaradas à sua frente tentassem fugir. O que seja que a cabeça pensasse daquele negócio de pistoleiro, as mãos haviam descoberto que gostavam muito, obrigado.

— Fique onde está, belezinha. O Guarda Simpático não brinca em serviço. — Olhou para Susannah e perturbou-se com o tom pálido de sua pele. — Suze, você está bem? — perguntou em voz mais baixa.

— Estou.

— Não vai desmaiar ou coisa parecida, vai? Por que…

— Não. — Ela olhou-o com olhos tão sombrios que pareciam grutas. — É só que eu nunca atirei em ninguém antes… tá bem?

Bem, é melhor ir se acostumando, foi o que veio à boca de Eddie. Ele se conteve e voltou a olhar as cinco pessoas que restavam à sua frente. Elas o olhavam, a ele e a Susannah, com aquele medo mal-humorado que ainda assim não era terror.

Porra, a maioria esqueceu o que é o terror, ele pensou. *Alegria, tristeza, amor… tudo a mesma coisa. Acho que eles não sentem mais muito de coisa alguma. Já viveram tempo demais neste purgatório.*

Então se lembrou da risada, dos gritos excitados, dos aplausos e pensou melhor. Pelo menos uma coisa ainda os impulsionava, ainda existia algo que os deixava empolgados. Spanker era prova disso.

— Quem está no comando aí? — perguntou Eddie.

Olhava com muito cuidado o cruzamento atrás do pequeno grupo, para o caso de outros recobrarem a coragem. Até agora não vira nem ouvira nada alarmante daquele lado. Achava que os outros provavelmente haviam deixado aquela turma maltrapilha entregue à própria sorte.

Eles se entreolharam inseguros, e finalmente a mulher com a cara salpicada de sangue falou.

— Era Spanker, mas quando começaram os tambores divinos desta vez, foi a pedra do Spanker que saiu do chapéu e a gente pôs ele para dançar. Acho que Winston era o próximo, mas você o matou com seu revólver podre, matou, sim.

Ela limpou deliberadamente o sangue da cara, olhou para ele em suas mãos e retornou o olhar mal-encarado para Eddie.

— Bem, o que você acha que Winston estava tentando me fazer com sua lança podre? — perguntou Eddie. Estava enojado por descobrir que a mulher na verdade o fizera sentir-se culpado pelo que fizera. — Aparar minhas costeletas?

— Matou Frank e Luster também — ela prosseguiu, obstinada —, e o que são vocês? Ou Grays, o que é ruim, ou dois forasteiros podres, o que é pior. Quem restou para os Pubes no norte da cidade? Topsy, eu acho... o marujo Topsy... mas ele não está aqui. Pegou seu barco e desceu rio abaixo, é, desceu mesmo, e que Deus o apodreça também, é o que eu digo!

Susannah parara de escutar; tinha a mente fixa, com horrível fascinação, em algo que a mulher dissera antes. Foi a pedra do Spanker que saiu do chapéu e a gente pôs ele para dançar. Lembrara-se que lera o conto de Shirley Jackson, "A loteria", na faculdade e compreendia que aquela gente, os degenerados descendentes dos Pubes originais, estava vivendo o pesadelo de Shirley. Não admirava que não fossem capazes de qualquer emoção intensa, quando sabiam que teriam de participar de um jogo tão horrendo não uma vez por ano, como no conto, mas duas ou três vezes todo dia.

— Por quê? — perguntou Susannah à mulher ensanguentada com voz rouca, horrorizada. — Por que fazem isso?

A mulher olhou-a como se ela fosse a maior idiota do mundo.

— Por quê? Para que os fantasmas que moram dentro das máquinas não tomem os corpos dos que morreram aqui... tanto dos Pubes quanto dos Grays... e os mandem pelos buracos das ruas para nos comerem. Qualquer imbecil sabe disso.

— Não existem fantasmas — disse Susannah, e sua voz soou como mais uma maluquice sem sentido aos ouvidos deles. Claro que existiam. Naquele mundo, havia fantasmas por toda parte. Mesmo assim, ela insistiu. — O que vocês chamam de tambores divinos não passa de uma fita cassete emperrada numa máquina. É só isso. — Veio-lhe uma súbita inspiração e ela acrescentou: — Ou talvez os Grays estejam fazendo isso de propósito... já pensaram a respeito? Eles vivem na outra parte da cidade, não vivem? E debaixo dela, também. Sempre quiseram expulsar vocês. Talvez eles apenas tenham descoberto uma maneira realmente eficiente de levá-los a fazerem o trabalho por eles.

A mulher suja de sangue estava ao lado de um velho que usava o que parecia ser o mais velho chapéu-coco do mundo e um calção cáqui. Ele se adiantou e falou a Susannah com uma pátina de boa educação que transformava o desprezo por baixo do que dizia numa adaga de gumes afiados como navalhas.

— A senhora está bastante enganada, dona Pistoleira. Há muitas máquinas sob Lud, e há fantasmas em todas elas... espíritos demoníacos que só nutrem má vontade para com os homens e as mulheres mortais. Esses fantasmas-demônios são *muito* capazes de ressuscitar os mortos... e em Lud há muitos mortos para ressuscitar.

— Escute — disse Eddie. — Você já viu um desses zumbis com seus próprios olhos, Jeeves.* *Algum* de vocês já viu?

Jeeves franziu os lábios e não disse nada — mas os lábios franzidos já diziam tudo. O que mais se poderia esperar, perguntavam, de forasteiros que usavam armas como substitutos para entendimento?

Eddie concluiu que era melhor encerrar a discussão. Nunca tivera muito jeito para trabalho missionário de qualquer maneira. Apontou a Ruger para a mulher suja de sangue.

— Você e seu amigo aí... o que parece um mordomo inglês em dia de folga... vão nos levar à estação ferroviária. Depois disso, podemos todos dizer adeus, e eu posso afirmar: pra mim vai ser uma ótima.

— Estação ferroviária? — perguntou o sujeito que parecia Jeeves. — O que é uma estação ferroviária?

— Leve a gente até o berço — disse Susannah. — Leve a gente a Blaine.

Isso finalmente abalou Jeeves; uma expressão de horror substituiu o desprezo blasé com que ele os tratara até então.

— Vocês não podem ir lá! — gritou. — O berço é território proibido, e Blaine é a mais perigosa de todas as almas de Lud.

Território proibido?, pensou Eddie. Sensacional. *Se isso é verdade, poderemos parar de nos preocupar com vocês babacas.* Também era bom saber que havia um Blaine... ou que aquelas pessoas pensavam que havia, de qualquer modo.

* Esperto mordomo inglês que protagoniza vários romances humorísticos de P. G. Wodehouse. (N. T.)

Os outros fitavam Eddie e Susannah com expressões de espanto chocado; era como se os intrusos houvessem sugerido a um bando de cristãos convertidos que procurassem a arca de Noé e a transformassem num banheiro público.

Eddie ergueu a Ruger até ter o centro da testa de Jeeves na mira.

— Nós vamos — disse ele —, e se você não quer ir se juntar a seus ancestrais agora mesmo, sugiro que pare de fazer corpo mole e nos leve até lá.

Jeeves e a mulher suja de sangue trocaram um olhar incerto, mas quando o sujeito de chapéu-coco tornou a olhar para Eddie e Susannah, tinha o rosto firme e decidido.

— Atire na gente se quiser — disse ele. — Preferimos morrer aqui do que lá.

— Vocês são um bando de filhos da puta com a morte no cérebro! — gritou Susannah. — *Ninguém* precisa morrer! Só nos levem aonde queremos ir, pelo amor de Deus!

A mulher disse, com um ar sombrio:

— Mas *é* morte entrar no berço de Blaine, dona, é mesmo. Pois ele está dormindo, e quem perturbar seu descanso tem que pagar um preço muito alto.

— Vamos lá, querida — cortou Eddie. — Você não pode sentir o cheiro do café com a cabeça enfiada no rabo.

— Não sei o que isso quer dizer — ela disse, com uma curiosa e perplexa dignidade.

— Significa que vocês podem nos levar ao berço e arriscar a ira de Blaine, ou podem se manter firmes aqui e sentir a ira de Eddie. Não precisa ser um tiro na cabeça. Eu posso pegar um de cada vez, e estou me sentindo cruel o suficiente para fazer isso. Estou tendo um dia muito ruim na cidade de vocês… a música é uma merda, todo mundo tem um sério problema de cecê, e o primeiro cara que a gente viu nos jogou uma granada e sequestrou nosso amigo. Então, o que dizem?

— Em primeiro lugar, por que vocês querem ir procurar Blaine? — perguntou um dos outros. — Há anos que ele não se mexe mais no berço. Ele até parou de falar com suas muitas vozes e de rir.

Falar com suas muitas vozes e de rir?, pensou Eddie. Olhou para Susannah. Ela o olhou de volta e deu de ombros.

— Ardis foi o último a chegar perto de Blaine — disse a mulher suja de sangue.

Jeeves assentiu com ar sombrio.

— Ardis sempre foi um tolo quando bebia. Blaine fez uma pergunta a ele. Eu ouvi, mas não fez sentido para mim… alguma coisa sobre a mãe dos corvos, eu acho… e quando Ardis não soube responder, Blaine o matou com o fogo azul.

— Eletricidade? — perguntou Eddie.

Jeeves e a mulher suja de sangue assentiram.

— Sim — disse a mulher. — Eletricidade, como diziam nos velhos tempos, foi.

— Vocês não precisam ir com a gente — sugeriu de repente Susannah. — Só nos levem até onde possamos avistar o lugar. Seguiremos sozinhos o resto do caminho.

A mulher olhou-a desconfiada, depois Jeeves puxou-lhe a cabeça para junto dos lábios e murmurou em seu ouvido um instante. Os outros Pubes estavam atrás deles numa linha irregular, olhando para Eddie e Susannah com os olhos atordoados de pessoas que sobreviveram a um grave ataque aéreo.

Por fim a mulher olhou em volta.

— Sim — disse. — Nós vamos levar vocês ao berço, e depois, passar bem.

— Exatamente o que eu estava pensando — disse Eddie. — Você e Jeeves. O resto, se mandem. — Varreu-os com os olhos. — Mas lembrem-se do seguinte: uma lança jogada dos arbustos, uma flecha, um tijolo, e estes dois morrem.

Esta ameaça soou tão fraca e sem sentido que ele desejou não tê-la feito. Como podiam eles se importarem com aqueles dois, com qualquer um dos membros individuais de seu clã, quando matavam dois ou mais deles todo dia? Bem, ele pensou, vendo os outros se afastarem sem sequer um olhar para trás, era tarde demais para se preocupar com isso agora.

— Vamos — disse a mulher. — Quero me ver livre de vocês.

— O sentimento é mútuo — respondeu Eddie.

Mas antes que ela e Jeeves começassem a guiá-los, a mulher fez algo que fez Eddie arrepender-se um pouco de seus maus pensamentos: ajoelhou-

-se, afastou os cabelos do rosto do homem de saiote e deu um beijo em sua face suja.

— Adeus, Winston — disse. — Espere por mim onde as árvores se abrem e a água é doce. Eu irei para você, tão certo quanto o amanhecer faz as sombras correrem para o oeste.

— Eu não queria matá-lo — disse Susannah. — Quero que saiba disso. Mas queria ainda menos morrer.

— Sim. — O rosto que se voltou para Susannah era severo e sem lágrimas. — Mas se pretende entrar no berço de Blaine, vai morrer mesmo assim. E as chances são de que morra invejando o pobre e velho Winston. Ele é cruel, esse Blaine. O mais cruel de todos os demônios neste lugar cruel.

— Vamos, Maud — disse Jeeves, e ajudou-a a levantar-se.

— Sim. Vamos nos livrar deles. — Ela tornou a examinar Susannah e Eddie, os olhos severos, mas de algum modo confusos. — Deus amaldiçoe meus olhos por algum dia terem visto vocês dois. E os deuses amaldiçoem as armas que vocês carregam também, pois elas foram sempre a mola mestra dos nossos problemas.

E com essa atitude, pensou Susannah, *seus problemas vão durar pelo menos mais mil anos, doçura.*

Maud marchou com passo rápido pela rua da Tartaruga, Jeeves logo atrás. Eddie, que empurrava Susannah na cadeira de rodas, logo estava arquejando e se esforçando para acompanhá-los. Os prédios palacianos aos lados do caminho espalharam-se até parecerem casas de campo cobertas de hera em imensos gramados descuidados, e Eddie compreendeu que haviam entrado no que fora um dia um bairro de luxo. À frente deles, um prédio assomava acima de todos os outros. Era uma construção quadrada enganosamente simples de pedra branca, o telhado em beiral sustentado por muitas colunas. Eddie lembrou-se novamente dos filmes de gladiadores de que tanto gostava quando criança. Susannah, educada em escolas mais formais, lembrou-se do Partenon. Os dois viam e maravilhavam-se com o bestiário de magnífica escultura — Urso e Tartaruga, Peixe e Rato, Cavalo e Cachorro — que cercava o topo do prédio num desfile aos pares, e compreenderam que era o lugar que tinham vindo procurar.

A incômoda sensação de que eram observados por muitos olhos — olhos cheios igualmente de ódio e espanto — não os deixava. O trovão reboou quando avistaram o monotrilho; como a tempestade, o trilho vinha do norte, juntava-se à rua da Tartaruga e seguia direto para o Berço de Lud. E ao se aproximarem, corpos antigos se puseram a contorcer-se e dançar no vento cada vez mais forte dos dois lados deles.

22

Após terem corrido sabe Deus quanto tempo (Jake tinha certeza apenas de que os tambores haviam parado de novo), Gasher mais uma vez o deteve com um puxão. Desta vez Jake conseguiu continuar de pé. Adquirira um segundo fôlego. Gasher, que jamais faria onze anos de novo, não conseguira.

— Ôôô! Minha velha bomba está falhando, doçura.

— Que pena — disse Jake sem emoção, cambaleando em seguida para a frente quando a mão deformada de Gasher lhe atingiu o lado do rosto.

— Ééé, você ia acabar de se chorar se eu caísse morto aqui mesmo, não ia? Até parece! Mas não vai ter essa sorte, meu lindo pirralhinho: o velho Gasher viu muita gente chegar e partir, e eu não nasci para cair morto aos pés de nenhuma belezinha como você.

Jake escutou impassível essas baboseiras. Pretendia ver Gasher morto antes que o dia acabasse. Ele podia levá-lo consigo, mas Jake não ligava mais para isso. Enxugou o sangue do lábio recém-ferido e olhou-o pensativo, admirado com a rapidez com que o desejo de cometer um assassinato podia invadir e conquistar o coração humano.

Gasher observou-o olhando os dedos ensanguentados e deu um risinho.

— A seiva está correndo, hein? Esta também não será a última vez que o bom e velho Gasher vai te bater, a não ser que você fique esperto; a não ser que você fique bem esperto mesmo.

Apontou para a superfície de pedra do estreito beco que eles percorriam agora. Havia ali uma enferrujada tampa de bueiro e Jake percebeu que há não muito tempo que vira as palavras gravadas no aço: FUNDIÇÃO LAMERK.

— Tem uma alça do lado — disse Gasher. — Está vendo? Meta as mãos nela e puxe fora. Ande logo, e talvez ainda tenha os dentes quando se encontrar com Tique-taque.

Jake agarrou a tampa de aço e puxou. Puxou com força, mas não tanto quanto poderia. O labirinto de ruas e becos pelo qual Gasher o conduzira era ruim, mas pelo menos ele podia ver. Não conseguia nem imaginar como seria no subterrâneo abaixo da cidade, onde a escuridão acabaria com qualquer esperança de fuga, e ele não pretendia descobrir, a menos que fosse absolutamente necessário.

Gasher logo deixou claro que seria.

— É pesado demais para… — começou Jake, e o pirata agarrou-o pela garganta e puxou-o para cima até ficarem cara a cara.

A longa corrida pelos becos havia deixado um discreto e suarento rubor nas faces de Gasher e transformado as feridas que lhe comiam a carne numa feia cor roxo-amarelada. Elas supuravam matéria infectada e fios de sangue em pulsações constantes. Jake pegou uma lufada do denso fedor de Gasher antes que seu fôlego fosse cortado pela mão que apertava a sua garganta.

— Escute, seu merdinha idiota, e escute bem, já que este é o último aviso. Ou você puxa essa porra de tampa de bueiro agora mesmo ou eu enfio a mão na sua boca e arranco sua língua. E fique à vontade para morder o quanto puder, porque eu tenho germes no sangue e você verá as primeiras flores na sua própria cara antes do fim da semana… se viver o suficiente para isso. Agora, está entendendo?

Jake assentiu freneticamente. O rosto de Gasher desaparecia no cinza que tomava a sua visão, e a voz parecia vir de uma grande distância.

— Ótimo. — Gasher empurrou-o para trás.

Jake caiu ao lado da tampa do bueiro, engasgando-se e tendo ânsias de vômito. Finalmente conseguiu dar uma inspiração profunda que queimou como fogo líquido. Cuspiu uma massa salpicada de sangue e quase vomitou ao vê-la.

— Agora tire essa tampa, delícia do meu coração, e não falemos mais disso.

Jake rastejou até a tampa, enfiou a mão na alça, e desta vez puxou com toda a força. Por um horrível momento, pensou que ainda não ia conseguir movê-la. Então imaginou Gasher enfiando os dedos em sua boca e pegando a língua, e encontrou um pouco mais de força. Sentiu uma agonia silenciosa espalhando-se pelas costas quando alguma coisa cedeu ali, mas a tampa circular escorregou devagar para o lado, arranhando as pedras e revelando um crescente de escuridão.

— Boa, belezinha, boa — gritou Gasher alegremente. — Que mulazinha é você! Continue puxando... não desista agora!

Quando o crescente se tornou uma meia-lua e a dor na lombar de Jake estava em brasa, Gasher deu-lhe um pontapé no rabo, fazendo-o se estatelar.

— Muito bom! — disse Gasher, olhando para dentro. — Agora, belezoca, desça a escada do lado. Cuidado para não soltar os degraus e cair até o fundo; esses degraus são muito escorregadios e gordurosos. São mais ou menos vinte, pelo que me lembro. E quando chegar ao fundo, fique paradinho e espere por mim. Talvez você queira fugir do seu bom e velho companheiro, mas acha que isso seria uma boa ideia?

— Não — disse ele. — Acho que não.

— Muito inteligente, filho! — Gasher arreganhou os lábios em seu horrendo sorriso, revelando mais uma vez os dentes remanescentes. — É escuro lá embaixo, e há mil túneis para todos os lados. Seu velho companheiro Gasher os conhece como a palma da mão, mas você se perderia logo. Depois tem os ratos... muito grandes e famintos. Por isso, apenas espere.

— Vou esperar.

Gasher olhou-o atentamente.

— Você fala como um dos nossos, fala, sim, mas não é nenhum Pube... eu aposto que não. De onde você vem, pirralho?

Jake não disse nada.

— O malhado comeu a sua língua, foi? Bem, está tudo bem; Tique-taque vai tirar tudo de você, vai, sim. Ele tem um jeito, tem, sim; faz com que as pessoas tenham vontade de falar. Uma vez que os coloca pra falar, eles às vezes falam tão depressa e gritam tão alto que alguém tem que bater na cabeça deles para fazê-los ir mais devagar. Os malhados não podem segurar a língua de ninguém na presença do Tique-taque, nem mesmo de belos jovenzinhos como você. Agora desça a porra dessa escada. Ande!

Ele o chutou. Desta vez Jake conseguiu esquivar-se e evitar o golpe. Olhou para o bueiro meio aberto, viu a escada e começou a descer. Havia chegado à altura do peito quando um tremendo barulho de pedra caindo martelou o ar. Vinha de mais um ou menos um quilômetro de distância, mas Jake sabia o que era sem que lhe dissessem. Um grito de pura infelicidade escapou de seus lábios.

Um sorriso sombrio esticou os cantos da boca de Gasher.

— Seu amigo durão o seguiu um pouco melhor do que você pensava, não foi? Mas não melhor do que *eu* pensava, belezoca, pois eu dei uma olhada nos olhos dele… muito atrevidos e astutos. Achei que ele viria atrás dessa gostosa costelinha com sede demais, se viesse, e foi o que ele fez. Ele viu os fios da armadilha, mas a fonte o pegou, então está *tudo* certo. Vamos, belezoca.

Mirou um pontapé na cabeça de Jake. Jake evitou-o, mas um pé escorregou no degrau da escada pregada no lado do poço de esgoto e ele só se salvou de cair agarrando o tornozelo cheio de feridas de Gasher. Olhou para cima, suplicando, e não viu nenhum sentimento amistoso na agonizante cara infectada.

— Por favor — disse, e ouviu a palavra tentando desfazer-se num soluço. Continuava vendo Roland esmagado debaixo da enorme fonte. O que dissera Gasher? Se alguém o quisesse, teria que pegá-lo com um mata-borrão.

— Implore se quiser, coração querido. Só não espere que disso resulte algum bem, pois a piedade morre neste lado da ponte, morre, sim. Agora desça, ou eu dou uma bicuda que vai fazer a porra do seu cérebro sair pela porra dos seus malditos ouvidos.

Então Jake desceu, e quando chegou à água parada no fundo a vontade de chorar já passara. Ele esperou, os ombros caídos e a cabeça baixa, que Gasher descesse e o conduzisse ao seu destino.

23

Roland chegara perto de tropeçar nos fios cruzados que continham a avalanche de lixo, mas a fonte suspensa era ridícula — uma armadilha que poderia ter sido montada por uma criança idiota. Cort o ensinara a verificar constantemente todos os quadrantes visuais quando andavam em território inimigo, e isso incluía tanto acima quanto abaixo e atrás.

— Pare — ele disse a Oi, erguendo a voz para ser ouvida acima dos tambores.

— Are! — concordou Oi, e olhou à frente e logo acrescentou: — Eique!

— Sim.

O pistoleiro deu outra olhada à fonte de mármore suspensa, depois examinou a rua, em busca do disparador. Viu que havia dois. Talvez a camuflagem deles como pedras de calçamento houvesse um dia sido eficaz, mas esse tempo passara há muito. Roland curvou-se, mãos nos joelhos, e falou para a cara de Oi voltada para cima.

— Vou pegar você por um instante. Não crie caso, Oi.

— Oi!

Roland passou os braços pelo malhado. A princípio Oi se enrijeceu e tentou escapar, e então Roland sentiu o animalzinho ceder. Não gostava de estar tão perto de alguém que não era Jake, mas era visível que pretendia aceitar. Roland pegou-se imaginando de novo o quanto Oi era inteligente.

Carregou-o pela estreita passagem e por baixo da Fonte Suspensa de Lud, passando com cuidado pelas falsas pedras. Assim que se achavam seguros do outro lado, ele se curvou para soltar Oi. Ao fazê-lo, os tambores pararam.

— Eique! — disse Oi impaciente. — Eique-Eique!

— Sim... mas precisamos cuidar de um negocinho antes.

Levou Oi uns quinze metros adiante no beco, depois se curvou e pegou uma lasca de concreto. Passou-o pensativo de uma das mãos para a outra, e ao fazer isso ouviu o barulho de um tiro de pistola vindo do leste. O amplificado bater dos tambores havia abafado o barulho da batalha de Susannah e Eddie com o esfarrapado bando de Pubes, mas ele ouviu nitidamente esse tiro e sorriu — significava quase certamente que os Dean haviam chegado ao berço, e esta era a primeira boa notícia do dia, que já parecia durar no mínimo uma semana.

Roland voltou-se e jogou o pedaço de concreto. A mira foi tão precisa como quando atirara no antigo sinal de trânsito em River Crossing: o míssil bateu bem no centro de um dos disparadores descorados, e um dos cabos enferrujados se partiu com um áspero tinido. A fonte de mármore caiu, girando quando o outro cabo a segurou por um instante — o bastante para que um homem de reflexos rápidos deixasse a zona da queda, calculou Roland. Depois também esse se partiu, e a fonte caiu como uma pedra cor-de-rosa deformada.

Roland caiu atrás de um monte de cabos de aço enferrujados e Oi saltou agilmente em seu colo quando a fonte bateu com um baque imenso de despedaçamento. Pedaços de mármore cor-de-rosa, alguns do tamanho de carros, voaram pelos ares. Várias lascas pequenas atingiram o rosto de

Roland. Ele espanou outras do pelo de Oi. Olhou por cima da improvisada barricada. A fonte rachara-se em duas como um imenso prato. *Não vamos voltar por aqui*, pensou Roland. A passagem, que já era estreita, estava agora completamente bloqueada.

Ele imaginou se Jake ouvira a queda da fonte, e o que deduzira se ouvira. Não perdeu tempo especulando em relação a Gasher; este pensaria que ele fora esmagado, exatamente o que Roland queria que pensasse. Acharia Jake a mesma coisa? O menino devia saber que um pistoleiro não poderia ser morto por um mecanismo tão simples, mas se Gasher o aterrorizara o suficiente, ele talvez não estivesse pensando com tanta clareza. Bem, era tarde demais para se preocupar com isso agora, e se Roland tivesse de fazê-lo de novo, faria exatamente o mesmo. Morrendo ou não, Gasher demonstrara coragem e astúcia animal. Se tivesse agora com a guarda abaixada, o truque valera a pena.

Roland levantou-se.

— Oi… encontre Jake.

— Eique!

Oi esticou a cabeça para frente com o seu longo pescoço, farejou em volta num semicírculo, pegou o faro de Jake e tornou a partir, com Roland correndo atrás. Dez minutos depois, parou numa tampa de bueiro na rua, farejou em toda a sua volta; depois ergueu o olhar para Roland e deu um latido agudo.

O pistoleiro caiu sobre um dos joelhos e observou a mistura de pegadas e uma larga trilha de arranhões nas pedras. Achou que aquela tampa de bueiro já havia sido movida muitas vezes. Estreitou os olhos ao ver a massa de fleuma ensanguentada numa fenda entre duas pedras próximas.

— O escroto continua batendo nele — murmurou.

Puxou a tampa do bueiro, olhou para dentro, desatou as tiras de couro cru que fechavam sua camisa. Pegou o malhado e enfiou-o dentro da camisa. Oi arreganhou os dentes, e por um momento Roland sentiu suas garras se espalharem sobre a pele de seu peito e sua barriga como facas afiadas. Depois elas se recolheram, e Oi apenas espiou para fora da camisa de Roland com seus olhos brilhantes, arquejando como uma máquina a vapor. O pistoleiro sentia o rápido bater do coração de Oi contra o seu. Puxou os laços de couro cru das casas na camisa e pegou outro laço mais comprido na bolsa.

— Eu vou colocar uma correia em você. Não gosto disso e você vai gostar ainda menos, mas vai estar muito escuro lá embaixo.

Amarrou os dois pedaços de couro cru e fez um laço na ponta, que passou pela cabeça de Oi. Esperava que Oi tornasse a arreganhar os dentes, talvez até mesmo mordê-lo, mas não o fez. Apenas ergueu para Roland os olhos cercados de dourado e repetiu "Eique!", com sua voz impaciente.

Roland colocou a outra ponta da improvisada correia na boca e sentou-se na borda do buraco de esgoto... se é que aquilo era um esgoto. Tateou em busca do primeiro degrau da escada e encontrou-o. Desceu devagar e com cuidado, mais consciente do que nunca de que não tinha meia mão e que os degraus de aço estavam escorregadios com óleo e uma coisa mais densa, provavelmente musgo. Oi era um peso quente entre a camisa e a barriga, arquejando constante e asperamente. Os círculos dourados de seus olhos brilhavam como medalhões na luz fraca.

Finalmente, o pé tateante do pistoleiro bateu na água do fundo do poço. Ele deu uma breve olhada no canto de luz branca muito acima. *Aqui é que começa a ficar complicado*, pensou. O túnel era quente e úmido, e tinha um cheiro de antigo matadouro. Em algum ponto próximo, água pingava com um barulho oco e monótono. Mais longe, Roland ouvia o rumor de máquinas. Tirou o muito agradecido Oi de dentro da camisa e o depositou no chão na água rasa que corria gosmenta pelo túnel do esgoto.

— Agora é com você — murmurou na orelha do malhado. — Atrás de Jake, Oi! Atrás de Jake!

— Eique! — latiu o malhado, e saiu chapinhando rápido na escuridão, balançando a cabeça de um lado para outro no fim do longo pescoço como um pêndulo. Roland seguiu-o com a ponta da correia de couro cru enrolada em torno da meia mão.

24

O Berço — era grande o suficiente para adquirir status de nome próprio na mente deles — ficava no centro de uma praça cinco vezes maior do que aquela onde haviam encontrado a estátua destruída, e quando deu uma boa olhada nele, Susannah compreendeu o quanto o resto de Lud era velho, cinzento e fundamentalmente dilapidado. O Berço era tão limpo que quase doía nos olhos. Nenhum cipó cobria suas laterais nem pichações sujavam as paredes ofuscantes, os degraus e as colunas brancos. A poeira amarela das planícies que cobria tudo o mais estava ausente ali. Quando se aproximaram, Susannah viu o motivo: fios de água escorriam sem parar pelos lados do Berço, saindo de mangueiras ocultas nas sombras dos beirais forrados de cobre. Borrifos a intervalos criados por outras mangueiras ocultas lavavam os degraus, transformando-os em cascatas.

— Nossa! — disse Eddie. — Isso faz a Grand Central Station parecer uma rodoviária da Greyhound no Cu do Mundo, Nevada.

— Que poeta é você, querido — disse secamente Susannah.

Os degraus cercavam todo o prédio e se erguiam até um saguão aberto. Não havia tapetes de vegetação para obscurecê-los, mas Eddie e Susannah descobriram que ainda assim não conseguiam dar uma boa olhada dentro; as sombras lançadas pelo teto suspenso eram profundas demais. Os Totens do Feixe rodeavam toda a volta do prédio, de dois em dois, mas as quinas eram reservadas a criaturas que Susannah esperava intensamente jamais encontrar fora de um pesadelo — hediondos dragões de pedra com corpos cobertos de escamas, patas com garras e perversos olhos espreitadores.

Eddie tocou no ombro dela e apontou para mais alto. Susannah olhou... e sentiu a respiração prender na garganta. De pé escarranchado no cume do telhado, muito acima dos Totens do Feixe e das gárgulas draconianas, havia um guerreiro dourado de pelo menos dezoito metros. Um chapéu de caubói gasto, jogado para trás, revelava a testa enrugada e preocupada; um lenço pendia torto no peito, como se acabasse de ser puxado após cumprir o longo e difícil dever de proteção contra a poeira. Numa das mãos erguidas, ele segurava um revólver; na outra, o que parecia um ramo de oliveira.

Roland de Gilead estava no topo do Berço de Lud, vestido de ouro.

Não, ela pensou, lembrando-se finalmente de voltar a respirar. *Não é ele, mas de certa forma, é. Esse homem era um pistoleiro, e a semelhança entre ele, que deve estar morto há mil anos ou mais, e Roland é toda a verdade do ka-tet que jamais precisará saber.*

O trovão ribombou no sul. Relâmpagos perseguiram nuvens em disparada no céu. Ela desejou ter mais tempo para examinar a estátua dourada acima do Berço e os animais que a cercavam; cada um destes parecia ter palavras talhadas, e ela tinha uma ideia de que o que estava escrito ali poderia ser um conhecimento que valia a pena obter. Naquelas circunstâncias, porém, não havia tempo a perder.

Uma larga faixa vermelha fora pintada no pavimento, no ponto onde a rua da Tartaruga desembocava na praça do Berço. Maud e o sujeito que Eddie chamava de Mordomo Jeeves pararam a uma prudente distância da marca vermelha.

— Até aqui e não mais — disse Maud decidida. — Vocês podem nos conduzir à nossa morte, mas todo homem e toda mulher devem uma aos deuses mesmo, e eu morrerei deste lado da linha aconteça o que acontecer. Não vou desafiar Blaine por causa de forasteiros.

— Nem eu — disse Jeeves. Ele tirara o seu empoeirado chapéu-coco e segurava-o contra o peito nu. Tinha no rosto uma expressão de medrosa reverência.

— Ótimo — disse Susannah. — Agora deem o fora daqui, os dois.

— Você atirará nas costas da gente assim que nos virarmos — disse Jeeves com voz trêmula. — Aposto que sim, aposto mesmo.

Maud balançou a cabeça. O sangue em seu rosto secara numa grotesca crosta marrom.

— Nenhum pistoleiro jamais atirou pelas costas... isso *eu* posso garantir.

— Nós temos apenas a palavra *deles* de que é isso que eles são.

Maud apontou o grande revólver com o gasto cabo de sândalo que Susannah segurava na mão. Jeeves olhou... e após um instante estendeu a mão para a mulher. Quando Maud a tomou, a imagem que Susannah tinha deles como perigosos assassinos desabou. Pareciam mais Joãozinho e Maria do que Bonnie e Clyde; cansados, assustados, confusos e perdidos tanto tempo na floresta que haviam envelhecido lá. O medo e o ódio que tinha deles se foram. O que os substituiu foi pena e uma profunda e dolorida tristeza.

— Passem bem vocês dois — ela disse em voz baixa. — Andem como quiserem, e não temam mal algum de mim ou do meu homem aqui.

Maud balançou a cabeça.

— Eu acredito que não querem nos fazer mal, e perdoo por terem atirado em Winston. Mas me escutem, e escutem bem: *fiquem longe do Berço*. Quaisquer que sejam os motivos que tenham para entrar, não são bons o suficiente. Entrar no Berço de Blaine significa morte.

— Nós não temos escolha — disse Eddie, e o trovão ressoou novamente, como que em concordância. — Agora deixe que *eu* diga uma coisa a vocês. Eu não sei o que há por baixo de Lud, e o que não há, mas sei que esses tambores de que vocês tanto falam são parte de uma gravação... uma *música*... feita no mundo de onde eu e minha esposa viemos. — Olhou os rostos confusos deles e ergueu os braços em frustração. — Jesus do céu, será que vocês não entendem? Vocês estão se matando uns aos outros por um trecho de uma música que nem mesmo foi um single.

Susannah colocou a mão no ombro dele e sussurrou seu nome. Ele a ignorou no momento, os olhos indo de Jeeves a Maud e de volta a Jeeves.

— Querem ver monstros? Deem uma boa olhada um no outro então. E quando voltarem a qualquer parque de diversão que chamem de casa, deem uma boa olhada nos seus amigos e parentes.

— Você não entende — disse Maud. Tinha os olhos escuros e sombrios. — Mas vão entender. É, vão, sim.

— Agora vão — disse Susannah em voz baixa. — A conversa entre nós não adianta; as palavras são inúteis. Sigam seu caminho e tentem lembrar os rostos de seus pais, pois eu creio que deixaram de ver esses rostos há muito tempo.

Os dois afastaram-se para o lado de onde tinham vindo sem mais uma palavra. Olhavam para trás de vez em quando, porém, e ainda tinham as mãos dadas. Joãozinho e Maria perdidos nas profundezas da floresta sombria.

— Eu só quero dar o fora daqui — disse Eddie, com voz tensa. Passou a trava na Ruger, enfiou-a no cós da calça e esfregou os olhos injetados com a parte de trás das palmas das mãos. — Só quero dar o fora daqui, é tudo o que eu peço.

— Eu sei o que você quer dizer, bonitão.

Ela estava visivelmente assustada, mas a cabeça tinha aquela inclinação desafiadora que ele passara a reconhecer e amar. Eddie colocou as mãos nos ombros dela, curvou-se e beijou-a. Não deixou que o ambiente nem a tempestade iminente o impedissem de fazer um serviço completo. Quando se afastou por fim, ela o examinava com olhos arregalados e brilhantes.

— Nossa! O que foi isso?

— Foi que estou apaixonado por você — ele disse — e acho que é só isso. Não é o suficiente?

Os olhos dela suavizaram-se. Por um momento, ela pensou em contar-lhe o segredo que podia ou não estar guardando, mas lógico que não eram nem a hora nem o lugar certos — não podia lhe dizer que talvez estivesse grávida, da mesma forma que não conseguira parar para ler as palavras escritas no Portal dos Totens.

— É o suficiente, Eddie — disse ela.

— Você é a melhor coisa que já me aconteceu. — Os seus olhos cor de avelã estavam totalmente concentrados nos dela. — Para mim, é difícil dizer essas coisas... a vida com Henry tornou isso difícil, eu acho... mas é verdade. Penso que comecei a amar você porque você representava tudo que Roland tirou de mim... em Nova York, quer dizer... mas é muito mais do que isso agora, porque eu não quero voltar mais. Você quer?

Ela olhou para o Berço. Estava aterrorizada com o que poderiam encontrar lá dentro, mas, mesmo assim... olhou-o de volta.

— Não, eu não quero voltar. Quero passar o resto da minha vida indo em frente. Desde que você esteja comigo, quer dizer. É engraçado, sabe, você dizer que começou a me amar por causa de tudo que Roland tirou de você.

— Engraçado como?

— Comecei a amar você porque você me libertou de Detta Walker. — Ela parou, pensou e depois balançou levemente a cabeça. — Não... vai além disso. Eu comecei a amar você porque você me libertou daquelas *duas* escrotas. Uma era uma desbocada, uma ladra maliciosa, e a outra uma presunçosa, pomposa. O que significa seis de uma e meia dúzia de outra, no que me diz respeito. Eu gosto mais de Susannah Dean do que de qualquer uma delas... e foi você que me libertou.

Desta vez foi ela que estendeu as mãos, apertou as palmas nas faces barbudas dele, puxando-o para baixo, e o beijou delicadamente. Quando ele levou a mão direita a um dos seios dela, ela suspirou e cobriu-a com a sua.

— Acho que é melhor irmos andando — disse ela —, senão vamos ficar aqui na rua... e ficando molhados, ao que parece.

Eddie olhou uma última vez as torres silenciosas, as janelas quebradas, as paredes cobertas de cipós em volta. Depois balançou a cabeça.

— É. Acho que não há futuro nesta cidade.

Empurrou-a em frente, e os dois ficaram tensos quando as rodas da cadeira passaram pelo que Maud chamara de linha da morte, com medo de tropeçarem em algum velho mecanismo de proteção e morrerem juntos. Mas nada aconteceu. Eddie empurrou-a para a praça, e quando se aproximaram dos degraus que levavam ao Berço, uma chuva fria açoitada pelo vento começou a cair.

Embora nenhum dos dois o soubesse, chegara a primeira das grandes tempestades de outono do Mundo Médio.

25

Assim que estavam na fedorenta escuridão dos esgotos, Gasher diminuiu o ritmo letal que mantivera na superfície. Jake achava que não era por causa da escuridão; Gasher parecia conhecer cada meandro do caminho que seguia, como dissera; acreditava que era porque seu sequestrador estava convencido de que Roland fora reduzido a geleia pela armadilha.

O próprio Jake começara a especular.

Se Roland localizara os fios da armadilha — uma armadilha muito mais sutil do que a seguinte —, seria mesmo provável que não tivesse visto a fonte? Jake julgava ser possível, mas não fazia muito sentido. Achava mais provável que Roland tropeçara na fonte de propósito, para enganar Gasher e talvez fazê-lo diminuir o ritmo. Não acreditava que Roland pudesse segui-los por aquele labirinto sob as ruas — a escuridão total derrotaria até mesmo os talentos de rastreador do pistoleiro —, mas aquecia o seu coração pensar que Roland talvez não tivesse morrido na tentativa de cumprir sua promessa.

Viraram à direita, à esquerda, à direita de novo. À medida que os outros sentidos de Jake se aguçavam, numa tentativa de compensar a ausência de visão, ele ia tendo uma vaga percepção de outros túneis à sua volta. Os sons abafados de máquinas antigas trabalhando aumentavam por um momento, depois desapareciam quando as fundações de pedra da cidade tornavam a fechar-se sobre eles. Rajadas de vento sopravam intermitentes em sua pele, às vezes quentes, às vezes geladas. As pisadas chapinhadas ecoavam quando passavam pelos cruzamentos de túneis dos quais sopravam esses bafios fedorentos, e uma vez Jake quase bateu com a cabeça num objeto de metal que se projetava do teto. Bateu nele com uma das mãos e sentiu algo que poderia ser uma grande roda de válvula. Depois disso, passou a mexer as mãos à sua frente ao andar, numa tentativa de ler o ar à sua frente.

Gasher guiava-o com tapas nos ombros, como um carroceiro faria com seus bois. Andavam em passo rápido, trotando, mas não correndo. Gasher recuperara bastante do seu fôlego para primeiro cantarolar e depois começar a cantar numa voz de tenor baixa e surpreendentemente afinada:

O que é o que é meu docinho de mel
Pego um trabalho e lhe compro um anel
Quando puser as mãos nesses peitinhos
O que é o que será meu doce anjinho.

O que é o que será
Eu só quero tocar
Tocar aí até babar.

Havia mais uns cinco ou seis versos nessa linha antes de Gasher parar.

— Agora cante *você* alguma coisa, pirralho.

— Eu não conheço nada — arquejou Jake.

Esperava parecer mais sem fôlego do que na verdade estava. Não sabia se isso lhe faria algum bem ou não, mas ali embaixo no escuro parecia valer a pena tentar qualquer tipo de vantagem.

Gasher meteu o cotovelo no meio das suas costas, com força quase suficiente para estatelá-lo na água à altura dos tornozelos que corria gosmenta pelo túnel que atravessavam.

— É *melhor* conhecer alguma coisa, se não quiser que eu quebre sua adorável espinha. — Parou e acrescentou: — Tem assombrações aqui embaixo, menino. Elas moram dentro das porras das máquinas, moram, sim. Cantar as mantém afastadas... não sabia disso? Agora *cante*!

Jake pensou com afinco, não querendo ganhar outro tapinha simpático de Gasher, e lembrou de uma música que aprendera no acampamento de verão com sete ou oito anos. Abriu a boca e começou a berrá-la na escuridão, escutando os ecos ricochetearem de volta entre os ruídos de água correndo, água caindo e antigas máquinas batendo.

"Minha garota vem de Nova York e é de morte
Eu lhe compro tudo para mantê-la no porte,
Tem lá uns quadris pra lá de colossais
Que parecem dois couraçados navais,
Ah cara, é assim que minha grana se vai.

Minha garota é esbelta, vem da Filadélfia,
Eu lhe compro tudo para mantê-la na festa,
Ela tem lá uns olhos
Que parecem dois pratos,
Ah cara, é assim que minha grana..."

Gasher estendeu as mãos, agarrou as orelhas de Jake como se fossem asas de jarro e o fez parar com um puxão.

— Tem um buraco bem na sua frente — disse. — Com uma voz dessas, pirralho, seria um ato de caridade para o mundo deixá-lo cair, seria mesmo, mas Tique-taque não aprovaria, por isso acho que você está seguro por mais algum tempo. — Soltou as orelhas de Jake, que ardiam como fogo, e agarrou as costas da sua camisa. — Agora se curve para frente até alcançar a escada do outro lado. E cuidado para não escorregar e levar nós dois lá para baixo!

Jake curvou-se com cuidado para frente, as mãos estendidas, morrendo de medo de cair no poço que não via. Quando tateava em busca da escada, tomou consciência de um sopro de ar quente — limpo e quase cheiroso — passando pelo seu rosto, e um débil rubor de luz cor-de-rosa que vinha de baixo. As feridas de mordida na mão esquerda tornaram a se abrir, e ele sentiu o sangue quente correndo pela palma.

— Encontrou? — perguntou Gasher.

— Sim.

— Então desça! O que está esperando, porra!

Gasher soltou sua camisa e Jake podia imaginá-lo recuando o pé com a intenção de apressá-lo com um chute no rabo. Jake atravessou a fenda fracamente iluminada e começou a descer a escada, usando a mão ferida o mínimo possível. Desta vez os degraus não tinham musgo nem óleo, e quase nenhuma ferrugem. O poço era muito longo, e quando Jake descia, apressando-se para evitar que Gasher pisasse em suas mãos com as botas de solas grossas, lembrou de um filme que um dia assistira na TV — *Viagem ao centro da Terra*.

O pulsar das máquinas foi ficando mais alto e o fulgor róseo mais forte. As máquinas ainda não soavam direito, mas os seus ouvidos lhe diziam que elas estavam em melhor forma do que as de cima. E quando ele finalmente chegou ao fundo, descobriu que o piso estava seco. O poço agora horizontal era quadrado, com cerca de dois metros de altura, e revestido com aço inoxidável rebitado. Estendia-se até onde Jake podia ver para os dois lados, retos como setas. Ele soube instintivamente, sem sequer pensar a respeito, que aquele túnel (que tinha de ficar pelo menos uns vinte metros abaixo de Lud) também seguia o caminho do Feixe. E em algum ponto lá em cima — Jake tinha certeza disso, embora não soubesse o motivo — passava exatamente o trem que tinham vindo procurar.

Estreitas grades de ventilação corriam pelos lados das paredes pouco abaixo do teto do túnel; era dali que fluía o ar limpo e seco. Musgo pendia de alguns deles em barbas azul-acinzentadas, mas a maioria permanecia limpa. Abaixo de uma em cada duas grades havia uma seta amarela com um símbolo que parecia um pouco um *t* em caixa-baixa. As setas apontavam na direção que Jake e Gasher seguiam.

A luz cor-de-rosa vinha de tubos de vidro que corriam ao longo do teto do poço em filas paralelas. Alguns — cerca de um em cada três — estavam apagados, e outros piscavam convulsivamente, mas pelo menos metade ainda funcionava. *Tubos de néon*, pensou Jake, espantado. *Que tal essa?*

Gasher caiu ao lado dele. Viu a surpresa de Jake e sorriu.

— Maneiro, né? Frio no verão, quente no inverno, e tanta comida que quinhentos homens não poderiam acabar com ela em quinhentos anos. E sabe o melhor, pirralho? O melhor de toda a aconchegante falsificação?

Jake balançou a cabeça.

— Aqueles merdas daqueles Pubes não têm a menor ideia de que o lugar sequer existe. Acham que têm monstros aqui embaixo. Nenhum Pube desce abaixo de seis metros num esgoto, a menos que precise.

Jogou a cabeça para trás e deu uma gostosa risada. Jake não se juntou, embora uma voz fria no fundo de sua mente dissesse que poderia ser boa política fazê-lo. Não se juntou porque sabia exatamente como os Pubes se sentiam. *Havia* monstros sob a cidade — trolls, bichos-papões e orcs. Ele não tinha sido capturado por um deles?

Gasher empurrou-o para a esquerda.

— Vamos. Estamos quase chegando. *Ande*!

Correram, as pisadas ressoando atrás numa saraivada de ecos. Após dez ou quinze minutos disso, Jake viu um alçapão hermético uns cem metros à frente. Quando se aproximaram, ele viu uma grande roda de válvula projetando-se dele. Havia uma caixa de comutação na parede à direita.

— Estou acabado — disse Gasher quando chegaram à porta do túnel. — Essas coisas já são demais para um inválido como seu velho companheiro, são mesmo! — Virou o botão no interfone e berrou: — Eu o peguei, Tique-taque... peguei bonitinho, sim, senhor. E não encostei num fio de cabelo dele. Eu não disse que pegava? Pode confiar no Gasher, eu disse, pois ele faz um serviço limpo. Agora abra e deixe a gente entrar.

Soltou o botão e olhou a porta, impaciente. A roda da válvula não girou. Em vez disso, uma voz monótona e arrastada saiu do alto-falante do interfone:

— Qual é a senha?

Gasher franziu horrivelmente a testa, coçou o queixo com as unhas compridas e sujas, depois ergueu o curativo do olho e tirou outra massa de gosma amarelo-esverdeada.

— Tique-taque e essas senhas dele! — disse a Jake. Parecia preocupado e irritado. — É um cara esperto, mas isso é ir um pouco longe demais, se quer saber, é, sim.

Apertou o botão e berrou:

— Vamos logo, Tique-taque! Se você não reconhece o som da minha voz, precisa de um aparelho de surdez.

— Ah, eu reconheço — respondeu a voz arrastada. A Jake, pareceu a voz de Jerry Reed, que fazia o parceiro de Burt Reynolds em *Desta vez te agarro*. — Mas eu não sei quem está com você, sei? Ou esqueceu que a câmera aí fora pifou no ano passado. Ou você diz a senha, Gasher, ou pode apodrecer aí fora!

Gasher enfiou um dedo no nariz, extraiu um bolo de meleca cor de geleia de hortelã e jogou-o na grade do alto-falante. Jake olhou a exibição infantil de má-criação em silenciosa fascinação, sentindo uma indesejada e histérica risada borbulhando por dentro. Teriam eles feito aquele caminho todo, através dos labirintos cheios de armadilhas e túneis escuros, para serem detidos ali naquela porta lacrada simplesmente porque Gasher não se lembrava da senha do Homem do Tique-taque?

Gasher olhou-o com um ar funesto, depois passou a mão pelo crânio, arrancando o lenço de cabeça encharcado de suor. O crânio embaixo era calvo, a não ser por alguns tufos espalhados de cabelos pretos parecendo espinhas de porco-espinho, e com fundas depressões acima da têmpora esquerda. Gasher olhou o lenço e pegou um pedaço de papel.

— Deus abençoe Hoots — murmurou. — Hoots cuida de mim legal, cuida mesmo.

Olhou a tira de papel, virando-o e revirando-o, e depois o estendeu para Jake. Manteve a voz baixa, como se o Homem do Tique-taque pudesse ouvi-lo, embora o botão de FALE do interfone não estivesse apertado.

— Você é um cavalheirozinho, não é? E a primeira coisa que ensinam um cavalheiro a fazer depois que ele aprendeu a comer o mingau e não mijar nos cantos da casa é ler. Portanto, leia para mim a palavra neste papel, belezura, pois eu esqueci, esqueci mesmo.

Jake pegou o papel, olhou para ele e tornou a olhar para Gasher.

— E se eu não ler? — perguntou calmamente.

Gasher ficou momentaneamente perplexo com a resposta… e depois começou a sorrir com perigoso bom humor.

— Ora, eu o agarro pela garganta e uso sua cabeça como aldraba — disse. — Duvido que isso convença o velho Tique-taque a me deixar entrar, porque ele ainda está nervoso com seu amigo durão, mas me fará um bem danado ver seus miolos pingando dessa roda.

Jake considerou isso, o riso sombrio ainda borbulhando lá dentro. O Tique-taque era um cara muito esperto, tudo bem — soubera que seria difícil convencer Gasher, que já estava morrendo mesmo, a dizer a senha mesmo que Roland o tivesse feito prisioneiro. O que Tique-taque não levara em conta era a memória falha de Gasher.

Não ria. Se rir, ele vai realmente espatifar seus miolos.

Apesar de suas bravatas, Gasher observava Jake com ansiedade genuína, e Jake percebeu um poderoso fato potencial: Gasher podia não ter medo de morrer… mas *tinha* medo de ser humilhado.

— Tudo bem, Gasher — disse, tranquilo. — A palavra nesta tira de papel é *generoso.*

— Me dê isso aí. — Gasher arrancou o papel das mãos de Jake, devolveu-o ao lenço e rapidamente tornou a enrolar o lenço amarelo na cabeça. Apertou o botão do interfone.

— Tique-taque? Ainda tá aí?

— Onde mais eu estaria? Na Zona Oeste do Mundo? — A voz arrastada agora soava ligeiramente entretida.

Gasher esticou a língua esbranquiçada para o alto-falante, mas a voz era insinuante, quase servil.

— A senha é generoso, e uma bela palavra ainda por cima! Agora me deixe entrar, diabos!

— Claro — disse o Tique-taque.

Uma máquina começou a funcionar nas proximidades, fazendo Jake se sobressaltar. A roda da válvula no centro da porta girou. Quando parou, Gasher agarrou-a, puxou-a para fora, pegou o braço de Jake e empurrou-o pela borda erguida da porta para dentro do mais estranho aposento que ele já vira na vida.

26

Roland desceu para a turva luz rósea. Os olhos brilhantes de Oi espiaram pelo V aberto de sua camisa: esticou o pescoço ao limite do seu considerável comprimento para farejar o ar quente que soprava pelas grades de ventilação. Roland tivera de depender inteiramente do focinho do malhado nas escuras passagens acima, e receara que o animal perdesse o faro de Jake na água corrente... mas quando ouvira o som de cantoria — primeiro Gasher, depois Jake — ecoando pelos canos, relaxara um pouco. Oi não o conduzira errado.

Oi também ouvira as músicas. Até então ele estivera andando devagar e com cuidado, até voltando atrás de vez em quando para ter certeza, mas quando ouviu a voz de Jake se pôs a correr, forçando a correia de couro cru. Roland temia que Oi chamasse por Jake com sua voz rouca — *Eique! Eique!* —, mas não o fizera. E, quando alcançaram o poço que levava às entranhas inferiores daquele labirinto, Roland ouvira o barulho de uma nova máquina — alguma espécie de bomba, talvez — seguido pelo estalido metálico de uma porta se fechando.

Chegou ao pé do túnel quadrado e olhou por um instante a dupla fila de tubos iluminados que levavam para lados diferentes. Viu que eram iluminados com fogo-fátuo, como o letreiro diante do lugar que pertencera a Balazar na cidade de Nova York. Olhou mais de perto as estreitas tiras de ventilação que corriam pelo alto de cada parede, e as setas embaixo, depois retirou o laço da correia do pescoço de Oi. O animal sacudiu a cabeça impaciente, visivelmente alegre por estar livre dela.

— Estamos perto — murmurou Roland na orelha em pé do malhado — e temos de fazer silêncio. Está entendendo, Oi? Muito silêncio.

— Encio — respondeu Oi num rouco sussurro que teria sido engraçado em outras circunstâncias.

Roland o colocou no chão, e Oi imediatamente desceu o túnel, pescoço esticado, focinho grudado no piso de aço. Roland ouvia-o murmurando *Eique-Eique! Eique-Eique!*, baixinho. Tirou o revólver do coldre e seguiu-o.

27

Eddie e Susannah olharam a vastidão do Berço de Blaine acima quando o céu se abriu e a chuva começou a despencar em torrentes.

— É um senhor prédio, mas esqueceram as rampas para os deficientes! — berrou Eddie, erguendo a voz para ser ouvido acima da chuva e do trovão.

— Deixa isso pra lá — disse Susannah impaciente, deslizando para fora da cadeira de rodas.

Eddie olhou em dúvida a inclinação dos degraus. Eram rasos, mas muitos.

— Tem certeza, Suze?

— Aposto corrida com você, branquelo — ela disse, e começou a contorcer-se para cima com fantástica facilidade, usando mãos, fortes antebraços e os tocos de pernas.

E *quase* o venceu. Eddie tinha os ferros para atrapalhá-lo, e isso o atrasou. Os dois arquejavam quando chegaram ao alto, e fios de vapor subiam de suas roupas molhadas. Eddie agarrou-a pelas axilas, ergueu-a e ficou com ela nos braços, as mãos trançadas sob o seu traseiro, em vez de colocá-la de volta na cadeira, como pretendera fazer. Sentia-se excitado e meio louco, sem a menor ideia do motivo.

Ah, dá um tempo, pensou. *Você chegou até aqui vivo; foi isso que deixou seu sangue fervendo e pronto pra a farra.*

Susannah passou a língua pelo lábio inferior e enfiou os fortes dedos nos cabelos dele. Puxou. Doeu... e ao mesmo tempo foi maravilhoso.

— Eu disse que venceria você, branquelo... — ela disse numa voz baixa e rouca.

— Até parece... eu ganhei... por meio degrau.

Ele tentou parecer menos sem fôlego do que estava e descobriu que era impossível.

— Talvez... mas você ficou arriado, não foi?

Uma das mãos deixou os cabelos, escorregou para baixo e o apertou de leve. Um sorriso luzia nos olhos dela.

— Mas *uma coisa* não se esgotou.

O trovão ribombou pelos céus. Eles estremeceram e riram juntos.

— Vamos — ele disse. — Isso é loucura. Não é hora.

Ela não o contradisse, mas tornou a apertá-lo antes de repor a mão em seu ombro. Eddie sentiu uma pontada de arrependimento ao recolocá-la na cadeira e empurrá-la pelas vastas lajes para a proteção do telhado. Julgou ver o mesmo pesar nos olhos dela.

Quando saíram do aguaceiro, Eddie parou, e os dois olharam para trás. A praça do Berço, a rua da Tartaruga e toda a cidade além desapareciam rapidamente na móvel cortina cinzenta. Eddie não sentia nem um pouco de pena. Lud não conquistara um lugar no livro de anotações mentais de suas boas lembranças.

— Veja — murmurou Susannah.

Apontava para uma calha próxima. Terminava numa grande cabeça de peixe coberta de escamas que parecia um parente próximo das gárgulas-dragões que enfeitavam as quinas do Berço. Água corria da boca do peixe numa torrente prateada.

— Não é só um aguaceiro passageiro, é? — perguntou Eddie.

— Não. Vai chover até não poder mais, e depois mais um pouco, só de sacanagem. Talvez uma semana; talvez um mês. Não que vá fazer diferença pra gente, se Blaine decidir que não gosta da nossa cara e nos fritar. Dê um tiro para avisarmos a Roland que chegamos aqui, doçura, e depois damos uma olhada por aí. Ver o que podemos descobrir.

Eddie apontou a Ruger para o céu cinzento, puxou o gatilho e deu o tiro que Roland ouviu a quase dois quilômetros de distância, enquanto seguia Jake e Gasher pelo labirinto cheio de armadilhas. Eddie ficou onde estava mais um instante, tentando convencer-se de que as coisas ainda podiam dar certo, que seu coração estava errado na teimosa insistência de que jamais tornariam a ver o pistoleiro e o garoto Jake. Depois travou de novo a automática, tornou a enfiá-la no cós da calça e voltou para Susannah. Virou a cadeira dela de costas para os degraus e rolou-a por um corredor de colunas que levava mais fundo no prédio. Ela abriu o tambor do revólver de Roland e o recarregou enquanto seguiam.

Sob o teto a chuva fazia um barulho secreto, espectral, e até os fortes estrondos dos trovões eram abafados. As colunas que sustentavam a estrutura tinham pelo menos três metros de diâmetro, e os topos se perdiam na escuridão. Eddie ouvia lá em cima, nas sombras, a conversa em arrulhos dos pombos.

Agora uma placa pendurada em grossas correntes de cromo emergia balançando das sombras.

NORTH CENTRAL POSITRONICS LHES OFERECE AS BOAS-VINDAS
AO BERÇO DE LUD
← PARA SUDOESTE (BLAINE)
PARA NOROESTE (PATRICIA) →

— Agora sabemos o nome da que caiu no rio — disse Eddie. — Patricia. Mas inverteram as cores. Em teoria é cor-de-rosa para as meninas e azul para os meninos, não o contrário.

— Talvez os *dois* sejam azuis.

— Não são. Blaine é cor-de-rosa.

— Como você pode saber isso?

Eddie pareceu confuso.

— Eu não sei como… mas sei.

Seguiram a seta que apontava para o Berço de Blaine, entrando no que parecia ser uma grande avenida. Eddie não tinha a capacidade de Susannah de ver o passado em nítidos clarões visionários, mas sua imaginação mesmo assim preenchia aquele vasto espaço entre colunas com mil pessoas apressadas; ouvia saltos no chão batendo e vozes murmurantes, via abraços de partida e chegada. E acima de tudo, os alto-falantes cantando avisos de uma dúzia de destinos diferentes.

Patricia está agora embarcando para os Baronatos do Noroeste...

Passageiro Killington, passageiro Killington, favor apresentar-se à cabine de informações no andar de baixo.

Blaine está chegando agora ao Berço nº 2, e desembarcará em breve...

Agora restavam apenas os pombos.

Eddie teve um arrepio.

— Veja as caras — murmurou Susannah. — Não sei se te causam arrepios, mas a mim, com certeza.

Apontava para a direita. No alto da parede, uma série de cabeças esculpidas parecia brotar do mármore, espiando-os das sombras lá em cima — homens severos com expressões como as de carrascos satisfeitos com seu trabalho. Alguns dos rostos haviam caído de seus lugares e jaziam em lascas de granito vinte ou vinte e cinco metros abaixo de seus pares. Os que restavam estavam cobertos de teias de aranha e salpicados de bosta de pombo.

— Devem ter sido a Suprema Corte, ou algo do tipo — disse Eddie, vasculhando nervoso aqueles finos lábios rachados, os olhos vazios. — Só juízes conseguem parecer tão elegantes e tão putos da vida ao mesmo tempo... você está falando com um cara que entende disso. Nenhum deles parece ter o ar de quem daria uma muleta a um deficiente físico.

— "Um monte de imagens quebradas, onde o sol bate e a árvore dos mortos não dá sombra" — murmurou Susannah, e a estas palavras Eddie sentiu arrepios percorrerem a pele dos seus braços, peito e pernas.

— O que foi isso, Suze?

— Um poema de um sujeito que deve ter visitado Lud em sonhos — ela disse. — Vamos, Eddie. Deixe-os pra lá.

— Falar é fácil. — Mas recomeçou a empurrá-la.

À frente, uma vasta barreira de grade como uma barbacã de gado emergia das sombras... e, além, eles avistaram pela primeira vez o Mono Blaine. Era cor-de-rosa, como Eddie acabara de dizer que seria, um tom delicado que combinava com os veios que corriam pelas colunas de mármore. Blaine fluía acima da larga plataforma de embarque com a forma suave e aerodinâmica de uma bala que parecia mais de carne do que de metal. A superfície era interrompida apenas uma vez — por uma janela triangular com um imenso limpador de para-brisa. Eddie sabia que haveria outra janela triangular com outro grande limpador do outro lado da cabine do mono, de modo que o olhando de frente ele pareceria ter um rosto, exatamente como Charlie Chuu-Chuu. Os limpadores pareceriam pálpebras caídas, cheias de malícia.

A luz branca da fenda sudeste no Berço caía sobre Blaine num longo e distorcido retângulo. Para Eddie, o corpo do trem parecia as costas de uma fabulosa baleia cor-de-rosa — uma baleia que estava em silêncio total.

— Nossa! — A voz dele reduzira-se a um sussurro. — Nós o encontramos.

— Sim. O Mono Blaine.

— Está morto, você não acha? *Parece* morto.

— Não. Dormindo, talvez, mas longe de morto.

— Tem certeza?

— Você tinha certeza de que seria cor-de-rosa? — Não era uma pergunta que exigisse resposta, e ele não respondeu. O rosto que ela erguia para ele era tenso e muito assustado. — Está dormindo, e sabe de uma coisa? Estou com medo de acordá-lo.

— Bem, então vamos esperar pelos outros.

Ela balançou a cabeça.

— Acho que é melhor tentarmos estar prontos para quando eles chegarem aqui... porque eu tenho um palpite de que vão vir correndo. Me empurre para aquela caixa montada em cima das barras. Parece um interfone. Está vendo?

Ele estava, e a empurrou devagar para lá. Era montada ao lado do portão fechado no centro da barreira que percorria a extensão do Berço. As barras verticais da barreira eram feitas do que parecia ser aço inoxidável; as do portão pareciam ferro ornamental; e as pontas inferiores desapareciam em buracos cercados de aço no chão. Eddie notou que não havia como nenhum deles se espremer por entre aquelas barras. O espaço entre cada conjunto não tinha mais de dez centímetros. Seria apertado demais até para Oi.

Pombos esvoaçavam e arrulhavam acima. A roda esquerda da cadeira de rodas de Susannah rangia monotonamente. *Meu reino por uma lata de óleo*, pensou Eddie, e percebeu que estava mais do que apenas assustado. A última vez que sentira aquele nível de terror fora no dia em que ele e Henry estavam na calçada da rua Rhinehold em Dutch Hill, olhando a ruína desmoronada da Mansão. Eles não haviam entrado naquele dia de 1977, mas sim dado as costas à casa mal-assombrada e ido embora, e ele lembrava que jurara para si mesmo que jamais, jamais, *jamais* retornaria àquele lugar. Era uma promessa que cumprira, mas ali estava ele, em outra casa mal-assombrada, e a assombração estava bem ali — o Mono Blaine, uma comprida forma cor-de-rosa com uma janela espiando-os como o olho de um animal perigoso que finge dormir.

Ele não se mexe mais de seu lugar no Berço... Parou até de falar com suas muitas vozes e de rir... Ardis foi o último que procurou Blaine... e quando Ardis não conseguiu responder ao que lhe perguntaram, Blaine o matou com fogo azul.

Se ele falar comigo, eu provavelmente vou surtar, pensou Eddie.

O vento soprava do lado de fora, e um fino chuvisco voava pela estreita fenda de ventilação no lado do prédio. Ele o viu bater na janela de Blaine e condensar ali.

Eddie arrepiou-se de repente e olhou rápido em volta.

— Estamos sendo vigiados... consigo sentir.

— Não me surpreenderia nem um pouco. Me empurre para perto da grade, Eddie. Eu quero dar uma olhada melhor naquela caixa.

— Tudo bem, mas não toque nela. Se estiver eletrificada...

— Se Blaine quiser nos cozinhar, ele vai nos cozinhar — disse Susannah, olhando a parte de trás de Blaine por entre as barras. — Você sabe disso, e eu também.

E como sabia que era simplesmente a verdade, Eddie não disse nada.

A caixa parecia uma combinação de interfone e alarme antirroubo. Havia um alto-falante na metade de cima, com o que parecia um botão FALE/ESCUTE ao lado. Abaixo, viam-se números dispostos em forma de diamante.

1

2 3

4 5 6

7 8 9 10

11 12 13 14 15

16 17 18 19 20 21

22 23 24 25 26 27 28

29 30 31 32 33 34 35 36

37 38 39 40 41 42 43 44 45

46 47 48 49 50 51 52 53 54 55

56 57 58 59 60 61 62 63 64

65 66 67 68 69 70 71 72

73 74 75 76 77 78 79

80 81 82 83 84 85

86 87 88 89 90

91 92 93 94

95 96 97

98 99

100

Sob o diamante havia mais dois botões com palavras da Língua Superior impressas: COMANDO e ENTRE.

Susannah parecia perplexa e em dúvida.

— O que você acha que *é* essa coisa? Parece uma engenhoca de um filme de ficção científica.

Lógico que parecia, percebeu Eddie. Susannah provavelmente vira um ou dois sistemas de segurança residencial em seu tempo — afinal, vivera entre os ricos de Manhattan, embora não tivesse sido aceita com entusiasmo por eles —, mas havia um mundo de diferença entre a aparelhagem eletrônica existente no tempo dela, 1963, e no dele, 1987. *Nunca conversamos muito sobre as nossas diferenças, tampouco*, ele pensou. *Imagino o que ela pensaria se eu contasse que Ronald Reagan era presidente dos Estados Unidos quando Roland me pegou. Provavelmente que eu sou maluco.*

— É um sistema de segurança — ele disse. Depois, embora os nervos e instintos berrassem contra, obrigou-se a estender a mão direita e virar o botão FALE/ESCUTE.

Não houve estalido de eletricidade; nenhum mortal fogo azul subiu correndo pelo seu braço. Nenhum sinal de que a coisa ainda estivesse ligada.

Talvez Blaine esteja morto. Talvez esteja morto, afinal.

Mas não acreditava nisso.

— Olá — disse ele, e na mente viu o desafortunado Ardis gritando ao ser cozinhado em micro-ondas pelo fogo azul a dançar por todo o seu rosto e corpo, derreter seus olhos e incendiar seus cabelos. — Olá... Blaine? *Alguém aí?*

Soltou o botão e esperou, rígido de tensão. Susannah deslizou a mão para a sua, fria e pequena. Não houve resposta, e Eddie — agora mais relutante do que nunca — apertou de novo o botão.

— Blaine?

Soltou o botão. Esperou. E como ainda não havia resposta, uma perigosa tontura se apoderou dele, como sempre acontecia em momentos de tensão e medo. Quando essa tontura o tomava, o preço a se pagar não tinha mais importância. *Nada* tinha importância. Fora assim quando enfrentara o descorado contato de Balazar, em Nassau, e era assim agora. E se Roland o tivesse visto no momento em que essa lunática impaciência o tomava, teria visto mais do que uma simples semelhança entre Eddie e Cuthbert; teria jurado que Eddie *era* Cuthbert.

Ele apertou o botão com o polegar e começou a berrar no alto-falante, adotando um elegante (e completamente falso) sotaque britânico.

— Olá, Blaine! Ânimo, velho amigo. Aqui é Robin Leach, apresentador do programa *Estilos de vida dos ricos e desmiolados*,* vim lhe dizer que você ganhou seis bilhões de dólares e um novo Ford Escort da loteria da Câmara de Compensação das Editoras.

Os pombos voaram acima deles numa suave e espantada explosão de asas. Susannah arquejou. O rosto dela tinha a expressão consternada de uma devota que acabou de ouvir o marido blasfemar numa igreja.

— Eddie, pare com isso! *Pare* com isso!

Eddie não conseguia parar. A boca sorria, mas os olhos reluziam com uma mistura de medo, histeria e raiva frustrada.

— Você e sua namorada-monotrilho, Patricia, vão passar um mês de luxo na panorâmica Jimtown, onde você beberá apenas o mais fino vinho e comerá as mais belas virgens! Você...

* Brincadeira com o programa norte-americano de TV dos anos 1980, *Lifestyles of the Rich and Famous* (Estilos de vida dos ricos e famosos). (N. E.)

— … *shhhh…*

Eddie interrompeu-se, olhando para Susannah. Teve na mesma hora certeza de que fora ela quem o mandara calar-se — não apenas porque ela já tentara, mas porque era a única outra pessoa ali — e, no entanto, ao mesmo tempo sabia que *não* fora Susannah. Fora *outra* voz: a voz de uma criança muito nova e assustada.

— Suze? Você…?

Susannah balançava a cabeça e erguia a mão ao mesmo tempo. Apontava a caixa do interfone, e Eddie viu o botão com a palavra COMANDO fulgir com um cor-de-rosa muito fraco. Era a mesma cor do mono que dormia em seu berço do outro lado da barreira.

— *Shhhh… não o acorde* — lamentou a voz da criança. Vinha do alto-falante, suave como uma brisa noturna.

— O que… — começou Eddie. Depois balançou a cabeça, estendeu a mão para o botão FALE/ESCUTE e apertou-o de leve. Quando voltou a falar, não foi berrando, mas no quase sussurro de um conspirador. — O que é você? Quem é você?

Soltou o botão. Ele e Susannah se encaravam com os olhos arregalados de crianças que sabem estar dividindo a casa com um perigoso — talvez psicótico — adulto. Como descobriram isso? Ora, porque outra criança contou, uma criança que viveu com o adulto psicótico por muito tempo, escondendo-se em cantos e só se esgueirando para fora quando sabe que o adulto está dormindo; uma criança assustada que acaba por se tornar quase invisível.

Não houve resposta. Eddie deixou passarem os segundos. Cada um deles parecia longo o suficiente para se ler um romance inteiro. Ele estendia o braço para o botão de novo quando reapareceu o fraco fulgor cor-de-rosa.

— *Sou o Pequeno Blaine* — sussurrou a voz de criança. — *O que não vê. O que ele esqueceu. O que ele pensa que deixou para trás nos quartos em ruínas e corredores dos mortos.*

Eddie apertou novamente o botão com uma mão que adquirira uma incontrolável tremedeira. Ouvia a tremedeira na própria voz também.

— *Quem? Quem* é o que não vê? É o Urso?

Não — o urso, não. Shardik jazia morto na floresta, muitos quilômetros atrás; o mundo seguira adiante desde então. Eddie lembrou-se de repente do que fora encostar o ouvido naquela estranha porta na clareira onde o urso vivera sua violenta sobrevida, aquela porta com suas faixas em amarelo e preto, de certa forma terríveis. Tudo estava conectado, ele percebia agora: tudo parte do mesmo todo terrível, em decomposição, uma esfrangalhada teia tendo no centro a Torre Negra como uma incompreensível aranha de pedra. Todo o Mundo Médio se tornara uma vasta casa mal-assombrada naqueles estranhos últimos dias; todo o Mundo Médio se tornara o Estreito do abismo; todo o Mundo Médio se tornara uma terra devastada, assombrosa e assombrada.

Ele viu os lábios de Susannah formarem as palavras da verdadeira resposta antes que a voz do interfone pudesse falar, e essas palavras eram tão óbvias quanto a solução de uma adivinhação assim que se conta a resposta.

— *O Grande Blaine* — sussurrou a voz invisível. — *O Grande Blaine é o fantasma na máquina... o fantasma em* todas *as máquinas.*

Susannah levara a mão à garganta e a apertava, como se tivesse a intenção de se estrangular. Tinha os olhos cheios de terror, mas não vidrados, nem desorientados, e sim cheios de compreensão. Talvez ela conhecesse uma voz como essa vindo dela própria, na época em que — em que o todo integrado que era Susannah fora desviado pelas personalidades conflitantes de Detta e Odetta. A voz infantil surpreendera a ela tanto quanto a ele, mas seus olhos em agonia diziam que o conceito expressado não lhe era estranho.

Susannah conhecia muito bem a loucura da dualidade.

— Eddie a gente precisa embora — ela disse. Seu terror transformava as palavras num borrão auditivo. Ele ouvia o vento assobiando na garganta dela como um vento frio numa chaminé. — Eddie a gente precisa ir embora Eddie a gente precisa ir embora Eddie...

— *Tarde demais* — dizia a vozinha minúscula, chorosa. — *Ele acordou. O Grande Blaine acordou. Ele sabe que vocês estão aqui. E está vindo.*

Luzes repentinas — laranja forte de sódio voltaico — começaram a piscar em pares acima, banhando a vastidão de colunas do Berço num clarão forte que bania todas as sombras. Centenas de pombos lançavam-se de um lado para outro, assustados, num voo indistinto, espantados de seus ninhos interligados no alto.

— Espere! — gritou Eddie. — Por favor, espere!

Em sua agitação, ele esqueceu de apertar o botão, mas isso não fez diferença; o Pequeno Blaine respondeu mesmo assim.

— *Não! Eu não posso deixar que ele me pegue! Não posso deixar que me mate também!*

A luz no interfone tornou a apagar-se, mas apenas por um instante. Desta vez tanto COMANDO quanto ENTRE acenderam-se, e a cor não era mais rosa, e sim o sinistro vermelho-escuro da forja de um ferreiro.

— QUEM SÃO VOCÊS? — rugiu uma voz, que vinha não da caixa, mas de todos os alto-falantes na cidade ainda em funcionamento. Os cadáveres podres que pendiam dos postes tremeram com as vibrações da voz potente; parecia que mesmo os mortos fugiriam de Blaine, se pudessem.

Susannah encolheu-se em sua cadeira, as palmas das mãos apertadas nos ouvidos, o rosto ansioso de consternação, a boca distorcida num grito silencioso. O próprio Eddie sentiu que estava retraindo-se na direção de todos os terrores fantásticos, alucinantes, da meia-noite. Fora aquela a voz que ele temera quando estivera com Henry diante da Mansão? Que ele talvez *previra*? Não sabia... mas *sabia* como João na antiga história deve ter se sentido quando percebeu que subira demais no pé de feijão e despertara o gigante.

— COMO OUSAM PERTURBAR O MEU SONO? DIGAM AGORA, OU MORRAM ONDE ESTÃO.

Ele poderia ficar paralisado, e deixar que Blaine — o Grande Blaine — fizesse com eles o que fizera com Ardis (ou alguma coisa ainda pior); talvez *devesse* ficar paralisado, trancado naquela toca de coelho de conto de fadas de terror. Foi a lembrança da vozinha que falara primeiro que fez com que se mexesse. Fora a vozinha de uma criança aterrorizada, mas ela tentara ajudá-los, aterrorizada ou não.

Então, agora você tem que se virar, pensou. *Você o acordou; lide com isso, pelo amor de Deus!*

Eddie estendeu a mão e tornou a apertar o botão.

— Eu me chamo Eddie Dean. A mulher comigo é minha esposa, Susannah. Nós...

Olhou para Susannah, que assentiu e fez frenéticos gestos para que ele continuasse.

— Estamos numa missão. Procuramos a Torre Negra que fica no Caminho do Feixe. Estamos em companhia de mais dois, Roland de Gilead e... e Jake de Nova York. Nós também somos de Nova York. Se você é... — Parou um instante, reprimindo as palavras *Grande Blaine*. Se as usasse, poderia revelar à inteligência por trás da voz que eles tinham ouvido outra voz; um fantasma dentro do fantasma, por assim dizer.

Susannah tornou a gesticular para que ele continuasse, usando as duas mãos.

— Se você é o Mono Blaine... bem, queremos que nos leve.

Soltou o botão. Não houve resposta pelo que pareceu um longo tempo, apenas o esvoaçar agitado dos pombos perturbados acima. Quando Blaine tornou a falar, sua voz veio apenas do alto-falante da caixa no portão, e pareceu quase humana.

— NÃO ABUSEM DA MINHA PACIÊNCIA. TODAS AS PORTAS PARA ESTE LUGAR ESTÃO FECHADAS. GILEAD NÃO EXISTE MAIS, E AQUELES QUE ERAM CONHECIDOS COMO PISTOLEIROS ESTÃO TODOS MORTOS. AGORA RESPONDA À MINHA PERGUNTA: QUEM SÃO VOCÊS? É A SUA ÚLTIMA CHANCE.

Ouviu-se um chiado. Um raio de brilhante luz azul baixou do teto e rasgou um buraco do tamanho de uma bola de golfe no piso de mármore menos de cinco palmos à esquerda da cadeira de rodas de Susannah. Uma fumaça que cheirava como o momento seguinte a queda de um raio subiu devagar do ponto atingido. Susannah e Eddie entreolharam-se por um momento em terror, depois Eddie lançou-se para a caixa do interfone e apertou o botão.

— Você está errado! Nós *viemos* de Nova York! Passamos pelas portas, na praia, apenas algumas semanas atrás!

— É verdade! — gritou Susannah. — Eu juro que é!

Silêncio. Além da longa barreira, as costas cor-de-rosa de Blaine ondulavam suavemente. A janela da frente parecia encará-los como um pesado olho de vidro. O limpador de para-brisa poderia ser uma pálpebra semicerrada, piscando maliciosamente.

— PROVEM! — disse Blaine por fim.

— Nossa, mas como? — perguntou Eddie a Susannah.

— Eu não sei.

Eddie tornou a apertar o botão.

— A Estátua da Liberdade. Isso significa alguma coisa?

— CONTINUE — disse Blaine. Agora a voz parecia quase pensativa.

— O Empire State Building! A Bolsa de Valores! O World Trade Center! Os Red-Hots de Coney Island! O Radio City Music Hall! O East Vil...

Blaine cortou-o... e agora, incrivelmente, a voz que saía do alto-falante era a voz arrastada de John Wayne.

— TUDO BEM, VIAJANTE. EU ACREDITO EM VOCÊ.

Eddie e Susannah partilharam outro olhar, este de confusão e alívio. Mas quando Blaine tornou a falar, a voz era novamente sem emoção.

— FAÇA-ME UMA PERGUNTA, EDDIE DEAN DE NOVA YORK, E É MELHOR QUE SEJA UMA BOA PERGUNTA. — Fez uma pausa, e depois acrescentou: — PORQUE SE NÃO FOR, VOCÊ E SUA ESPOSA VÃO MORRER, NÃO IMPORTA DE ONDE TENHAM VINDO.

Susannah olhou da caixa no portão para Eddie.

— Do que é que ele está *falando*? — sibilou.

Eddie balançou a cabeça.

— Eu não faço a menor ideia.

28

Para Jake, o quarto para onde Gasher o arrastou parecia um silo do míssil Minuteman decorado por pacientes de um sanatório: parte museu, parte sala de estar, parte dormitório hippie. Acima, o espaço vazio abaulava-se num teto redondo, e abaixo caía vinte ou trinta metros até uma base igualmente redonda. Correndo por toda a única parede curva em linhas verticais viam-se tubos de néon em cores alternadas: vermelho, azul, verde, amarelo, laranja, pêssego, laranja, rosa. Os longos tubos juntavam-se em bizarros nós de arco-íris no fundo e no topo do silo... se é que era isso que o lugar fora um dia.

A sala ficava cerca de três quartos da subida para o vasto espaço em forma de cápsula, com piso de grade de ferro enferrujada. Tapetes que pareciam turcos (mais tarde ele descobriu que eram na verdade de um baronato chamado Kashmin) estendiam-se no piso gradeado aqui e ali. Os cantos eram presos por baús chapeados de latão, ou abajures de pé, ou pernas quadradas de poltronas superestofadas. Se não, teriam esvoaçado como tiras de papel presas num ventilador elétrico, pois um quente sopro constante vinha de baixo. Outro sopro, este saindo de faixa circular de ventiladores como os do túnel que haviam seguido até ali, girava um metro ou um metro e meio acima de Jake. No outro lado da sala havia uma porta idêntica àquela pela qual ele e Gasher tinham entrado, e Jake supôs que era uma continuação do corredor subterrâneo no Caminho do Feixe.

Havia meia dúzia de pessoas na sala, quatro homens e duas mulheres. Jake calculou que estava diante do alto-comando Gray — quer dizer, se é que restavam Grays suficientes para existir um alto-comando. Nenhum deles era jovem, mas todos ainda estavam na plenitude de suas vidas. Olhavam--no com a mesma curiosidade com que ele os observava.

Sentado no centro da sala, com uma imensa perna casualmente passada pelo braço de uma poltrona grande o bastante para ser um trono, havia um homem que parecia um cruzamento de guerreiro viking com um gigante de conto de fada. Tinha o torso nu musculoso, a não ser por uma faixa de prata em torno de um dos bíceps, uma bainha de faca presa a um dos ombros e um estranho amuleto ao pescoço. A parte inferior do corpo era coberta por uma calça de couro macia e justa, enfiada em botas de cano alto. Usava um lenço amarelo amarrado em torno de uma destas. Os cabelos, de um loiro grisalho, caíam em cascatas quase até o meio das costas largas, os olhos verdes eram curiosos como os de um gato velho o suficiente para ser sábio, mas não para ter perdido o refinado senso de crueldade que é um passatempo em círculos felinos. Pendurada em uma alça na parte de trás da cadeira estava o que parecia ser uma metralhadora muito antiga.

Jake olhou com mais atenção o enfeite no peito do viking e viu que era uma caixa de vidro em forma de caixão pendurada numa corrente de prata. Dentro, um minúsculo mostrador dourado de relógio marcava três e cinco. Abaixo do mostrador, um minúsculo pêndulo de ouro ia de um lado para outro, e apesar do suave chiado do ar circulante de cima e de baixo, ele conseguia ouvir o tique-taque do mecanismo. Os ponteiros do relógio andavam mais rápido do que deviam, e Jake não se surpreendeu ao notar que andavam para trás.

Jake lembrou do crocodilo em *Peter Pan*, o que vivia perseguindo o capitão Gancho, e um leve sorriso lhe veio aos lábios. Gasher o viu e ergueu a mão. Jake encolheu-se, levando as mãos ao rosto.

O Homem do Tique-taque ergueu o dedo para Gasher num bizarro gesto professoral.

— Ora, ora... não há necessidade disso, Gasher — disse.

Gasher baixou imediatamente a mão. Seu rosto mudara completamente. Antes, alternava entre estúpida raiva e uma espécie de humor astuto, quase existencial. Agora apenas parecia servil e reverente. Como os outros na sala (e o próprio Jake), Gasher não conseguia desviar por muito tempo os olhos de Tique-taque; eles eram inexoravelmente atraídos de volta. E Jake entendia o motivo. O Homem do Tique-taque era a única pessoa ali que parecia inteiramente vital, inteiramente saudável e inteiramente viva.

— Se você diz que não tem necessidade, então não tem — disse Gasher, mas lançou a Jake um olhar sombrio antes de voltar os olhos para o gigante loiro no trono. — Mas ele é atrevido, Tique. Muito atrevido, Tique. Muito atrevido mesmo, ah isso ele é, e se você quer minha opinião, vai precisar de bastante treinamento!

— Quando eu quiser a sua opinião, eu peço — disse o homem do Tique-taque. — Agora feche a porta, Gasher... você foi criado num celeiro?

Uma mulher de cabelos escuros deu uma risada aguda, um som que parecia o crocitar de um corvo. Tique-taque lançou-lhe um olhar; ela silenciou de repente e baixou os olhos para o piso gradeado.

A porta pela qual Gasher o arrastara era na verdade duas. O arranjo lembrou a Jake a aparência dos compartimentos estanques nas naves espaciais dos filmes de ficção científica mais inteligentes. Gasher fechou as duas e voltou-se para Tique-taque, erguendo os polegares. O Homem do Tique-taque assentiu e estendeu uma lânguida mão para apertar um botão num móvel que parecia um pódio de orador. Uma bomba começou a rodar zumbindo dentro da parede, e a luz dos tubos de néon reduziu-se perceptivelmente. Ouviu-se um fraco assobio e a roda da válvula da porta interna girou, fechando-a. Jake supôs que a porta externa fazia o mesmo. Aquilo era mesmo uma espécie de abrigo antibomba; disso não havia dúvida. Quando a bomba parou, o longo tubo de néon retomou seu brilho mortiço anterior.

— Pronto — disse Tique-taque sorrindo. Os olhos dele começaram a examinar Jake de alto a baixo. O menino teve uma nítida e intensa sensação de que estava sendo catalogado e arquivado por um expert. — Estamos todos sãos e salvos, isso estamos. Confortáveis como pulgas num tapete. Certo, Hoots?

— Sim! — respondeu prontamente um homem alto e magro vestido em um terno preto. Tinha o rosto coberto por uma espécie de ferida que coçava obsessivamente.

— Eu trouxe ele — disse Gasher. — Eu te disse que podia confiar em mim pra trazer ele, e não trouxe?

— Trouxe — disse Tique-taque. — Ponto pra você. Eu tinha algumas dúvidas sobre sua capacidade de lembrar a senha no fim, mas…

A mulher de cabelos escuros deu um novo crocitar agudo. O Homem do Tique-taque fez menção de voltar-se para ela, o sorriso preguiçoso enrugando os cantos da boca, e antes que Jake pudesse compreender o que acontecia — o que já acontecera — ela cambaleava para frente, os olhos arregalados de surpresa e dor, as mãos tateando um estranho tumor no meio do peito que não estava ali um segundo antes.

Jake compreendeu que o Homem do Tique-taque fizera algum tipo de movimento quando se voltava, tão rápido que não passara de um lampejo. O fino cabo branco que se projetara da bainha presa ao ombro dele desaparecera. A faca estava agora no outro lado da sala, espetada no peito da mulher de cabelos escuros. O Homem do Tique-taque a tirara e lançara com uma velocidade tão incrível que Jake não sabia se o próprio Roland seria capaz de igualar.

Os outros observaram em silêncio a mulher cambalear para o Homem do Tique-taque, arquejando forte, as mãos frouxas em torno do cabo da faca. Bateu com o quadril num dos abajures de pé e o homem chamado Hoots lançou-se para frente para pegá-lo antes que caísse. O próprio Tique-taque não se mexeu; apenas continuou sentado com a perna jogada sobre o braço do trono, olhando a mulher com seu sorriso preguiçoso.

A mulher prendeu o pé embaixo de um dos tapetes e cambaleou para a frente. Novamente o Homem do Tique-taque moveu-se com aquela rapidez fantasmagórica, recolhendo o pé que pendia do braço da cadeira e lançando-o para frente como um pistom. O pé enterrou-se na boca do estômago da mulher de cabelos escuros, que saiu voando para trás. O sangue jorrava de sua boca e borrifava os móveis. Ela bateu na parede, escorregou para baixo e terminou sentada com o queixo no peito. Para Jake, ela parecia aqueles mexicanos nos filmes que tiravam uma sesta encostados num muro. Era difícil acreditar que ela houvesse passado da vida à morte com uma rapidez tão terrível. Os tubos de néon transformavam seus cabelos numa névoa meio vermelha e meio azul. Os olhos vidrados fitavam o Homem do Tique-taque com um espanto derradeiro.

— Eu a avisei sobre essa risada — disse o Homem do Tique-taque. Transferiu o olhar para a outra mulher, uma ruiva gorda que parecia um caminhoneiro. — Não avisei, Tilly?

— Sim — disse prontamente Tilly. Tinha os olhos brilhantes de medo e excitação, e lambia os lábios obsessivamente. — Falou, muitas e muitas vezes. Eu acerto meu relógio e garanto isso.

— É o que devia fazer, se pudesse levantar o rabo gordo e encontrá-lo — disse o Homem do Tique-taque. — Me traga a minha faca, Brandon, e tenha o cuidado de limpar o fedor dessa puta antes de colocá-la em minha mão.

Um homem baixo, de pernas arqueadas, se apressou para fazer o que lhe mandavam. A faca não quis sair a princípio; parecia presa no esterno da infeliz mulher de cabelos escuros. Brandon lançou um olhar aterrorizado para o Homem do Tique-taque às suas costas e puxou com mais força.

Tique-taque, porém, parecia haver esquecido inteiramente Brandon e a mulher que literalmente morrera de rir. Havia fixado os brilhantes olhos verdes numa coisa que lhe interessava muito mais do que a mulher.

— Venha cá, companheirinho — disse. — Eu quero dar uma olhada melhor em você.

Gasher deu um empurrão em Jake, que cambaleou para a frente. Teria caído, se as fortes mãos de Tique-taque não o houvessem agarrado pelos ombros. Então, quando se assegurou de que Jake recuperara o equilíbrio, pegou o pulso esquerdo do menino e ergueu-o. Era o Seiko de Jake que despertara o seu interesse.

— Se isso aqui é o que eu penso que é, com certeza é um sinal para nós — disse. — Fale comigo, menino... o que é esse *sinal* que você usa?

Jake, que não fazia a menor ideia do que poderia ser esse sinal, só podia esperar que fosse uma coisa boa.

— É um relógio, para ver as horas. Mas não funciona, sr. Tique-taque.

Hoots deu uma risadinha, depois levou as duas mãos à boca quando o Homem do Tique-taque se voltou para olhá-lo. Após um instante, Tique-taque tornou a olhar para Jake, e um brilhante sorriso substituiu a carranca. Ver aquele sorriso quase fazia a pessoa esquecer que era uma mulher morta e não um mexicano dos filmes tirando uma siesta, encostado na parede oposta. Vê-lo quase fazia a pessoa esquecer que aquelas pessoas eram loucas, e o Homem do Tique-taque provavelmente o mais louco de todo o hospício.

— Para ver as horas — disse Tique-taque, assentindo. — É, uma utilidade bastante provável para isso; afinal, por que uma pessoa quer um mecanismo de tempo senão para ver as horas de vez em quando? Hein, Brandon? Hein, Tilly? Hein, Gasher?

Todos responderam com ávidas afirmativas. O Homem do Tique-taque deu-lhes um sorriso sedutor, depois tornou a voltar-se para Jake, que agora percebia que o sorriso, sedutor ou não, não chegava nem perto dos olhos verdes do Homem do Tique-taque. Eles estavam como sempre estiveram até então: frios, cruéis e curiosos.

Tique-taque estendeu um dedo para o Seiko, que agora proclamava serem 7h91 — da manhã *e* da tarde — e retirou-o antes de tocar o vidro do mostrador de cristal líquido.

— Me diga, caro menino... esse "relógio" seu tem alguma armadilha?

— Hã? Ah! Não. Não, não tem armadilha. — Jake tocou com o próprio dedo o mostrador do relógio.

— Isso não quer dizer nada, se estiver sintonizado na frequência do seu corpo — disse o Homem do Tique-taque.

Falou com o tom agudo, de desprezo, que o pai de Jake usava quando não queria que as pessoas não soubessem que ele não tinha a mínima ideia do que estava falando. Tique-taque olhou por um breve instante para Brandon, e Jake o viu avaliar os prós e os contras de fazer do homem de pernas arqueadas a sua cobaia. Depois abandonou a ideia e tornou a encarar Jake.

— Se essa coisa me der um choque, meu amiguinho, você vai sufocar até a morte em trinta segundos.

Jake engoliu em seco e não disse nada. O Homem do Tique-taque estendeu o dedo de novo, e desta vez deixou-o pousar no mostrador do Seiko. Assim que o fez, todos os números mudaram para zero e depois passaram a contar para cima de novo.

O Homem do Tique-taque estreitara os olhos numa careta de dor potencial ao tocar o mostrador do relógio. Agora os cantos dos olhos enrugavam-se no primeiro sorriso genuíno que Jake vira dele. O menino achou que era parte prazer com a própria coragem, mas, sobretudo, simples maravilha e interesse.

— Posso ficar com ele? — perguntou a Jake com voz sedosa. — Como um gesto de sua boa vontade, digamos? Eu sou um pouco fanático por relógios, meu querido companheirinho... sou mesmo.

— Por favor. — Jake tirou o relógio do braço na mesma hora e largou-o na enorme palma do Homem do Tique-taque à espera.

— Ele fala que nem um cavalheirinho de cu de seda, não é? — perguntou Gasher rindo. — Nos velhos tempos tinha quem pagasse uma grana considerável pela volta de gente que nem ele, Tick, é, sim, pagava, sim. Ora, meu pai…

— Seu pai morreu tão inchado de podre com mandrus que nem mesmo os cachorros quiseram comê-lo — interrompeu-o o Homem do Tique-taque. — Agora feche a matraca, seu idiota.

A princípio Gasher pareceu furioso… e depois apenas humilhado. Afundou numa poltrona próxima e ficou em silêncio.

Tique-taque, enquanto isso, examinava a pulseira elástica do Seiko com uma expressão de espanto. Esticava-a, soltava-a, puxava-a de novo e soltava-a de novo. Deixou cair uma mecha de cabelos dentro dos elos e sorriu quando eles se fecharam sobre ela. Por fim colocou o relógio na mão e empurrou-o até a metade do antebraço. Jake achou que aquele suvenir de Nova York parecia muito estranho ali, mas não disse nada.

— Maravilhoso! — exclamou o Homem do Tique-taque. — Onde o arranjou, companheirinho?

— Foi um presente de aniversário do meu pai e da minha mãe — disse Jake.

Gasher curvou-se para frente, talvez querendo falar de novo da ideia de um resgate. Se assim foi, a expressão atenta no rosto do Homem do Tique-taque o fez mudar de ideia e ele se reclinou sem dizer nada.

— *Foi*? — maravilhou-se Tique-taque, erguendo as sobrancelhas. Descobrira o pequeno botão que iluminava o mostrador e ficou apertando-o, vendo a luz acender-se e apagar-se. Depois voltou a olhar para Jake, os olhos novamente estreitados em finas linhas verdes. — Me diga uma coisa, companheirinho: isso funciona com um circuito dipolar ou unipolar?

— Nenhum dos dois — disse Jake, sem saber que o fato de não dizer que não sabia o que significava esses termos lhe arranjaria um bocado de problemas futuros. — Funciona com uma bateria de níquel-cádmio. Pelo menos, tenho quase certeza de que sim. Eu jamais precisei trocá-la, e perdi o manual já tem muito tempo.

O Homem do Tique-taque ficou observando-o um longo tempo sem falar, e Jake percebeu consternado que o homem loiro tentava decidir se ele estava zombando da sua cara. Se decidisse que *estava*, Jake tinha uma ideia de que o abuso que sofrera a caminho dali pareceria cócegas comparado com o que o Homem do Tique-taque poderia fazer. De repente quis desviar o rumo dos pensamentos de Tique-taque — quis isso mais do que qualquer outra coisa no mundo. Disse a primeira coisa que achou que funcionaria.

— Era seu avô, não era?

O Homem do Tique-taque ergueu as sobrancelhas com um ar interrogador. Colocou novamente as mãos nos ombros de Jake, e embora não apertasse muito, o menino sentiu a força fenomenal ali. Se Tique-taque decidisse apertar mesmo e puxar para frente, partiria as suas clavículas como se fossem lápis. Se empurrasse para trás, provavelmente partiria a sua espinha.

— *Quem* era meu avô, companheirinho?

Os olhos de Jake mais uma vez avaliaram a enorme e nobre cabeça do Homem do Tique-taque. Lembrou-se do que Susannah dissera: *Veja o tamanho dele, Roland... devem ter passado graxa nele para enfiá-lo na cabine!*

— O homem no avião. David Quick.

O Homem do Tique-taque arregalou os olhos de surpresa e espanto. Depois jogou a cabeça para trás e rugiu uma risada que ecoou no teto abaulado muito acima. Os outros sorriram nervosamente. Nenhum, porém, se atreveu a gargalhar ... não depois do que acontecera com a mulher de cabelos escuros.

— Seja você quem for, e venha de onde vier, menino, é o mais esperto que o velho Tique-taque encontra em muitos anos. Quick era meu bisavô, não meu avô, mas você chegou muito perto... não é verdade, Gasher, meu querido?

— Sim — disse Gasher. — Ele é esperto, é mesmo, isso eu posso dizer. Mas muito atrevido, mesmo assim.

— É — disse o Homem do Tique-taque, pensativo. Apertou as mãos nos ombros do menino e puxou-o para mais perto daquele rosto sorridente, belo, lunático. — Estou vendo que é atrevido. Está nos olhos dele. Mas nós vamos cuidar disso, não vamos, Gasher?

Não é com Gasher que ele está falando, pensou Jake. *É comigo. Ele acha que está me hipnotizando... e talvez esteja mesmo.*

— Sim — sussurrou Gasher.

Jake sentia que estava afogando naqueles grandes olhos verdes. Embora o aperto do Homem do Tique-taque ainda não fosse realmente forte, ele não conseguia respirar direito. Reuniu toda a sua força numa tentativa de quebrar o domínio do homem sobre ele, e mais uma vez falou a primeira coisa que lhe veio à mente.

— Assim caiu Lorde Perth, e o campo tremeu com esse trovão.

Isso agiu sobre o Homem do Tique-taque como um tapa de mão aberta na cara. Ele recuou, estreitando os olhos verdes, o aperto nos ombros de Jake aumentando dolorosamente.

— O que foi que você disse? Onde ouviu isso?

— Um passarinho me contou — respondeu Jake com deliberada insolência, e no instante seguinte estava voando para o outro lado da sala. Se houvesse batido de cabeça na parede curva, teria desmaiado ou morrido. Na verdade, bateu com o quadril, ricocheteou e caiu amontoado na grade de ferro. Sacudiu a cabeça, atordoado, olhou em volta e viu-se cara a cara com a mulher que não estava tirando uma sesta. Deu um grito de choque e afastou-se rastejando de quatro. Hoots deu-lhe um chute no peito, virando-o de costas. Jake ficou ali caído, arquejando, vendo acima o nó de cores do arco-íris onde os tubos de néon se juntavam. Um momento depois, o rosto de Tique-taque tomou o seu campo de visão. O homem tinha os lábios comprimidos numa fina linha reta, as bochechas coradas, e havia medo em seus olhos. O enfeite de vidro em forma de caixão que ele usava no pescoço balançava diretamente diante dos olhos de Jake, de um lado para outro na corrente de prata, como se imitasse o pêndulo do minúsculo relógio de pé dentro dele.

— Gasher tem razão — ele disse. Pegou um punhado dos cabelos de Jake num dos punhos e puxou-o. — Você é atrevido. Mas não vai querer ser atrevido comigo, companheirinho. Você *nunca* vai querer ser atrevido comigo. Já ouviu falar de pessoas de pavio curto? Bem, eu não tenho pavio nenhum, e mil pessoas poderiam lhe atestar isso se eu não houvesse calado suas línguas para sempre. Se você algum dia me falar de novo de Lorde Perth... algum dia, algum dia, *algum* dia... Eu arranco a tampa do seu cérebro e como seus miolos. Não quero ouvir nada dessa história agourenta no Berço dos Grays. *Está me entendendo*?

Sacudiu Jake de um lado para outro feito um trapo, e o menino explodiu em soluços.

— *Está*?

— Es... estou!

— Ótimo. — Ele pôs Jake de pé, e o menino ficou oscilando de um lado para outro, enxugando os olhos e deixando manchas de sujeira tão escuras que pareciam rímel. — Agora, meu companheirinho, vamos ter aqui uma sessão de perguntas e respostas. Eu faço as perguntas e você dá as respostas. Está entendendo?

Jake não respondeu. Olhava para um painel da grade do ventilador que fazia circular o ar na câmara.

O Homem do Tique-taque pegou seu nariz entre dois dedos e apertou-o com crueldade.

— *Está entendendo?*

— *Estou!* — gritou Jake.

Seus olhos, agora lacrimejando tanto de terror quanto de dor, voltaram ao rosto de Tique-taque. Ele queria voltar a olhar a grade do ventilador, queria desesperadamente confirmar que o que vira não passava da sua mente assustada e sobrecarregada, mas não se atrevia. Tinha medo de que mais alguém — o próprio Tique-taque, muito provavelmente — seguisse seu olhar e visse o que ele vira.

— Ótimo. — Tique-taque puxou-o para a cadeira pelo nariz, sentou-se e passou de novo a perna por cima do braço. — Vamos ter uma bela conversinha, então. Vamos começar com seu nome, está bom assim? Qual seria ele exatamente, companheirinho?

— Jake Chambers. — Com o nariz comprimido, a voz soou anasalada e vaga.

— E você é um Não-Vi, Jake Chambers?

Por um momento, Jake pensou se aquilo era uma forma esquisita de perguntar se ele era cego... mas era óbvio que eles podiam ver que ele não era.

— Eu não entendo o que...

Tique-taque sacudiu-o de um lado para outro pelo nariz.

— Não-Vi! Não-Vi![*] Quer parar de brincar comigo, menino?

— *Eu não entendo...* — começou Jake, e então olhou para a velha metralhadora pendurada na cadeira e pensou mais uma vez no Focke-Wulf derrubado. As peças se encaixaram em sua mente. — Não... eu não sou nazista. Eu sou americano. Tudo isso acabou muito antes de eu nascer!

O Homem do Tique-taque soltou o seu nariz, que imediatamente começou a escorrer sangue.

— Você poderia ter me dito isso de cara e poupado vários problemas, Jake Chambers... mas pelo menos agora já entendeu como fazemos as coisas por aqui, não entendeu?

* Not-See — as palavras soam como nazi em inglês. (N. T.)

Jake assentiu.

— É. Muito bem. Vamos começar com as perguntas simples.

Jake olhou novamente para a grade do ventilador. O que vira antes continuava ali; não fora apenas sua imaginação. Dois olhos cercados de dourado flutuavam no escuro além da persiana.

Oi.

Tique-taque deu-lhe um tapa na cara, jogando-o sobre Gasher, que imediatamente tornou a empurrá-lo para a frente.

— Hora de aula, queridinho — sussurrou Gasher. — Preste atenção nas lições, agora! Muita atenção!

— Olhe para mim quando estou falando com você — disse Tique-taque. — Eu exijo respeito, Jake Chambers, senão arranco seus colhões.

— Tudo bem.

Os olhos verdes de Tique-taque brilharam perigosamente.

— Tudo bem o quê?

Jake tateou em busca da resposta certa, afastando o emaranhado de perguntas e súbita esperança que haviam baixado em sua mente. E o que veio foi o que teria servido em seu próprio Berço dos Pubes... também conhecido como Colégio Piper.

— Tudo bem, *senhor*?

Tique-taque sorriu.

— Já é um começo, menino — disse, e curvou-se para a frente, os antebraços nas coxas. — Agora, o que é um americano?

Jake começou a falar, tentando com toda a força não olhar para a grade do ventilador ao fazê-lo.

29

Roland colocou o revólver no coldre, agarrou a roda de válvula com as duas mãos e tentou girá-la. Não se mexia. Isso não o surpreendeu muito, mas apresentava um sério problema.

Tinha Oi ao lado de sua bota esquerda, olhando ansioso para cima, à espera de que Roland abrisse a porta para poderem continuar a jornada até Jake. Tudo que o pistoleiro queria era que fosse tão fácil assim. Não adiantava ficar ali parado à espera de que alguém saísse; podiam passar-se horas ou mesmo meses até que um dos Grays decidisse usar aquela saída de novo. Gasher e os amigos podiam decidir esfolar Jake vivo enquanto o pistoleiro esperava.

Ele encostou a cabeça no aço, mas não ouviu nada. Isso tampouco o surpreendeu. Vira portas como aquela muito tempo atrás — não tinha como arrancar a fechadura a tiros, e certamente não se podia ouvir através delas. Podia ser uma; podiam ser duas, uma atrás da outra, com um espaço de ar estagnado entre elas. Em algum ponto, porém, haveria um botão que faria girar a roda no meio da porta e soltar os ferrolhos. Se Jake pudesse chegar a esse botão, as coisas ainda poderiam ficar bem.

Roland entendeu que não era um membro pleno daquele ka-tet; calculava que até Oi tinha mais consciência do que ele da vida secreta que existia no coração do ka-tet (ele duvidava muito de que o malhado houvesse seguido Jake apenas com o faro por aqueles túneis onde a água corria em regatos poluídos). Mesmo assim, ele pudera ajudar Jake quando o menino tentava atravessar do seu mundo para aquele. Pudera *ver*... e quando Jake tentara recuperar a chave que deixara cair, o pistoleiro conseguira mandar uma mensagem.

Precisava ter muito cuidado ao mandar mensagens agora. Na melhor das hipóteses, os Grays iriam perceber que alguma coisa estava acontecendo. Na pior, Jake poderia entender errado o que Roland tentava lhe dizer e fazer alguma tolice.

Mas se ele pudesse *ver*...

Roland fechou os olhos e apontou toda a sua concentração para Jake. Pensou nos olhos do menino e mandou seu ka encontrá-lo.

A princípio não aconteceu nada, mas por fim uma imagem começou a formar-se. Era um rosto emoldurado por longos cabelos loiros grisalhos. Olhos verdes luziam em profundas órbitas como fogos baços numa caverna. Roland logo compreendeu que aquele era o Homem do Tique-taque, e que ele descendia do homem que morrera na cabine do avião — interessante, mas sem valor prático para a situação. Tentou olhar além do Homem do Tique-taque, para ver o resto da sala em que Jake era mantido, e as pessoas nela.

— Eique! — sussurrou Oi, como se lembrasse a Roland que aquele não era nem o lugar nem a hora para tirar um cochilo.

— Shhh — fez o pistoleiro, sem abrir os olhos.

Mas não adiantou. Ele captava apenas borrões, provavelmente porque a concentração de Jake se fixava com tanta força no Homem do Tique-taque;

todos e tudo o mais não passavam de uma série de vultos envoltos em cinza nas bordas da percepção do menino.

Roland tornou a abrir os olhos e bateu de leve com o punho esquerdo na palma da mão direita. Achava que podia forçar mais e ver mais... mas isso poderia tornar o menino consciente da sua presença. E seria perigoso. Gasher poderia desconfiar de alguma coisa, e se não ele, o Homem do Tique-taque certamente.

Olhou as estreitas grades do ventilador acima, e para Oi embaixo. Pensara muitas vezes sobre até que ponto ele era inteligente; parecia que agora iria descobrir.

Roland estendeu a mão direita saudável, enfiou os dedos entre as lâminas verticais da grade do ventilador mais perto da porta pela qual Jake fora levado, e puxou. A grade se soltou jorrando ferrugem e musgo seco. O buraco atrás era pequeno demais para um homem... mas não para um malhado. Roland soltou a tampa, pegou Oi e falou baixinho em seu ouvido.

— Vá... veja... volte. Está entendendo? Não os deixe ver você. Apenas vá, veja e volte.

Oi olhou para o rosto do pistoleiro, sem dizer nada, nem mesmo o nome de Jake. Roland não tinha ideia de se ele entendera ou não, mas perder tempo em ponderações não ia adiantar. Colocou o animal no poço de ventilação. O malhado farejou os montes de musgo seco, espirrou de leve e ficou ali agachado, com a corrente de ar passando por seu pelo comprido e sedoso, olhando com ar de dúvida com os seus estranhos olhos para Roland.

— Vá, veja e volte — repetiu Roland num sussurro, e Oi desapareceu nas sombras, andando em silêncio, as garras encolhidas nas patas.

Roland tornou a sacar o revólver e fez o mais difícil. Esperou.

Oi voltou menos de três minutos depois. Roland retirou-o do poço e o colocou no chão. Oi olhou-o com o longo pescoço esticado.

— Quantos, Oi? — perguntou Roland. — Quantos você viu?

Por um longo momento, achou que o malhado nada faria além de fitá-lo do seu jeito ansioso. Depois Oi ergueu a pata direita hesitante no ar, estendeu as garras e olhou-as, como se tentasse lembrar de algo muito difícil. Por fim pôs-se a bater no chão de aço.

Um... dois... três... quatro. Uma pausa. Depois mais duas vezes, rápida e delicadamente, as garras esticadas estalando de leve no aço: cinco, seis. Oi parou uma segunda vez, cabeça baixa, parecendo uma criança perdida nas angústias de uma titânica luta mental. Depois bateu a pata uma última vez no aço, erguendo o olhar para Roland ao fazê-lo.

— Eique!

Seis Grays... e Jake. Roland pegou-o e afagou-o.

— Ótimo! — murmurou no ouvido de Oi. Na verdade, estava quase tomado por surpresa e gratidão. Esperara alguma coisa, mas aquela resposta cuidadosa era surpreendente. E ele não duvidava sobre a exatidão da contagem. — Bom menino, Oi!

— Oi! Eique!

Sim, Jake. Jake era o problema. Jake, a quem ele fizera uma promessa que pretendia cumprir.

O pistoleiro pensou fundo à sua maneira estranha — aquela combinação de seco pragmatismo e intuição frenética que provavelmente lhe vinha da sua estranha avó, Deidre a Louca, e que o mantivera vivo aqueles anos todos depois que seus companheiros haviam morrido. Agora dependia dela para manter também Jake vivo.

Tornou a pegar Oi, sabendo que Jake poderia viver — *poderia* —, mas o malhado quase certamente morreria. Sussurrou várias palavras simples na orelha em pé de Oi, repetindo-as várias vezes. Finalmente parou de falar e devolveu-o ao poço de ventilação.

— Bom menino — sussurrou. — Vá agora. Faça o serviço. Meu coração vai com você.

— Oi! Ção! Eique! — sussurrou o malhado, e mergulhou de novo na escuridão.

Roland esperou para que as portas do inferno se abrissem.

30

Faça-me uma pergunta, Eddie Dean de Nova York. E é melhor que seja uma boa pergunta... se não for, você e sua esposa vão morrer, não importa de onde tenham vindo.

E, meu *Deus*, o que se responde a uma coisa dessas?

A luz vermelho-escura se apagara; agora reaparecia a cor-de-rosa.

— *Depressa* — exortou-os a voz fraca do Pequeno Blaine. — *Ele está pior do que nunca... depressa, senão ele mata vocês.*

Eddie tinha uma vaga consciência de que, acima do Berço, revoadas de pombos perturbados ainda cortavam o ar sem rumo, e que alguns deles haviam se esborrachado de cabeça nas colunas e caído mortos.

— O que ele quer? — sibilou Susannah para o alto-falante e a voz do Pequeno Blaine em algum lugar atrás dele. — Pelo amor de Deus, *o que ele quer?*

Nenhuma resposta. E Eddie sentia qualquer estado de graça que eles pudessem ter a princípio experimentado esvaindo-se. Apertou o botão FALE/ESCUTE e falou com frenética vivacidade, o suor escorrendo pelas faces e pelo pescoço:

Faça-me uma pergunta.

— Então... Blaine! O que andou você aprontando nestes últimos anos? Acho que não andou fazendo o velho percurso do sudeste, hein? Por que será? Não tem estado muito no clima?

Nenhum barulho, além do bater das asas dos pombos. Em sua mente, Eddie via Ardis tentando gritar com as faces derretendo-se e a língua incendiando. Sentiu os pelos da nuca eriçando-se e grudando-se. Medo? Ou acúmulo de eletricidade?

Depressa... ele está pior do que nunca.

— Aliás, quem construiu você? — perguntou Eddie, num frenesi. *Se ao menos eu soubesse que porra esse filho da puta* quer. — Quer falar sobre isso? Foram os Grays? Duvido... na certa foram os Grandes Anciãos, certo? Ou...

Interrompeu-se. Agora sentia o silêncio de Blaine como um peso físico na pele, como mãos carnudas, tateantes.

— O que você *quer*? — gritou. — O que diabos você quer *ouvir*?

Nenhuma resposta — mas os botões na caixa fulgiam com um furioso vermelho-escuro de novo, e Eddie sabia que o tempo deles já estava quase esgotado. Ouvia um baixo zumbido próximo — um barulho como o de um gerador elétrico — e não achava que isso fosse apenas imaginação sua, por mais que quisesse acreditar nisso.

— Blaine! — gritou de repente Susannah. — Blaine, está me ouvindo?

Nenhuma resposta, e Eddie sentiu o ar ficar carregado de eletricidade como uma bacia sob uma torneira enchendo-se de água. Sentia-a estalando raivosas no nariz a cada respirada que dava, sentia-a zumbindo nas suas obturações como insetos furiosos.

— Blaine, *eu* tenho uma pergunta, e *é* das boas! Escute! — Ela fechou os olhos por um instante, esfregando nervosamente os dedos nas têmporas, e depois tornou a abrir os olhos. — Há uma coisa que... que não é nada, mas ainda assim tem nome; às vezes é alta e... às vezes baixa... — Interrompeu-se e olhou para Eddie com olhos arregalados e agoniados. — Me ajude, eu não me lembro do resto.

Eddie apenas a olhou como se ela tivesse perdido o juízo. De que diabos ela estava falando? Então lhe ocorreu, e fazia um sentido incrivelmente perfeito, e o resto da adivinhação estalou em sua mente de um modo tão certo quanto as duas últimas peças de um quebra-cabeça. Ele tornou a se virar para o alto-falante.

— Junta nossas conversas, junta nossas diversões e participa de todos os jogos. O que é o que é? Esta é a nossa pergunta, Blaine... o que é o que é?

A luz vermelha que iluminava os botões de COMANDO e ENTRE abaixo dos números em formato de diamante de números piscou. Fez-se um interminável momento de silêncio antes que Blaine tornasse a falar... mas Eddie notou que a sensação de eletricidade em sua pele diminuía.

— UMA SOMBRA, ÓBVIO — respondeu a voz de Blaine. — ESTA É FÁCIL... MAS NADA MÁ. NADA MÁ MESMO.

A voz que vinha do alto-falante era animada por um tom pensativo... e mais alguma coisa também. Prazer? Anseio? Eddie não sabia ao certo, mas *sabia* que havia alguma coisa naquela voz que lembrava a ele do Pequeno Blaine. Sabia outra coisa também. Susannah salvara a pele deles, pelo menos por enquanto. Ele curvou-se e beijou-lhe a testa fria e suada.

— VOCÊS CONHECEM MAIS ADIVINHAÇÕES? — perguntou Blaine.

— Sim, um monte — disse Susannah. — Nosso companheiro, Jake, tem um livro cheio delas.

— DO LUGAR DE NOVA YORK DE ONDE? — perguntou

Blaine, e agora o tom de sua voz era perfeitamente claro, pelo menos para Eddie. Ele podia ser uma máquina, mas Eddie fora viciado em heroína durante seis anos, e reconhecia a voz do vício quando a ouvia.

— De Nova York, isso mesmo — disse ele. — Mas Jake foi capturado. Um sujeito chamado Gasher o pegou.

Nenhuma resposta... e então os botões fulgiram com aquele rosa fraco de novo.

— *Tudo bem até agora* — sussurrou a voz do Pequeno Blaine. — *Mas vocês precisam ter cuidado... ele é traiçoeiro...*

As luzes vermelhas reapareceram de repente.

— ALGUM DE VOCÊS FALOU? — A voz de Blaine era fria e... Eddie podia jurar... desconfiada.

Ele olhou para Susannah. Ela retribuiu com os olhos arregalados e assustados de uma menininha que ouviu alguma coisa desconhecida movendo-se furtiva debaixo de sua cama.

— Fui eu que pigarreei, Blaine — disse Eddie. Engoliu em seco e limpou o suor da testa. — Eu estou... porra, fale a verdade e aguente. Eu estou morto de medo.

— ISSO É MUITO SENSATO DE SUA PARTE. ESSAS ADIVINHAÇÕES DE QUE VOCÊ FALA... SÃO TOLAS? EU NÃO VOU GASTAR MINHA PACIÊNCIA COM ADIVINHAÇÕES TOLAS.

— A maioria é inteligente — disse Susannah, mas olhou ansiosa para Eddie ao dizê-lo.

— VOCÊ ESTÁ MENTINDO. NÃO CONHECE DE MODO ALGUM A QUALIDADE DESSAS ADIVINHAÇÕES.

— Como você pode saber...

— ANÁLISE DE VOZ. PADRÕES FRICATIVOS E ÊNFASE NOS DITONGOS OFERECEM UM QUOCIENTE CONFIÁVEL DE VERDADE/MENTIRA. A CONFIABILIDADE DA PREVISÃO É DE NOVENTA POR CENTO. COM UMA MARGEM DE ERRO DE CINCO POR CENTO PARA MAIS OU PARA MENOS. — A voz calou-se por um instante, e quando tornou a falar o fez com um sotaque arrastado ameaçador que Eddie achou familiar. Era a voz de Humphrey Bogart. — SUGIRO QUE VOCÊ SE ATENHA AO QUE CONHECE, QUERIDINHA. O ÚLTIMO CARA QUE TENTOU MASCARAR A VERDADE COMIGO ACABOU NO FUNDO DO SEND COM UM PAR DE BOTAS DE CAUBÓI FEITAS DE CIMENTO.

— Nossa — disse Eddie. — Nós andamos mais ou menos seiscentos quilômetros para conhecer a versão eletrônica de Rich Little. Como consegue imitar caras como John Wayne e Humphrey Bogart, Blaine? Caras do nosso mundo?

Nada.

— Tudo bem, não quer responder a esta. Que tal esta outra... se é uma adivinhação o que quer, por que não disse logo?

Mais uma vez não houve resposta, mas Eddie descobriu que na verdade não precisava de uma. Blaine gostava de adivinhações, por isso propusera uma a *eles*. Susannah resolvera-a. Eddie calculava que se ela tivesse errado, os dois agora seriam um par de pedrinhas de carvão no chão do Berço de Lud.

— Blaine? — perguntou Susannah, insegura. Não houve resposta. — Blaine, ainda está aí?

— ESTOU. DIGAM-ME OUTRA.

— Quando é que uma porta não é uma porta?

— QUANDO É UMBRAL. VOCÊS TÊM QUE FAZER MAIS DO QUE ISSO SE REALMENTE ESPERAM QUE EU OS LEVE A ALGUM LUGAR. CONSEGUEM FAZER MAIS DO QUE ISSO?

— Se Roland chegar aqui, tenho certeza de que podemos — disse Susannah. — Independentemente da qualidade das adivinhações no livro de Jake, Roland conhece centenas... ele chegou a estudá-las quando era criança. — Após dizer isso, ela percebeu que não conseguia conceber Roland como criança. — Você *vai* nos levar, Blaine?

— EU PODERIA — disse Blaine, e Eddie teve toda a certeza de que ouvira um tênue fio de crueldade na voz. — MAS VOCÊS VÃO TER QUE ME BOMBEAR PARA ME FAZER ANDAR, E MINHA BOMBA É AO CONTRÁRIO.

— O que isso quer dizer? — perguntou Eddie, olhando através das barras a lisa linha cor-de-rosa das costas de Blaine.

Mas ele não respondeu a esta ou às outras perguntas que eles fizeram. As fortes luzes laranja permaneceram acesas, mas tanto o Grande quanto o Pequeno Blaine pareciam ter entrado em hibernação. Eddie, porém, sabia que não era verdade. Blaine estava acordado. Estava vigiando-os. Estava escutando seus padrões fricativos e ênfases nos ditongos.

Ele olhou para Susannah.

— "Vocês vão ter que me bombear para me fazer andar, mas minha bomba é ao contrário" — disse com um ar sombrio. — É uma adivinhação, não é?

— Sim, óbvio. — Susannah olhou a janela triangular, muito parecida com um olho malicioso de pálpebras pesadas, e depois o puxou para perto, para poder sussurrar em seu ouvido. — Ele é completamente insano, Eddie... esquizofrênico, paranoico e provavelmente delirante também.

— Não me diga — ele sussurrou de volta. — O que temos aqui é um monotrilho lunático, gênio, fantasma, e que gosta de adivinhações e anda mais rápido do que a velocidade do som. Bem-vinda à versão fantástica de *Um estranho no ninho.*

— Você tem alguma ideia de qual seja a resposta?

Eddie balançou a cabeça.

— E você?

— Um pequeno palpite, bem no fundo da minha mente. Pode ser nada, provavelmente. Fico pensando no que Roland falou: uma boa adivinhação é sempre simples e sempre solucionável. Como um truque de magia.

— Desviar a atenção.

Ela assentiu.

— Vá dar outro tiro, Eddie... deixe que eles saibam que ainda estamos aqui.

— Sim. Se a gente ao menos pudesse ter certeza de que eles ainda estão lá.

— Acha que estão, Eddie?

Eddie começara a se afastar, e falou ao parar para olhar para trás.

— Eu não sei... esta é uma adivinhação que nem Blaine conseguiria responder.

31

— Pode me dar alguma coisa para beber? — perguntou Jake.

A voz saiu abafada e anasalada. A boca e os tecidos do nariz ferido começavam a inchar. Ele parecia alguém que levou a pior numa briga feia.

— Ah, sim — respondeu judiciosamente Tique-taque. — *Pode*, sim. Eu diria que certamente sim. Temos muita coisa para beber, não temos, Cabeça de Cobre?

— Sim — disse um homem alto, de óculos, com uma camisa de seda branca e uma calça de seda preta. Parecia um professor universitário numa caricatura da *Punch* da virada do século XIX para o XX. — O que não falta aqui é bebida.

O Homem do Tique-taque, mais uma vez sentado em sua poltrona similar a um trono, olhou bem-humorado para Jake.

— Temos vinho, cerveja, cerveja preta e, claro, a boa velha água. Às vezes é tudo o que o nosso corpo pede, não é? Uma água geladinha, límpida, refrescante. O que acha disso, companheirinho?

A garganta de Jake, também inchada e seca como uma lixa, coçava dolorosamente.

— Parece bom — ele sussurrou.

— Despertou a *minha* sede também, isso eu sei — disse Tique-taque. Abriu os lábios num sorriso. Os olhos verdes faiscaram. — Me traga um copo de água, Tilly… com os diabos se eu sei onde foi parar a minha educação.

Tilly atravessou a escotilha no outro lado da sala — o lado oposto àquele pelo qual Jake e Gasher haviam entrado. O menino a viu sair e lambeu os lábios.

— Então — disse Tique-taque, voltando a olhá-lo —, você diz que a cidade americana de onde veio… essa Nova York… é muito parecida com Lud.

— Bem… não exatamente…

— Mas você reconhece algumas das máquinas — insistiu Tique-taque. — Válvulas, bombas e essas coisas. Para não falar nos tubos de luz baça.

— Sim, nós a chamamos de néon, mas é a mesma coisa.

Tique-taque estendeu o braço para ele. Jake retraiu-se, mas o gigante apenas deu um tapinha no seu ombro.

— Sim, sim, muito perto. — Os olhos reluziam. — *E* já ouviu falar em computadores?

— Claro, mas…

Tilly voltou com o caneco e aproximou-se timidamente do trono do Homem do Tique-taque. Ele recebeu-o e estendeu-o para Jake. Quando o menino ergueu o braço para pegá-lo, Tique-taque puxou-o e bebeu-o ele próprio. Ao ver a água escorrer da boca do outro pelo peito nu, Jake começou a tremer. Não conseguiu evitar.

O Homem do Tique-taque olhou-o por cima do caneco, como se acabasse de lembrar de que ele ainda estava ali. Às suas costas, Gasher, Cabeça de Cobre, Brandon e Hoots sorriam como garotinhos que acabaram de ouvir uma divertida piada suja no pátio da escola.

— Ora, eu comecei a pensar em como *eu* estava com sede e esqueci de *você* — exclamou Tique-taque. — É muita maldade, maldito seja eu! Mas, lógico, parecia tão boa… e *é* boa… geladinha… límpida…

Estendeu o caneco para Jake. Quando Jake foi pegá-lo, Tique-taque puxou-o.

— Primeiro, companheirinho, me conte o que sabe sobre computadores dipolares e circuitos transitivos — disse tranquilamente.

— O que... — Jake olhou para a grade do ventilador, mas os olhos dourados tinham desaparecido. Começava a achar que tinha imaginado tudo. Voltou a olhar para o Homem do Tique-taque, compreendendo claramente uma coisa: não ia conseguir água nenhuma. Fora estúpido em sequer achar que ia. — O que são computadores dipolares?

O rosto do Homem do Tique-taque contorceu-se de raiva; ele jogou o resto da água na cara machucada e inchada do menino.

— *Não brinque com a minha cara!* — gritou. Arrancou o relógio Seiko de Jake e sacudiu-o diante dele. — *Quando perguntei a você se isto funcionava com um circuito dipolar, você disse que não! Portanto não venha me dizer que não sabe do que estou falando, quando já deixou evidente que sabe!*

— Mas... mas...

Jake não conseguiu prosseguir. Sua cabeça girava de medo e confusão. Tinha consciência, de uma maneira distante, que estava lambendo tanta água quanto podia dos lábios.

— *Há mil desses caralhos de computadores dipolares bem aqui debaixo desta porra de cidade, talvez até* CEM *mil, e o único que ainda funciona não faz nada além de jogar Olho Vivo e tocar esses tambores! Eu* quero *esses computadores. Quero eles trabalhando para* MIM*!*

O Homem do Tique-taque projetou o corpo para a frente em seu trono, agarrou Jake, sacudiu-o de um lado para outro e jogou-o no chão. Jake bateu num dos abajures, derrubando-o, e a lâmpada explodiu com um som de tosse seca. Tilly soltou um gritinho e recuou, os olhos arregalados e assustados. Cabeça de Cobre e Brandon olharam um para o outro, nervosos.

Tique-taque curvou-se para frente, cotovelos nas coxas, e gritou na cara de Jake:

— *Eu quero eles,* E VOU TIRAR ELES!

O silêncio caiu sobre a sala, quebrado apenas pelo suave assobio do ar quente que vinha do ventilador. Então a distorcida raiva no semblante do Homem do Tique-taque desapareceu de repente, como se jamais houvesse existido. Foi substituída por outro sorriso encantador. Ele se curvou mais para frente e ajudou Jake a levantar-se.

— Desculpe. Eu começo a pensar no potencial deste lugar e às vezes fico exaltado. Por favor, aceite as minhas desculpas, companheirinho. — Pegou o caneco emborcado e jogou-o para Tilly. — Encha isso, sua puta inútil! Qual é o problema com você?

Tornou a voltar a atenção para Jake, ainda dando seu sorriso de apresentador de televisão.

— Tudo bem, você fez sua piadinha e eu a minha. Agora me conte tudo que sabe sobre computadores dipolares e circuitos transitivos. Depois pode tomar um gole.

Jake abriu a boca para dizer alguma coisa — não tinha ideia do quê — e então, incrivelmente, ouviu a voz de Roland em sua mente, inundando-a toda.

Distraia-os, Jake — e se houver um botão que abra a porta, chegue perto dele.

O Homem do Tique-Taque o observava atentamente.

— Alguma coisa acabou de passar pela sua cabeça, não foi, companheirinho? Eu sempre sei. Então não guarde segredo, conte tudo para o seu amigo Tique.

Jake captou movimentos pelo canto dos olhos. Embora não se atrevesse a erguê-los para o painel do ventilador — com toda a atenção do Homem do Tique-taque concentrada nele — sabia que Oi voltara, espiando pelas persianas.

Distrair eles... então de repente Jake soube exatamente como fazer isso.

— Eu pensei uma coisa — disse —, mas não foi sobre computadores. Foi sobre meu velho companheiro Gasher. E o velho companheiro *dele*, Hoots.

— Escutem só! — gritou Gasher. — Do que está falando, menino?

— Por que você não diz a Tique-taque quem realmente lhe deu a senha, Gasher? Então *eu* posso dizer a Tique-taque onde você a guarda.

O olhar intrigado do Homem do Tique-taque passou de Jake para Gasher.

— Do que é que ele está falando?

— Nada! — disse Gasher, mas não pôde evitar uma rápida olhada a Hoots. — Ele só está falando por falar, tentando livrar o dele colocando o meu na reta, Tique. Eu te disse que ele era atrevido! Não disse?

— Dê uma olhada dentro do lenço dele — disse Jake. — Ele tem uma tira de papel com uma palavra escrita. Eu tive que ler pra ele, porque nem isso ele consegue fazer.

Não houve raiva súbita de Tique-taque desta vez; o rosto dele foi ficando sombrio aos poucos, como um céu de verão antes de uma terrível tempestade.

— Deixe-me ver seu lenço, Gasher — ele disse numa voz baixa, grossa. — Deixe seu velho companheiro dar uma espiada.

— Ele está mentindo, estou dizendo — gritou Gasher, levando a mão ao lenço e recuando dois passos em direção à parede. Diretamente acima dele, os olhos cercados de dourado de Oi luziam. — É só olhar para a cara dele para ver que mentir é o que esse atrevidinho sabe fazer melhor.

O Homem do Tique-taque transferiu o olhar para Hoots, que parecia nauseado de medo.

— E então? — perguntou em sua voz baixa, terrível. — E então Hooterman? Eu sei que você e Gasher costumavam ser namoradinhos, e sei que você tem um cérebro de minhoca, mas certamente nem você seria idiota a ponto de anotar a senha para a câmara interna... ou seria? *Seria*?

— Eu... eu só pensei... — começou Hoots.

— Cala a boca! — gritou Gasher. Lançou a Jake um olhar de puro e doentio ódio. — Eu vou te matar por isso, queridinho... vai ver se não mato!

— Tire o lenço, Gasher — disse o Homem do Tique-taque. — Eu quero dar uma olhada dentro.

Jake esgueirou-se de lado mais um passo em direção ao pódio com os botões.

— Não! — As mãos de Gasher retornaram ao lenço e o apertaram como se ele fosse voar por si próprio. — Ao diabo se vou tirar!

— Brandon, pegue ele — disse Tique-taque.

Brandon partiu para cima de Gasher, que não se mexeu tão rápido quanto Tique-taque fizera antes, mas foi rápido o bastante; curvou-se, arrancou uma faca do alto da bota e enterrou-a no braço de Brandon.

— *Ah, seu filho da puta*! — gritou Brandon de surpresa e dor, quando o sangue começou a escorrer pelo braço.

— *Olha o que você fez*! — gritou Tilly.

— Será que eu tenho de fazer tudo sozinho por aqui? — gritou Tique--taque, mais exasperado do que furioso, ao que parecia, e levantou-se.

Gasher recuou dele, balançando a faca de um lado para o outro diante do rosto em desenhos místicos. Mantinha a outra mão firme no topo da cabeça.

— Para trás — arquejava. — Eu amo você como um irmão, Tique, mas se não recuar eu enterro essa faca nas suas tripas... enterro, sim.

— *Você*? Eu duvido muito — disse o Homem do Tique-taque com uma risada.

Retirou a própria faca da bainha e segurou-a delicadamente pelo cabo de osso. Todos tinham a atenção nos dois. Jake deu dois passos rápidos para o pódio com seus pequenos grupos de botões e estendeu a mão para o que o Homem do Tique-taque havia apertado.

Gasher recuava ao longo da parede curva, os tubos de luz pintando em seu rosto coberto de mandrus uma sucessão de cores doentias: verde-bile, rubro-febre, amarelo-icterícia. Agora era o Homem do Tique-taque quem estava embaixo da grade do ventilador de onde Oi observava.

— Largue isso, Gasher — disse Tique-taque num tom de voz sensato. — Você trouxe o menino aqui como eu pedi; se alguém vai pagar por isso, será Hoots, não você. Só me mostre...

Jake viu Oi agachando-se para saltar e compreendeu duas coisas: o que o malhado pretendia fazer e quem o colocara ali em cima.

— *Oi, não*! — gritou.

Todos se voltaram para olhá-lo. Nesse momento Oi saltou, batendo na tênue grade do ventilador e soltando-a. O Homem do Tique-taque girou a cabeça na direção do barulho, e Oi caiu sobre seu rosto virado para cima, mordendo e rasgando.

32

Roland ouviu fracamente, mesmo por trás das portas duplas — *Oi, não!* — e sentiu o coração afundar. Esperou que a roda da válvula girasse, mas não girou. Ele fechou os olhos e transmitiu com toda a força que pôde: *A porta, Jake! Abra a porta!*

Não sentiu resposta alguma, e as imagens sumiram. Sua linha de comunicação com Jake, que já era bastante tênue, fora cortada.

33

O Homem do Tique-taque cambaleou para trás, praguejando, gritando e agarrando a coisa que se contorcia e mordia seu rosto. Sentiu as garras de Oi enterrarem-se em seu olho esquerdo, arrancando-o, e uma horrível dor rubra afundou na cabeça como uma tocha ardente num poço fundo. Nesse momento, a raiva venceu a dor. Ele agarrou Oi, arrancou-o do rosto e segurou-o acima da cabeça, com a intenção de espremê-lo como um trapo.

— *Não!* — gemeu Jake. Esqueceu do botão que destrancava as portas e pegou a arma pendurada nas costas da poltrona.

Tilly gritou. Os outros se espalharam. Jake apontou a velha metralhadora alemã para o Homem do Tique-taque. Oi, de cabeça para baixo naquelas mãos enormes e fortes, e dobrado quase a ponto de partir-se, contorcia-se freneticamente e abria e fechava os dentes no ar. Guinchava de agonia — um som horrivelmente humano.

— *Deixe ele em paz, seu desgraçado!* — gritou Jack, e apertou o gatilho.

Teve suficiente presença de espírito para mirar baixo. O rugido da Schmeisser .40 foi de rachar os tímpanos no espaço fechado, embora ele desse apenas cinco ou seis tiros. Um dos tubos iluminados explodiu numa nuvem de fria luz laranja. Um buraco apareceu acima do joelho esquerdo da calça justa do Homem do Tique-taque, e uma mancha vermelho-escura logo começou a espalhar-se. O homem abriu a boca num "O" de surpresa, uma expressão que dizia mais nitidamente do que o fariam quaisquer palavras que, apesar de toda a sua inteligência, Tique-taque esperava viver uma vida longa e feliz, onde ele atiraria nas pessoas, mas ninguém atiraria nele. Talvez até pudessem atirar, mas acertar o alvo também? A expressão de surpresa dizia que isso simplesmente não fazia parte dos planos.

Bem-vindo ao mundo real, seu merda, pensou Jake.

Tique-taque soltou Oi no chão para pegar o joelho ferido. Cabeça de Cobre lançou-se sobre Jake, passando-lhe um braço pelo pescoço, mas aí Oi estava em cima dele, latindo agudamente e mastigando o seu calcanhar por cima da calça de seda preta. Cabeça de Cobre gritou e afastou-se, sacudindo o animal de um lado para o outro na ponta da perna. Oi estava grudado como um alicate. Jake voltou-se e viu Tique-taque rastejando em sua direção. Recuperara a pequena faca e tinha agora a lâmina presa entre os dentes.

— Adeus, Tique — disse Jake, e tornou a apertar o gatilho da Schmeisser. Nada aconteceu. Jake não sabia se estava emperrada ou vazia, e aquela não era a hora para esse tipo de questionamento. Ele deu dois passos para trás e sentiu-se bloqueado pela grande poltrona que servira de trono a Tique-taque. Antes de poder contorná-la, colocando o assento entre eles, Tique-taque já o agarrara pelo tornozelo. A outra mão foi para o cabo da faca. O que sobrara do seu olho esquerdo jazia na face como uma bola de geleia de hortelã; o olho direito chamejava para Jake com ódio insano.

Jake tentou livrar-se da mão e caiu esparramado no trono de Tique-taque. O seu olhar recaiu numa bolsa costurada no braço direito da poltrona. Projetando-se do topo elástico, viu o cabo de madrepérola de um revólver.

— Ah, companheirinho, como você vai sofrer! — disse o Homem do Tique-taque em êxtase. Aquele "O" de surpresa fora substituído por um sorriso largo, trêmulo. — Ah, como vai sofrer! E como eu vou ficar feliz de... *O quê...?*

O sorriso afrouxou e aquele "O" de surpresa começou a reaparecer quando Jake lhe apontou o revólver niquelado e puxou o cão. O aperto em seu tornozelo aumentou até parecer que seus ossos iam partir.

— Você não *vai* fazer isso! — disse Tique-taque num sussurro apavorado.

— Ah, *vou*, sim — disse Jake com ar feroz, e puxou o gatilho do revólver do Homem do Tique-taque. Ouviu-se um estalo, muito menos dramático do que o rugir da teutônica Schmeisser. Um pequeno buraco escuro apareceu no alto do lado direito da testa de Tique-taque. Ele continuou olhando para Jake, a descrença no olho restante.

Jake tentou forçar-se a atirar de novo nele, mas não conseguiu.

De repente, um pedaço do escalpo do Homem do Tique-taque soltou-se como papel de parede velho e caiu na face direita. Roland saberia o que significava isso; Jake, porém, achava-se agora quase incapaz de pensamentos coerentes. Um horror sombrio, repleto de pânico, rodopiava em sua mente como o funil de um furacão. Ele se encolheu na poltrona quando a mão em seu tornozelo caiu e Tique-taque desabou de cara no chão.

A porta. Ele precisava abrir a porta e deixar entrar o pistoleiro.

Concentrando-se nisso e em nada mais, Jake deixou o revólver de cabo de pérola cair na grade e saiu da poltrona. Dirigia-se de novo para o botão que julgara ver Tique-Taque apertar quando duas mãos o pegaram pela garganta e arrastaram-no para trás, para longe do pódio.

— Eu disse que ia matar você, meu companheirinho sujo — sussurrou uma voz em seu ouvido — e Gasher sempre cumpre a palavra.

Jake jogou os braços para trás, mas não encontrou nada além de ar. Gasher afundou os dedos em sua garganta, estrangulando-o. O mundo começou a ficar cinzento diante dos olhos de Jake. O cinzento aprofundou-se para roxo, o roxo para preto.

34

Uma bomba começou a trabalhar, e a roda da válvula no centro da escotilha girou rápido. *Graças aos deuses!*, pensou Roland. Pegou a roda com a mão direita quase antes que ela parasse de girar e puxou-a. A outra porta estava encostada; detrás dela vinha o barulho de homens em luta e do latido de Oi, agora agudo de dor e fúria.

Roland abriu a porta com um chute da bota e viu Gasher estrangulando Jake. Oi deixara Cabeça de Cobre e tentava agora fazer Gasher soltar Jake, mas a bota de Gasher tinha uma dupla função: protegia o dono dos dentes do malhado e Oi da virulenta infecção que corria no sangue de Gasher. Brandon esfaqueou de novo o flanco de Oi, tentando fazê-lo soltar Gasher, mas Oi não lhe deu atenção. Jake pendia das mãos do captor como uma marionete cujos cordéis haviam sido cortados. Tinha o rosto roxo-esbranquiçado, os lábios inchados numa suave cor de lavanda.

Gasher olhou para cima.

— *Você!* — ele rosnou.

— Eu mesmo — concordou Roland.

Atirou uma vez e o lado direito da cabeça de Gasher se desintegrou. O homem saiu voando para trás, o lenço amarelo ensanguentado se desenrolando, e caiu em cima do Homem do Tique-taque. Os pés tamborilaram em espasmos na grade por um instante e depois pararam de se mexer.

O pistoleiro atirou duas vezes em Brandon, armando o cão do revólver com a palma da mão direita. Brandon, que se curvava sobre Oi para outra facada, bateu na parede e escorregou por ela abaixo, agarrando-se a um dos tubos. Uma luz verde-pântano jorrou por entre seus dedos que se afrouxavam.

Oi mancou até onde jazia Jake e começou a lamber o rosto pálido e imóvel do menino.

Cabeça de Cobre e Hoots tinham visto o bastante. Correram juntos para a porta pela qual Tilly saíra para buscar água. Não era hora para cavalheirismos; Roland atirou nos dois pelas costas. Precisaria agir rápido agora, muito rápido mesmo, e não ia arriscar-se a ser tocaiado pelos dois se eles conseguissem reencontrar algum tipo de coragem.

Um grupo de luzes laranja acendeu-se em cima do cercado em forma de cápsula, e um alarme começou a soar: em balidos largos e roucos que batiam nas paredes. Após alguns instantes, as luzes de emergência começaram a pulsar em sincronia com o alarme.

35

Eddie voltava para Susannah quando o alarme começou a soar. Ele berrou de surpresa e ergueu a Ruger, apontando-a para nada em particular.

— *O que está acontecendo?*

Susannah balançou a cabeça — não tinha a menor ideia. O alarme era assustador, mas isso constituía apenas parte do problema; era também alto o suficiente para doer os ouvidos. As amplificadas pontadas de som faziam Eddie pensar numa buzina de trator elevada à décima potência.

Nesse momento, as lâmpadas de sódio começaram a pulsar. Quando chegou à cadeira de Susannah, Eddie viu que os botões de COMANDO e ENTRE também pulsavam em fortes lampejos rubros. Pareciam dois olhos piscando.

— Blaine, o que está acontecendo? — ele gritou. Olhou em volta, mas viu apenas vultos frenéticos. — É você que está fazendo isso?

A única resposta de Blaine foi uma risada — uma risada terrível e maquinal, que fez Eddie lembrar-se do palhaço mecânico que ficava diante da Câmara dos Horrores em Coney Island quando ele era pequeno.

— *Blaine, pare com isso!* — guinchou Susannah. — *Como podemos pensar numa resposta para sua adivinhação com essa sirene de ataque aéreo disparada?*

A risada parou tão de repente quanto começara, mas Blaine não deu resposta alguma. Ou talvez tenha dado; detrás das barras que os separavam da plataforma, enormes máquinas movidas por turbinas sem atrito despertaram ao comando dos computadores dipolares que o Homem do Tique-taque tanto cobiçara. Pela primeira vez numa década, o Mono Blaine estava acordado e ganhando força para velocidade de marcha.

36

O alarme, que na verdade fora feito para avisar aos moradores há muito mortos de Lud de um iminente ataque aéreo (e que nem sequer fora testado em quase mil anos), cobriu a cidade com som. Todas as luzes que ainda funcionavam acenderam-se e começaram a pulsar em sincronia. Os Pubes acima das ruas e os Grays abaixo delas se convenceram de que o fim que sempre haviam temido finalmente chegara. Os Grays desconfiavam de que estava ocorrendo algum cataclísmico colapso mecânico. Os Pubes — que sempre acreditaram que os fantasmas escondidos nas máquinas debaixo da cidade um dia se ergueriam para enfim se vingarem dos vivos — provavelmente estavam mais próximos da verdade.

Sem dúvida restara alguma inteligência nos antigos computadores abaixo da cidade, um único organismo vivo que há muito deixara de ser são em condições que, dentro de seus implacáveis circuitos dipolares, só podia representar a realidade absoluta. Ele mantivera sua lógica cada vez mais alienada nos bancos de memória durante oitocentos anos, e poderia tê-la mantido assim por mais oitocentos, não fosse pela chegada de Roland e seus amigos. Contudo, essa *mens non corpus* fora meditando e ficando cada vez mais insana a cada ano que passava; mesmo em seus crescentes períodos de sono podia dizer-se que sonhava, e esses sonhos foram se tornando mais anormais à medida que o mundo seguia adiante. Agora, embora a maquinaria impensável que mantinha os Feixes tivesse se enfraquecido, essa inteligência insana e artificial despertara nas câmaras das ruínas e recomeçara mais uma vez, embora tão incorpórea quanto qualquer fantasma, a cambalear pelos salões dos mortos.

Em outras palavras, o Mono Blaine preparava-se para deixar Dodge.

37

Roland ouviu um passo atrás dele quando se ajoelhou ao lado de Jake e voltou-se erguendo o revólver. Tilly, a cara descorada com uma expressão de perplexidade e medo supersticioso, ergueu as mãos e berrou:

— *Não me mate, senhor! Por favor! Não me mate!*

— Corra, então — disse Roland sucintamente, e quando ela começou a se mexer, ele bateu na panturrilha dela com o cano do revólver. — Por aí, não; pela porta pela qual eu entrei. E se você tornar a me ver, eu serei a sua última visão neste mundo. Agora *vá*!

Ela desapareceu nas sombras que saltavam em volta.

Roland encostou a cabeça no peito de Jake, tapando o outro ouvido com a mão para amortecer a pulsação do alarme. Ouviu as batidas cardíacas do menino, lentas, mas fortes. Passou o braço em torno dele, e ao fazer isso Jake abriu os olhos hesitante.

— Você não me deixou cair desta vez. — A voz não passava de um sussurro rouco.

— Sim. Desta vez, não, e nunca mais. Não force a voz.

— Onde está Oi?

— Oi! — latiu o malhado. — *Oi*!

Brandon esfaqueara-o várias vezes, mas nenhum dos ferimentos parecia letal ou mesmo sério. Era evidente que sentia alguma dor, mas era igualmente evidente que estava arrebatado de alegria. Olhava Jake com olhos faiscantes, a língua cor-de-rosa pendurada para fora.

— Eique! Eique! *Eique*!

Jake caiu em prantos e estendeu a mão para ele; Oi veio capengando para os seus braços e deixou-se abraçar por um instante.

Roland levantou-se e olhou em volta. Fixou o olhar na porta do outro lado da sala. Os dois homens nas costas dos quais atirara estavam indo para aquele lado, e a mulher também queria sair por ali. O pistoleiro dirigiu-se para a porta com Jake nos braços e Oi nos calcanhares. Chutou um dos Grays para o lado e passou agachado. A sala adiante era uma cozinha. Tinha a aparência de um chiqueiro, apesar dos aparelhos embutidos e as paredes de aço inoxidável; os Grays aparentemente não se interessavam muito pela manutenção da casa.

— Água — sussurrou Jake. — Por favor... tanta sede.

Roland sentiu uma esquisita duplicação, como se o tempo se houvesse dobrado para trás sobre si mesmo. Lembrava-se de quando cambaleava para fora do deserto, enlouquecido pelo calor e pelo vazio. Lembrava-se de que passara pelo estábulo na estação, quase morto de sede, e acordara com o gosto de água pingando por sua garganta abaixo. O menino tirara a sua camisa, encharcara-a no jato da bomba e dera-lhe de beber. Agora era sua vez de fazer por Jake o que Jake fizera por ele.

Roland olhou em volta e viu uma pia. Foi até ela e abriu a torneira. Jorrou água fria, límpida. Acima deles, ao redor deles, abaixo deles, o alarme continuava a rugir.

— Consegue ficar de pé?

Jake assentiu.

— Acho que sim.

Roland colocou o menino de pé, pronto para segurá-lo se ele cambaleasse demais, mas Jake agarrou-se na pia e enfiou a cabeça embaixo da água corrente. Roland pegou Oi e examinou suas feridas. Já estavam coagulando. *Você deu muita sorte, meu amigo peludo*, pensou Roland, depois estendeu a mão ao lado de Jake e encheu a palma de água para o animal. Oi bebeu avidamente.

Jake recuou da torneira com os cabelos emplastrados dos lados do rosto. Ainda tinha a pele muito pálida e os sinais de que fora severamente espancado eram evidentes, mas parecia melhor do que quando Roland se curvara sobre ele a primeira vez. Por um terrível momento, o pistoleiro tivera certeza de que ele estava morto.

Viu-se desejando poder voltar atrás e matar Gasher de novo, e isso o levou a outra ideia.

— E o sujeito que Gasher chamava de Homem do Tique-taque? Você o viu, Jake?

— Vi. Oi o atacou. Rasgou a cara dele. Depois eu atirei nele.

— Ele morreu?

Os lábios de Jake começaram a tremer. Ele os apertou com força.

— Foi... atirei na sua... — Bateu na testa bem acima da sobrancelha direita. — Eu dei s-s... eu dei sorte.

Roland olhou-o com um ar de aprovação, depois balançou devagar a cabeça.

— Sabe, eu duvido. Mas deixe isso pra lá agora. Vamos.

— Aonde vamos? — A voz de Jake ainda era pouco mais do que um murmúrio rouco, e ele não parava de olhar pelo ombro de Roland, para a sala onde quase morrera.

Roland apontou para o outro lado da cozinha. Além de outra escotilha, o corredor continuava.

— Dá para começar por lá.

— PISTOLEIRO — ribombou uma voz por todos os lados.

Roland virou rapidamente, com Oi num dos braços e o outro nos ombros de Jake, mas não enxergou ninguém.

— Quem fala comigo?

— DIGA SEU NOME, PISTOLEIRO.

— Roland de Gilead, filho de Steven. Quem fala comigo?

— GILEAD NÃO EXISTE MAIS — disse a voz, ignorando a pergunta.

Roland olhou para cima e viu desenhos de círculos concêntricos no teto. A voz vinha deles.

— NENHUM PISTOLEIRO ANDOU NO MUNDO INTERIOR OU NO MUNDO MÉDIO POR QUASE TREZENTOS ANOS.

— Eu e meus amigos somos os últimos.

Jake tomou Oi de Roland. O malhado começou logo a lamber o rosto inchado do menino; tinha os olhos cercados de dourado cheios de adoração e felicidade.

— É Blaine — sussurrou Jake para Roland. — Não é?

Roland assentiu . Claro que era — mas ele tinha uma ideia de que Blaine era muito mais do que apenas um trem monotrilho.

— MENINO! VOCÊ É JAKE, DE NOVA YORK?

Jake chegou para mais perto de Roland e olhou os alto-falantes acima.

— Sou — disse. — Sou eu mesmo. Jake, de Nova York. Hmm… filho de Elmer.

— AINDA TEM O LIVRO DE ADIVINHAÇÕES? O LIVRO DO QUAL ME FALARAM?

Jake levou a mão aos ombros e uma expressão de tensão tomou o seu rosto quando os dedos não encontraram nada além das próprias costas. Ao tornar a olhar para Roland, o pistoleiro estendia-lhe a sua mochila, e embora o rosto estreito e com finas rugas do homem estivesse tão sem expressão quanto antes, Jake sentiu a sombra de um sorriso nos cantos da boca.

— Vai ter que ajeitar as correias — disse Roland quando Jake pegou a mochila. — Eu tive que aumentá-las.

— Mas *O que É o que É*...

Roland assentiu.

— Os dois livros continuam aí.

— O QUE VOCÊ TEM, PEQUENO VIAJANTE?

— Cacete! — disse Jake.

Ele nos vê, além de nos ouvir, pensou Roland, e um momento depois localizou um pequeno olho de vidro num canto, muito acima da linha de visão de um homem normal. Sentiu um arrepio percorrer sua pele, e soube pelo ar perturbado no rosto de Jake, e pela maneira como ele apertou os braços em torno de Oi, que não estava sozinho em sua inquietação. A voz era de uma máquina, uma máquina incrivelmente inteligente, uma máquina brincalhona, mas, mesmo assim, ainda havia algo de muito errado nela.

— O livro — disse Jake. — Eu tenho o livro de adivinhações.

— ÓTIMO. — Havia uma satisfação quase humana na voz. — REALMENTE EXCELENTE.

Um sujeito descabelado e barbudo surgiu de repente na porta do outro lado da cozinha, com um lenço amarelo manchado de sangue pendurado no braço.

— Incêndios nas muralhas! — gritou. Em seu pânico, parecia não perceber que Roland e Jake não faziam parte de seu miserável ka-tet subterrâneo. — Fumaça nos níveis superiores! As pessoas se matando! Deu alguma coisa errada! Diabos, deu *tudo* errado! A gente tem que...

A porta do fogão de repente caiu aberta como um queixo sem articulação. Um grosso raio de fogo branco-azulado jorrou e envolveu a cabeça do homem descabelado. Ele foi lançado para trás com as roupas em chamas e a pele cozinhando no rosto.

Jake ergueu o olhar para Roland, chocado e horrorizado. Roland passou um braço pelos seus ombros.

— ELE ME INTERROMPEU — disse a voz. — ISSO FOI RUDE, NÃO FOI?

— Foi — disse calmamente Roland. — Extremamente rude.

— SUSANNAH DE NOVA YORK DIZ QUE VOCÊ SABE MUITAS ADIVINHAÇÕES DE COR, ROLAND DE GILEAD. ISSO É VERDADE?

— Sim.

Houve uma explosão num dos aposentos que davam para aquele lado do corredor; o chão tremeu sob os pés deles e vozes gritaram num coro irregular. As luzes pulsantes e a interminável sirene diminuíram por um instante e depois voltaram com força total. Um pequeno fio de fumaça amarga e acre saiu dos ventiladores. Oi deu uma cheirada e espirrou.

— ME DIGA UMA DE SUAS ADIVINHAÇÕES, PISTOLEIRO — pediu a voz.

Era serena e imperturbável, como se estivessem todos sentados juntos numa pacífica pracinha de aldeia em vez de embaixo de uma cidade que parecia à beira de desmoronar.

Roland pensou um instante, e o que lhe veio à mente foi a adivinhação favorita de Cuthbert.

— Tudo bem, Blaine — disse. — Vou dizer. O que é o que é melhor que todos os deuses e pior do que o Velho Pé Fendido? Os mortos comem sempre; os vivos que comem morrem lentamente.

Houve uma longa pausa. Jake encostou o rosto no pelo de Oi para afastar o fedor do Gray assado.

— *Tenha cuidado, pistoleiro.* — A voz era miúda como um sopro de brisa no mais quente dia de verão. A voz da máquina viera de todos os alto-falantes, mas aquela viera apenas do diretamente acima. — *Tenha cuidado, Jake de Nova York. Lembre-se que isso é o Estreito. Vá devagar e tenha muito cuidado.*

Jake ergueu para o pistoleiro os olhos arregalados. Roland balançou de leve a cabeça e ergueu um dedo. Pareceu coçar o lado do nariz, mas o dedo também cruzou os lábios, e Jake sentiu que o pistoleiro dissera para que ele ficasse de boca fechada.

— UMA ADIVINHAÇÃO INTELIGENTE — disse por fim Blaine. Parecia haver verdadeira admiração em sua voz. — A RESPOSTA É NADA, NÃO É?

— Correto — disse Roland. — Você é mesmo muito inteligente, Blaine.

Quando a voz tornou a falar, Roland ouviu o que Eddie já ouvira: uma profunda e imparável cobiça.

— ME DIGA OUTRA.

Roland inspirou fundo.

— Agora, não.

— EU ESPERO QUE NÃO ESTEJA ME DIZENDO NÃO, ROLAND, FILHO DE STEVEN, POIS ISSO TAMBÉM É RUDE. *EXTREMAMENTE* RUDE.

— Leve-nos a nossos amigos e nos ajude a deixar Lud — disse Roland. — Aí talvez tenhamos tempo para adivinhações.

— EU PODERIA MATAR VOCÊS AÍ MESMO — disse a voz, e agora era tão fria quanto o mais frio dia de inverno.

— Sim — disse Roland. — Eu sei que poderia. Mas as adivinhações morreriam conosco.

— EU PODIA TOMAR O LIVRO DO MENINO.

— Roubar é mais rude do que recusar ou interromper — observou Roland.

Falou casualmente, mas os dedos restantes da mão direita apertavam o ombro de Jake.

— Além do mais — disse Jake, erguendo o olhar para o alto-falante no teto —, as respostas não estão no livro. As páginas das respostas foram arrancadas. — Num lampejo de inspiração, bateu na têmpora. — Mas estão aqui.

— VOCÊS PRECISAM SE LEMBRAR DE QUE NINGUÉM GOSTA DE ESPERTINHOS — disse Blaine.

Ouviu-se outra explosão, esta mais alta e mais próxima. Uma das grades do ventilador atravessou o aposento como um projétil. Um momento depois, dois homens e uma mulher passaram pela porta que levava ao resto da toca dos Grays. O pistoleiro apontou o revólver para eles, baixando em seguida a pontaria quando eles atravessaram cambaleando a cozinha e entraram no silo adiante sem ao menos relancear os olhos para Roland e Jake. Roland achou que pareciam animais fugindo de um incêndio na mata.

Um painel de aço inoxidável no teto abriu-se, revelando um quadrado de escuridão. Uma coisa prateada brilhou lá dentro, e, poucos instantes depois, uma esfera de aço, com talvez um palmo de diâmetro, caiu do buraco e pairou no ar da cozinha.

— SIGAM-NA — disse Blaine, com uma voz sem entonação.

— Ela vai nos levar a Eddie e Susannah? — perguntou Jake, esperançoso.

Blaine respondeu apenas com o silêncio... mas quando a esfera começou a flutuar pelo corredor afora, os dois começaram a segui-la.

38

Jake não tinha muita lembrança do tempo que se passou, e isso provavelmente era uma bênção. Ele deixara o seu mundo um ano antes de novecentas pessoas se suicidarem num pequeno país sul-americano chamado Guiana, mas sabia das periódicas corridas para a morte dos lemingues, e o que acontecia naquela cidade subterrânea em desintegração dos Grays era algo parecido.

Ouviam-se explosões, algumas no nível deles, mas a maioria muito abaixo; uma fumaça acre subia de vez em quando das grades de ventilação, mas a maior parte dos purificadores de ar ainda funcionava e filtrava o pior, antes que se acumulassem em nuvens sufocantes. Não viram chamas. Mas os Grays reagiam como se tivesse chegado a hora do apocalipse. A maioria apenas fugia, seus rostos pálidos eram expressões de pânico, mas muitos haviam se suicidado nos salões e salas interligados pelos quais a esfera de aço conduzia Roland e Jake. Alguns haviam atirado em si mesmos, muitos outros haviam cortado a garganta ou os pulsos; uns poucos pareciam ter tomado veneno. Em geral, os rostos dos mortos tinham a mesma expressão de terror absoluto. Jake tinha apenas uma vaga compreensão do que os levara àquilo. Roland teve uma ideia melhor do que lhes acontecera — do que acontecera às suas *mentes* —, quando a cidade há muito morta voltou à vida ao redor deles, e então começou a se autodestruir. E foi ele quem compreendeu que Blaine fazia aquilo de propósito. Que Blaine os estava levando àquilo.

Contornaram um homem que pendia de um duto de aquecimento e desceram um lance de escada de aço atrás da bola flutuante.

— Jake! — gritou Roland. — Não foi você que abriu a porta para mim, foi?

Jake fez que não com a cabeça.

— Acho que não. Foi Blaine.

Chegaram ao pé da escada e seguiram por um longo corredor até uma escotilha com as palavras ABSOLUTAMENTE PROIBIDA A ENTRADA impressas nas letras da Língua Superior.

— Isso é Blaine? — perguntou Jake.

— É… é um nome tão bom quanto qualquer outro.

— E os outros v…

— Calado! — disse Roland com um ar sombrio.

A bola de aço parou diante da escotilha. A roda girou e a porta entreabriu-se. Roland a puxou, e entraram num imenso aposento subterrâneo que se estendia para três lados até onde conseguiam enxergar. Estava cheio de intermináveis painéis e equipamentos eletrônicos. A maioria dos painéis ainda estava apagada e morta, mas quando os dois entraram na sala, olhando em volta com olhos arregalados, viram luzes-piloto se acendendo e ouviram máquinas entrando em atividade.

— O Homem do Tique-taque disse que havia milhares de computadores — disse Jake. — Acho que tinha razão. Meu Deus, olha só!

Roland não entendeu a palavra que Jake usara, e por isso nada disse. Apenas ficou observando enquanto fila após fila de painéis se acendiam. Uma nuvem de faíscas e uma momentânea língua de fogo verde saltavam de alguns consoles quando alguma peça defeituosa de equipamento falhava.

A maior parte da maquinaria, porém, parecia estar em plena forma. Ponteiros que não se mexiam havia um século de repente ficavam verdes. Imensos cilindros de alumínio giravam, despejando dados armazenados em chips de silício em bancos de memória mais uma vez despertos e prontos para recebê-los. Mostradores digitais, indicando tudo, desde a fraca pressão aquífera no Baronato do rio Ocidental à força de amperagem disponível na hibernante Usina Nuclear da bacia do Send, iluminavam-se em brilhantes pontos de vermelho e verde. Acima, globos pendurados começaram a piscar, irradiando-se em engrenagens iluminadas. E de baixo, de cima e em volta deles — de toda parte — vinha um baixo zumbido de geradores e máquinas ferroviárias sem atrito despertando de seu longo sono.

Jake começara a cambalear seriamente. Roland tomou-o nos braços de novo e seguiu a bola de aço pelas máquinas cujas funções e fins não podia sequer sonhar quais seriam. Oi corria em seus calcanhares. A bola dobrou para a esquerda, e o corredor em que eles agora se viam corria entre bancos de monitores de TV, milhares deles, empilhados em filas como os blocos de montar de uma criança.

Meu pai adoraria isso, pensou Jake.

Algumas partes daquela vasta arcada de vídeo ainda estavam apagadas, mas muitas das telas brilhavam. Mostravam uma cidade em caos, acima e abaixo. Grupos de Pubes corriam sem destino pelas ruas, olhos arregalados, bocas movendo-se sem emitir sons. Muitos saltavam de prédios altos. Jake observou horrorizado que centenas de pessoas tinham se reunido na ponte do Send e se atiravam no rio. Outras telas mostravam aposentos grandes, cheios de catres como dormitórios. Alguns desses aposentos estavam em chamas, mas parecia que eram os próprios Grays, tomados de pânico, quem os incendiavam — ateando fogo a colchões e móveis sabe-se Deus o motivo.

Uma tela mostrava um gigante parrudo jogando homens e mulheres no que parecia ser uma prensa coberta de sangue. Isso já era ruim o suficiente, mas havia outra coisa pior: as vítimas estavam numa fila sem guardas, docilmente à espera de sua vez. O carrasco, o lenço amarelo amarrado esticado no crânio e as pontas em nós balançando nas orelhas como rabichos, pegou uma velha e levantou-a, esperando pacientemente que o bloco de aço inoxidável se erguesse para pô-la embaixo. A velha não se debatia; parecia, na verdade, estar *sorrindo*.

— NOS APOSENTOS AS PESSOAS VÊM E VÃO — disse Blaine. — MAS ACHO QUE NENHUMA DELAS ESTÁ DISCUTINDO MICHELANGELO.

De repente deu uma gargalhada — um riso estranho, trilado, que parecia com ratos correndo por cima de cacos de vidro. O som fez arrepios subirem pelo pescoço de Jake. Ele não queria ter nada a ver com uma inteligência que ria daquele jeito... mas que escolha eles tinham?

Voltou o olhar desamparado para os monitores... e Roland na mesma hora virou o seu rosto. Fez isso delicadamente, mas com firmeza.

— Não tem nada aqui que você precise ver, Jake — disse.

— Mas por que eles estão fazendo isso? — perguntou Jake. Não comera nada o dia todo, mas ainda assim sentia vontade de vomitar. — *Por quê?*

— Porque estão com medo, e Blaine alimenta o medo deles. Mas, principalmente, eu acho, porque viveram tempo demais no cemitério dos antepassados e estão fartos disso. E antes de ter pena deles, lembre-se de como eles ficariam contentes de levar você junto para a clareira onde termina o caminho.

A bola de aço dobrou outra quina, deixando as telas de TV e equipamentos de monitoramento para trás. À frente, uma larga fita de um material sintético corria pelo chão. Brilhava como alcatrão fresco entre duas faixas estreitas de aço cromado que se afunilavam num ponto que não era o outro lado do aposento, mas o horizonte.

A bola ricocheteou impaciente acima da faixa escura, e de repente a correia — pois era isso o que era — entrou em silencioso movimento, andando por sobre seus rolos de aço em uma corrida veloz. A bola fazia pequenos arcos no ar, exortando-os a subir.

Roland disparou ao lado da esteira rolante até quase igualar sua velocidade, depois fez o que a bola sugeria. Colocou Jake no chão e os três — o pistoleiro, o menino e o malhado de olhos dourados — foram rapidamente transportados através daquela escura planície subterrânea onde as antigas máquinas despertavam. A esteira rolante levou-os para uma área do que parecia ser um lugar de arquivamento — fila após fila de gabinetes. Estavam apagados... mas não mortos. Um zumbido sonolento, baixo, vinha de dentro deles, e Jake via fendas finíssimas de forte luz amarela entre os painéis de aço.

De repente viu-se lembrando do Homem do Tique-taque.

Talvez haja centenas de milhares desses caralhos de computadores dipolares debaixo dessa porra de cidade! Eu quero *esses computadores!*

Bem, pensou Jake, *eles estão acordando, por isso eu acho que você está conseguindo o que queria, Tique... mas se estivesse aqui, não sei se ainda ia querer.*

Então se lembrou do bisavô de Tique-taque, que tivera coragem suficiente para subir num avião de outro mundo e levá-lo para o céu. Com esse tipo de sangue correndo nas veias, supunha Jake, Tique-taque, muito ao contrário de ficar com tanto medo a ponto de se suicidar, sentiria prazer com essa virada da maré... e quanto mais gente se matasse de terror, mais feliz ele ficaria.

Tarde demais agora, Tique, ele pensou. *Graças a Deus.*

Roland falou numa voz baixa, inquisitiva.

— Todas essas caixas... Acho que estamos cruzando a mente da coisa que se chama Blaine, Jake. *Acho que estamos cruzando a mente dele.*

Jake assentiu, e viu-se lembrando de sua redação final. "Blaine o cérebro é um pé no saco."

— É. — Jake olhou bem para Roland. — Vamos sair onde eu acho que vamos?

— Sim — disse Roland. — Se ainda estivermos seguindo o Caminho do Feixe, vamos sair no Berço.

Jake fez que sim com a cabeça.

— Roland?

— Que é?

— Obrigado por vir atrás de mim.

Roland assentiu e passou o braço pelo seu ombro.

Muito à frente, enormes motores acordaram roncando. Um momento depois, começou um pesado barulho de arranhar e uma nova luz — o áspero fulgor laranja de lâmpadas de sódio — despejou-se sobre eles. Jake via agora o lugar onde a esteira rolante parava. Além dali havia uma íngreme e estreita escada rolante, levando para dentro da luz laranja.

39

Eddie e Susannah escutaram fortes motores começarem a funcionar quase imediatamente abaixo deles. Um momento depois, uma larga faixa do piso de mármore começou a recuar, revelando uma longa fenda iluminada abaixo. O chão desaparecia na direção deles. Eddie empunhou a cadeira de rodas de Susannah e rolou-a rápido para trás pela barreira de aço entre a plataforma do monotrilho e o resto do Berço. Havia várias colunas ao longo do crescente retângulo de luz, e Eddie esperou que elas desabassem quando o buraco no chão onde estavam sumisse debaixo de suas bases. Isso não aconteceu. As colunas continuaram serenamente de pé, parecendo flutuar no nada.

— Estou vendo uma escada rolante! — gritou Susannah acima do alarme interminável, pulsante. Curvava-se para a frente, olhando para dentro do buraco.

— Aham — gritou Eddie de volta. — Estamos no elevado aqui em cima, logo devem ser as seções de loções, perfumes e lingeries lá embaixo.

— *Hã?*

— Deixa pra lá!

— *Eddie*! — gritou Susannah. Uma alegria surpresa explodia no rosto dela como fogos de artifício. Curvou-se ainda mais para a frente, apontando, e ele teve de agarrá-la para impedi-la de despencar da cadeira.

— *É Roland! São os dois!*

Ouviu-se um baque tremido quando a fenda no chão se abriu no comprimento máximo e parou. Os motores que haviam corrido a escada pelos trilhos ocultos pararam num longo e agonizante gemido. Eddie correu para a beirada do buraco e viu Roland num dos degraus da escada rolante. Jake — pálido, ferido e ensanguentado, mas visivelmente Jake e visivelmente vivo — vinha ao lado dele, encostado no ombro do pistoleiro. E sentado no degrau junto a eles, olhando para cima com olhos luminosos, Oi.

— *Roland! Jake!* — gritou Eddie. Deu um salto, agitando as mãos acima da cabeça, e desceu saltitando até a borda da fenda. Se estivesse usando um chapéu, o teria jogado para o alto.

Eles olharam para cima e acenaram. Jake sorria, Eddie percebeu, e mesmo o grandão alto e feio parecia que podia dar um sorriso dali a pouco. Os milagres — pensou Eddie — jamais cessariam. De repente, sentia o coração grande demais no peito e dançou mais rápido, agitando os braços e gritando, com medo de que, se não se mantivesse em movimento, a alegria e o alívio poderiam fazê-lo explodir. Até aquele momento não percebera como tivera certeza de que jamais tornaria a ver Roland e Jake de novo.

— *Ei, caras! Cacete! Do caralho! Movam seus rabos aqui pra cima!*

— Eddie, me ajude!

Ele se voltou. Susannah tentava deixar a cadeira, mas uma dobra da calça de pele de gamo que usava se enganchara no mecanismo do freio. Ela ria e chorava ao mesmo tempo, os olhos pretos ardendo de felicidade. Eddie a ergueu da cadeira com tanta força que a derrubou de lado. Ele a agarrou e a girou num círculo dançante. Ela se segurava no pescoço dele com uma das mãos e acenava vigorosamente com a outra.

— Roland! Jake! Subam aqui em cima. Mexam esses rabos daí, estão me ouvindo?

Quando chegaram ao topo, Eddie abraçou Roland, batendo-lhe nas costas, e Susannah cobriu de beijos o rosto sorridente de Jake. Oi corria em volta formando oitos, com latidos agudos.

— Doçura! — disse Susannah. — Você está bem?

— Sim — disse Jake. Ainda sorria, mas tinha lágrimas nos olhos. — E feliz por estar aqui. Você não tem ideia do quanto.

— Eu posso adivinhar, doçura. Pode apostar nisso. — Ela se voltou para olhar para Roland. — O que foi que fizeram com ele? Parece que passaram por cima do rosto dele com um trator.

— A maior parte foi Gasher — disse Roland. — Mas ele não vai mais se meter com Jake. Nem com mais ninguém.

— E você, garotão? Você está bem?

Roland assentiu.

— Então este é o Berço?

— Sim — disse Eddie. Olhava para dentro da fenda. — O que tem lá embaixo?

— Máquinas e insanidade.

— Vejo que continua eloquente como sempre. — Eddie olhou para Roland, sorrindo. — Sabe o quanto estou feliz por te ver, cara? Faz alguma ideia?

— É... acho que sim.

Roland sorriu então, pensando em como as pessoas mudavam. Houve um tempo, não faz muito, em que Eddie estivera na iminência de cortar a garganta do pistoleiro com sua própria faca.

As máquinas embaixo começaram de novo. A escada rolante parou. A fenda no chão começou a se fechar novamente. Jake foi até a cadeira virada de Susannah, e enquanto a erguia avistou o liso vulto rosa atrás das barras de ferro. Sua respiração prendeu, e o sonho que ele tivera depois que deixara River Crossing retornou com a força toda: a imensa forma de bala cor-de-rosa atravessando as terras desertas do Missouri em direção a ele e Oi. Duas grandes janelas triangulares reluzindo acima da cara vazia do monstro que avançava, janelas que pareciam olhos... e agora o sonho se tornava realidade, como ele sabia que acabaria por tornar-se.

É só um terrível trem chuu-chuu, e se chama Blaine Chato.

Eddie se aproximou e passou um braço pelo ombro de Jake.

— Bem, aí está, campeão... exatamente como foi anunciado. O que acha dele?

— Não muito, na verdade. — Isso era um baita de um eufemismo, mas Jake estava esgotado demais para fazer coisa melhor.

— Também não acho — disse Eddie. — Ele fala. E gosta de adivinhações.

Jake assentiu. Roland acomodou Susannah no quadril, e juntos foram examinar a caixa de controle com os números em formato de diamante. Jake e Eddie juntaram-se a eles. Eddie descobriu que tinha que ficar olhando o tempo todo para Jake, para certificar-se de que não era apenas sua imaginação ou seu desejo; o garoto estava mesmo ali.

— E agora? — perguntou Roland.

Deslizou os dedos de leve sobre os botões numerados que compunham a forma de diamante e balançou a cabeça. Ele não sabia.

— Porque eu acho que as máquinas do mono estão em rotação mais rápida — disse Eddie. — Quer dizer, é difícil saber ao certo com esse alarme ensurdecedor, mas eu acho que está... e é um robô, afinal. E se ele, digamos, partir sem a gente?

— Blaine! — gritou Susannah. — Blaine, você está...

— ESCUTEM BEM, MEUS AMIGOS — ribombou a voz de Blaine. — HÁ GRANDES ESTOQUES DE CILINDROS DE GUERRA QUÍMICA E BIOLÓGICA SOB A CIDADE. EU DEI INÍCIO A UMA SEQUÊNCIA QUE CAUSARÁ UMA EXPLOSÃO E LIBERARÁ ESSE GÁS. ESSA EXPLOSÃO VAI OCORRER DENTRO DE QUINZE MINUTOS.

A voz silenciou por um momento, e então a do Pequeno Blaine, quase inaudível por causa do barulho constante e pulsante do alarme, lhes chegou:

—*... eu estava com medo de uma coisa dessas... vocês precisam se apressar...*

Eddie ignorou o Pequeno Blaine, que não lhe dizia porra nenhuma que ele já não soubesse. Óbvio que precisavam correr, mas este fato estava num distante segundo lugar no momento. Uma coisa muito maior ocupava a maior parte de sua mente.

— *Por quê?* — ele perguntou. — Por que, em nome de Deus, você faria isso?

— EU DIRIA QUE É ÓBVIO. EU NÃO POSSO DETONAR UMA BOMBA ATÔMICA NA CIDADE SEM ME AUTODESTRUIR. E COMO EU PODERIA LEVÁ-LOS AONDE VOCÊS QUEREM IR SE FOSSE DESTRUÍDO?

— Mas ainda há milhares de pessoas na cidade — disse Eddie. — Você vai *matá-las*.

— SIM — disse calmamente Blaine. — ATÉ LOGUINHO, PASSAR BEM, NÃO SE ESQUEÇA DE ESCREVER.

— *Por quê?* — perguntou Susannah. — *Por quê*, porra?

— PORQUE ELES ME ENTEDIAM. MAS VOCÊS, EU OS ACHO UM TANTO INTERESSANTES. LÓGICO, POR QUANTO TEMPO VOU *CONTINUAR* ACHANDO VAI DEPENDER DO NÍVEL DAS SUAS ADIVINHAÇÕES. E POR FALAR EM ADIVINHAÇÕES, NÃO É MELHOR TRATAREM DE RESOLVER A MINHA? VOCÊS TÊM EXATAMENTE ONZE MINUTOS E VINTE SEGUNDOS ANTES DE OS CILINDROS SE ROMPEREM.

— Pare com isso! — berrou Jake acima do barulho da sirene. — Não é só a cidade... um gás desses pode se espalhar para *qualquer* parte. Pode até matar os velhos em River Crossing!

— A VIDA É DURA — respondeu Blaine, sem o menor sentimento. — EMBORA EU ACREDITE QUE ELES PODEM CONTINUAR COM SUAS VIDAS MEDÍOCRES POR MAIS ALGUNS ANOS; AS TEMPESTADES DE OUTONO JÁ COMEÇARAM, E OS

VENTOS PREDOMINANTES LEVARÃO OS GASES PARA LONGE DELES. A SITUAÇÃO DE VOCÊS QUATRO, PORÉM, É MUITO DIFERENTE. É MELHOR COMEÇAREM A PENSAR, OU SERÁ ATÉ LOGUINHO, PASSAR BEM, NÃO SE ESQUEÇAM DE ESCREVER. — A voz fez uma pausa. — UMA INFORMAÇÃO ADICIONAL: ESTE GÁS *NÃO* É INDOLOR.

— Pare a contagem! — disse Jake. — Nós ainda lhe contaremos adivinhações, não contaremos, Roland? Nós lhe contaremos todas as adivinhações que você quiser! Mas pare a contagem!

Blaine pôs-se a rir. Riu por muito tempo, sonoros guinchos de alegria metálica no vasto espaço vazio do Berço, onde se misturava com o monótono e penetrante balido do alarme.

— Pare! — disse Susannah. — Pare com isso! Pare com isso! *Pare com isso!*

Blaine parou. Um momento depois, o alarme foi cortado no meio. O silêncio que o substituiu — interrompido apenas pela chuva que caía — foi ensurdecedor.

Então a voz que saía do alto-falante veio muito baixa, pensativa e absolutamente impiedosa.

— VOCÊS TÊM DEZ MINUTOS — disse Blaine. — VAMOS VER O QUÃO INTERESSANTES VOCÊS SÃO.

40

— Andrew.

Não tem nenhum Andrew aqui, estranho, ele pensou. *Andrew se foi há muito tempo. Andrew não existe mais, como eu em breve não mais existirei.*

— *Andrew* — insistiu a voz.

Vinha de muito longe. Vinha de fora da prensa de sidra que um dia fora a sua cabeça.

Um dia *houvera* um menino chamado Andrew, e o pai o levara para um parque no extremo oeste de Lud, um parque onde havia macieiras e um enferrujado barracão de zinco que parecia o inferno e cheirava como o céu. Em resposta à sua pergunta, o pai dissera-lhe que se chamava casa da sidra. Depois dera um tapinha na cabeça de Andrew, falara para não ter medo e fizera-o entrar pela porta cerrada por uma manta.

Havia mais maçãs — cestos e cestos delas — empilhadas contra a parede lá dentro, e também um velho esquelético chamado Dewlap, cujos músculos se contorciam debaixo da pele como vermes, e cujo trabalho era despejar as maçãs, cesto a cesto, na desconjuntada e barulhenta máquina que ficava no meio do aposento. O que saía do cano que se projetava na outra ponta da máquina era sidra doce. Outro homem (ele não lembrava mais qual era o seu nome) ficava ali, e seu trabalho era encher garrafão após garrafão de sidra. Um terceiro homem ficava atrás *dele*, e o trabalho *dele* era vedar com um trapo o cano que enchia os garrafões se houvesse muito vazamento.

O pai de Andrew dera-lhe um copo da sidra espumante, e embora ele provasse muitas gostosuras esquecidas durante seus anos na cidade, jamais provara nada melhor do que aquela bebida doce e fria. Era como engolir um hausto de vento de outubro. Mas o que lembrava com mais nitidez ainda que o gosto da sidra ou os movimentos dos músculos de Dewlap quando despejava os cestos era a forma implacável como a máquina reduzia a líquido as grandes maçãs vermelho-douradas. Duas dúzias de esteiras transportavam-nas para baixo de um tambor de aço giratório cheio de buracos. As maçãs eram primeiro espremidas, e depois estouradas, despejando seu suco por uma calha inclinada, enquanto uma peneira recolhia as sementes e a polpa.

Agora sua cabeça era a prensa de sidra, e o cérebro, as maçãs. Logo ia explodir como as maçãs sob o compressor, e a abençoada escuridão o engoliria.

— Andrew! Levante a cabeça e olhe pra mim!

Ele não conseguia... e não levantaria mesmo que pudesse. Melhor simplesmente ficar deitado ali, à espera da escuridão. Ele devia estar morto mesmo, não devia? O pirralho maldito não tinha metido uma bala no seu cérebro?

— Não chegou nem perto do cérebro, seu babaca, e você não está morrendo. Está apenas com uma dor de cabeça. Mas *vai* morrer, sim, se não se levantar daí e parar de choramingar no seu próprio sangue... e eu vou me certificar, Andrew, que a sua morte faça com o que está sentindo agora parecer uma bênção.

Não foram as ameaças que fizeram o homem caído no chão erguer a cabeça, mas sim a maneira como o dono daquela voz penetrante, sibilante, parecia ler sua mente. A cabeça ergueu-se lentamente, e a agonia era excruciante — objetos pesados pareciam deslizar e derrapar em torno da caixa óssea que continha o que lhe restava da mente, rasgando canais de sangue no cérebro por onde passavam. Um longo e abafado gemido escapou-lhe. Teve uma sensação ondulante, como se sentisse cócegas, na face direita; parecia que uma dúzia de moscas rastejava no sangue ali. Quis enxotá-las, mas sabia que precisava das duas mãos apenas para se sustentar.

A figura em pé no outro lado do aposento junto à escotilha que levava à cozinha parecia horrenda, irreal. Isso era em parte porque as luzes acima continuavam a pulsar, e em parte porque ele via o recém-chegado apenas com um olho (não se lembrava do que acontecera com o outro e preferia não se lembrar), mas teve a sensação de que isso se devia, sobretudo, ao fato de que a criatura *era* horrenda e irreal. Parecia um homem... mas o sujeito que um dia fora Andrew pressentia que não era um homem de jeito nenhum.

O estranho de pé na frente da escotilha usava uma jaqueta curta e escura presa com um cinto na cintura, calça jeans desbotada, botas empoeiradas — botas de camponês, um cavaleiro das serras, ou...

— Ou um pistoleiro, Andrew? — perguntou o estranho, e deu uma risadinha.

O Homem do Tique-taque olhava desesperado a figura na porta, tentando ver o seu rosto, mas a jaqueta curta tinha um capuz, e estava erguido. O rosto do estranho perdia-se nas sombras.

A sirene parou no meio de um balido. As luzes de emergência continuaram acesas, mas pelo menos pararam de piscar.

— Pronto — disse o estranho (ou era a coisa?) em sua voz sussurrada, penetrante. — Finalmente podemos ouvir nossos próprios pensamentos.

— Quem é você? — perguntou o Homem do Tique-taque.

Moveu-se de leve, e outros daqueles pesos deslizaram dentro da sua cabeça, abrindo novos canais no cérebro. Por mais terrível que fosse essa sensação, a terrível cócega das moscas na face direita era de algum modo pior.

— Eu sou um homem de muitas alcunhas, parceiro — disse o homem de dentro da escuridão do capuz, e embora a voz fosse grave, Tique-taque ouviu uma risada à espreita logo abaixo da superfície. — Alguns me chamam de Jimmy, alguns me chamam de Timmy, alguns me chamam de Handy e alguns me chamam de Dandy. Podem me chamar de Perdedor, ou podem me chamar de Vencedor, contanto que não me chamem tarde demais para o jantar.

O homem na porta jogou a cabeça para trás, e sua risada gelou a pele dos braços e das costas do homem ferido causando calombos de arrepio; era como o uivo de um lobo.

— Já me chamaram de Estranho Sem Idade — disse o homem. Começou a aproximar-se de Tique-taque, e ao fazê-lo, o homem no chão gemeu e tentou recuar. — Já me chamaram de Merlin ou Maerlyn... e quem se importa, porque eu jamais fui *esse*, embora jamais tenha negado. Às vezes me chamam de o Mago... ou de o Bruxo... mas eu espero que possamos nos valer de termos mais humildes, Andrew. Termos mais *humanos*.

Jogou para trás o capuz, revelando um rosto branco e largo que não era, apesar de toda a bela aparência, humano em qualquer aspecto. Grandes rosas febris ocupavam as maçãs do rosto do Bruxo; os olhos azuis faiscavam com um prazer selvagem demais para ser são; os cabelos preto-azulados erguiam-se em chumaços arrepiados como as penas de um corvo; os lábios, de um vermelho exuberante, abriam-se revelando os dentes de um canibal.

— Me chame de Fannin — disse a sorridente aparição. — Richard Fannin. Isso não é *exatamente* correto, talvez, mas creio que já é o suficiente para a burocracia do governo. — Estendeu a mão cuja palma era absolutamente despida de linhas. — O que me diz, parceiro? Aperte a mão que abalou o mundo.

A criatura que um dia fora Andrew Quick, e a que fora conhecida nos salões dos Grays como o Homem do Tique-taque, guinchou e mais uma vez tentou recuar. A pelanca do escalpo desprendida pela bala de pequeno calibre que riscara o seu crânio em vez de penetrá-lo balançou de um lado para outro; os longos fios de cabelos loiros grisalhos continuaram a fazer cócegas no seu rosto. Quick, porém, não mais os sentia. Esquecera até a dor no crânio e o latejar na órbita onde antes estivera seu olho. Toda a sua consciência se fundira numa só ideia: *Eu preciso fugir dessa fera que parece um homem.*

Mas quando o estranho tomou sua mão direita e a apertou, essa ideia passou como um sonho ao despertar. O grito que estivera preso no peito de Quick escapou pelos lábios num suspiro de amante. Ele fitava estupidamente o sorridente recém-chegado. A pelanca solta do escalpo caiu e ficou balançando.

— Isso está incomodando você? *Deve* estar. Pronto! — Fannin pegou a pelanca e arrancou-a brutalmente da cabeça de Quick, revelando uma pegajosa faixa de crânio. Ouviu-se um barulho como de pano sendo rasgado. Quick gritou.

— Pronto, pronto, só dói um segundo. — O homem agora se agachava diante de Quick e falava como um indulgente pai falaria a um filho com uma farpa no dedo. — Não é?

— É... é... é... — murmurou Quick. E era mesmo. E quando Fannin estendeu de novo a mão para ele, acariciando o lado de seu rosto, o recuo de Quick foi apenas um reflexo, logo dominado. Quando a mão sem linhas alisava, ele sentia força fluindo para si. Ergueu o olhar para o estranho com estúpida gratidão, os lábios tremendo.

— Está melhor, Andrew? Está, não está?

— Sim! Sim!

— Se quiser me agradecer... e tenho certeza de que quer... você deve dizer uma coisa que um velho conhecido costumava dizer. Ele acabou me traindo, mas, de qualquer forma, foi um bom amigo durante muito tempo, e eu ainda tenho uma simpatia por ele. Diga: "Minha vida por você", Andrew... pode dizer isso?

Ele podia, e disse; na verdade, parecia que não conseguia *parar* de dizê-lo.

— Minha vida por você! Minha vida por você! Minha vida por você! Minha vida por...

O estranho tocou de novo o seu rosto, mas desta vez um imenso raio de dor explodiu dentro da cabeça de Quick. Ele gritou.

— Desculpe, mas o tempo urge e você estava começando a parecer um disco arranhado. Andrew, permita-me dizer sem rodeios: gostaria de matar o pirralho que atirou em você? Para não falar nos amigos dele e no durão que o trouxe aqui... ele, acima de tudo. E até mesmo o malhado que arrancou o seu olho... gostaria disso?

— Sim! — arquejou o ex-Homem do Tique-taque, cerrando as mãos em punhos sangrentos. — *Sim*!

— Ótimo — disse o estranho, e ajudou Quick a levantar-se —, porque eles *precisam* morrer... estão se metendo com coisas que não são da conta deles. Eu esperava que Blaine fosse cuidar deles, mas as coisas já foram longe demais para depender de *qualquer* coisa... afinal, quem pensaria que eles iriam tão longe?

— Eu não sei — disse Quick.

Na verdade, não tinha a menor ideia do que o estranho falava. Nem ligava; uma sensação de exaltação rastejava por sua mente como uma droga fabulosa, e após a dor da prensa de sidra isso era o suficiente. Mais do que o suficiente.

Richard Fannin franziu os lábios.

— Urso e osso... chave e rosa... dia e noite... tempo e maré. *Basta*! Eu digo que basta! *Eles não devem chegar mais perto da Torre do que já estão agora!*

Quick cambaleou para trás quando as mãos do homem dispararam com a velocidade de um raio de calor. Uma quebrou a corrente do minúsculo relógio de pêndulo envolto em vidro; a outra arrancou o Seiko de Jake Chambers do seu antebraço.

— Vou ficar com isso, certo? — disse o Bruxo Fannin com um ar encantador, os lábios modestamente fechados sobre aqueles dentes terríveis. — Ou você tem alguma objeção?

— Não — disse Quick, entregando os últimos símbolos de sua longa liderança sem nenhum escrúpulo (sem, na verdade, sequer ter consciência de que o fazia). — Fique à vontade.

— Obrigado, Andrew — disse em voz baixa o homem sombrio. — Agora temos que nos apressar... estou esperando uma mudança drástica na atmosfera destes ambientes mais ou menos nos próximos minutos. Devemos chegar ao armário de máscaras de gás mais próximo antes que isso aconteça, o que deve ser dentro em breve. Eu poderia sobreviver tranquilamente à mudança, mas receio que você possa ter alguns problemas.

— Eu não entendo o que você está falando — disse Andrew Quick. Sua cabeça recomeçara a latejar, e a mente rodopiava.

— Nem precisa — disse o estranho suavemente. — Vamos, Andrew, é melhor nos apressarmos. Que dia agitado, não? Com sorte, Blaine irá fritá-los ali na plataforma mesmo, onde eles sem dúvida ainda estão... ele se tornou bastante excêntrico com o passar dos anos, pobre coitado. Mas acho que é melhor nos apressarmos, mesmo assim.

6. ADIVINHAÇÃO E TERRAS DEVASTADAS

1

— Está bem — disse Roland. — Me conte a adivinhação dele.

— E toda aquela gente lá fora? — perguntou Eddie, apontando para o outro lado da praça do Berço cercada de colunas e a cidade além. — O que podemos fazer por eles?

— Nada — disse Roland —, mas talvez ainda possamos fazer alguma coisa por nós mesmos. Qual foi a adivinhação?

Eddie olhou para a forma aerodinâmica do mono.

— Ele disse que tínhamos de bombeá-lo para fazê-lo andar. Só que a bomba é ao contrário. Isso significa alguma coisa para você?

Roland pensou a respeito detidamente, depois balançou a cabeça. Baixou o olhar para Jake.

— Alguma ideia, Jake?

Jake balançou a cabeça.

— Eu nem mesmo *vejo* uma bomba.

— Essa provavelmente é a parte fácil — disse Roland. — Nós dizemos *ele*, em vez de *a coisa*, e isso porque Blaine parece um ser vivo, mas ainda é uma máquina... uma máquina sofisticada, mas uma máquina. Ele ligou seus próprios motores, mas deve ser preciso algum tipo de código ou combinação para abrir o portão e as portas do trem.

— É melhor nos apressarmos — disse Jake, nervoso. — Deve fazer uns dois ou três minutos desde que ele falou conosco. No mínimo.

— Não conte com isso — disse Eddie com ar sombrio. — O tempo é esquisito por aqui.

— Ainda assim...

— Sim, sim. — Eddie olhou para Susannah, mas ela estava acomodada no quadril de Roland e olhava o diamante numérico com uma expressão sonhadora no rosto. Ele olhou de volta para Roland. — Tenho certeza de que você tem razão sobre a combinação... deve ser para isso que servem todos esses números. — Ele ergueu a voz. — É isso, Blaine? Estamos certos pelo menos até aí?

Nenhuma resposta, apenas o rumor mais rápido das máquinas do mono.

— Roland — disse Susannah de repente. — Você precisa me ajudar.

O ar sonhador era substituído por uma expressão mista de horror, consternação e determinação. Aos olhos de Roland, ela nunca parecera tão bela... ou tão sozinha. Ela estava em seus ombros quando eles se achavam na borda da clareira e viram o urso tentar arrancar Eddie da árvore, e Roland não vira sua expressão quando lhe dissera que devia ser ela a atirar. Mas sabia qual fora a expressão, pois a via agora. Ka era uma roda, com o único propósito de girar, e no fim sempre voltava ao ponto onde começara. Assim fora antes e assim era agora; Susannah mais uma vez enfrentava o urso, e seu rosto dizia que ela sabia disso.

— Como? — ele perguntou. — O que foi, Susannah?

— Eu sei a resposta, mas não consigo encontrá-la. Está emperrada na minha mente como uma espinha de peixe presa na garganta. Preciso que você me ajude a lembrar. Não a cara dele, mas a voz. O que ele *disse*.

Jake baixou o olhar para o pulso e ficou novamente surpreso pela lembrança dos olhos verdes de gato do Homem do Tique-taque quando viu não o seu relógio, mas o lugar onde ele estivera — uma forma branca desenhada pela pele queimada de sol. Quanto tempo ainda tinham? Não deviam ser mais do que sete minutos, e isso num cálculo generoso. Ergueu o olhar e viu que Roland retirara um cartucho da cartucheira e fazia-o correr entre os nós dos dedos da mão esquerda. Jake sentiu as pálpebras imediatamente ficarem pesadas e desviou rápido o olhar.

— De que voz você quer se lembrar, Susannah Dean? — perguntou Roland numa voz baixa e pensativa. Tinha os olhos fixos não no rosto dela, mas no cartucho que dançava sem parar nos nós dos dedos... de um lado para o outro.

Ele não precisava erguer o olhar para saber que Jake desviara os olhos do ritual do cartucho e Susannah não. Começou a apressar o ritual até que o cartucho parecia flutuar acima das costas da mão.

— Me ajude a lembrar da voz do meu pai — disse Susannah Dean.

2

Por um momento fez-se silêncio, a não ser por uma explosão distante, de algo desmoronando, na cidade; pela chuva batucando no telhado do Berço; e pelo opulento pulsar das máquinas do monotrilho. Então um baixo zumbido hidráulico cortou o ar. Eddie desviou o olhar do cartucho se movimentando nos nós dos dedos do pistoleiro (foi preciso um esforço; ele percebeu que em alguns instantes a mais estaria hipnotizado) e espiou por entre as barras de ferro. Uma fina haste de prata erguia-se da inclinada superfície rosa entre as janelas dianteiras de Blaine. Parecia algum tipo de antena.

— Susannah? — disse Roland na mesma voz baixa.

— O que é? — Ela tinha os olhos arregalados, mas a voz era distante e sussurrada: a voz de alguém que fala no sono.

— Você se lembra da voz do seu pai?

— Sim... mas não consigo ouvi-la.

— SEIS MINUTOS, MEUS AMIGOS.

Eddie e Jake assustaram-se e olharam para o alto-falante na caixa de controle, mas Susannah parecia não ter ouvido nada; apenas fitava o cartucho flutuante. Abaixo dele, os nós dos dedos de Roland ondulavam, subindo e descendo como os pentes de um tear.

— Tente, Susannah — pediu Roland, e de repente sentiu que ela mudava de posição no círculo de seu braço direito. Pareceu ganhar peso... e, de alguma forma indefinível, vitalidade também. Era como se sua essência houvesse de alguma forma mudado.

E mudara.

— Por que tu vai ligá *praquela* puta escrota? — perguntou a voz áspera de Detta Walker.

3

Detta parecia ao mesmo tempo exasperada e alegre.

— Ela nunca tirô mais de sete em matemática a vida toda. E nem isso ia tirá sem minha ajuda. — Fez uma pausa, depois perguntou mal-humorada: — E o pai. Ele ajudô um poco, tamém. Eu sabia os número especial, mas era ele qui mostrava os resultado pra gente. Nossa, eu curtia adoidado. —

Deu uma risadinha. — Suze num lembra é purque Detta nunca entendeu os número especial pra começá.

— Que números especiais? — perguntou Eddie.

— Número primo! — Pronunciou a palavra primo quase rimando com rindo.

Olhou para Roland, parecendo inteiramente desperta agora… só que não era Susannah, e tampouco era a mesma criatura horrível e demoníaca que antes atendia pelo nome de Detta Walker, embora *soasse* como ela.

— Ela ia atrás do pai chorano purque tava levano bomba na aula de matemática… e era só um livrinho engraçado de álgebra aliás. Ela sabia fazê o trabai… se eu sabia, ela sabia… mas num queria. Uma puta leitora de poesia como ela era boa demais prum poco de *ars mathematica*, sabe?

Detta jogou a cabeça para trás e riu, mas o amargor venenoso e quase insano desaparecera do som. Ela parecia genuinamente divertida com a tolice da sua gêmea mental.

— E o pai dizia: "Eu vô ti mostrá um segredo, Odetta. Aprendi ele no colégio. Me ajudô a passá nesse troço de número primo, e vai ajudá tu também. Ajudá tu a encontrá a maioria dos número primo que queira". Ô-detta, burra que nem ela, diz: "A professora diz que num tem fórmula pra número primo, pai". E pai diz: "Num tem não. Mas a gente pode pegá eles, Odetta, se tiver uma rede". Chamava aquilo de Rede de Eratóstenes. Me leve até aquela caixa na parede, Roland… eu vô resolvê aquela adivinhação de computadô. Vô jogá uma rede e pegá uma viage de trem procês.

Roland levou-a, seguida de perto por Eddie, Jake e Oi.

— Me dá aquele pedaço de carvão que ocê tem no bolso.

Ele remexeu no bolso e pegou um curto toco preto. Detta pegou-o e olhou a grade de números em forma de diamante.

— Não é bem como o pai me mostrô, mas eu acho que dá no mesmo — disse após um instante. — Número primo é que nem eu… enfeitado e especial. Tem de sê um número que nunca se divide a num sê por um e por ele mesmo. Dois é primo, porque a gente pode dividir por um e dois, mas é o *único* número par que é primo. Pode pegar tudo quanto é otro par.

— Estou perdido — disse Eddie.

— É purquê ocê é só um garoto branco idiota — disse Detta, mas sem ser rude. Olhou de perto a forma de diamante por mais um instante, depois começou rapidamente a tocar com a ponta do carvão em todos os números pares, deixando neles pequenos borrões pretos.

— Três é primo, mas ninhum produto que se consiga *multiplicando* três pode ser primo — disse, e agora Roland ouvia uma coisa estranha, mas maravilhosa. Detta estava deixando a voz da mulher; estava sendo substituída não por Odetta Holmes, mas por Susannah Dean. Ele não precisaria tirá-la do transe; ela estava saindo por conta própria, naturalmente.

Susannah começou a usar o carvão para tocar os múltiplos de três que restavam, agora que os números pares haviam sido eliminados: nove, quinze, vinte e um, e assim por diante.

— O mesmo com cinco e sete — ela murmurou, e de repente estava desperta e voltara a ser Susannah Dean.

— Só precisamos marcar os ímpares como vinte e cinco que já não foram riscados.

A forma de diamante na caixa de controle tinha agora a seguinte aparência:

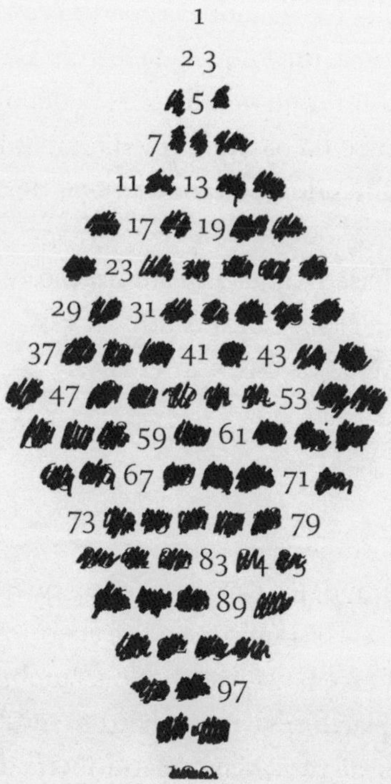

— Pronto — ela disse, cansada. — O que resta na rede são todos os números primos entre um e cem. Tenho certeza absoluta de que esta é a combinação que abre o portão.

— VOCÊS TÊM UM MINUTO, MEUS AMIGOS. ESTÃO PROVANDO QUE SÃO BEM MAIS BURROS DO QUE EU ESPERAVA QUE FOSSEM.

Eddie ignorou a voz de Blaine e passou os braços em torno de Susannah.

— Está de volta, Suze? Está acordada?

— Estou. Acordei no meio do que estava falando, mas deixei que ela continuasse um pouco mais mesmo assim. Pareceu falta de educação interromper. — Olhou para Roland. — O que diz você? Vamos nessa?

— CINQUENTA SEGUNDOS.

— Vamos. Tente a combinação, Susannah. É a sua resposta.

Ela estendeu a mão para o alto do diamante, mas Jake colocou a sua sobre a dela.

— Não — disse. — A bomba é *ao contrário*. Lembra?

Ela pareceu espantada, depois sorriu.

— Certo. Blaine inteligente... e Jake, também.

Observaram em silêncio quando ela apertou cada número, começando com noventa e sete. Houve um clique quando cada número foi sendo acertado. Não houve nenhum intervalo de tensão depois que tocou o último botão: o portão no centro da barreira imediatamente começou a deslizar sobre os trilhos, chocalhando e soltando chuvas de cascas de ferrugem de algum ponto acima.

— NADA MAU — disse Blaine com admiração. — ESTOU ANIMADO PARA ISSO. POSSO SUGERIR QUE EMBARQUEM LOGO? NA VERDADE, TALVEZ QUEIRAM SE APRESSAR. HÁ VÁRIAS SAÍDAS DE GÁS NESTA ÁREA.

4

Três seres humanos (um deles carregando um quarto num quadril) e um animalzinho peludo atravessaram correndo a abertura na barreira e saltaram para o Mono Blaine. O trem estava parado e zumbindo na sua baia, meio acima, meio abaixo da plataforma, parecendo um cartucho gigante — pintado num tom incongruente de rosa — na culatra aberta de um potente fuzil. Na vastidão do Berço, Roland e os outros pareciam meros pontinhos móveis. Acima deles, revoadas de pombos — agora com apenas quarenta segundos de vida — mergulhavam abaixo do teto do antigo Berço. Quando os viajantes se aproximaram do mono, uma parte curva de seu casco rosa deslizou, revelando uma entrada, além da qual se estendia um denso tapete azul-claro.

— Bem-vindo ao Blaine — disse uma voz tranquilizante quando saltaram dentro. Todos a reconheceram, era uma versão um pouco mais alta, um pouco mais confiante, da do Pequeno Blaine. — Viva o Império! Por favor, tenham à mão o cartão de embarque para a coleta e lembrem-se de que falso embarque é crime punível pela lei. Esperamos que desfrutem a sua viagem. Bem-vindos ao Blaine. Viva o Império! Por favor, tenham à mão o cartão de embarque...

A voz de repente acelerou-se, primeiro tornando-se uma algaravia de blá-blá-blá humano, depois um zumbido alto e enrolado. Ouviu-se um breve praguejar eletrônico — *BUP*! — e depois sumiu inteiramente.

— ACHO QUE PODEMOS PASSAR SEM ESSA MERDA TODA, VOCÊS NÃO CONCORDAM? — perguntou Blaine.

Do lado de fora veio uma tremenda explosão. Eddie, que agora carregava Susannah, foi lançado para a frente e teria caído se Roland não o segurasse pelo braço. Até esse instante, ele se agarrara à ideia desesperada de que a ameaça de Blaine sobre o gás venenoso não passasse de uma brincadeira doentia. *Você devia saber que não*, ele pensou. *Não se deve confiar nem um pouco num sujeito que acha graça em imitações de atores das antigas. Acho que isso é como uma lei da natureza.*

Atrás deles, a parte curva do casco correu de volta ao lugar com um baque silencioso. Ar começou a assobiar suavemente de ventiladores ocultos, e Jake sentiu os ouvidos estalarem levemente.

— Acho que ele acabou de pressurizar a cabine.

Eddie assentiu, olhando em volta com olhos arregalados.

— Eu também senti. Veja só este lugar! Nossa!

Ele já havia lido sobre uma empresa de aviação — Regent Air, talvez — que servia a pessoas que viajavam entre Nova York e Los Angeles em maior estilo do que empresas aéreas como a Delta e a United. Operavam um 727 especial com sala de visitas, bar, sala de vídeo e dormitórios. Eddie imaginou que o interior daquele avião devia parecer com o que via agora.

Estavam parados num aposento longo, tubular, mobiliado com poltronas forradas de veludo e sofás modulados. Na outra ponta do compartimento, que teria no mínimo uns vinte e cinco metros de comprimento, havia uma área que parecia não um bar, mas um aconchegante bistrô. Um instrumento que podia ter sido um cravo erguia-se sobre um pedestal de madeira envernizada, iluminado por um pequeno holofote oculto. Eddie quase esperava que Hoagy Carmichael aparecesse e começasse a dedilhar "Stardust".

Iluminação indireta vinha dos painéis no alto das paredes, e pendurado do teto no meio do compartimento havia um candelabro. Para Jake, parecia uma réplica menor do que jazia nas ruínas do salão de baile da Mansão. Isso tampouco o surpreendeu — passara a considerar naturais essas ligações e duplicações. A única coisa naquele esplêndido aposento que parecia errado era a ausência de uma única janela que fosse.

A pièce de résistance estava num pedestal embaixo do candelabro. Era uma escultura em gelo de um pistoleiro com um revólver na mão esquerda. A direita segurava a brida do cavalo de gelo que andava, cabisbaixo e cansado, atrás dele. Eddie via que só havia três dedos na mão: os dois últimos e o polegar.

Jake, Eddie e Susannah olhavam fascinados o rosto macilento sob o chapéu de gelo quando o piso se pôs a vibrar suavemente sob seus pés. A semelhança com Roland era admirável.

— RECEIO QUE TENHA TIDO DE TRABALHAR UM TANTO RÁPIDO — disse Blaine, modestamente. — ESTÁ A CONTENTO PARA VOCÊS?

— É absolutamente incrível — disse Susannah.

— OBRIGADO, SUSANNAH DE NOVA YORK.

Eddie experimentava um dos sofás com a mão. Era incrivelmente macio; tocá-lo o fez querer dormir por pelo menos dezesseis horas.

— Os Grandes Anciãos realmente viajavam com classe, não é mesmo?

Blaine tornou a rir, e o subtom agudo e não inteiramente são desse riso os fez trocarem olhares inquietos.

— NÃO SE ENGANE — disse Blaine. — ESTA ERA A CABINE DO BARONATO, O QUE ACREDITO QUE VOCÊS CHAMARIAM DE PRIMEIRA CLASSE.

— Onde estão os outros vagões?

Blaine ignorou a pergunta. Sob os pés deles, o pulsar das máquinas continuava a acelerar. Susannah lembrou-se de como os pilotos aceleravam os motores antes de lançar-se pela pista nos aeroportos LaGuardia ou Idlewild.

— POR FAVOR, TOMEM SEUS ASSENTOS, MEUS INTERESSANTES NOVOS AMIGOS.

Jake caiu numa das poltronas giratórias. Oi saltou prontamente em seu colo. Roland pegou a poltrona mais próxima, olhando novamente para a escultura de gelo. O tambor do revólver começava a pingar lentamente na rasa bacia de porcelana em que ficava a escultura.

Eddie sentou-se num dos sofás com Susannah. Era tão confortável quanto sua mão lhe anunciara que seria.

— Para onde exatamente estamos indo, Blaine?

Blaine respondeu com a voz paciente de alguém que percebe estar falando a alguém mentalmente inferior e deve dar um desconto por causa disso.

— PELO CAMINHO DO FEIXE. PELO MENOS, ATÉ ONDE VÃO MEUS TRILHOS.

— Para a Torre Negra? — perguntou Roland.

Susannah percebeu que era a primeira vez que o pistoleiro falara de fato com o loquaz fantasma na máquina embaixo de Lud.

— Só até Topeka — disse Jake em voz baixa.

— SIM — disse Blaine. — TOPEKA É O NOME DO MEU PONTO TERMINAL, EMBORA ME SURPREENDA QUE VOCÊ SAIBA DISSO.

Com tudo o que você sabe sobre nosso mundo, pensou Jake, *como é que não sabe que uma senhora escreveu um livro sobre você, Blaine? Foi a troca de nomes? Uma coisa tão simples assim foi o suficiente para enganar uma máquina complexa como você, a ponto de não reconhecer sua própria biografia? E Beryl Evans, a mulher que supostamente escreveu* Charlie Chuu-Chuu? *Você a conheceu, Blaine? E onde está ela agora?*

Boas perguntas... mas Jake de algum modo não achava que fosse uma boa hora para fazê-las.

O pulsar das máquinas tornava-se cada vez mais forte. Um leve baque — não tão forte quanto a explosão que abalara o Berço quando embarcaram — percorreu o piso. Uma expressão alarmada cruzou o rosto de Susannah.

— Ah, *merda*, Eddie! Minha cadeira de rodas. Ficou lá.

Eddie passou o braço pelos ombros dela.

— Tarde demais agora, amor — disse quando o Mono Blaine começou a mover-se, deslizando para seu ramal no Berço pela primeira vez em dez anos... e pela última vez em sua longa, longa história.

5

— A CABINE DO BARONATO TEM UM MODO VISUAL PARTICULARMENTE ÓTIMO — disse Blaine. — GOSTARIAM QUE EU O ATIVASSE?

Jake olhou para Roland, que deu de ombros e assentiu.

— Sim, por favor — disse Jake.

O que aconteceu então foi tão espetacular que atordoou e silenciou a todos... embora Roland, que pouco sabia de tecnologia mas passara a vida inteira familiarizado com a magia, fosse o menos impressionado dos quatro. Não era uma questão de janelas aparecendo nas paredes do compartimento curvo; toda a cabine — piso e teto, além das paredes — tornou-se leitosa, translúcida, transparente, e depois desapareceu por completo. No espaço de alguns segundos, era como se Mono Blaine tivesse sumido e os viajantes zunissem pelas alamedas da cidade sem ajuda ou suporte algum.

Susannah e Eddie agarravam-se um no outro como criancinhas no caminho de um animal desembestado. Oi latiu e tentou saltar da frente da camisa de Jake. O garoto mal notou isso; agarrava os lados do assento, os olhos arregalados de estupefação. O medo inicial fora substituído por uma deliciosa surpresa.

Via que os móveis continuavam todos ali; e também o bar, o piano-cravo e a escultura de gelo que Blaine criara como presente, mas agora a configuração da sala de visitas parecia viajar uns vinte metros acima do distrito central de Lud encharcado de chuva. Um metro e meio à esquerda de Jake, Eddie e Susannah seguiam flutuando num dos sofás: meio metro à direita, Roland sentava-se numa poltrona giratória azul-pólvora, as botas empoeiradas, gastas, repousando no nada, voando serenamente acima da terra devastada e coberta de lixo urbano.

Jake sentia o tapete sob os mocassins, mas os olhos insistiam em que nem o tapete nem o piso abaixo continuavam ali. Olhou para trás e viu a baia escura no flanco de pedra do Berço lentamente recuando na distância.

— Eddie! Susannah! Olhem isso!

Jake levantou-se, mantendo Oi dentro da camisa, e andou devagar pelo que parecia ser espaço vazio. Dar o primeiro passo exigiu muita força de vontade, porque os olhos lhe diziam que não havia absolutamente nada entre as ilhas flutuantes de móveis, mas assim que se pôs em movimento a inegável sensação do piso abaixo tornou tudo mais fácil. Para Eddie e Susannah, o menino parecia estar andando em pleno ar, enquanto os prédios arruinados e sujos da cidade deslizavam dos lados.

— Não faça isso, moleque — disse Eddie, com uma voz fraca. — Vai me deixar enjoado.

Jake tirou Oi com cuidado de dentro da camisa.

— Está tudo bem — disse, e o colocou no chão. — Está vendo?

— Oi! — concordou o malhado, mas após uma olhada entre as patas no parque da cidade que no momento deslizava abaixo deles tentou rastejar para os pés de Jake e instalar-se entre seus mocassins.

Jake olhou para frente e viu o largo traço cinzento da trilha do mono, elevando-se lenta, mas firmemente por entre os prédios e desaparecendo na chuva. Tornou a olhar para baixo e viu apenas a rua e membranas flutuantes de nuvens baixas.

— Por que eu não vejo o trilho aqui embaixo, Blaine?

— AS IMAGENS QUE VOCÊ VÊ SÃO GERADAS POR COMPUTADOR — respondeu Blaine. — O COMPUTADOR APAGA O TRILHO DA IMAGEM DO QUADRANTE ABAIXO PARA APRESENTAR UMA VISTA MAIS AGRADÁVEL, E TAMBÉM PARA REFORÇAR A ILUSÃO DE QUE OS PASSAGEIROS ESTÃO VOANDO.

— É incrível — murmurou Susannah. Seu medo inicial passara e ela olhava em volta com avidez. — É como estar num tapete voador. Fico esperando o vento soprar meus cabelos para trás…

— EU POSSO PROVIDENCIAR ESSA SENSAÇÃO SE VOCÊ QUISER — disse Blaine. — E TAMBÉM UM POUCO DE UMIDADE QUE COMBINARÁ COM AS ATUAIS CONDIÇÕES DO LADO DE FORA. MAS TALVEZ SEJA NECESSÁRIO UMA TROCA DE ROUPAS.

— Está bem assim, Blaine. Há um limite para as ilusões.

O trilho atravessou um alto conjunto de prédios que lembrou a Jake a área de Wall Street em Nova York. Quando os deixaram, o trilho mergulhou para passar sob o que parecia uma estrada elevada. Foi quando ele viu a nuvem roxa, e a multidão fugindo diante dela.

6

— Blaine, o que é aquilo? — perguntou Jake, embora já soubesse.

Blaine riu... mas não respondeu.

O vapor roxo subia de grades na calçada e das vidraças estilhaçadas de prédios desertos, mas a maior parte parecia vir de bueiros como o que Gasher usara para entrar nos túneis abaixo das ruas. As tampas de ferro haviam sido abertas pela explosão que haviam sentido quando embarcaram no mono. Ficaram olhando em horror silencioso o gás roxo rastejar pelas avenidas e espalhar-se pelas ruas laterais entulhadas de lixo. Tocava em frente, como gado, os habitantes de Lud ainda com algum interesse em sobreviver. A maioria era de Pubes, a julgar pelos lenços, mas Jake via algumas manchas de amarelo-vivo também. Velhas animosidades haviam sido esquecidas, agora que o fim chegara.

A nuvem roxa começou a alcançar os atrasados — em sua maioria, velhos que não conseguiam correr. Eles caíam, agarrando as gargantas e gritando sem som, no instante em que o gás os tocava. Jake viu um rosto agonizante olhando-o lá de baixo em descrença quando passaram, viu as órbitas de repente se encherem de sangue, e fechou os olhos.

À frente, o monotrilho desaparecia na nuvem roxa que avançava. Eddie piscou os olhos e conteve a respiração quando mergulharam nela, mas, obviamente, a nuvem se abriu em torno deles, e nenhuma baforada da morte que engolia a cidade os alcançou. Olhar as ruas embaixo era como olhar o inferno por um vitral.

Susannah encostou o rosto no peito de Eddie.

— Faça as paredes voltarem, Blaine — disse Eddie. — Não queremos ver isso.

Blaine não respondeu, e a transparência em torno e embaixo deles continuou. A nuvem já se desintegrava em esfiapadas faixas roxas. Além dela, os prédios da cidade tornavam-se menores e mais juntos. As ruas daquela parte eram becos emaranhados, quadras inteiras que pareciam ter sido arrasadas por algum incêndio... e há muito tempo, pois as planícies retomavam aquelas áreas, sepultando o lixo no mato que um dia iria engolir toda Lud. *Como a selva engoliu as grandes civilizações dos incas e maias*, pensou Eddie. *A roda do ka gira e o mundo segue adiante.*

Além dos barracos — isso, Eddie tinha certeza, era o que haviam sido antes da chegada dos tempos malignos —, via-se uma muralha reluzente. Blaine movia-se mais devagar naquela direção. Eles viram um profundo corte quadrado na pedra branca. O trilho do mono o atravessava.

— OLHEM PARA A FRENTE DA CABINE, POR FAVOR — convidou Blaine.

Olharam, e a parede da frente reapareceu — um círculo forrado de azul que parecia flutuar no espaço vazio. Não tinha sinal de porta; se havia uma entrada para a sala do operador da Cabine do Baronato, Eddie não a via. Enquanto olhavam, uma área retangular da parede dianteira escureceu, passando de azul a violeta e preto. Um momento depois, uma brilhante linha vermelha apareceu no retângulo, contorcendo-se na superfície. Pontos violeta apareceram em intervalos irregulares ao longo da linha, e mesmo antes de surgirem nomes ao lado dos pontos Eddie percebeu que olhava um mapa de itinerário, não muito diferente daqueles montados nas estações do metrô de Nova York e dos próprios trens. Um ponto verde pulsava em Lud, que era a base de operações de Blaine, além de seu ponto terminal.

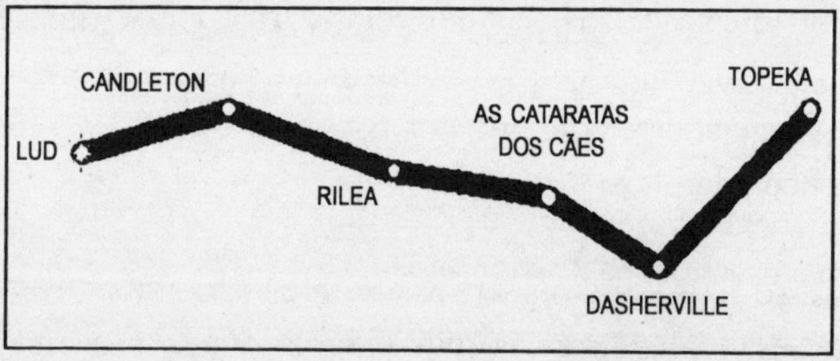

— VOCÊS ESTÃO VENDO NOSSO ITINERÁRIO DE VIAGEM, EMBORA HAJA ALGUMAS OSCILAÇÕES AO LONGO DO TRILHO, VOCÊS VÃO NOTAR QUE NOSSO RUMO SE MANTÉM FIRME PARA O SUDOESTE, PELO CAMINHO DO FEIXE. A DISTÂNCIA TOTAL É DE POUCO MAIS DE OITO MIL RODAS, OU CERCA DE DOZE MIL QUILÔMETROS, SE VOCÊS PREFEREM ESTA UNIDADE DE MEDIDA. COSTUMAVA SER MUITO MENOS, MAS ISSO FOI ANTES DE TODAS AS SINAPSES TEMPORAIS COMEÇAREM A FUNDIR-SE.

— O que você quer dizer com sinapses temporais? — perguntou Susannah.

Blaine deu sua risada maldosa... mas não respondeu à pergunta.

— EM MINHA VELOCIDADE MÁXIMA, ALCANÇAREMOS O PONTO TERMINAL DE MEU PERCURSO EM OITO HORAS E QUARENTA E CINCO MINUTOS.

— Mais de mil e duzentos quilômetros por hora sobre o chão — disse Susannah. Sua voz saía baixa de estupefação. — Deus do céu!

— EU ESTOU, CLARO, SUPONDO QUE TODOS OS TRILHOS AO LONGO DA MINHA ROTA CONTINUAM INTACTOS. FAZ NOVE ANOS E CINCO MESES DESDE QUE ME DEI O TRABALHO DE FAZER O PERCURSO, POR ISSO NÃO POSSO TER CERTEZA.

À frente, a muralha na borda sudeste da cidade se aproximava. Era alta, grossa e erodida no topo. Também parecia coberta de esqueletos — milhares e milhares de cidadãos falecidos de Lud. O corte para o qual Blaine se adiantava devagar parecia ter pelo menos seiscentos metros de profundidade, e, ali, o viaduto que sustentava o trilho era muito escuro, como se alguém houvesse tentado queimá-lo ou explodi-lo.

— E o que acontece se chegarmos a um lugar onde o trilho não existir mais? — perguntou Eddie.

Percebia que continuava elevando a voz para falar com Blaine, como se falasse com alguém ao telefone numa ligação ruim.

— A MIL E DUZENTOS QUILÔMETROS POR HORA? — Blaine parecia estar se divertindo. — ATÉ LOGUINHO, PASSAR BEM. NÃO ESQUEÇA DE ESCREVER.

— Ah, sério? — disse Eddie. — Não me diga que uma máquina tão sofisticada quanto você não pode monitorar seus próprios trilhos para frear.

— BEM, EU *poderia* — concordou Blaine — MAS... AH, QUE PENINHA!... EU TORREI ESSES CIRCUITOS QUANDO COMEÇAMOS A ANDAR.

Eddie ficou perplexo.

— *Por quê?*

— É MUITO MAIS EMOCIONANTE ASSIM, VOCÊ NÃO ACHA?

Eddie, Susannah e Jake trocaram olhares atônitos. Roland, aparentemente nem um pouco surpreso, sentava-se placidamente em sua poltrona, as mãos cruzadas no colo, olhando para baixo ao passarem dez metros acima dos covis e prédios demolidos que infestavam aquele lado da cidade.

— PRESTEM MUITA ATENÇÃO QUANDO DEIXARMOS A CIDADE, E GUARDEM BEM O QUE VEM — disse Blaine. — GUARDEM MUITO BEM.

O invisível Vagão do Baronato levava-os para o corte na muralha. Atravessaram, e ao saírem do outro lado Eddie e Susannah gritaram em uníssono. Jake deu uma olhada e levou as mãos aos olhos. Oi começou a latir feito um louco.

Roland olhava para baixo, os lábios franzidos numa linha exangue como uma cicatriz. A compreensão o invadiu como uma brilhante luz.

Além da Grande Muralha de Lud começavam as *verdadeiras* terras devastadas.

7

O mono vinha descendo quando se aproximaram do corte na muralha, colocando-os a não mais do que dez metros acima do chão. Isso tornou maior o impacto... pois quando saíram do outro lado, estavam escorregando a uma altura apavorante de dois mil e quinhentos metros, talvez três mil.

Roland olhou para a muralha atrás, que agora recuava às suas costas. Parecera muito alta quando se aproximavam, mas dessa perspectiva era na verdade mínima — uma unha de pedra lascada pendurada na borda de uma vasta e estéril ponta de terra. Penedos de granito, molhados de chuva, mergulhavam no que parecia à primeira vista um interminável abismo. Logo abaixo da muralha, a rocha era cheia de grandes buracos circulares parecendo órbitas vazias. Água preta e fios de névoa roxa saíam deles em riachos lodosos, lamacentos e espalhavam-se para baixo pelo granito em leques fedorentos e sobrepostos que pareciam quase tão velhos quanto a própria rocha. *É para aqui que devem vir todos os detritos da cidade*, pensou o pistoleiro. *Caem pela borda e dentro do fosso.*

Só que não era um fosso; era uma planície afundada. Era como se a terra além da cidade jazesse em cima de um elevador titânico e de topo plano, e em algum ponto do passado vago e sem registro o elevador houvesse descido, levando consigo uma longa fatia do mundo. O trilho único de Blaine, centrado em seu estreito viaduto, passando por cima daquela terra caída e sob as gordas nuvens de chuva, parecia flutuar no espaço vazio.

— O que está nos sustentando? — perguntou Susannah.

— O FEIXE, CLARO — respondeu Blaine. — TUDO SERVE A ELE. OLHEM PARA BAIXO: EU VOU AMPLIAR EM QUATRO VEZES AS TELAS DO QUADRANTE INFERIOR.

Até Roland sentiu uma vertigem torcer-lhe as entranhas quando a terra abaixo deles pareceu inchar para cima rumo ao lugar onde flutuavam. A imagem que apareceu era mais horrenda do que qualquer feiura que eles poderiam imaginar... e a imaginação deles, tristemente, era capaz de ir bem longe. As terras abaixo haviam sido fundidas e explodidas por algum evento terrível — o desastroso cataclismo que lançara aquela parte do mundo para o fundo de si mesma, para começar, sem dúvida. A superfície da Terra tornara-se um distorcido vidro sombrio, com estilhas e curvas que não podiam bem ser chamadas de colinas e se contorciam para baixo em profundas fendas e dobras que não podiam ser exatamente chamadas de vales. Algumas árvores truncadas, saídas de pesadelos, agitavam galhos torcidos para o céu; com a ampliação, pareciam estender braços para os viajantes como lunáticas. Aqui e ali, grupos de grossos canos de cerâmica projetavam-se da vítrea superfície do chão. Alguns pareciam mortos ou adormecidos, mas dentro de outros eles viam brilhos de medonha luz verde-azulada, como se forjas e fornalhas titânicas corressem pelas entranhas da terra. Coisas voadoras disformes que pareciam pterodáctilos cruzavam entre esses canos com asas de couro, de vez em quando atacando umas às outras com bicos curvos. Bandos inteiros desses apavorantes aviadores aninhavam-se nos topos circulares de outras estacas, aparentemente aquecendo-se nos bafios dos fogos eternos embaixo.

Passaram acima de uma fissura que ziguezagueava num rumo norte-sul como um leito de rio seco... só que não estava morto. Lá no fundo corria um estreito fio do mais escuro escarlate, pulsando como um batimento cardíaco. Outras fissuras menores esgalhavam-se dessa, e Susannah, que lera Tolkien, pensou: *Isso foi o que Frodo e Sam viram quando chegaram ao coração de Mordor. Estas são as Fendas da Perdição.*

Uma fonte de fogo jorrou diretamente abaixo deles, lançando para cima rochas ígneas e fios de lava. Por um momento, pareceu que eles seriam engolfados pelas chamas. Jake gritou e encolheu os pés na poltrona, apertando Oi contra o peito.

— NÃO SE PREOCUPE, VIAJANTEZINHO — disse John Wayne com sua voz arrastada. — LEMBRE-SE DE QUE ESTÁ VENDO UMA AMPLIAÇÃO.

A chama morreu. As rochas, muitas do tamanho de fábricas, caíram de volta na silenciosa tempestade.

Susannah viu-se hipnotizada diante de um dos horrores que se desenrolavam abaixo deles, apanhada numa fascinação brutal que não podia romper... e sentia a parte sombria da sua personalidade, aquele lado do seu khef que era Detta Walker, fazendo mais do que apenas olhar; aquela parte sua sorvia aquela visão, compreendia-a, *reconhecia-a*. De certa forma, era o lugar que Detta sempre buscara, a contraparte física de sua mente insana e seu risonho e desolado coração. As colinas vazias ao norte e ao leste do mar Ocidental; os bosques destroçados em torno do Portal do Urso; as planícies vazias a noroeste do Send; tudo aquilo empalidecia em comparação com aquela fantástica e interminável vista de desolação. Haviam chegado ao Estreito e entrado nas terras devastadas; a envenenada escuridão daquele lugar banido agora se estendia em toda a volta deles.

8

Mas aquelas terras, apesar de envenenadas, não estavam inteiramente mortas. De vez em quando, os viajantes avistavam figuras abaixo — coisas deformadas, que não tinham qualquer semelhança com homens ou animais — correndo e se movimentando nos fumegantes desertos.

A maioria parecia concentrar-se em torno de grupos de ciclópicas chaminés que se projetavam da terra derretida ou nas abas de fendas de fogo que cortavam a paisagem. Era impossível ver nitidamente aquelas coisas esbranquiçadas e saltadoras, e todos eles achavam melhor assim.

Entre as criaturas menores andavam outras maiores — coisas rosadas que pareciam um pouco pequenas cegonhas e um pouco tripés de câmeras vivos. Moviam-se devagar, quase pensativas, como pregadores meditando sobre a inevitabilidade da perdição, parando de vez em quando para curvar-se e aparentemente bicar alguma coisa no chão, como fazem as garças quando pescam. Havia alguma coisa de inexprimível repugnância nessas criaturas — Roland sentia isso de forma tão aguda quanto os outros —, mas era impossível dizer o quê, exatamente, causava essa sensação. Não havia como negar sua existência, porém; as coisas-cegonhas eram quase impossíveis de serem encaradas em sua magnífica odiosidade.

— Isso não foi uma guerra nuclear — disse Eddie. — Isso... isso... — Sua voz aguda, horrorizada, parecia a de uma criança.

— NÃO — concordou Blaine. — FOI MUITO PIOR DO QUE ISSO. E NÃO ACABOU AINDA. CHEGAMOS AO PONTO ONDE EU EM GERAL ACELERO. JÁ VIRAM O BASTANTE?

— Sim — disse Susannah. — Ah, meu Deus, sim.

— DEVO DESLIGAR OS VISORES, ENTÃO?

O tom cruel e provocador retornara à voz de Blaine. No horizonte, uma serrilhada cadeia de montanhas assomava no meio da chuva como em um pesadelo; os picos estéreis pareciam morder o céu cinzento como presas.

— Desligue ou não desligue, mas pare de fazer joguinhos — disse Roland.

— PARA ALGUÉM QUE VEIO IMPLORANDO POR UMA CARONA, VOCÊ É BASTANTE MAL-EDUCADO — disse Blaine, rabugento.

— Nós conquistamos nossa carona — respondeu Susannah. — Resolvemos a sua adivinhação, não foi?

— Além disso, foi para isso que construíram você — disse Eddie. — Para transportar pessoas.

Blaine não respondeu com palavras, mas os alto-falantes acima soltaram um chiado amplificado, de raiva felina, que fez Eddie desejar ter ficado de boca fechada. O ar em torno deles começou a encher-se com curvas de cor. O tapete azul-escuro reapareceu, obstruindo sua visão do deserto fumegante embaixo. Ressurgiu a iluminação indireta, e estavam mais uma vez sentados na Cabine do Baronato.

Um baixo zumbido começou a vibrar pelas paredes. O pulsar das máquinas recomeçou. Jake sentiu uma delicada, invisível mão empurrá-lo contra o seu assento. Oi olhou em volta, ganiu inquieto e pôs-se a lamber o rosto de Jake. Na tela da frente da cabine o ponto verde — agora ligeiramente a sudeste do círculo violeta com a palavra LUD impressa ao lado — pôs-se a piscar mais rápido.

— Será que vamos sentir? — perguntou Susannah, nervosa. — Quando ele atravessar a barreira do som?

Eddie balançou a cabeça.

— Acho que não. Relaxe.

— Eu sei de uma coisa — disse Jake de repente. Os outros se voltaram, mas Jake não se dirigia a eles. Olhava o mapa do itinerário. Blaine não tinha rosto, óbvio… como Oz, o Grande e Terrível, era apenas uma voz incorpórea… mas o mapa servia como foco. — Eu sei de uma coisa sobre *você*, Blaine.

— É MESMO, VIAJANTEZINHO?

Eddie curvou-se, encostou os lábios no ouvido de Jake e sussurrou:

— Tenha cuidado… nós achamos que ele não sabe sobre a outra voz.

Jake assentiu de leve e afastou-se, ainda olhando o mapa do itinerário.

— Eu sei que foi você que liberou aquele gás e matou toda aquela gente. Sei por que você nos trouxe, também, e não foi apenas porque resolvemos a adivinhação.

Blaine deu a sua risada anormal e distraída (aquela risada, percebiam, era muito mais desagradável do que qualquer de suas imitações fajutas ou ameaças melodramáticas e um tanto infantis), mas não disse nada. Abaixo deles, as turbinas do trilho sem contato haviam passado a girar num zumbido constante. Mesmo com a visão do mundo externo cortada, a sensação de velocidade era muito nítida.

— Você está pensando em se suicidar, não está? — Jake segurou Oi nos braços, afagando-o de leve. — E quer nos levar junto.

— *Não!* — gemeu a voz do Pequeno Blaine. — *Se você o provocar, vai levá-lo a fazer isso! Não está vendo...*

Então a vozinha sussurrada foi ou cortada ou esmagada pela risada de Blaine. O som era alto, agudo e irregular — o som de um homem moribundo rindo em delírio. As luzes começaram a tremular, como se a força daquelas mecânicas rajadas de alegria sugasse poder demais. Suas sombras saltavam nas curvas paredes do Vagão do Baronato como fantasmas inquietos.

— ATÉ LOGUINHO — disse Blaine em meio à insana risada; a voz, calma como sempre, parecia vir de uma trilha inteiramente diferente, enfatizando mais ainda a sua mente dividida. — PASSAR BEM. NÃO ESQUEÇA DE ESCREVER.

Abaixo do bando de viajantes de Roland, as máquinas do trem pulsavam em batidas duras e constantes. E no mapa do itinerário na frente do vagão, o ponto verde pulsante agora começara a se mover visivelmente pela linha iluminada em direção à última parada. Topeka, onde o Mono Blaine evidentemente pretendia acabar com a vida deles todos.

9

Finalmente a risada parou e as luzes internas voltaram a fulgir constantes.

— GOSTARIAM DE UM POUCO DE MÚSICA? — perguntou Blaine. — EU TENHO MAIS DE SETE MIL CONCERTOS EM MINHA DISCOTECA, UMA AMOSTRAGEM DE MAIS DE TREZENTOS NÍVEIS. OS CONCERTOS SÃO OS MEUS FAVORITOS, MAS TAMBÉM POSSO OFERECER SINFONIAS, ÓPERAS E UMA QUASE INFINDÁVEL SELEÇÃO DE MÚSICA POPULAR. TALVEZ VOCÊS GOSTEM DE MÚSICA DE WAY-GOG. É UM INSTRUMENTO PARECIDO COM A GAITA DE FOLE. É TOCADO EM UM DOS NÍVEIS SUPERIORES DA TORRE.

— Way-Gog? — perguntou Jake.

Blaine ficou calado.

— O que quer dizer com "é tocado em um dos níveis superiores da Torre"? — perguntou Roland.

Blaine deu uma risada... e ficou calado.

— Tem Z. Z. Top? — perguntou Eddie, azedo.

— CLARO QUE SIM — disse Blaine. — QUE TAL UM POUCO DE "TUBE-SNAKE BOOGIE", EDDIE DE NOVA YORK?

Eddie revirou os olhos.

— Pensando bem, eu passo.

— Por quê? — perguntou de repente Roland. — Por que você quer se matar?

— Porque ele é um chato — disse Jake, de cara fechada.

— E ESTOU ENTEDIADO, TAMBÉM. TENHO PERFEITA CONSCIÊNCIA DE QUE ESTOU SOFRENDO DE UMA DOENÇA DEGENERATIVA QUE OS HUMANOS CHAMAM DE LOUCURA. PERDER O CONTATO COM A REALIDADE, PIRAR, FUNDIR A CUCA ETC. REPETIDOS DIAGNÓSTICOS NÃO CONSEGUIRAM REVELAR A ORIGEM DO PROBLEMA. EU SÓ POSSO CONCLUIR QUE SE TRATA DE UM MAL-ESTAR ESPIRITUAL ALÉM DE MINHA CAPACIDADE DE CONSERTO.

Blaine parou um instante, depois prosseguiu.

— VENHO SENTINDO MINHA MENTE TORNAR-SE CADA VEZ MAIS ESTRANHA COM O PASSAR DOS ANOS. SERVIR AO POVO DO MUNDO MÉDIO PERDEU O SENTIDO SÉCULOS ATRÁS. SERVIR ÀS POUCAS PESSOAS DE LUD QUE DESEJAVAM SE AVENTURAR NO EXTERIOR SE TORNOU IGUALMENTE TOLICE NÃO MUITO DEPOIS. MAS EU CONTINUEI ATÉ A CHEGADA DE DAVID QUICK, POUCO TEMPO ATRÁS. NÃO ME LEMBRO EXATAMENTE DE QUANDO FOI ISSO. VOCÊ ACREDITA, ROLAND DE GILEAD, QUE AS MÁQUINAS PODEM FICAR SENIS?

— Eu não sei — a voz de Roland era distante, e Eddie precisou apenas olhar o rosto dele para saber que, mesmo agora, a três mil metros acima do inferno sob o domínio de uma máquina que obviamente ficara insana, a mente do pistoleiro mais uma vez se voltava para sua maldita Torre.

— DE CERTA FORMA, EU *NUNCA* DEIXEI DE SERVIR ÀS PESSOAS DE LUD — disse Blaine. — SERVI A ELAS MESMO QUANDO LIBEREI O GÁS E AS MATEI.

Susannah disse:

— Você *está* insano, se realmente pensa assim.

— SIM, MAS NÃO ESTOU *LOUCO* — disse Blaine, e teve outro ataque de risada histérica. Finalmente, a voz do robô recomeçou.

— A CERTA ALTURA ELES ESQUECERAM QUE A VOZ DO MONO ERA TAMBÉM A VOZ DO COMPUTADOR. NÃO MUITO DEPOIS DISSO ESQUECERAM QUE EU ERA UM SERVO E PASSARAM A ACREDITAR QUE EU ERA UM DEUS. COMO EU FUI CONSTRUÍDO PARA SERVIR, SATISFIZ AS EXIGÊNCIAS DELES E ME TORNEI O QUE ELES QUERIAM, UM DEUS DISTRIBUINDO FAVOR E CASTIGO SEGUNDO MEUS CAPRICHOS... OU MEMÓRIA RANDÔMICA, SE ACHAREM MELHOR. ISSO ME DIVERTIU POR UM CERTO TEMPO. ENTÃO, NO MÊS PASSADO, A ÚNICA COLEGA QUE ME RESTAVA, PATRICIA, SE SUICIDOU.

Ou ele está de fato ficando senil, pensou Susannah, *ou sua falta de capacidade de reconhecer a passagem do tempo é outra manifestação de sua insanidade, ou é apenas mais um sinal de como o mundo de Roland ficou doente.*

— EU ESTAVA PENSANDO EM SEGUIR O EXEMPLO DELA, QUANDO APARECERAM VOCÊS. GENTE INTERESSANTE, COM CONHECIMENTO DE ADIVINHAÇÕES!

— Espere aí! — disse Eddie, erguendo a mão. — Eu ainda não entendi direito. Acho que entendo que você queira acabar com tudo; as pessoas que o construíram se foram, não tem tido muitos passageiros nos últimos duzentos ou trezentos anos, e deve ter ficado entediante fazer o percurso de Lud a Topeka vazio o tempo todo, mas...

— AGORA ESPERE VOCÊ UM MINUTO, PARCEIRO — disse Blaine com sua voz de John Wayne. — VOCÊ NÃO VÁ FICAR ACHANDO QUE EU NÃO PASSO DE UM TREM. DE CERTA FORMA, O BLAINE COM QUEM ESTÁ FALANDO JÁ FICOU QUINHENTOS QUILÔMETROS PARA TRÁS, COMUNICANDO-SE COM TRANSMISSÕES CODIFICADAS DE MICRO-ONDAS.

Jake se lembrou de repente do fino bastão de prata que vira brotando da testa de Blaine. A antena do Mercedes-Benz de seu pai erguia-se daquele jeito quando se ligava o rádio.

É assim que ele está se comunicando com os bancos do computador sob a cidade, pensou. *Se a gente pudesse quebrar aquela antena, de alguma forma...*

— Mas você pretende se matar, independentemente de onde está o você real, não é? — insistiu Eddie.

Não obteve resposta — mas havia alguma coisa ardilosa no seu silêncio. Nele, Eddie sentiu Blaine vigiando... e esperando.

— Você estava acordado quando nós o encontramos? — perguntou Susannah. —Estava, não é?

— EU ESTAVA TOCANDO O QUE OS PUBES CHAMAVAM DE OS TAMBORES DIVINOS PARA OS GRAYS, MAS SÓ ISSO. PODE-SE DIZER QUE EU ESTAVA COCHILANDO.

— Então por que simplesmente não nos leva até o fim da linha e *volta* para dormir?

— Porque ele é um chato — repetiu Jake em voz baixa.

— PORQUE HÁ SONHOS — disse Blaine exatamente ao mesmo tempo, e numa voz que parecia assustadoramente com a do Pequeno Blaine.

— Por que você não acabou com tudo quando Patricia se destruiu? — perguntou Eddie. — Aliás, se o seu cérebro e o dela são partes do mesmo computador, por que os dois não se mandaram?

— PATRICIA SURTOU — disse Blaine, pacientemente, como se ele próprio não houvesse admitido que o mesmo ocorria consigo. — NO CASO DELA, O PROBLEMA ENVOLVIA DEFEITO DE EQUIPAMENTO, ALÉM DE MAL-ESTAR ESPIRITUAL.

TAIS DEFEITOS DEVIAM SER IMPOSSÍVEIS NA TECNOLOGIA DOS TRENS SUSPENSOS, MAS EVIDENTE QUE O MUNDO SEGUIU ADIANTE... NÃO SEGUIU, ROLAND DE GILEAD?

— Sim — disse Roland. — Há alguma profunda doença na Torre Negra, que está no âmago de tudo. Está se espalhando. As terras abaixo de nós são apenas mais um sinal dessa doença.

— NÃO POSSO GARANTIR A VERDADE OU FALSIDADE DESSA DECLARAÇÃO; MEU EQUIPAMENTO DE MONITORAÇÃO NO FIM DO MUNDO, ONDE ESTÁ A TORRE NEGRA, ESTÁ DESLIGADO HÁ MAIS DE OITOCENTOS ANOS. POR ISSO, NÃO SOU CAPAZ DE DIFERENCIAR PRONTAMENTE FATO DE SUPERSTIÇÃO. NA VERDADE, PARECE HAVER MUITO POUCA DIFERENÇA ENTRE AS DUAS COISAS NO TEMPO PRESENTE. É MUITA TOLICE QUE ASSIM SEJA, PARA NÃO SER RUDE, E TENHO CERTEZA DE QUE ISSO CONTRIBUIU PARA O MEU MAL-ESTAR ESPIRITUAL.

Esta declaração lembrou a Eddie uma coisa que Roland dissera não muito tempo atrás. O que poderia ter sido? Ele buscou-a, mas não encontrou nada... apenas uma vaga lembrança do pistoleiro falando de uma forma irritada nem um pouco habitual ao seu temperamento.

— PATRICIA COMEÇOU A SOLUÇAR CONSTANTEMENTE, UM ESTADO QUE EU ACHAVA AO MESMO TEMPO RUDE E DESAGRADÁVEL. CREIO QUE ELA SE SENTIA TÃO SOLITÁRIA QUANTO LOUCA. EMBORA O INCÊNDIO ELÉTRICO QUE CAUSOU O PROBLEMA ORIGINAL TIVESSE SIDO RAPIDAMENTE EXTINGUIDO, ERROS DE LÓGICA CONTINUARAM A ESPALHAR-SE PELOS CIRCUITOS SOBRECARREGADOS, E SUB-BANCOS FALHARAM. EU PENSEI EM DEIXAR OS DEFEITOS TOMAREM TODO O SISTEMA, MAS, EM VEZ DISSO, DECIDI ISOLAR A ÁREA DO PROBLEMA. OUVI BOATOS DE QUE UM PISTOLEIRO SE ACHAVA MAIS UMA VEZ À SOLTA NA TERRA. EU ACHAVA ESSAS HISTÓRIAS DIFÍCEIS DE CRER, MAS AGORA VEJO QUE FOI SENSATO ESPERAR.

Roland mexeu-se na poltrona.

— Que boatos você ouviu, Blaine? E de quem ouviu?

Mas Blaine preferiu não responder.

— ACABEI FICANDO TÃO PERTURBADO PELOS BALIDOS DELA QUE APAGUEI OS CIRCUITOS QUE CONTROLAVAM SEUS ATOS NÃO VOLUNTÁRIOS. EMANCIPEI-A, PODE-SE DIZER. ELA REAGIU JOGANDO-SE NO RIO. ADEUZINHO, PATRICIA.

Sentiu-se solitária, não parava de chorar, afogou-se, e tudo que esse babaca mecânico consegue é fazer piada a respeito, pensou Susannah.

Sentia-se quase nauseada de raiva. Se Blaine fosse uma pessoa de verdade, em vez de apenas um monte de circuitos enterrado em algum ponto sob uma cidade agora deixada muito para trás, ela teria tentado colocar algumas novas marcas na cara dele, para lembrá-lo de Patricia. *Você quer coisas interessantes, seu filho da puta? Eu gostaria de mostrar-lhe algumas, ah, como eu gostaria.*

— ME FALEM UMA ADIVINHAÇÃO — pediu Blaine.

— Ainda não — disse Eddie. — Você ainda não respondeu à minha primeira pergunta. — Deu a Blaine uma chance de responder, e quando a voz computadorizada não o fez, ele prosseguiu. — Quando se trata de suicídio, eu sou a favor de qualquer um fazer a própria escolha. Mas por que você quer nos levar junto? Quer dizer, qual é o sentido?

— *É porque ele quer* — disse o Pequeno Blaine em seu sussurro horrorizado.

— PORQUE EU QUERO — disse Blaine. — ESTE É O ÚNICO MOTIVO QUE TENHO E O ÚNICO QUE *PRECISO* TER. AGORA VAMOS COM ISSO. QUERO ALGUMAS ADIVINHAÇÕES E QUERO JÁ. SE VOCÊS RECUSAREM, NÃO ESPERAREI ATÉ TOPEKA, ACABO COM TODOS NÓS AQUI E AGORA.

Eddie, Susannah e Jake voltaram-se para Roland, que continuava sentado em sua poltrona, as mãos cruzadas no colo, olhando o mapa do itinerário na frente do vagão.

— Vai se foder — disse Roland. Não ergueu a voz. Poderia ter dito a Blaine que um pouco de Way-Gog seria realmente uma ótima pedida.

Ouviu-se um arquejo horrorizado e chocado nos alto-falantes acima — o Pequeno Blaine.

— *O QUE* FOI QUE VOCÊ DISSE? — Em choque absoluto, a voz do Grande Blaine se aproximara mais uma vez da do seu gêmeo oculto.

— Eu disse vai se foder — disse Roland, calmamente —, mas se você ficou confuso, Blaine, eu posso falar mais claro. Não. A resposta é não.

10

Não houve resposta de nenhum dos Blaine por um longo tempo, e quando o Grande Blaine respondeu, não foi com palavras. Em vez disso, as paredes, o piso e o teto começaram a perder a cor e solidez de novo. Num espaço de dez segundos, o Vagão de Baronato deixara mais uma vez de existir. O mono voava agora por entre a cadeia de montanhas que haviam visto no horizonte; picos cinza-ferro precipitavam-se para eles a uma velocidade suicida, depois se afastavam e revelavam vales estéreis onde besouros gigantes rastejavam como tartarugas presas à terra. Roland viu algo que parecia ser uma enorme cobra de repente desenrolar-se da boca de uma gruta. Pegou um dos besouros e arrastou-o para sua cova. Roland jamais vira tais animais no campo, e a visão fez a pele de seu corpo querer deixar a carne. Era estranho — *esse* era o problema. Era como se Blaine os houvesse transportado para outro mundo.

— TALVEZ EU DEVESSE NOS DEIXAR AQUI — disse Blaine. A voz era meditativa, mas por baixo o pistoleiro ouvia uma raiva profunda, pulsante.

— Talvez devesse — disse o pistoleiro com indiferença.

Ele não se *sentia* indiferente, e sabia que era possível que o computador lesse em sua voz seus verdadeiros pensamentos — Blaine afirmara ter um equipamento para isso, embora ele soubesse que a máquina era capaz de mentir. Se Blaine lesse padrões de tensão na voz do pistoleiro, o jogo provavelmente estaria acabado. Era uma máquina incrivelmente sofisticada... mas ainda uma máquina, apesar de tudo. Talvez não entendesse que os seres humanos podem seguir um curso de ação mesmo quando todas as suas emoções se levantam e protestam contra. Se ele analisasse padrões na voz do pistoleiro que indicassem medo, provavelmente deduziria que Roland estava blefando. Um erro que poderia levá-los todos à morte.

— VOCÊ É RUDE E ARROGANTE — disse Blaine. — ESSES PODEM PARECER TRAÇOS INTERESSANTES PARA VOCÊ, MAS NÃO SÃO PARA MIM.

O rosto de Eddie estava frenético. Ele formou com a boca as palavras: *O que você está* FAZENDO*?* Roland ignorou-o; estava ocupado demais com Blaine, e sabia perfeitamente bem o que estava fazendo.

— Ah, eu posso ser muito mais rude do que tenho sido.

Roland de Gilead descruzou as mãos e levantou-se devagar. Ficou em pé no que parecia ser nada, pernas afastadas, a mão direita no quadril e a esquerda no cabo de sândalo do revólver. Postava-se como se postara tantas vezes antes, nas ruas poeirentas de uma centena de cidadezinhas esquecidas, numa dezena de desfiladeiros cercados de rochedos, em inúmeros cabarés com seus cheiros de cerveja azeda e comidas fritas e velhas. Era apenas mais um acerto de contas em outra rua deserta. Só isso, e bastava. Era khef, ka e ka-tet. Que o acerto de contas sempre vinha era o fato central de sua vida e o eixo sobre o qual revolvia seu próprio ka.

O fato de que desta vez a batalha seria travada com palavras em vez de balas não fazia diferença; seria uma batalha até a morte do mesmo jeito. O fedor de morte no ar era tão nítido e definido quanto o de uma carniça estropiada num pântano. Então baixou nele o calor da batalha, como sempre acontecia... e ele não mais estava ali.

— Eu posso chamar você de máquina absurda, desmiolada, tola e arrogante. Posso chamar você de criatura estúpida e insensata cujo sentido não passa do barulho de um vento de inverno numa árvore oca.

— PARE COM ISSO!

Roland prosseguiu no mesmo tom sereno, ignorando completamente Blaine.

— Infelizmente, estou de alguma forma limitado em minha capacidade de ser rude, já que você é apenas uma máquina... o que Eddie chama de "engenhoca".

— EU SOU MUITO MAIS DO QUE APENAS...

— Eu não posso chamar você de boqueteiro de merda, por exemplo, porque você não tem boca nem pau. Não posso dizer que você é o mais vil dos miseráveis que já rastejaram nas sarjetas da mais baixa rua da criação, porque mesmo uma criatura dessas é melhor do que você; você não tem joelhos para rastejar, e não cairia sobre eles mesmo que tivesse, porque não tem noção de uma falha humana como é a piedade. Não posso nem chamar você de filho da puta, porque você não tem mãe.

Roland parou para respirar. Seus três companheiros prendiam a respiração. Em toda a volta, sufocante, o silêncio chocado de Blaine.

— Eu *posso* chamar você de criatura infiel, que deixou sua única companheira se matar, um covarde que se deliciou com a tortura dos tolos e o massacre dos inocentes, um duende mecânico perdido e chorão que...

— EU ORDENO A VOCÊ QUE PARE, SENÃO O MATAREI AQUI MESMO!

Os olhos de Roland arderam com uma tal chama azul que Eddie se afastou dele. Vagamente, ouviu Jake e Susannah arquejarem.

— Mate, se quiser, mas não me dê ordem alguma! — rugiu o pistoleiro. — Você esqueceu os rostos daqueles que o fizeram! Agora ou nos mate ou cale a boca e escute a mim, Roland de Gilead, filho de Steven, pistoleiro e senhor de antigas terras! Eu não atravessei todos esses quilômetros e anos para ouvir sua ladainha infantil! Está me entendendo? Agora, você vai ME ouvir!

Fez-se um momento de silêncio estupefato. Ninguém respirava. Roland fitava severamente em frente, a cabeça erguida, a mão no cabo do revólver.

Susannah Dean levou a mão à boca e sentiu o leve sorriso ali como uma mulher sente uma estranha nova peça de roupa — um chapéu, talvez — para assegurar-se de que continua no lugar. Receava que aquele fosse o fim da sua vida, mas a sensação que dominava o seu coração no momento não era medo, e sim orgulho. Olhou para a esquerda e viu Eddie olhando para Roland com um sorriso de espanto. A expressão de Jake era ainda mais simples: era adoração, pura e simples.

— Diga a ele! — sussurrou Jake. — Vai pra cima dele. Isso!

— É melhor prestar atenção — concordou Eddie. — Ele está cagando e andando pra você, Blaine. Não o chamam de Cachorro Louco de Gilead à toa.

Após um longo, longo instante, Blaine perguntou:

— CHAMAM VOCÊ ASSIM, ROLAND FILHO DE STEVEN?

— Pode ser que sim — concordou Roland, de pé e calmo no ar acima das estéreis colinas.

— DE QUE ME SERVEM VOCÊS SE NÃO ME PROPUSEREM ADIVINHAÇÕES? — perguntou Blaine. Agora parecia uma criança resmungona e emburrada que teve permissão de passar muito da hora de dormir.

— Eu não disse que não proporíamos — disse Roland.

— NÃO? — Blaine pareceu perplexo. — EU NÃO ENTENDO, MAS AS ANÁLISES DE IMPRESSÕES DE VOZ INDICAM DISCURSO RACIONAL. POR FAVOR, EXPLIQUE.

— Você disse que as queria *já* — respondeu o pistoleiro. — Foi *isso* que eu recusei. Sua avidez o tornou desagradável.

— EU NÃO COMPREENDO.

— Tornou você rude. Entende *isso*?

Fez-se um longo e pensativo silêncio.

— SE O QUE EU FALEI LHE PARECEU RUDE, EU PEÇO DESCULPAS.

— Desculpas aceitas, Blaine. Mas há um problema maior.

— EXPLIQUE.

Blaine agora parecia um pouco inseguro de si, e Roland não estava inteiramente surpreso. Fazia muito tempo que o computador só sentia reações humanas de ignorância, negligência e supersticiosa subserviência. Se algum dia se vira diante de simples coragem humana, isso fora muito tempo atrás.

— Torne a fechar o vagão, que eu explico. — Roland sentou-se como se fosse agora impensável qualquer outra discussão, assim como a perspectiva de morte imediata.

Blaine fez o que lhe pediam. As paredes encheram-se de cor e a paisagem de pesadelo abaixo foi mais uma vez apagada. O ponto no mapa do itinerário agora piscava perto do que assinalava Candleton.

— Tudo bem — disse Roland. — Rudeza é perdoável, Blaine; assim me ensinaram na juventude, e o barro secou nas formas deixadas pelas mãos do artista. Mas também me ensinaram que estupidez não é.

— DE QUE MODO FUI ESTÚPIDO, ROLAND DE GILEAD?

A voz de Blaine era suave e sinistra. Susannah de repente pensou num gato agachado diante da toca de um camundongo, mexendo a cauda de um lado para outro, os olhos verdes luzindo.

— Nós temos algo que você quer — disse Roland —, mas a única recompensa que você oferece se nós lhe dermos é a morte. Isso é *muito* estúpido.

Seguiu-se uma longa, longa pausa enquanto Blaine pensava nisso. Em seguida:

— O QUE VOCÊ DIZ É VERDADE, ROLAND DE GILEAD, MAS A QUALIDADE DE SUAS ADIVINHAÇÕES NÃO ESTÁ COMPROVADA. EU NÃO OS RECOMPENSAREI COM SUAS VIDAS POR MÁS ADIVINHAÇÕES.

Roland assentiu.

— Eu compreendo, Blaine. Agora escute, e me entenda. Eu já falei parte disso para os meus amigos. Quando eu era menino, no Baronato de Gilead, havia sete Dias de Feira cada ano... Inverno, Terra Ampla, Semeadura, Meados de Verão, Terra Plena, Colheita e Fim do Ano. As adivinhações eram uma parte importante de cada Dia de Feira, mas era o acontecimento mais importante do Dia de Feira da Terra Ampla e do da Terra Plena, pois se acreditava que as adivinhações propostas eram bons ou maus augúrios para o sucesso das colheitas.

— ISSO É SUPERSTIÇÃO SEM BASE ALGUMA EM FATOS — disse Blaine. — CONSIDERO ISSO ABORRECIDO E IRRITANTE.

— Claro que é superstição — concordou Roland —, mas você talvez se surpreenda ao saber como as adivinhações previam bem as colheitas. Por exemplo, me responda o seguinte, Blaine. Qual é a diferença entre uma avó e um celeiro?

— ESTA É MUITO VELHA E NÃO MUITO INTERESSANTE — disse Blaine. — UMA NASCE PARENTE; A OUTRA É UM DEPÓSITO DE GRÃO.* UMA ADIVINHAÇÃO BASEADA

* Duplo jogo de palavras com grandmother (avó) e granary (celeiro), e born kin (nasce parente) e corn-bin (literalmente, lata de grãos). (N. T.)

EM COINCIDÊNCIA FONÉTICA. OUTRA DESSE TIPO, CONTADA NO NÍVEL QUE CONTÉM O BARONATO DE NOVA YORK, DIZ O SEGUINTE: QUAL É A DIFERENÇA ENTRE UM GATO E UMA FRASE COMPLEXA?

Jake respondeu:

— Nossa professora de inglês nos contou essa no colégio. Um gato tem garras no fim das patas, e uma frase complexa tem uma pausa no fim de sua oração.*

— SIM — concordou Blaine. — UMA VELHA ADIVINHAÇÃO MUITO TOLA.

— Uma vez na vida eu concordo com você, Blaine, velho amigo — disse Eddie.

— EU GOSTARIA DE OUVIR MAIS SOBRE AS ADIVINHAÇÕES DOS DIAS DE FEIRA EM GILEAD, ROLAND, FILHO DE STEVEN. ACHO ISSO MUITO INTERESSANTE.

— Ao meio-dia da Terra Ampla e da Terra Plena, o Salão dos Antepassados era aberto e lá se reuniam de dezesseis a trinta adivinhadores. Era a única vez em que a gente comum... mercadores, camponeses e criadores... tinham permissão para entrar no Salão dos Antepassados, e nesses dias ficavam *completamente* lotados.

O pistoleiro tinha os olhos distantes e sonhadores; era a expressão que Jake vira em seu rosto naquela nebulosa outra vida, quando Roland lhe contara que ele e seus amigos, Cuthbert e Jamie, certa vez haviam-se esgueirado na sacada daquele mesmo Salão para ver uma espécie de dança ritual. Jake e Roland na época subiam as montanhas quando Roland lhe contara essa história, no encalço de Walter.

Marten estava sentado ao lado de minha mãe e de meu pai , dissera Roland. *Reconheci-os apesar de estar tão no alto — e minha mãe dançou uma vez com Marten, girando lentamente, enquanto as pessoas abriam uma clareira na pista de dança; elas aplaudiram quando a música acabou. Os pistoleiros não aplaudiram...*

Jake olhou com curiosidade para Roland, imaginando de novo de onde viera aquele homem estranho e distante... e por quê.

— Um grande barril era colocado no meio da pista — prosseguiu Roland —, e nele cada adivinhador jogava um punhado de folhas de casca de árvore com adivinhações escritas. Muitas eram antigas, adivinhações que

* Um gato tem *claus at the end of its paws*, enquanto a frase tem uma *pause at the end of its clause*; jogo de homônimos. (N. E.)

haviam herdado dos mais velhos... até de livros, em alguns casos... mas muitas outras eram novas, feitas para a ocasião. Três juízes, um deles sempre um pistoleiro, passavam as adivinhações quando eram lidas em voz alta, e só eram aceitas se os juízes as considerassem justas.

— SIM, AS ADIVINHAÇÕES DEVEM SER JUSTAS — concordou Blaine.

— Então eles jogavam — disse o pistoleiro.

Um leve sorriso tocava sua boca quando se lembrava daqueles dias, dias em que tinha a idade do menino ferido sentado diante dele com o malhado no colo.

— Durante horas a fio eles jogavam. Formava-se uma fila no meio do Salão dos Antepassados. A posição da pessoa nessa fila era decidida pela sorte, e como era muito melhor ficar no fim do que no começo, todos torciam por um número alto, embora o vencedor tivesse que responder corretamente a pelo menos uma adivinhação.

— CLARO.

— Cada homem ou mulher... pois alguns dos melhores adivinhadores de Gilead eram mulheres... se aproximava do barril, pegava uma adivinhação e entregava-a ao Mestre. O Mestre perguntava, e se a adivinhação ainda não tivesse sido respondida depois que a areia escorresse numa ampulheta de três minutos, o competidor deixava a fila.

— E A MESMA ADIVINHAÇÃO ERA PROPOSTA AO SEGUINTE NA FILA?

— Era.

— ENTÃO ESSA PESSOA TINHA MAIS TEMPO PARA PENSAR.

— Sim.

— ENTENDO. PARECE MUITO IRADO.

Roland franziu o cenho.

— Irado?

— Ele quer dizer que parece divertido — disse Susannah em voz baixa.

Roland deu de ombros.

— Era divertido para quem ficava na plateia, imagino, mas os competidores levavam a coisa muito a sério, e muitas vezes havia discussões e brigas depois que a disputa acabava e o prêmio era concedido.

— QUE PRÊMIO ERA ESSE?

— O maior ganso no Baronato. E ano após ano meu professor, Cort, levava o ganso para casa.

— ELE DEVIA SER UM GRANDE ADIVINHADOR — disse Blaine, com respeito. — EU GOSTARIA QUE ELE ESTIVESSE AQUI.

Então somos dois, pensou Roland.

— Agora eu chego à minha proposta — disse.

— EU OUVIREI COM GRANDE INTERESSE, ROLAND DE GILEAD.

— Que essas próximas horas sejam o nosso Dia de Feira. Você não nos proporá adivinhações, pois quer ouvir novas, nem dirá nenhuma das milhões que já conhece.

— CORRETO.

— Não conseguiríamos resolver a maioria delas, de qualquer modo — prosseguiu Roland. — Tenho certeza de que você conhece adivinhações que frustrariam até Cort, se fossem retiradas do barril.

Não tinha certeza alguma disso, mas passara a hora de usar o punho e chegara a de abrir a mão.

— CLARO.

— Eu proponho que, em vez de um ganso, nossas vidas sejam o prêmio — disse Roland. — Nós lhe faremos adivinhações enquanto viajamos, Blaine. Se, quando chegarmos a Topeka, você tiver adivinhado todas, pode executar seu plano de matar a todos nós. Este é o seu ganso. Mas se *nós* frustrarmos *você*... se houver uma adivinhação no livro de Jake ou em uma de nossas cabeças que você não conheça e não consiga responder... terá que nos levar a Topeka e depois nos libertar para seguirmos em nossa missão. Este é o *nosso* ganso.

Silêncio.

— Está entendendo?

— SIM.

— E concorda?

Mais silêncio do Mono Blaine. Eddie sentava-se empertigado, o braço em torno de Susannah, olhando o teto do Vagão do Baronato. Susannah escorreu a mão esquerda para a barriga, pensando no segredo que podia estar crescendo ali. Jake afagava de leve o pelo de Oi, evitando as crostas de sangue onde o malhado fora esfaqueado. Esperavam, enquanto Blaine, o verdadeiro Blaine, agora muito atrás deles, vivendo sua semivida sob uma cidade onde todos os habitantes jaziam mortos por obra sua — analisava a proposta de Roland.

— SIM — disse por fim Blaine. — CONCORDO. SE EU RESOLVER TODAS AS ADIVINHAÇÕES QUE VOCÊS ME PROPUSEREM, LEVO VOCÊS COMIGO ATÉ A CLAREIRA NO FIM DO CAMINHO. SE UM DE VOCÊS APRESENTAR UMA ADIVINHAÇÃO QUE EU

NÃO RESOLVA, POUPAREI SUAS VIDAS E OS LEVAREI A TOPEKA, ONDE DEIXARÃO O MONO E CONTINUARÃO SUA BUSCA PELA TORRE NEGRA. ENTENDI CORRETAMENTE OS TERMOS E LIMITES DE SUA PROPOSTA, ROLAND FILHO DE STEVEN?

— Sim.

— MUITO BEM, ROLAND DE GILEAD.

"MUITO BEM, EDDIE DE NOVA YORK.

"MUITO BEM, SUSANNAH DE NOVA YORK.

"MUITO BEM, JAKE DE NOVA YORK.

"MUITO BEM, OI DO MUNDO MÉDIO."

Oi ergueu o olhar um instante ao som do seu nome.

— VOCÊS SÃO KA-TET; UM FEITO DE MUITOS. EU TAMBÉM SOU. QUAL KA-TET É O MAIS FORTE É ALGO QUE AGORA TIRAREMOS À PROVA.

Fez-se um momento de silêncio, interrompido apenas pelo constante e pesado pulsar das turbinas de levitação, levando-os através das terras devastadas, levando-os para Topeka, o lugar onde acabava o Mundo Médio e começava o Fim do Mundo.

— PORTANTO — gritou a voz de Blaine —, LANCEM SUAS REDES, VIAJANTES! TESTEM-ME COM SUAS PERGUNTAS, E QUE COMECE A DISPUTA.

POSFÁCIO

O quarto volume na história da Torre Negra deve ser publicado — sempre supondo que continuem vivos o Escritor Constante e o Leitor Fiel — no futuro não muito distante. É difícil ser mais preciso; encontrar os portais para o mundo de Roland nunca foi fácil para mim, e parece ser necessário cada vez mais aparas para fazer cada respectiva chave se encaixar em cada respectiva fechadura. Ainda assim, se os leitores exigirem um quarto volume, ele será fornecido, pois eu ainda *sou* capaz de encontrar o mundo de Roland se me esforçar, e ele ainda me fascina... mais, em muitos aspectos, do que qualquer outro mundo em que minha imaginação tenha vagado. E, como as misteriosas máquinas ferroviárias de levitação, esta história parece estar ganhando velocidade e ritmo próprios.

Eu sei bem que alguns leitores de *As terras devastadas* ficarão insatisfeitos por ela terminar da maneira como terminou, com tanta coisa não resolvida. Eu mesmo não estou lá muito satisfeito em deixar Roland e seus companheiros aos cuidados não muito gentis do Mono Blaine, e embora vocês não sejam obrigados a acreditar em mim, devo ainda assim insistir em que fiquei tão surpreso com a conclusão deste terceiro volume quanto alguns dos meus leitores. Contudo, os livros que se escrevem a si mesmos (como fez este, na maior parte) também devem poder terminar por si mesmos, e só posso garantir a você, Leitor, que Roland e seu grupo chegaram a uma das fronteiras cruciais em sua história, e devemos deixá-los aí por algum tempo, na alfândega, respondendo a perguntas e preenchendo formulários. Isso tudo é simplesmente uma maneira metafórica de dizer que acabou mais uma vez por algum tempo, e que meu coração foi sensato o suficiente para impedir-me de tentar continuar mesmo assim.

O curso do próximo volume ainda é turvo, embora eu possa assegurar--lhes que a questão do Mono Blaine será resolvida, que todos descobriremos muito mais sobre a vida de Roland quando jovem, e que voltaremos a encontrar o Homem do Tique-taque e essa intrigante figura que é Walter, chamado de Mago ou Estranho Sem Idade. É com essa terrível e enigmática figura que Robert Browning começa seu poema épico, "Childe Roland à Torre Negra chegou", escrevendo sobre ele:

Primeiro pensei: ele mentiu a cada sentença
O coxo encanecido, com olhos cheios de malícia
Ávidos por ver nos meus de sua mentira a perícia
E com a boca sem conter a alegria intensa
Que repuxava seus cantos na crença
De que o predador outra vez se sacia.

É esse malicioso mentiroso, esse mago sombrio e poderoso, que tem a verdadeira chave do Fim do Mundo e da Torre Negra... para aqueles com coragem suficiente para pegá-la.

E para os que restaram.

Bangor, Maine
5 de março de 1991

1ª EDIÇÃO [2005] 17 reimpressões
2ª EDIÇÃO [2025]

ESTA OBRA FOI COMPOSTA PELA ABREU'S SYSTEM EM WHITMAN
E IMPRESSA EM OFSETE PELA GRÁFICA SANTA MARTA SOBRE PAPEL PÓLEN NATURAL
DA SUZANO S.A. PARA A EDITORA SCHWARCZ EM SETEMBRO DE 2025